シリーズ〈宇宙物理学の基礎〉
Series of Fundamentals in Astrophysics

Series ③

輻射輸送と輻射流体力学［改訂版］

梅村 雅之
Umemura Masayuki

福江 純
Fukue Jun

野村 英子
Nomura Hideko

日本評論社

——編集委員——

柴田一成
(同志社大学理工学部特別客員教授, 京都大学名誉教授)

福江　純
(大阪教育大学名誉教授)

梅村雅之
(筑波大学特命教授)

シリーズ＜宇宙物理学の基礎＞

さまざまな階層の天体現象について最先端の知見まで紹介するテキストとしては，過去にも良書や何種類ものシリーズが出版されてきた．一方，個別の天体現象にとらわれず多岐にわたる天体現象に共通な切り口で，理論的な手法や観測的な手法を詳細に記述したテキストは少ない．本シリーズは，さまざまな天体現象を普遍的に理解し取り扱うために必要な，基礎理論的でやや上級的な内容のテキストシリーズとして企画された．

基礎理論的な内容であることから数式はどうしても多くなるが，あまり抽象的になりすぎないよう図版を多用し，数式の物理的な意味合いを説明するとともに，できるだけ具体的な実例や応用例を紹介するように心がけた．また内容的には多少高度だが，独習でもきちんと数式をフォローできるよう，式の導出や参考文献の引用を丁寧に行うようにした．さらに各章末では，さまざまな手法が身に付くための演習問題も課すこととした．本シリーズはまた宇宙物理学の研究現場の実状に合わせて編集・執筆した．たとえば単位系は一般的にはSI単位系が使われるが，天文学研究では古くからcgs単位系を使っていて現在でも同じなので，本シリーズでも基本的にはcgs単位系を採用した（必要に応じてSI単位も併記した）．

このような大きな目的を達成するために，シリーズ全体の構成を立て執筆内容の調整をする編者を置くこととした．さらに，それぞれの巻が充実してまとまった内容になるように，各巻は数人程度で執筆することとした．また執筆者については，その分野で現役の研究者であることを条件とし，各地の大学などで教育的な経験も豊富な方々にお願いした．

本シリーズの各巻を読み込んで，現代宇宙物理学の奥深い真髄に触れていただきたいと思う．願わくば，本シリーズで学習した知識や手法を用いて，具体的な研究テーマにアタックしてほしい．本シリーズが実際の研究に役立つことはわれわれ編者の大きな希望である．

・ 編者一同 ・

まえがき

　宇宙の様々な現象を理解する上で輻射（radiation）の知識は不可欠である．宇宙現象は，直接手に取って見ることができないため，観測によって情報を得ることが基本となる．観測手段としては，宇宙線やニュートリノといった粒子の飛来や最近直接検出された重力波などもあるが，様々な宇宙現象を最も広く見ることができるのは輻射（光）である．現在，電波，赤外線，可視光，紫外線，X線，ガンマ線など，あらゆる波長帯で宇宙現象の観測が行われている．また，光は，欠くことのできない観測手段というだけでなく，宇宙現象そのものに重要な働きをしている．それは，輻射によるエネルギー輸送や輻射が及ぼす力だ．われわれのまわりで起こるエネルギーの流れには，対流や熱伝導などもあるが，宇宙は密度が低いため，ほとんどの現象で対流や熱伝導よりも輻射によるエネルギー輸送が優っている．エネルギー輸送や力学に重要な役割を果たす輻射の伝播を扱う体系が「輻射輸送」である．そして，輻射輸送による温度や圧力の変化，輻射が及ぼす力を入れて流体を扱う体系を「輻射流体力学」という．

　光の研究は，紀元前から行われているが，光の性質が物理的に明らかになったのは，電磁気学によって，光が電磁波（電場と磁場の振動の伝播）であることが明らかになってからである．その後，20世紀になって，量子力学が誕生し，光は波の性質だけでなく粒子としての性質も持つことが明らかになり，**光子**と呼ばれるようになった．そして，光子が物質とどのように相互作用するのかを量子力学で正確に記述できるようになった．光子はエネルギーと運動量をもち，光子の吸収や散乱によって，エネルギーの変化だけでなく，運動量の変化（力）を及ぼす．また，20世紀初頭に誕生した（特殊）相対性理論によって，光の吸収や散乱の相対論的な扱いも可能となった．光の性質と物質との相互作用が物理的に明らかにされることで，**輻射輸送**（radiative transfer）の基礎が確立された．そして，輻射と流体をともに扱う**輻射流体力学**（radiation hydrodynamics）が誕生した．

　輻射輸送は，光の位相空間での分布関数を扱うため，3次元空間では6次元の問題になる．輻射輸送を完全に解くには，この多次元性が高いハードルとなる．しか

し，平行平板や球対称の問題であれば，3次元の問題として扱うことができる．このため，輻射輸送の研究は，平行平板や球対称問題の解析から始まった．最初は，いくつかの簡単化を行って，輻射輸送を解析的に扱う研究が行われ，その後，より現実的な状況で数値的に解く方法が開発された．これら平行平板や球対称の解析は，星の大気等の研究として発展し，輻射輸送，輻射流体力学の基礎が確立された．現在では，計算機の発達により，3次元空間での輻射輸送，輻射流体力学を扱うことも可能になっている．これにより，応用範囲も星・惑星形成，星間ガス，銀河形成，銀河間ガス，ブラックホール天体などあらゆる天体現象に広がっている．

輻射輸送，輻射流体力学を扱った専門書は，1970年代から優れた洋書がいくつか出版されている．しかし和書では，宇宙現象を扱った専門書の中で部分的に記述されたものはあったものの，包括的に扱った専門書はなかった．われわれは，輻射輸送，輻射流体力学が，宇宙物理学で一般的になっている今，洋書だけでなく日本語で書かれた専門書の必要性が高まっていると考えた．本書は，さまざまな応用分野を見据えて，輻射輸送，輻射流体力学の基礎的な取り扱いを学ぶための教科書として執筆したものである．本書で想定した読者対象は，主に，理系（理学部や工学部など，教育学部理科系など）の大学生から修士課程の大学院生である．しかし，高校や大学の先生，社会教育の現場で科学教育に従事している人たち，アマチュアの立場で活躍している人たち，などなど，天文学に興味をもち，より深く宇宙を理解したいと考えている人たちにも読んでいただきたいと思っている．大学の数学や物理学程度の知識は想定しているが，必要となる基本的な知識は，できるだけ本書の中で説明するように心がけた．また，具体的な問題を多く扱って，さまざまな天体現象と輻射との関係を理解できるよう努めた．内容の性質上，数式は多いが，一部の章を除き途中の式変形も丁寧にたどっていけば大部分は自習できるように配慮した．

全体の構成としては，基礎的な物理と輻射輸送の扱いが前半で，後半は輻射流体力学の扱いとその応用が記されている．

1章では，宇宙における輻射の働き，エネルギー輸送としての輻射の役割，ダイナミックスへの輻射の影響について概観し，本書で扱う基礎方程式を示している．2章では，物質と輻射の熱平衡，黒体輻射，種々の温度，輻射の基礎物理を扱っている．3章では，輻射輸送方程式とこれに必要な様々な物理量を扱い，輻射輸送方程式を解く際に欠かせない形式解について記述している．4章では，輻射流体力学の

ために必要な，輻射場の物理量を定式化している．5 章では，輻射場の扱いで最も重要な近似の一つであるエディントン近似を記載し，それを用いて，拡散近似に基づく輻射拡散方程式を導出している．6 章では，半無限平行平板や球対称のガス分布を用い，輻射輸送方程式の解析的な解き方について記している．7 章では，輻射輸送方程式を数値的に解くための様々な方法を概観している．詳しい取り扱いは本シリーズの第 5 巻にまとめられるので，ここでは基本的な考え方のみ記している．8 章では，特別な工夫を要するスペクトル線の輻射輸送の取り扱いを記述している．

9 章では，輻射流体力学の基礎方程式を定式化し，ここに現れる特有な物理過程を記述している．10 章では，具体的な輻射輸送の問題として，天体大気における輻射の働き，星間物質における輻射効果，降着円盤と輻射輸送，惑星大気と輻射輸送を記している．11 章では，輻射で駆動されるガスの流れについて，基礎から発展的な問題まで，詳しく記述している．12 章では，輻射流体に特徴的な波動現象と輻射流体力学的な不安定現象を扱っている．13 章では，輻射輸送と輻射流体力学の相対論的扱いについて示している．詳しい取り扱いは本シリーズの第 6 巻にまとめられるので，ここでは基本的で特殊相対論的な問題にとどめている．

さらに，付録に，実際に輻射を扱う際に有用な基礎物理を示した．また理解の助けとするため，適宜，例題を入れるとともに，章末には簡単な演習問題や実際の研究から取った応用問題などを出したので，実際に解いて力試しをしてほしい．

本書によって，宇宙物理学を学ぼうとしている方々の輻射への理解が深まれば，著者にとって望外の喜びである．

改訂版について：今回の改訂版では，偏光の輻射輸送方程式（3 章），輻射流体流の自己相似的取り扱い（11 章），相対論的輻射性衝撃波（13 章）などについて新たに付け加えた．またカンパニーツ方程式の導出（付録）もしておいた．その他，初版では説明などがやや不十分だった部分を補筆し，かなり充実した内容にできたと考えている．

梅村雅之

福江 純

野村英子

目次

シリーズ＜宇宙物理学の基礎＞……… i
まえがき……… iii

Chapter ❶ 宇宙における輻射と流体……… 1

1.1　宇宙における輻射の働き……… 1
1.2　エネルギー輸送としての輻射の役割……… 3
1.3　ダイナミックスへの輻射の影響……… 6
1.4　輻射と天体の見え方……… 12
1.5　輻射流体力学の基礎方程式……… 15

Chapter ❶ の章末問題……… 18

Chapter ❷ 物質と輻射の熱平衡……… 19

2.1　黒体輻射とキルヒホッフの法則……… 19
2.2　プランク分布……… 22
2.3　種々の温度……… 28
2.4　ボルツマンの式……… 31
2.5　サハの式……… 33
2.6　アインシュタイン係数……… 37
2.7　詳細釣合……… 38
2.8　熱力学平衡，局所熱力学平衡，非局所熱力学平衡……… 42

Chapter ❷ の章末問題 ……… 44

Chapter ❸ 輻射輸送方程式……… 45

3.1　輻射強度……… 45
3.2　平均自由行程と光学的厚み……… 48
3.3　放射係数・吸収係数・散乱係数……… 50

3.4 輻射輸送方程式と簡単な解 ········ 58
3.5 源泉関数とその物理的意味 ········ 62
3.6 放射・吸収のミクロ過程 ········ 68
3.7 いろいろな座標系における輻射輸送方程式 ········ 71
3.8 偏光の輻射輸送方程式 ········ 76
Chapter ❸ の章末問題 ········ 82

Chapter ❹ 輻射場の物理量 ········ 83

4.1 輻射ストレステンソルの定義 ········ 83
4.2 輻射エネルギー密度および平均強度 ········ 84
4.3 輻射流束およびエディントン流束 ········ 86
4.4 輻射応力テンソルおよびK積分 ········ 87
4.5 輻射圧と輻射力 ········ 89
4.6 輻射場の諸量の具体例 ········ 90
Chapter ❹ の章末問題 ········ 94

Chapter ❺ モーメント定式化とエディントン近似 ········ 95

5.1 平行平板大気のモーメント方程式 ········ 95
5.2 エディントン近似 ········ 99
5.3 拡散近似（ロスランド近似, 1次近似）········ 102
5.4 光学的に厚い領域から薄い領域まで ········ 107
5.5 球対称大気のモーメント式 ········ 108
5.6 3次元空間でのモーメント式 ········ 111
Chapter ❺ の章末問題 ········ 116

Chapter ❻ 輻射輸送方程式の解析的な解き方 ········ 117

6.1 半無限平行平板大気の方程式と境界条件 ········ 117
6.2 輻射輸送方程式の形式解と近似解法 ········ 120
6.3 ミルン-エディントン近似での解析解 ········ 130
6.4 球対称大気の輻射輸送 ········ 142
Chapter ❻ の章末問題 ········ 146

Chapter 7 輻射輸送方程式の数値的な解き方 ……… 147
7.1 平行平板大気の数値解法 ……… 147
7.2 球対称大気の数値解法 ……… 163
7.3 3次元空間での数値解法 ……… 165
Chapter 7 の章末問題 ……… 168

Chapter 8 スペクトル線と輻射輸送 ……… 169
8.1 スペクトル線の概要 ……… 169
8.2 線プロファイルの性質 ……… 173
8.3 線輻射輸送方程式と解析的モデル ……… 183
8.4 スペクトル線の成長曲線 ……… 187
8.5 完全再分配と部分再分配 ……… 189
8.6 ガスの運動と線輻射輸送 ……… 192
Chapter 8 の章末問題 ……… 204

Chapter 9 輻射流体力学の基礎方程式 ……… 205
9.1 ボルツマン方程式と輻射輸送方程式 ……… 205
9.2 輻射と物質の基礎方程式; $\mathcal{O}(v/c)^0$ ……… 207
9.3 輻射と物質の基礎方程式; $\mathcal{O}(v/c)^1$ ……… 209
9.4 輻射抵抗と輻射粘性 ……… 210
Chapter 9 の章末問題 ……… 214

Chapter 10 天体大気の構造と輻射 ……… 215
10.1 恒星大気における輻射の働き ……… 215
10.2 星間物質における輻射効果 ……… 221
10.3 降着円盤と輻射輸送 ……… 232
10.4 惑星大気と輻射輸送 ……… 244
Chapter 10 の章末問題 ……… 252

Chapter 11 輻射駆動風と輻射優勢降着流 ……… 253
11.1 輻射圧駆動球対称風と球対称降着流 ……… 253

11.2 線駆動風 ……… 271
11.3 降着円盤風と宇宙ジェット ……… 277
11.4 超臨界降着流 ……… 281
11.5 輻射流体流の自己相似的な扱い ……… 283
Chapter ⑪ の章末問題 ……… 290

Chapter ⑫ 輻射流体波動と輻射流体不安定 ……… 291
12.1 断熱音波と輻射音波 ……… 291
12.2 輻射流体波動 ……… 293
12.3 輻射性衝撃波 ……… 298
12.4 電離波面 ……… 301
12.5 輻射流体不安定 ……… 306
Chapter ⑫ の章末問題 ……… 314

Chapter ⑬ 相対論的輻射輸送と相対論的輻射流体力学 ……… 315
13.1 特殊相対論における輻射場のまとめ ……… 315
13.2 相対論的輻射輸送の基礎方程式 ……… 321
13.3 相対論的輻射流体力学の基礎方程式 ……… 328
13.4 共動系における相対論的輻射輸送方程式 ……… 334
13.5 相対論的輻射性衝撃波 ……… 337
Chapter ⑬ の章末問題 ……… 344

付録 ……… 345
A 不透明度と冷却関数 ……… 345
B マクスウェル-ボルツマン分布 ……… 359
C 相対論的な状態方程式と音速 ……… 362
D コンプトン散乱とカンパニエーツ方程式 ……… 364
参考文献 ……… 373
定数表 ……… 380
記号表 ……… 384
章末問題の略解 ……… 387
索引 ……… 400

Chapter 1
宇宙における輻射と流体

多くの天体はガスでできており,同時にしばしば光(電磁波)を放射するため,天体現象を考える上で,輻射(放射)と物質の相互作用は基本的な物理過程である.本章では,輻射と物質の相互作用における基本概念をまとめておく.

なお,無数の光子の流れを**輻射**(radiation)という."輻(や)"には車輪の軸と車輪を結ぶ放射状のスポークの意味があり,中心から光線が拡がる様子を輻射と呼んだ.現在では**放射**(radiation)で表されることが多いが,本書および本シリーズでは,主に本来の輻射という用語を使用する.

1.1 宇宙における輻射の働き

われわれのまわりには,気体や液体や固体があり,それぞれ異なる温度や密度をもっている.地上における物質の温度は,しばしば熱伝導や対流によって決まるが,輻射(放射)も重要な役割をしている.太陽からの光は,地上で吸収され,赤外線として再放射される.赤外線は大気に吸収されて大気を温める.冬場は大気の透過度が増すため,大気に吸収されずに宇宙に逃げて行ってしまう赤外線が増えるので,いわゆる"放射冷却"によって冷え込む.冬場に用いられる暖房器具もこの3つの物理過程を利用しており,対流を利用したエアコンやファンヒータ,熱伝導を利用した電気カーペット,赤外線を利用したヒーターがある.

宇宙の場合，星の表面や内部，超新星残骸など，密度が高い所では熱伝導や対流が起こる．しかし，密度が地上より10桁以上も低い星間空間や銀河間空間，ブラックホール周辺の高エネルギー現象では，輻射が主役となる．輻射は物質によって吸収されたり散乱されたりするため，輻射を扱う方程式は物質との相互作用を含めなければならない．晴れた日には，太陽の光は直接地上に降り注ぐが，曇りには雲による吸収や散乱が起こる．宇宙でも同様に，ガスや塵粒子による吸収や散乱が光の伝播に大きな影響を与える．光がほとんど物質に邪魔されないとき「**光学的に薄い**」といい，物質に邪魔されて直接届かなくなるとき「**光学的に厚い**」という言い方をする（3章）．また，次節以下で見るように，輻射には温度を決めるエネルギー輸送の役割のほかにも，輻射の運動量が及ぼす力（**輻射力**）がある．宇宙において，輻射は多様で多彩な役割を果たしている．

無数の粒子からなる統計的な集団である流体の振る舞いを扱う手法が流体力学なのに対し，無数の光子からなる統計的な集団が輻射（場）であり，輻射の振る舞いや伝播を扱う手法が**輻射輸送**（radiative transfer）である[*1,*2]．そして，流体と輻射の相互作用を考慮して，流体と輻射の振る舞いを同時に考える手法が**輻射流体力学**（radiation hydrodynamics）ということになる．

天体における輻射輸送の問題は，1903年のシャスター（Arthur Schuster；1851〜1934）の論文[*3]を嚆矢とし，1920年代にミルン（E.A. Milne）やエディントン（Arthur Stanley Eddington；1882〜1944）が研究を進め[*4]，1930年代にはコジレフ（Nikolai Aleksandrovich Kozyrev；1908〜1983）とチャンドラセカール（S. Chandrasekhar；1910〜1995）がさらに発展させた[*5]．それ以来，解析的お

[*1] **輻射輸達**（radiation transport）と呼ばれることもある．静止大気では輻射輸送，運動流では輻射輸達と使い分けることもある．

[*2] 多粒子系という観点からは，流体と輻射はよく似ていて，原理方程式や基礎方程式も似た構造になる（9章）．大きな違いは，前者の粒子は速度が遅く流体近似の適用範囲が広いのに対し，後者の光子は衝突しない限り光速で伝わるため遠隔相互作用になりやすく，また光速で伝わる光子の系は基本的に相対論的であることだ．

[*3] 1903年のPhilosophical Magazineがおそらく一番古いようだが入手しにくい．1903年のObservatory論文と，1905年のApJ論文 "Radiation through a foggy atmosphere" は入手しやすい．1906年にはシュバルツシルト（Karl Schwarzschild；1873〜1916）の論文（ドイツ語の学術誌）もあり，シャスター–シュバルツシルト問題と呼ばれる．

[*4] Milne (1921) と Eddington (1926).

[*5] Kosirev (1934) と Chandrasekhar (1934).

よび数値的な取り扱いにおいて大変に長い歴史があり，近年では相対論的な数値シミュレーションも行われている．

また対象とする天体は，当初は恒星大気や星雲そして地球大気などが中心だったが，最近では降着円盤や系外惑星，超新星爆発，初期宇宙，さらにブラックホール降着流，相対論的天体風，宇宙ジェットやガンマ線バーストなど，相対論的天体現象にも深く関係してきている．理論的分野としては，実に古くて，さまざまな手法（道具）が開発された領域であると同時に，常に未知の対象が現れ新たな手法（武器）が必要とされる謎と宝物に満ちた辺境でもある．

1.2 エネルギー輸送としての輻射の役割

天体現象において，輻射の重要な役割の一つは，エネルギー輸送である．物質が輻射を吸収してエネルギーを得たり（**輻射加熱**；radiative heating），逆に物質が輻射を放射してエネルギーを失う（**輻射冷却**；radiative cooling）など，エネルギー輸送として輻射場は重要な働きをする．恒星や原始星，初代星の形成，星間ガスの諸相[*6]，降着円盤のエネルギー収支，銀河形成，そして宇宙論まで，あらゆる天体階層で，輻射によるエネルギー輸送は重要な過程となっている．輻射冷却や輻射加熱の具体例を少し紹介しておこう（詳細な過程は10.2節や付録などを参照）．

1.2.1 輻射冷却

一様密度 ρ_0 のガス球が自己重力で収縮して星が生まれる場合を考えよう．一様密度ガス球が自己重力で1点に収縮するまでの時間（自由落下時間）t_ff は，

$$t_\mathrm{ff} = \left(\frac{3\pi}{32G\rho_0}\right)^{1/2} = 2.1 \times 10^7 \left(\frac{\rho_0}{10^{-23}\mathrm{g\,cm^{-3}}}\right)^{-1/2} \text{年} \quad (1.1)$$

で与えられる（第1巻10.1節参照）[*7]．もし，ガスのエネルギーが失われなければ，断熱的な温度上昇によって圧力が上がり，収縮はどこかで止まってしまうので星は生まれない（第1巻10.1.4節参照）．輻射によってエネルギーが失われる場合は，収縮による温度（圧力）上昇と，輻射による冷却の競争になる．

[*6] Field *et al.* (1969) の2相モデルを端緒とする（第1巻9.3節参照）．

[*7] 自由落下時間は，密度の摂動が自己重力で成長する時間スケールを与えるものであり，自己重力系の力学的時間 t_dyn の目安となるものである ($t_\mathrm{ff} \simeq t_\mathrm{dyn}$)．

表 1.1　天体のスケールと冷却時間.

	質量 $[M_\odot]$ †	半径 [pc]	平均密度 [g cm^{-3}]	力学的時間 [年]	冷却時間 [年]
原始惑星系円盤	10^{-2}	10^{-3}	10^{-15}	10^3	0.1
星間雲	10^3	10	10^{-23}	10^8	10^6
原始銀河雲	10^7	10^3	10^{-25}	10^9	10^6
銀河	10^{11}	10^4	10^{-23}	10^8	10^5
銀河団ガス	10^{14}	10^6	10^{-26}	10^9	10^{11}

† $M_\odot$：太陽質量（付表 5 参照）

星が生まれるためには，収縮による断熱的な温度上昇より輻射冷却の方が速く起こらなければならない．ガスの断熱的な温度変化は $T \propto \rho^{\gamma-1}$（$\rho$ は密度，γ は比熱比）であるため，対数をとって $[\log T = (\gamma-1)\log \rho + C]$，時間で微分すると，$\dot{T}/T = (\gamma-1)\dot{\rho}/\rho$ となる（ドットは時間微分を表す）．すなわち，温度上昇の時間スケールは，自由落下時間と同程度になる．したがって，星が生まれる条件は，輻射による冷却時間 $t_{\rm cool}$ が自由落下時間より短いこととなる：

$$t_{\rm cool} < t_{\rm ff}. \tag{1.2}$$

一方，冷却時間 $t_{\rm cool}$ は，内部エネルギーを輻射冷却率 Λ で割ったもので，

$$t_{\rm cool} = \frac{p}{\gamma-1}\Big/\Lambda \tag{1.3}$$

ぐらいになる．ここで，p はガスの圧力である．(1.2) は，一般に自己重力によって天体が形成されるために必要な条件である．

表 1.1 に，様々な自己重力天体の冷却時間を示す[*8]．図 1.1 に，様々な天体の密度 ρ と温度 T の範囲と条件 (1.2) の境界を示す．表 1.1 や図 1.1 からわかる通り，銀河以下の自己重力天体では，輻射による冷却時間が力学的時間より短い．銀河団ガスでは，冷却時間は力学的時間さらには宇宙年齢よりも長くなっており，銀河団ガスは断熱的な振る舞いをしていることがわかる．

1.2.2　太陽系と原始惑星系円盤のスノーライン

太陽系内の固体微粒子（塵，ダスト：ススや砂粒や氷）の温度を求めてみよう．光度 L の中心星から距離 r の位置に存在するダストを考える（ダストは半

[*8] ここでは，太陽系組成を仮定したガスの冷却率を使ったが，宇宙初期天体のように原始組成に近いガスの場合には，冷却率は小さくなる．

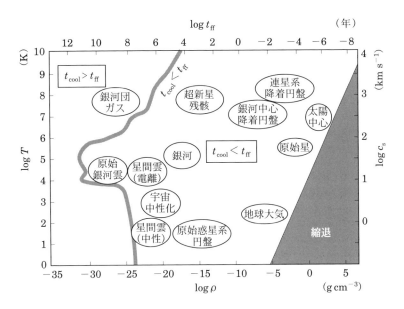

図 1.1 様々な天体の密度 ρ と温度 T の範囲と冷却時間.

径 a_d の球体と仮定する).このダストが単位時間に受ける輻射エネルギーは,$\pi a_\mathrm{d}^2 L/(4\pi r^2)$ である.同時に,ダストが温度 T の黒体輻射を放射したとすると,ダスト表面の単位面積当りには $\sigma_\mathrm{SB} T^4$ でエネルギーを放射し[*9],ダスト全体では $4\pi a_\mathrm{d}^2 \sigma_\mathrm{SB} T^4$ となる.ここで,ダストの吸収,放射の効率は,簡単のため 1 とした.

これら輻射による加熱と冷却が釣り合っていると仮定すると,ダストの温度は,

$$T^4 = \frac{L}{16\pi \sigma_\mathrm{SB} r^2} \tag{1.4}$$

で与えられることになる.あるいは具体的な数値を入れて下記のようになる[*10]:

$$T(r) = 280 \left(\frac{L}{L_\odot}\right)^{1/4} \left(\frac{r}{1\,\mathrm{au}}\right)^{-1/2}\,\mathrm{K}. \tag{1.5}$$

さて,太陽系の場合,内縁領域では太陽放射によって氷などは昇華しており,ダストの主成分は珪酸塩や炭素化合物になる.一方,遠方では水は凍っているため,

---

[*9] $\sigma_\mathrm{SB}\ (= 5.67 \times 10^{-5}\,\mathrm{erg\,cm^{-2}\,deg^{-4}\,s^{-1}})$ はステファン–ボルツマンの定数(2 章).

[*10] $L_\odot$ は太陽光度(付表 5 参照).

氷微粒子がダストの主成分となっている．その境界温度は約 150 K で，その温度になる場所は**雪線**（snow line）と呼ばれる．上式から，太陽系の場合は約 3 au 近辺にスノーラインが来ることがわかる．

　太陽系は，原始太陽周辺のガスとダストからなる原始太陽系星雲内で誕生し，現在の宇宙でも，若い星をとりまく原始惑星系円盤内で惑星が誕生している．スノーラインの外側では，固体物質が増加するためより大きな惑星コアが形成され，木星のような巨大ガス惑星が形成されやすい．一方で，スノーラインの内側では，地球のような岩石惑星が形成されやすい．このように，中心星からの輻射は，惑星形成にも大きな影響を及ぼすと考えられる．最近では，原始惑星系円盤のスノーラインを観測し，太陽系外の惑星形成への影響を調べる試みがなされている．

1.3　ダイナミックスへの輻射の影響

　ガスや塵などの物質に対して輻射が与える力学的な効果を少し挙げておこう．

1.3.1　輻射力

　振動数 ν の光子は，$h\nu$ のエネルギーをもち，$h\nu/c$ の運動量を運ぶ（h はプランク定数，c は光速）．輻射流も同様で，単位時間単位面積当りに流れる輻射エネルギーを $\boldsymbol{F}$（輻射流束；4 章）と置くと，単位時間単位面積当りに運ぶ運動量は $\boldsymbol{F}/c$ である．この輻射流を受ける粒子（電子や塵など）の質量を m とし，有効的な断面積を S と置くと，1 個の粒子が受ける**輻射力**（radiation force）f_rad は，

$$f_\mathrm{rad} = S\frac{|\boldsymbol{F}|}{c} \tag{1.6}$$

となり，単位質量当りの輻射力は以下となる[*11]：

$$\frac{1}{m}f_\mathrm{rad} = \frac{S}{mc}|\boldsymbol{F}|. \tag{1.7}$$

1.3.2　エディントン光度

　質量 M の天体が光度 L で光っているときの，輻射力に関わる特徴的で重要な量として，エディントン光度というものを示してみよう（図 1.2）．天体から r の距

[*11] 単位質量当りの有効断面積 S/m は，後に出てくる不透明度に相当する．

離にある，質量が m で有効断面積が S の粒子にかかる力を考えよう．陽子と電子からなる水素プラズマの場合，質量 m は陽子の質量 $m_{\rm p}$ $(=1.67\times 10^{-24}\,{\rm g})$ と電子の質量 $m_{\rm e}$ $(=9.11\times 10^{-28}\,{\rm g})$ の和で，有効断面積 S は電子散乱の断面積 $\sigma_{\rm T}$ $(=6.65\times 10^{-25}\,{\rm cm}^2)$ になる．

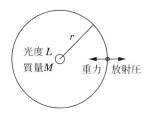

図 **1.2** 天体の重力と輻射力の釣り合い．

まず，粒子（陽子＋電子）にかかる重力は，$-GM(m_{\rm p}+m_{\rm e})/r^2$ である．他方，半径 r のところで単位時間単位面積当りに通過する輻射エネルギー f（輻射流束）は，$f=L/4\pi r^2$ なので，粒子（電子）が受ける輻射力は，$\sigma_{\rm T}f/c = (\sigma_{\rm T}/c)(L/4\pi r^2)$ である．したがって，粒子にかかる重力と輻射力が釣り合う条件は，以下となる：

$$\frac{GM(m_{\rm p}+m_{\rm e})}{r^2} = \frac{\sigma_{\rm T}}{c}\frac{L}{4\pi r^2}. \tag{1.8}$$

重力と輻射力が釣り合う光度を**エディントン光度**（Eddington luminosity）と呼ぶが，球対称の場合は重力も輻射力も距離の 2 乗に反比例して変化するので，エディントン光度は距離に依存せずに決まる．すなわち，球対称天体のエディントン光度 $L_{\rm E}$ は，

$$L_{\rm E} \equiv \frac{4\pi cGM(m_{\rm p}+m_{\rm e})}{\sigma_{\rm T}} = \frac{4\pi cGM}{\kappa_{\rm es}} \tag{1.9}$$

のようになる（水素プラズマの場合）．ここで，$\kappa_{\rm es}\equiv \sigma_{\rm T}/(m_{\rm p}+m_{\rm e})\sim 0.4\,{\rm cm}^2\,{\rm g}^{-1}$ は電子散乱の不透明度と呼ばれる．

具体的な数値を入れると，エディントン光度は以下のようになる（表 1.2）．

$$L_{\rm E} = 1.25\times 10^{38}\left(\frac{M}{M_\odot}\right){\rm erg\,s}^{-1}. \tag{1.10}$$

エディントン光度は天体の質量に比例するが，天体の質量が同じでも，放射を受

表 1.2 天体のエディントン光度.

天体	質量 [$M_\odot$]	光度 [$L_\odot$]	L_E [$L_\odot$] 水素プラズマ	L_E [$L_\odot$] 対プラズマ	L_E [$L_\odot$] 星間塵
太陽	1	1	約 3 万		約 30
原始星	1	1 万	約 3 万		約 30
青色超巨星	40	10 万	約 120 万		約 1000
X 線星	10	数万	約 30 万	約 200	
クェーサー	1 億	約 1 億	約 1 億	約 6 万	

ける物質の性質によって,エディントン光度は異なる(表 1.2)[*12],[*13].

例題 1.1 エディントン光度に関連して重要な物理量が,**エディントン質量降着率**(Eddington mass-accretion rate)である.質量 M がすべてエネルギー E に変換すれば,$E = Mc^2$ のエネルギーが発生する.単位時間当りのエディントン質量降着率を求めよ.

解答 単位時間当りに $\dot{M}$ の質量が降ってきて,その質量がすべてエネルギーに変換されると,単位時間当りに発生するエネルギーとして $L = \dot{M}c^2$ の光度になる[*14].したがって,

$$\dot{M}_\mathrm{E} \equiv \frac{L_\mathrm{E}}{c^2} = 1.4 \times 10^{17} \frac{M}{M_\odot} \,\mathrm{g\,s^{-1}} \tag{1.11}$$

の質量降着率でエディントン光度に達することになる.これがエディントン(臨界)質量降着率(critical mass-accretion rate)である. ∎

[*12] たとえば,完全電離したヘリウムプラズマだと,エディントン光度は水素プラズマの 2 倍になる.逆に,電子と陽電子からなる電子陽電子対プラズマの場合,通常のプラズマに比べて質量が 1836 分の 1 ほどしかないため,エディントン光度は,通常のプラズマの約 1800 分の 1 に減少する.さらに,0.05 μm 程度の典型的な星間塵(ダスト)の場合,エディントン光度は水素プラズマの場合の 1000 分の 1 程度しかない.プラズマガスよりも質量の大きな塵の方が放射圧の影響を受けやすいのは意外かもしれないが,重力は粒子の質量に比例するのに対して,光子を受ける面積は粒子の有効断面積に比例するためだ.電子散乱以外の吸収過程を考慮してもエディントン光度は修正される.あるいは,粒子ではなく,広がりをもったガス層やガス雲の場合は,散乱後の光子の伝播が非等方になったり輻射場自体が非等方になるなどのため,エディントン光度が修正される(Fukue 2015).

[*13] 天体の光度がエディントン光度を超えられないというのは,あくまでも,静的で一様で完全な球対称を仮定した場合の話である.球対称の場合でも,大気が静的でなくて,中性子星風などのように外向きに運動していれば,放射される光度はエディントン光度を少し超えることができる.降着円盤は球対称ですらないので,場合によっては,**超エディントン光度**(super-Eddington luminosity)が可能になる.

1.3.3 輻射抵抗

輻射が物質に与える力学的な影響として，輻射抵抗と呼ばれるものもある．簡単な思考実験で輻射抵抗を示してみよう．

摩擦のない水平な床の上で，質量 m の粒子が速度 v で水平方向に運動しているとする．垂直上方向から入射した単位時間当り ε の輻射エネルギーを微小時間 dt だけ吸収した後，等方的に再放射した状況を考えてみよう（図 1.3）．

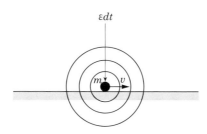

図 **1.3** 輻射抵抗の概念図．

輻射エネルギーを吸収して，粒子の質量が m' に速度が v' に変化したとする．速度などは十分に遅く非相対論的な場合（$v \ll c, \varepsilon dt \ll mc^2$），運動量保存とエネルギー保存から，以下の関係が成り立つ：

$$mv = m'v', \tag{1.12}$$

$$mc^2 + \varepsilon dt = m'c^2. \tag{1.13}$$

これらから m' を消去すると，

$$v' = \frac{v}{1 + \dfrac{\varepsilon dt}{mc^2}} \sim v\left(1 - \frac{\varepsilon dt}{mc^2}\right) \tag{1.14}$$

となり，速度の増分は以下のようになる：

$$v' - v = dv = -\frac{\varepsilon}{mc^2} v dt. \tag{1.15}$$

増分 (1.15) は負なので，電磁波の吸収によって粒子は減速する．

---

*14 （8 ページ）実際には，降ってくる質量のすべてがエネルギーに変換されるわけではない．エネルギーに変換される割合を**効率**（efficiency）という．変換効率を η（エータ）とおくと，質量降着に伴って発生するエネルギー（光度）は，$L = \eta \dot{M} c^2$ で与えられる（ブラックホールで $\eta \sim 0.1$）．

引き続き，吸収した輻射エネルギーを再放射すれば質量 m' は m に戻る．一方，粒子とともに運動する**共動系**（comoving frame）で電磁波を等方的に放射すれば，力は働かないので，速度 v' は変化しない．すなわち粒子は減速したままで，輻射が抵抗力として作用したことから**輻射抵抗**（radiation drag）と呼ぶ．

さらに（1.15）を解いて速度の変化を求めると，初速度を $v(0)$ として，

$$v(t) = v(0)\exp\left(-\frac{\varepsilon}{mc^2}t\right) \tag{1.16}$$

が得られる．輻射抵抗は（1.15）からわかるように速度に比例するので，輻射抵抗を受けながら粒子の速度は指数的に減速することになる．

ガスが相対論的な速度で運動している状況では，輻射抵抗は輻射力と同程度の大きさとなり，非常に重要な働きをする（9 章, 11 章, 13 章など）．しかし，上述の導出が非相対論的であったように，粒子の速度が遅くても輻射抵抗は働く．

1.3.4　ポインティング–ロバートソン効果

光度 L で光っている中心光源（たとえば太陽）から距離 r の半径で公転している粒子（たとえば塵）が受ける輻射抵抗を考えてみよう（図 1.4）．粒子の位置で単位時間当りに流れる輻射エネルギーは $L/(4\pi r^2)$ なので，粒子の有効断面積を S とすると，粒子が受ける単位時間当りの輻射エネルギーは $\varepsilon = SL/(4\pi r^2)$ になる．したがって，(1.15) を参考にすると，粒子の方位角方向の運動方程式は，以下のように表すことができる：

$$\frac{1}{r}\frac{d}{dt}(rv_\varphi) = -\frac{SL/(4\pi r^2)}{mc^2}v_\varphi = -\frac{S}{mc}\frac{L}{4\pi r^2}\frac{v_\varphi}{c}. \tag{1.17}$$

先の輻射力（1.7）と比べると，輻射抵抗は v/c のオーダーであることがわかる．

（1.17）からわかるように，中心光源（太陽）のまわりを公転する粒子（塵）は，輻射抵抗を受けて角運動量を失う．この効果を**ポインティング–ロバートソン効果**（Poynting-Robertson effect）と呼ぶ [*15]．

例題 1.2　ケプラー回転を仮定して（1.17）を解いてみよう．

解答　中心の天体の質量を M とすると，ケプラー回転は $v_\varphi = (GM/r)^{1/2}$ となる．この回転速度を（1.17）に入れて整理すると，

$$\frac{dr}{dt} = -\frac{SL}{2\pi mc^2 r}$$

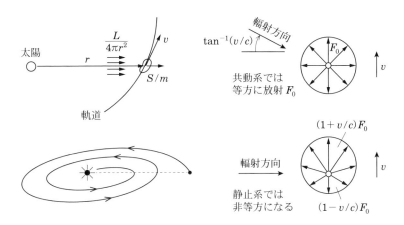

図 1.4 ポインティング–ロバートソン効果の概念図.

が得られる．初期半径を r_0 として解くと，

$$r_0^2 - r^2 = \frac{SL}{\pi mc^2}t$$

となり，

$$t_{\text{infall}} = \frac{\pi mc^2 r_0^2}{SL}$$

という有限の時間で，粒子は中心まで落下することがわかる（章末問題）． ∎

　太陽系内や残骸円盤[*16]中の塵は，ポインティング–ロバートソン効果によって，系の寿命に比べて十分に短いタイムスケールで中心星に落下する．あるいは，塵のサイズや形状，光学特性，中心星のスペクトルによっては，輻射力により系外に吹き飛ばされる．したがって太陽系内や残骸円盤中に残っている塵は，小天体同士の衝突や彗星などにより新たに供給されたものと考えられている．

[*15]（10 ページ）イギリスの物理学者ジョン・ヘンリー・ポインティング（John Henry Poynting, 1852～1914）が，1903 年，動いている粒子からみて輻射が非等方になる効果を考え，輻射による抵抗力を計算した．ただしこれは非相対論的計算で，係数などが不正確だった．後にアメリカの物理学者ハワード・ロバートソン（Howard Robetson，1903～1961）が，1937 年，完全に相対論的な取り扱いをして，正しい形の輻射抵抗を導き出した．

[*16] 主系列星周辺に見られる主に塵のみからなる円盤．デブリ（debris）円盤ともいう．黄道光のダストのように継続的に生成されていると考えられる．

1.4 輻射と天体の見え方

天体の観測には，撮像・測光・分光・偏光観測などがある．点源にせよ広がった天体にせよ，観測装置で天体画像を取得するのが，**撮像**（imaging）だ．撮像観測によって，天球面に投影した天体の構造などがわかる．天体の明るさ（や色）を定量的に測定するのが，**測光**（photometry）である．時間的な変化を表す光度曲線を得たり，多色測光でスペクトルの傾向を調べたりする．さらに，天体の光を波長別に分けてスペクトルを求めるのが，**分光**（spectroscopy）だ．分光観測によって，天体の組成やガスの温度や運動状態など，天体の詳細な物理状態がわかる．また，光の偏り具合を調べる観測が，**偏光**（polarimetory）である．偏光観測によって，天体周辺や光が伝わってくる途中の宙域における，電場や磁場の様子がわかる．

輻射は天体の観測（見え方）にとっても重要な役割を果たすが，具体例として，ここでは周縁減光効果と天体スペクトルを挙げておく．

1.4.1 周縁減光効果

可視光でみえる太陽の表層を**光球**（photosphere）と呼ぶ（図 1.5（左））．太陽はガスでできているので，地球のような明瞭な表面はない．そこで，便宜上，500 nm の光に対して不透明になる場所を，太陽の表面と定義する．このように定義した太陽の表面が光球の"底"で，そこより内部の太陽本体は不透明で見えない．光球の領域では，上空にいくにつれ，高度とともに温度は減少し，上層に向かって温度が上昇し始めたところから彩層となり，さらに高温のコロナへと続く．光球の底での温度は約 6400 K で，最上部では約 4300 K だ．光球の厚みは 400 km ほどで，太陽半径（70 万 km）に比べ，ほんの薄皮にすぎない．

太陽像をよくみると太陽面の明るさ（輝度）は一様ではない．太陽面中央部より周縁部の方が少し暗くなっており，この現象は**周縁減光効果**（limb darkening effect）と呼ばれている．周縁減光効果が生じる原因は，太陽がガス体であること，球体であること，そして内部ほど温度が高いことにある．太陽はガス体なため，表面近傍は半透明であり，やや内部から到来する光を観測することになる[17]．具体

---

[17] 同じ球状の天体でも，満月は全体がほぼ一様の輝度で光っている．満月では，太陽から入射した光は月面の細かな塵であらゆる方向にほぼまんべんなく散乱されるため，月面の中央でも縁の方でも，明るい部分の輝度はあまり違わない．

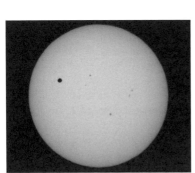

図 1.5 （左）太陽と金星の太陽面通過（2012 年 6 月 6 日）．
（右）球対称風のぼやけた光球面のイメージ．

的には，光学的深さが 1 程度の場所からの光を見ている．ところが太陽が球体であるために，太陽面中央部での光学的深さが 1 の場所の実際の深さと比較して，周縁部では（太陽面が曲がっているため）観測者から測って光学的深さが 1 の場所は太陽半径方向ではより浅い場所になっている．そして，太陽は内部に向かって温度勾配があるため，表面中央付近に比べて周縁部では，視線方向には同じ光学的深さでも，表面から測った実距離での深さは浅く，より温度の低い部分からくる光を見ていることになる．その結果，周縁減光効果が生じる[*18]．周縁減光効果は輻射輸送の理論で説明できる（6 章）．

太陽より密度の高い矮星では，表面近傍で密度が急激に増加するため，半透明な光球領域の厚みは太陽半径に比べて非常に薄く，光球は比較的はっきりしている（図 1.5（左））．しかし赤色巨星や無限遠までガスが流れ出す球対称風などでは，半透明な領域は非常に範囲が広くなり，光球はぼやけて曖昧なものになる（図 1.5（右））．このような球対称風や降着流でも光球は定義されるが[*19]，観測される見かけの光球面は非球形になるので注意を要する（11 章）．

[*18] 太陽のように表面が解像できなくても，たとえば連星などでは，掩蔽時の光度曲線で周縁減光効果の影響が現れることがある．最近では，系外惑星の母星の周縁減光効果も議論されている．

[*19] ただし，振動数の依存性まで考慮すると，透明度が高い高振動数では光球は小さく，透明度が悪くなる低振動数では光球は大きくなるので，光球を定義すること自体が難しい．

1.4.2 天体スペクトル

太陽光や星の光を分光すると，全体的には滑らかなスペクトルになるが，これを**連続スペクトル**（continuum）という（図1.6，図2.5）．星の連続スペクトルは黒体輻射に近い（2章）．一方，ある特定の波長で光が強かったり弱かったりする場合を**線スペクトル**（line spectrum）といい，前者を**輝線**（emission line），後者を**吸収線**（absorption line）という．典型的な星では吸収線になる[20]．

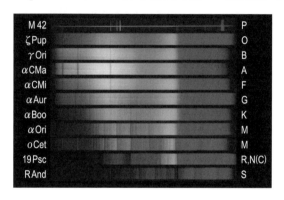

図 1.6 主系列星のスペクトル（岡山天体物理観測所 ＋ 粟野諭美他『宇宙スペクトル博物館』）．

人の顔が一人ひとり違うように，天体のスペクトルも一つひとつ異なっている．そしてスペクトルを詳細に解析することで，天体の形状や色などの特性，天体を作っている物質の化学組成，天体の温度・密度・圧力・電離度などの物理状態，空間内の移動や自転・公転そして膨張・収縮・乱流などの運動状態，天体のまわりの時空の性質，さらに天体と地球の間の宇宙空間の性質，などさまざまな情報が得られる．天体スペクトルの解析にも輻射輸送の知識は不可欠である．

---

[20] スペクトルにもとづいた星のタイプを星の**スペクトル型**（spectral type）と呼び，スペクトル型による星の分類を星の**スペクトル分類**（spectral classification）という．19世紀の終わり頃から，スペクトルに現れる特徴的な吸収線や輝線に着目して星の分類が試みられ，A型，B型，…などのスペクトル型が決められた．20世紀に入って原子物理学が進展するとともに，恒星大気で起こっている物理現象の解明も進み，スペクトル型と星の表面温度が密接に関係していることがわかった．その結果，現在では，表面温度の順にスペクトル型を並べて，

$$O - B - A - F - G - K - M - L - T - Y$$

としている．

1.5 輻射流体力学の基礎方程式

最後に本書で想定する輻射輸送および輻射流体力学の基礎方程式系を簡単にまとめて置こう（詳しい導出については3章，5章，9章を参照）．

輻射強度を I_ν，方向余弦ベクトルを $\boldsymbol{l}$，物質の密度を ρ，吸収係数を κ_ν，散乱係数を σ_ν として，輻射輸送方程式は，

$$\frac{1}{c}\frac{\partial I_\nu}{\partial t} + (\boldsymbol{l}\cdot\boldsymbol{\nabla})\,I_\nu = \rho\,(\kappa_\nu + \sigma_\nu)\,(S_\nu - I_\nu) \tag{1.18}$$

と表される．ただしここで，S_ν は源泉関数と呼ばれる量で，放射率を j_ν，輻射エネルギー密度を E_ν として，

$$S_\nu \equiv \frac{1}{\kappa_\nu + \sigma_\nu}\left(\frac{j_\nu}{4\pi} + \sigma_\nu \frac{cE_\nu}{4\pi}\right) \tag{1.19}$$

のように表される（散乱は等方的とした）．

輻射輸送方程式を直接解くのは大変なので，しばしばモーメント式で代用される．輻射流束ベクトルを F_ν^i（$\boldsymbol{F}_\nu$），輻射ストレステンソルを P_ν^{ik} として，輻射場のエネルギー保存を表す0次のモーメント式および，輻射場の運動量保存を表す1次のモーメント式は，それぞれ，以下のようになる（導出は，4章，5章）：

$$\frac{\partial E_\nu}{\partial t} + \frac{\partial F_\nu^i}{\partial x^i} = \rho\,(\kappa_\nu + \sigma_\nu)(4\pi S_\nu - cE_\nu) = \rho(j_\nu - \kappa_\nu cE), \tag{1.20}$$

$$\frac{1}{c^2}\frac{\partial F_\nu^i}{\partial t} + \frac{\partial P_\nu^{ik}}{\partial x^k} = -\frac{\rho(\kappa_\nu + \sigma_\nu)}{c}F_\nu^i. \tag{1.21}$$

モーメント式を解く場合には，方程式系を閉じるための関係式（クロージャー関係）が必要になる．もっとも単純なものはエディントン近似である．

$$P_\nu^{ij} = \frac{\delta^{ij}}{3}E_\nu. \tag{1.22}$$

一方，流体系に対しては，速度ベクトルを $\boldsymbol{v}$ として，連続の式は，

$$\frac{\partial \rho}{\partial t} + \boldsymbol{\nabla}\cdot(\rho\boldsymbol{v}) = \frac{d\rho}{dt} + \rho\boldsymbol{\nabla}\cdot\boldsymbol{v} = 0 \tag{1.23}$$

と表される．ただし，$d/dt = \partial/\partial t + (\boldsymbol{v}\cdot\boldsymbol{\nabla})$ はラグランジュ微分である．輻射は質量を持たないので，連続の式には輻射に関わる項は現れない．

ガスの圧力を p，重力ポテンシャルを ϕ とすると，運動方程式は，

$$\frac{d\bm{v}}{dt} = \frac{\partial \bm{v}}{\partial t} + (\bm{v}\cdot\bm{\nabla})\bm{v} = -\frac{1}{\rho}\bm{\nabla}p - \bm{\nabla}\phi + \frac{\kappa+\sigma}{c}\bm{F} \tag{1.24}$$

となる．右辺最後の項が，輻射場とガスの運動量授受の項である．ただしここで，κ や σ や $\bm{F}$ は振動数で平均した量で，

$$(\kappa+\sigma)\bm{F} \equiv \int (\kappa_\nu + \sigma_\nu)\bm{F}_\nu d\nu \tag{1.25}$$

で定義される．なお，粘性力や電磁場の存在によるローレンツ力は無視した．

単位質量当りの内部エネルギーを U として，エネルギー保存の式は，

$$\rho\frac{dU}{dt} + p\bm{\nabla}\cdot\bm{v} = q^+ - q^- = q^+ - \rho(j - \kappa c E) \tag{1.26}$$

と表される．ただしここで，q^+ は単位体積当りの加熱率（たとえば，核反応加熱 $\rho\varepsilon$ や粘性加熱 $q^+_{\rm vis}$），q^- は単位体積当りの冷却率（たとえば，放射冷却 $\mathrm{div}\bm{F}$ や熱伝導）である．輻射場とガスのエネルギー授受については，振動数で平均した放射率 j や輻射エネルギー密度 E を用いると，右辺最後の形になる[*21]．なお，熱伝導や電流によるジュール加熱は無視した．

ガスが理想気体の場合は，ガスの温度を T，気体定数を $\mathcal{R}$，平均分子量を $\bar{\mu}$，比熱比を γ として，理想気体の状態方程式が成り立つ（ρU は単位体積当りの内部エネルギー）：

$$p = \frac{\mathcal{R}}{\bar{\mu}}\rho T, \tag{1.27}$$

$$\rho U = \frac{1}{\gamma - 1}p. \tag{1.28}$$

また物質と輻射場が完全に熱平衡になっていれば，放射定数を $a\ (= 4\sigma_{\rm SB}/c)$ として，輻射圧 P と輻射エネルギー密度は以下のようになる：

$$P = \frac{1}{3}aT^4, \tag{1.29}$$

$$E = 3P = aT^4. \tag{1.30}$$

ちなみに，(1.28) と (1.30) を比較すると，当然のことながら，輻射場は相対論的な粒子（比熱比 $\gamma = 4/3$）に相当していることがわかる．またこのことは，質量を

[*21] 詳細な定義は，たとえば，Kato *et al.* (2008) の付録など参照のこと．

持った構造のない物質粒子の自由度が 3 であるのに対し，質量のない光子（電磁波）の自由度が 2（独立な偏光の方向が 2）しかないことに起因している．そしてまた，物質粒子と一緒に動く座標系（共動系）を設定できるが，光子に対する共動系は構成できないことも関係している．

以上述べた輻射と流体の基礎方程式に，放射率や吸収係数・散乱係数などに関する補助方程式を合わせたものが，**輻射流体力学の基礎方程式**を構成する[*22].

なお，相対論的な輻射流体力学の基礎方程式系については，特殊相対論の範囲では本書 13 章や参考文献（Kato *et al.* 2008；Kato and Fukue 2020）などを，一般相対論の場合は本シリーズ第 6 巻を参照してほしい．

[*22] 自己重力が重要な場面ではポアソン方程式：

$$\Delta \phi = \frac{1}{r^2}\frac{\partial}{\partial r}\left(r^2 \frac{\partial \phi}{\partial r}\right) + \frac{1}{r^2 \sin\theta}\frac{\partial}{\partial \theta}\left(\sin\theta \frac{\partial \phi}{\partial \theta}\right) + \frac{1}{r^2 \sin^2\theta}\frac{\partial^2 \phi}{\partial \varphi^2} = 4\pi G \rho$$

も用いる．なお，Δ（ラプラシアン）は空間 2 階偏微分演算子で，上記では参考までに球座標での表現を挙げておいた．

Chapter 1 の章末問題

問題 1.1 太陽光度 $L_\odot$ を単位にしてエディントン光度を表してみよ．また主系列星の光度が $L = L_\odot (M/M_\odot)^{3.7}$ ぐらいで変化するなら，どれぐらいの質量で星の光度がエディントン光度になるか．

問題 1.2 エディントン質量降着率でガスが降り続けたとき，天体の質量が増加するタイムスケールを**エディントン時間**（Eddington timescale）と呼ぶ．もとの天体の質量をエディントン質量降着率で割って，エディントン時間を導け．

問題 1.3 半径が a_d（$0.1\mu\mathrm{m}$ 程度）で密度が ρ_s（$1\,\mathrm{g\,cm^{-3}}$ 程度）の球と仮定して，微小な塵（dust）のエディントン光度を導出せよ．

問題 1.4 地球軌道での太陽定数を $F = 1.4\,\mathrm{kW\,m^{-2}}$ として，太陽光の光圧を求めてみよ．また可視光のエネルギーを $3\,\mathrm{eV}$ として，太陽光に含まれる光子数を計算し，それから太陽光の光圧を求めてみよ．

問題 1.5 ポインティング–ロバートソン効果を受けた塵粒子の落下時間を具体的に計算してみよ．初期半径は 1 天文単位とする．

問題 1.6 輻射圧 P と輻射エネルギー密度 E の単位が同じであることを確認せよ．

Chapter 2
物質と輻射の熱平衡

物質中における輻射の輸送と輻射輸送方程式を考えるための準備として,まず物質と輻射の熱平衡状態についてまとめておこう.熱平衡状態にある理想気体の速度分布は古典的なマクスウェル分布で記述され,物質と熱平衡になった輻射はプランク分布で記述され黒体輻射スペクトルを示す[*1].また物質の励起状態を表すボルツマンの式や,電離状態を表すサハの式も重要である.それらの平衡状態の素過程として,アインシュタイン係数と詳細釣合についても説明する.

2.1 黒体輻射とキルヒホッフの法則

まず最初に,物質と熱平衡にある輻射場(黒体輻射)の基本的な特徴と,キルヒホッフの法則について述べておく.

2.1.1 黒体輻射

均質な物質で作られた内部に空洞をもつ外界から隔絶された覆い (enclosure) があるとし,覆いは一様な温度 T に熱せられているとしよう(図2.1).覆いの内壁からは内部の空洞領域に熱放射が発せられると同時に,空洞領域の放射は内壁に

[*1] 量子力学的には,パウリの排他律を満たす物質粒子の分布は,フェルミ–ディラック分布となり,古典的な近似がマクスウェル分布になる.また同じ状態に無数の粒子が入れる光子の分布は,ボース–アインシュタイン分布となる.

吸収されるので，十分に時間が経った後には，空洞領域に満ちた放射は，ある一定の定常状態に達していると考えられる．このとき，覆いに空けた細い孔（全体への影響は無視できるとする）から内部を覗いたとき，どんな放射スペクトルが観測されるだろうか．実際に実験もできるが，ここでは思考実験で構わない．

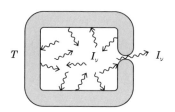

図 **2.1** 覆いに囲まれた空洞と空洞放射（黒体輻射）．

覆いの空洞領域に満ちた放射のスペクトルは，覆いの物質と完全に熱平衡状態になった段階では，覆いの材質や形状には依存しない．振動数 ν の関数としての放射スペクトル*2 I_ν は，一様で等方的であり，周囲の覆いの温度 T を唯一のパラメータとする関数になる：

$$I_\nu = B_\nu(T). \tag{2.1}$$

この空洞領域を満たす放射（空洞放射）を，**黒体輻射**（blackbody）とか**黒体輻射スペクトル**（blackbody spectrum）と呼び，頭文字を取って，B_ν で表す．

2.1.2 キルヒホッフの法則

媒質中のある位置において，立体角 $d\Omega$ 内の方向に進行する $(\nu, \nu+d\nu)$ 間の振動数をもつ輻射強度 I_ν について，光子の放射と吸収が釣り合っており，かつ，熱力学的平衡にあれば，

$$\eta_\nu = \alpha_\nu I_\nu = \alpha_\nu B_\nu(T) \tag{2.2}$$

が成り立つ．ここで η_ν は単位体積単位立体角当りの光子の放射率，**体積放射率**（volume emissivity）で，α_ν は単位体積当りの光子の吸収係数である*3．

---

*2 時刻 t に位置 r で単位面積を通って l の方向に，単位時間，単位立体角，単位振動数当りに流れていく振動数 ν の輻射エネルギーが輻射強度 I_ν で，単位は [erg s^{-1} cm^{-2} sr^{-1} Hz^{-1}]．きちんとした輻射強度の定義は 3 章で行う．

単位質量当りの係数を使って，以下のように表すこともある：

$$\frac{j_\nu}{4\pi} = \epsilon_\nu = \kappa_\nu B_\nu(T). \tag{2.3}$$

熱力学的平衡状態になっているときの，放射率や吸収係数の間に成り立つ関係を，熱放射に関する**キルヒホッフの法則**（Kirchhoff's law）と呼ぶ[*4]．局所熱力学平衡 LTE（後述）の場合にも，キルヒホッフの法則は適用される．

空洞放射について，実験的に知られていた事実は以下のようなものがある．

(1) スケーリング則

放射率と吸収係数の比（$\eta_\nu/\alpha_\nu = I_\nu$）は，温度と波長（振動数）のみの関数で，他の性質には依存しない．そして以下のようなスケーリング則が成り立つ[*5]：

$$I_\nu = \nu^3 F\left(\frac{\nu}{T}\right), \quad \text{および} \quad I_\lambda = \frac{c^4}{\lambda^5} F\left(\frac{c}{\lambda T}\right). \tag{2.4}$$

そこで，$x = \nu/T$ と置くと，以下のように表せる：

$$I_\nu = T^3 x^3 F(x). \tag{2.5}$$

(2) ピークの波長

スペクトルのピークの波長は以下のようになっている：

$$I_\nu \text{ の最大値は} \quad \lambda'_{\max} T = 0.50995 \,\text{cm K}, \tag{2.6}$$

$$I_\lambda \text{ の最大値は} \quad \lambda_{\max} T = 0.28978 \,\text{cm K}. \tag{2.7}$$

(3) ステファン–ボルツマンの法則

スペクトルを全振動数領域で積分した量は温度の 4 乗に比例する：

$$\int_0^\infty I_\nu d\nu \propto T^4. \tag{2.8}$$

[*3]（20 ページ）η_ν は単位体積から単位時間当りに単位立体角へ向けて放射される単位振動数当りのエネルギー放射率で，単位は [erg cm^{-3} s^{-1} sr^{-1} Hz^{-1}]．α_ν の単位は [cm^{-1}]．放射率や吸収係数のきちんとした定義は 3 章で行う．

[*4] 1860 年に，グスターヴ・キルヒホッフ（Gustav Kirchhoff, 1824〜1887）が発見した．**黒体**（blackbody）という呼び名もキルヒホッフによる．

[*5] 1893 年に，ウィーン（Wilhelm C.W.O.F.F. Wien, 1864〜1928）が発見した．

2.2 プランク分布

黒体輻射スペクトルを表す分布は，1900 年にプランク（Max Karl Ernst Ludwig Planck, 1858〜1947）が，すでに知られていたレイリー–ジーンズ分布やウィーン分布をもとに見いだした関係式で，量子論の考えにもとづき理論的に導き出した．こんにちでは**プランク分布**（Planck distribution）と呼ばれる．

2.2.1 プランク関数の導出

ここでは，各辺の長さが L_x, L_y, L_z の箱（体積は $V = L_x L_y L_z$）に閉じ込められた無数の光子を，離散的なエネルギーをもつ調和振動子とみなして，プランク分布を導いてみよう（図 2.2）．光子の振動数と方向余弦ベクトルを $(\nu, \boldsymbol{l})$ とし（波長は $\lambda = c/\nu$），波数ベクトル $\boldsymbol{k}$ を以下の式で定義する：

$$\boldsymbol{k} \equiv \frac{2\pi}{\lambda}\boldsymbol{l} = \frac{2\pi\nu}{c}\boldsymbol{l}. \tag{2.9}$$

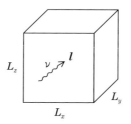

図 **2.2** 箱内の輻射光子.

光子を箱内の調和振動子だとみなすと，x 方向の節の数 n_x は，$n_x = L_x/\lambda_x = k_x L_x/(2\pi)$（1 より十分に大きいとする）ほどであり，$dk_x$ の波数内の節の数は $\Delta n_x = (L_x/2\pi)dk_x$ となるので，箱内の振動子の数 ΔN は，

$$\Delta N = 2\Delta n_x \Delta n_y \Delta n_z = 2\frac{L_x L_y L_z}{(2\pi)^3}d^3k = 2\frac{V}{(2\pi)^3}d^3k \tag{2.10}$$

のように表される．ここで因子 2 は光子の偏光の独立な方向の数を考慮した．

波数空間（振動数空間）での球座標表示[*6]から，

[*6] 波数空間での球座標 (k, θ, φ) を使うと，方向余弦ベクトルの直角座標成分は $\boldsymbol{l} = (\sin\theta\cos\varphi, \sin\theta\sin\varphi, \cos\theta)$ のように表せる．また等方的だとすると，立体角要素を $d\Omega = \sin\theta d\theta d\varphi$ として $d^3k = k^2 dk d\Omega$ となる．

$$d^3k = k^2 dk d\Omega = \frac{(2\pi)^3 \nu^2 d\nu d\Omega}{c^3} \quad (2.11)$$

を上式に入れると，光子の**状態密度**（number of states），すなわち単位体積，単位振動数，単位立体角当りの状態数 $\mathcal{E}$ は，以下で与えられることがわかる：

$$\mathcal{E} = \frac{\Delta N}{V d\Omega d\nu} = \frac{2\nu^2}{c^3}. \quad (2.12)$$

つぎに各状態の平均エネルギーを見積もってみよう．光子1個のエネルギーは $h\nu$ なので，n 個の光子のエネルギー E_n は $E_n = nh\nu$ になる．ここで $h \,(= 6.63 \times 10^{-27}\,\mathrm{erg\,s})$ はプランク定数である．システムが温度 T の熱平衡にあるとき，エネルギー E_n をもつ状態の確率 p は，$1/k_\mathrm{B}T = \beta$ と略記すると，

$$p \propto e^{-E_n/k_\mathrm{B}T} = e^{-\beta E_n} \quad (2.13)$$

に比例する．ここで $k_\mathrm{B}\,(= 1.38 \times 10^{-16}\,\mathrm{erg\,K^{-1}})$ はボルツマン定数である．

光子の数は 0 から ∞ まで任意なので（ボース–アインシュタイン分布）[*7]，振動数 ν の状態に n 個の光子があるとき，その平均エネルギー $\bar{E}$ は，

$$\begin{aligned}
\bar{E} &= \frac{\sum_{n=0}^{\infty} E_n e^{-\beta E_n}}{\sum_{n=0}^{\infty} e^{-\beta E_n}} = -\frac{\partial}{\partial \beta} \ln \left(\sum_{n=0}^{\infty} e^{-\beta E_n} \right) = -\frac{\partial}{\partial \beta} \ln \left(\sum_{n=0}^{\infty} e^{-nh\nu\beta} \right) \\
&= -\frac{\partial}{\partial \beta} \ln \frac{1}{1 - e^{-h\nu\beta}} = \frac{h\nu e^{-h\nu\beta}}{1 - e^{-h\nu\beta}} \\
&= \frac{h\nu}{e^{h\nu/k_\mathrm{B}T} - 1} \quad (2.14)
\end{aligned}$$

のように導くことができる[*8]．

先の状態密度に各状態の平均エネルギーを掛けたものが光子のエネルギー密度，

$$u_\nu = \frac{2\nu^2}{c^3} \frac{h\nu}{e^{h\nu/k_\mathrm{B}T} - 1} \quad (2.15)$$

[*7] 粒子数が 0 か 1 しか取れないパウリの排他律を課すと，フェルミ–ディラック分布が導かれる．

[*8] 光子1個の**占有数**（occupation number），

$$n_\nu = \frac{1}{e^{h\nu/k_\mathrm{B}T} - 1}$$

に光子1個のエネルギー $h\nu$ を掛けたものになっている．

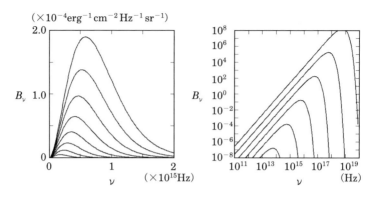

図 2.3 黒体輻射スペクトル（プランク分布）.（左）通常スケールで表した黒体輻射スペクトル B_ν. 横軸は振動数で縦軸はスペクトル強度. 黒体温度は 3000 K から 10000 K まで 1000 K ごと.（右）対数スケールで表した黒体輻射スペクトル B_ν. 横軸は振動数の対数で縦軸はスペクトル強度の対数. 黒体温度は 10^3 K から 10^8 K まで.

になる．さらに $d\nu d\Omega dV$ 当りに流れる輻射流が黒体輻射 $B_\nu(T)$ なので，光速を掛けて，結局，

$$B_\nu(T) = c u_\nu = \frac{2h\nu^3}{c^2} \frac{1}{e^{h\nu/k_B T} - 1} \tag{2.16}$$

となる（図 2.3）．あるいは波長の関数として表すと，以下のようになる：

$$B_\lambda(T) = \frac{2hc^2}{\lambda^5} \frac{1}{e^{hc/\lambda k_B T} - 1}. \tag{2.17}$$

2.2.2 プランク関数の性質

黒体輻射スペクトルの特徴に合う関係式として，プランク分布以前には，低振動数で黒体輻射に合うが高振動数で合わない**レイリー–ジーンズ分布**（Rayleigh–Jeans distribution）と，高振動数で合うが低振動数でおかしくなる**ウィーン分布**（Wien distribution）が知られていた．以下では，プランク分布の極限として，レイリー–ジーンズ分布とウィーン分布を求めてみよう．

（1）レイリー–ジーンズ則

振動数が十分に小さい領域（$h\nu \ll k_\mathrm{B}T$）では，プランク分布の分母にある指数部分を展開することにより，黒体輻射は以下のように近似できる：

$$I_\nu^\mathrm{RJ} = \frac{2\nu^2}{c^2} k_\mathrm{B} T \propto \nu^2 T, \tag{2.18}$$

$$I_\lambda^\mathrm{RJ} = \frac{2c}{\lambda^4} k_\mathrm{B} T \propto \frac{T}{\lambda^4}. \tag{2.19}$$

この近似は電波領域で適用されることが多く，レイリー–ジーンズ則（Rayleigh–Jeans law）として知られている[*9]．

(2) ウィーン則

逆に，振動数が十分に大きい領域（$h\nu \gg k_\mathrm{B}T$）では，分母の指数部分が1より十分に大きくなるので1を無視して，黒体輻射は以下のように近似できる：

$$I_\nu^\mathrm{W} = \frac{2h\nu^3}{c^2} \exp\left(-\frac{h\nu}{k_\mathrm{B}T}\right), \tag{2.20}$$

$$I_\lambda^\mathrm{W} = \frac{2hc^2}{\lambda^5} \exp\left(-\frac{hc}{\lambda k_\mathrm{B}T}\right). \tag{2.21}$$

こちらはウィーン則（Wien's law）として知られており，黒体放射の高振動数側は指数関数的に強度が減少する．

(3) 温度への単調依存性

任意の振動数（波長）においてプランク分布は温度の単調増加関数になっている．すなわち，プランク関数を温度で1回偏微分したものは常に正である：

$$\frac{\partial B_\nu(T)}{\partial T} = \frac{2h^2\nu^4}{c^2 k_\mathrm{B} T^2} \frac{\exp(h\nu/k_\mathrm{B}T)}{[\exp(h\nu/k_\mathrm{B}T) - 1]^2} > 0. \tag{2.22}$$

より高温の物質はすべての振動数（波長）において，より強い放射を放出する．

(4) ウィーンの変位則

黒体輻射の重要な特徴として，**ウィーンの変位則**（Wien's displacement law）

[*9] レイリー–ジーンズ則は，平均的なエネルギーが連続分布をするという古典的な電磁波のエネルギー等分配（$\bar{E} = k_\mathrm{B}T$）を用いて導くことができる．ただし，高振動数では黒体輻射と合わなくなり，紫外発散の問題が起きる．高振動数では光子の量子論的性質を考慮する必要がある．

がある（1893年）．具体的には，黒体輻射スペクトルのピークの振動数 ν_max が覆いの温度 T に比例する（あるいは，ピークの波長 λ_max が温度に反比例する）というもので，数値で表すと以下のように表現された[*10]：

$$h\nu_\mathrm{max} = 2.82 k_\mathrm{B} T, \quad \frac{\nu_\mathrm{max}}{T} = 5.88 \times 10^{10} \text{ Hz K}^{-1}, \qquad (2.23)$$

$$\frac{hc}{\lambda_\mathrm{max}} = 4.97 k_\mathrm{B} T, \quad \lambda_\mathrm{max} T = 0.29 \text{ cm K}. \qquad (2.24)$$

地球の表面温度程度（$\sim 300\,\mathrm{K}$）だと，波長がおよそ $10\,\mu\mathrm{m}$（赤外線）の位置にピークが現れる．太陽（$6000\,\mathrm{K}$）だと $0.5\,\mu\mathrm{m}$（$500\,\mathrm{nm}$；緑色）付近になる．

例題 2.1 プランク関数 $B_\nu(T)$ のピーク振動数 ν_max は，プランク関数を振動数 ν で偏微分した方程式から求められる．ピーク振動数を求めてみよう．

解答 プランク関数を振動数で偏微分した方程式は，$\partial B_\nu / \partial \nu |_{\nu=\nu_\mathrm{max}} = 0$ から得られる．変数として，$x \equiv h\nu/k_\mathrm{B} T$ を用いると，ピーク振動数の方程式は $x = 3(1-e^{-x})$ という超越方程式になる．この超越方程式の解は，数値的にはだいたい $x \sim 2.82$ で与えられる．同様に，$B_\lambda(T)$ のピークの値は，$\partial B_\lambda / \partial \lambda |_{\lambda = \lambda_\mathrm{max}} = 0$ から決まり，$y \equiv hc/(\lambda k_\mathrm{B} T)$ とすると，ピーク波長を求める方程式は $y = 5(1-e^{-y})$ という超越方程式になる．数値的には，$y \sim 4.97$ が解となる．■

2.2.3 ステファン–ボルツマンの法則

黒体輻射を全振動数（全波長）で積分した量（**全黒体輻射強度**）は，

$$B(T) = \int B_\nu(T) d\nu = \frac{2h}{c^2} \int \frac{\nu^3}{e^{h\nu/k_\mathrm{B} T} - 1} d\nu = \frac{1}{\pi} \sigma_\mathrm{SB} T^4 \qquad (2.25)$$

となり，T^4 に比例する．ただしここで，

$$\sigma_\mathrm{SB} \equiv \frac{2\pi^5 k_\mathrm{B}^4}{15 c^2 h^3} = 5.672 \times 10^{-5} \text{ erg cm}^{-2} \text{K}^{-4} \text{s}^{-1} \qquad (2.26)$$

は**ステファン–ボルツマンの定数**で，全黒体輻射強度 $B(T)$ の単位は $[\mathrm{erg\,cm^{-2}\,s^{-1}\,sr^{-1}}]$ である．黒体輻射に関するこの性質を**ステファン–ボルツマンの法則**（Stefan–Boltzmann's law）と呼ぶ．

例題 2.2 ステファン–ボルツマンの法則を導いてみよう．

[*10] $\lambda_\mathrm{max} \nu_\mathrm{max} \neq c$ に注意．その理由は，$\nu B_\nu(T) = \lambda B_\lambda(T)$ となっているため．

解答 変数として，$x = h\nu/k_B T$ を用いると，(2.25) は，

$$B(T) = \int B_\nu(T) d\nu = \frac{2h}{c^2} \int \frac{\nu^3}{e^{h\nu/k_B T} - 1} d\nu = \frac{2h}{c^2} \left(\frac{k_B T}{h}\right)^4 \int_0^\infty \frac{x^3 dx}{e^x - 1}$$

のように変形できる．積分パートの分母を展開し，

$$\int_0^\infty \frac{x^3 dx}{e^x - 1} = \int_0^\infty x^3 e^{-x}(1 + e^{-x} + e^{-2x} + \cdots)$$

$$= 6\left(1 + \frac{1}{2^4} + \frac{1}{3^4} + \cdots\right) = \frac{\pi^4}{15}$$

のように項別積分すると，積分の値は $\pi^4/15$ になる． ∎

黒体輻射の流れを光速で割って単位長さにし，全方位で積分したものが，黒体輻射場のエネルギー密度（単位体積当りのエネルギー）になる：

$$E(T) = \frac{4\pi}{c} B(T) = \frac{8\pi h}{c^3} \int \frac{\nu^3}{e^{h\nu/k_B T} - 1} d\nu = aT^4. \tag{2.27}$$

ただしここで，

$$a \equiv \frac{8\pi^5 k_B^4}{15 c^3 h^3} = \frac{4\sigma_{SB}}{c} = 7.56 \times 10^{-15} \,\mathrm{erg\,cm^{-3}\,K^{-4}} \tag{2.28}$$

は**放射定数**（radiation constant）と呼ばれる．

黒体輻射場の輻射圧は，以下のようになる（4.4 節）：

$$P(T) = \frac{1}{3} E = \frac{1}{3} aT^4. \tag{2.29}$$

黒体輻射のエネルギー密度も輻射圧も T^4 に比例する．

ある単位面積を通って流れる黒体輻射場のエネルギー流量（フラックス）は，

$$F(T) = \int B(T) \cos\theta d\Omega = \pi B(T) = \sigma_{SB} T^4 \tag{2.30}$$

となり，これも温度の 4 乗に比例する．

例題 2.3 立体角積分を実行して黒体輻射のフラックスを求めてみよう．

解答 球座標 (r, θ, φ) で立体角成分は $d\Omega = \sin\theta d\theta d\varphi$ と表せるが，黒体輻射が等方的なら方位角方向は直ちに積分できて，$d\Omega = 2\pi \sin\theta d\theta$ となる．単位面積に垂直方向の成分 $\cos\theta$ を掛けて極角方向の積分を実行すると，$\int_0^\pi 2\pi \cos\theta \sin\theta d\theta = \pi$ が得られる． ∎

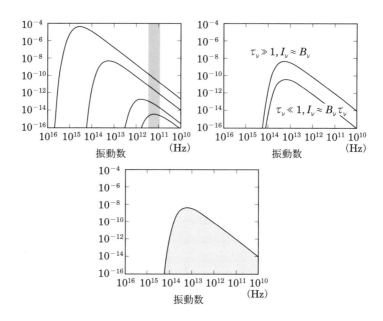

図 2.4 （上左）輝度温度，（上右）色温度，（下）有効温度．

2.3 種々の温度

黒体輻射に関連して，いろいろな温度について，まとめておこう[*11]（図 2.4）．

2.3.1 輝度温度

ある波長（帯）での輝度/輻射強度 I_ν が，温度 T_b の黒体輻射の輝度 $B_\nu(T)$ と等しいとき，T_b を**輝度温度**（brightness temperature）と呼ぶ．

太陽の場合について，太陽のスペクトルと温度 6300 K の黒体輻射スペクトルを重ねて描いたものが図 2.5（上）だ．太陽スペクトルが黒体輻射スペクトルより上になっているところでは，輝度温度は 6300 K より高く，下になっているところは低い．輝度温度が一番高い波長は，一見，$0.4\,\mu m$ 付近のようにみえる．実際に波長の関数として輝度温度を描いたのが図 2.5（下）である．太陽スペクトルの中で，もっとも輝度温度が高いのは，$0.4\,\mu m$ 付近ではなく，$1.6\,\mu m$ 付近の赤外線領域に

[*11] 黒体輻射に関する温度という括りで，ここでまとめておくが，第 3 章で輻射強度や輻射輸送方程式を学んだ後に，再度ここを読むと理解が深まるだろう．

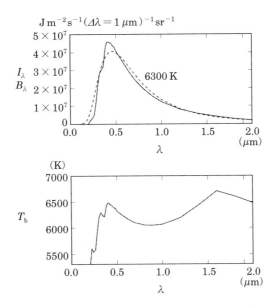

図 2.5 太陽スペクトル（実線）の輝度温度と波長の関係（Rutten lecture note）．破線は 6300 K の黒体輻射．

あることがわかる[*12]．

例題 2.4 電波領域では輝度温度がよく用いられる．$h\nu \ll k_B T$ のとき，

$$I_\nu = \frac{2\nu^2}{c^2} k_B T_b, \quad T_b = \frac{c^2}{2\nu^2 k_B} I_\nu$$

という関係になる．このとき，温度 T の媒質中を通過する熱放射の輻射輸送方程式は T_b を用いて表せる：

$$\frac{dT_b}{d\tau_\nu} = -T_b + T.$$

[*12] 太陽表面付近の温度は 6000 K 前後だが，各波長で同じ深さの場所を観測しているわけではない．いろいろな深さからの光を同時に観測している．そして光球では深さが深いほど温度が高いので，輝度温度が高いことは深い場所からの光が届いていることを意味し，逆に輝度温度が低いことは浅い場所を見ていることを意味する．すなわち，$1.6\,\mu m$ 付近の赤外線では表面からもっとも深くまで見えているということなのだ．なお，輝度温度分布は $0.4\,\mu m$ から $1.6\,\mu m$ の間で，$0.9\,\mu m$ 付近を底として丸く窪んでいる．これは太陽大気に含まれる水素負イオンによる連続吸収（付録図 A.2 参照）が原因で，その吸収係数の温度依存性をちょうど反転した形になっている．

媒質の温度を一定と仮定して，この方程式を解いてみよ．

解答 T が一様ならば，解は，入射する放射の輝度温度を $T_b(0)$ として，
$$T_b = T_b(0)e^{-\tau_\nu} + T(1 - e^{-\tau_\nu})$$
となる．したがって，$\tau_\nu \to 0$ のときは，もちろん $T_b = T_b(0)$ であり，一方，$\tau_\nu \to \infty$ のときは，$T_b \to T$ となる． ∎

2.3.2 色温度

（ある波長範囲で）放射スペクトルの形が温度 T_c のプランク関数でフィットできるとき，T_c を**色温度**（color temperature）と呼ぶ．

色温度は放射スペクトルの形状に依存するため，おおざっぱに，青みがかったものは色温度が高くなり，赤みがかったものの色温度は低い（表 2.1）．

表 **2.1** いろいろな光源の色温度．

光源	色温度［K］
青空	12000–20000
太陽 + 空	6500
太陽（正午）	5400
100 W のタングステン灯	3000
100 W の白熱電球	2870
ろうそく	1900
マッチ	1700

たとえば，媒質の温度 T が一様で，熱放射している場合を考えてみよう．光学的に厚いときは，$I_\nu \approx B_\nu(T)$ なので，$T_c \approx T_b \approx T$ となる．逆に，光学的に薄いときは，十分な放射強度にならずに，媒質の光学的厚みを τ_ν として，$I_\nu \approx B_\nu(T)\tau_\nu$ ぐらいになる（例題 3.7）．このときは，$T_b \ll T$ だが，不透明度（および光学的厚み τ_ν）が振動数によらない（灰色と呼ぶ）ならば $T_c \approx T$ である．

2.3.3 有効温度

放射流束 F が温度 $T_{\rm eff}$ の黒体放射の流束に等しいとき，$T_{\rm eff}$ を**有効温度**（effective temperature）と呼ぶ：
$$F = \int d\nu \oint I_\nu \cos\theta d\Omega \equiv \sigma_{\rm SB} T_{\rm eff}^4. \tag{2.31}$$

たとえば，太陽のスペクトル（図 2.5）は細部では黒体輻射スペクトルとずれがあるが，全波長域で積分した放射量は 5777 K の黒体輻射の放射量に等しい．すなわち，太陽放射の有効温度は 5777 K である．

2.4 ボルツマンの式

中性水素ガスなど，熱力学的平衡状態にあるガス粒子の一部が高いエネルギー準位に励起されているとき，熱平衡状態に対する統計力学の考え方で，各エネルギー準位の粒子数分布を求めよう．

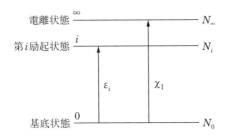

図 2.6 励起状態と電離状態の模式図．

図 2.6 のように，i 番目のエネルギー準位の**励起エネルギー**[*13]（exitation energy）を ε_i とし，**統計的重み**[*14]（statistical weight）を g_i とする．この中性ガスが温度 T で熱力学的平衡状態になっていれば，気体分子運動に関するボルツマン分布と同様に，ある気体粒子が i 番目のエネルギー準位に存在する確率 p_i は，k_B をボルツマン定数として，以下のように表せる：

$$p_i \propto g_i e^{-\varepsilon_i/k_\mathrm{B} T}. \tag{2.32}$$

これより，準位 i の**停在密度**（level population）を N_i とし，ある気体粒子の全停在密度を N とすると，適当な規格化因子 $U(T)$ を用いて，

$$\frac{N_i}{N} = \frac{g_i e^{-\varepsilon_i/k_\mathrm{B} T}}{U(T)} \tag{2.33}$$

[*13] 基底状態のエネルギーを基準としたときのエネルギー．

[*14] 準位 i の縮退度で多重度ともいう．たとえば，水素原子の場合，$g_0 = 2$，$g_1 = 8$ などとなる．

と表せる.ここで $N = \sum N_i$ なので,規格化因子 $U(T)$ —— **分配関数/状態和**(partition function, state sum)と呼ぶ—— は以下となることがわかる:

$$U(T) = \sum g_i e^{-\varepsilon_i/k_\mathrm{B}T}. \tag{2.34}$$

基底準位($i = 0$)と i 準位の間,および異なるエネルギー準位 i, j の間には,

$$\frac{N_i}{N_0} = \frac{g_i}{g_0} e^{-\varepsilon_i/k_\mathrm{B}T}, \tag{2.35}$$

$$\frac{N_i}{N_j} = \frac{g_i}{g_j} e^{-(\varepsilon_i - \varepsilon_j)/k_\mathrm{B}T} \tag{2.36}$$

の関係が成り立つ.これらを**ボルツマンの式**(Boltzmann equation)と呼ぶ.

さらに,ボルツマンの式の対数を取って,

$$\log_{10} \frac{N_i}{N_0} = \log_{10} \frac{g_i}{g_0} - \varepsilon_i \Theta \tag{2.37}$$

のように表すこともある.ただしこのとき ε_i の単位は [eV] で,

$$\Theta \equiv \frac{1\,\mathrm{eV}}{k_\mathrm{B}T} \log_{10} e = \frac{5040.4\,\mathrm{K}}{T} \tag{2.38}$$

を**相反温度**(reciprocal temperature)と呼ぶ.

例題 2.5 水素原子の基底状態($i = 0$)と第 1 励起状態($i = 1$)の停在粒子数の比を求めてみよう.

解答 水素原子の場合,$g_0 = 2$, $g_1 = 8$ で,また基底状態から第 1 励起状態への励起エネルギーは $10.15\,\mathrm{eV}$ なので,

$$\frac{N_1}{N_0} = \frac{8}{2} \exp\left(-\frac{10.15\,\mathrm{eV}}{k_\mathrm{B}T}\right), \tag{2.39}$$

$$\log_{10} \frac{N_1}{N_0} = 0.602 - \frac{51156\,\mathrm{K}}{T} \tag{2.40}$$

などとなる.温度が無限大で $N_1/N_0 = 4$, $T = 85000\,\mathrm{K}$ で $N_1/N_0 \sim 1$ だが,$T < 10^4\,\mathrm{K}$ になると(A0 型より低温の星),$N_1/N_0 < 10^{-5}$ と大変小さくなる. ■

天体中の粒子の励起状態は,しばしば熱力学的平衡状態にあることが観測的に確認されている.例えば,図 2.7 は,大質量星形成領域からの複数のメタノール輝線の観測にもとづき,その励起状態を調べたものである.右図は各エネルギー準位の

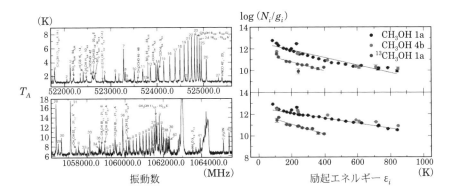

図 2.7 ハーシェル宇宙望遠鏡を用いた様々な CH_3OH 分子輝線強度の観測結果（左）とその停在密度分布（右）（Wang et al. 2011）．右図は黒丸が観測値で，実線はボルツマンの式でフィットしたもの．

停在密度と統計的重み N_i/g_i を励起エネルギー ε_i の関数としてプロットしたものであり，停在密度分布がボルツマンの式（2.36）に従っていることがわかる．

2.5 サハの式

ガスの温度が高くなると，原子の一部は電離して，中性状態と電離状態の間で，**電離平衡**（ionization equilibrium）と呼ばれる一種の熱平衡状態になる．この電離平衡の状態は**サハの式**（Saha equation）に従う．

（1）基底状態から 1 階電離の場合

まず基底状態にある原子が 1 階電離する場合を考える．基底状態にある中性原子の数を N_0，1 階電離した基底状態のイオンの数を N_0^+，中性原子および 1 階電離したイオンの統計的重みをそれぞれ，g_0, g_0^+，イオン化ポテンシャルを χ_I[15]，そして電子の質量，速度，運動量をそれぞれ，$m_e, v, p\,(=m_e v)$ とすると，電離により生じた電子の速度が $(v, v+dv)$ 間に存在する確率は，ボルツマン則より，

$$\frac{dN_0^+(v)}{N_0} = \frac{g_0^+}{g_0}\exp\left[-\frac{1}{k_B T}\left(\chi_I + \frac{1}{2}m_e v^2\right)\right]\frac{2}{h^3}d^3\boldsymbol{x}\,d^3\boldsymbol{p} \qquad (2.41)$$

---

[15] 水素原子の場合，$\chi_I = 13.6\,\mathrm{eV}$．

となる．ここで因子 2 は電子の 2 つのスピン状態を考慮した[*16]．さらに，$d^3\boldsymbol{x} = 1/N_\mathrm{e}$（$N_\mathrm{e}$ は電子の数密度）で，$d^3\boldsymbol{p} = 4\pi m_\mathrm{e}^3 v^2 dv$ より，

$$\frac{N_0^+}{N_0} = \frac{8\pi m_\mathrm{e}^3}{h^3 N_\mathrm{e}} \frac{g_0^+}{g_0} e^{-\chi_\mathrm{I}/k_\mathrm{B}T} \left(\frac{2k_\mathrm{B}T}{m_\mathrm{e}}\right)^{3/2} \int_0^\infty y^2 e^{-y^2} dy, \quad y \equiv \left(\frac{2k_\mathrm{B}T}{m_\mathrm{e}}\right)^{1/2} v \tag{2.42}$$

のようになり，積分の値は $\pi^{1/2}/4$ に等しいので，結局，以下が得られる：

$$\frac{N_0^+ N_\mathrm{e}}{N_0} = \left(\frac{2\pi m_\mathrm{e} k_\mathrm{B} T}{h^2}\right)^{3/2} \frac{2g_0^+}{g_0} \exp\left(-\frac{\chi_\mathrm{I}}{k_\mathrm{B}T}\right). \tag{2.43}$$

(2) 任意の状態から 1 階電離の場合

次に，すべての状態に存在する原子の 1 階電離について考えてみよう．中性原子の数を N，1 階電離したイオンの数を N^+ とすると，ボルツマン則より[*17]，

$$\frac{N_0}{N} = \frac{g_0}{U(T)}, \quad U(T) = \sum g_j \exp\left(-\frac{\varepsilon_j}{k_\mathrm{B}T}\right), \tag{2.44}$$

$$\frac{N_0^+}{N^+} = \frac{g_0^+}{U^+(T)}, \quad U^+(T) = \sum g_j^+ \exp\left(-\frac{\varepsilon_j^+}{k_\mathrm{B}T}\right) \tag{2.45}$$

であるから，以下のサハの式が成り立つ：

$$\frac{N^+ N_\mathrm{e}}{N} = \frac{2U^+(T)}{U(T)} \left(\frac{2\pi m_\mathrm{e} k_\mathrm{B}T}{h^2}\right)^{3/2} \exp\left(-\frac{\chi_\mathrm{I}}{k_\mathrm{B}T}\right) = \frac{K_p}{k_\mathrm{B}T}. \tag{2.46}$$

ここで K_p は $\mathrm{X} \rightleftharpoons \mathrm{X}^+ + \mathrm{e}^-$ 反応の平衡定数である．

(3) i 階電離状態から $i+1$ 階電離の場合

同様に $\mathrm{X}^{+i} \rightleftharpoons \mathrm{X}^{+(i+1)} + \mathrm{e}^-$ の平衡状態を考えると，より一般的なサハの式が得られる：

$$\frac{N_{i+1} N_\mathrm{e}}{N_i} = \frac{2U_{i+1}(T)}{U_i(T)} \frac{(2\pi m_\mathrm{e} k_\mathrm{B}T)^{3/2}}{h^3} \exp\left(-\frac{\chi_i}{k_\mathrm{B}T}\right),$$

[*16] ここでは，g_0 が中性原子の統計的重み，g_0^+ が 1 階電離した基底状態のイオンの統計的重み，そして因子 2 が電子の統計的重み g_e を表している．$g = g_0^+ g_\mathrm{e}$ とすると，イオン＋電子系の統計的重みになる．

[*17] $U(T)$ と $U^+(T)$ はそれぞれ，(2.34) で定義される中性原子とイオンの分配関数である．

$$U_i(T) = \sum g_{ij} \exp\left(-\frac{\chi_{ij}}{k_B T}\right) \tag{2.47}$$

ここで，N_i は i 階電離したイオンの数，$U_i(T)$ は i 階電離したイオンの分配関数，χ_i は i 階電離から $i+1$ 階電離する**電離エネルギー**（ionized energy）**/イオン化ポテンシャル**である．

電子圧 P_e $(= N_e k_B T)$ を用いて，以下の形で表すことも多い：

$$\frac{N_{i+1}}{N_i} P_e = \frac{(2\pi m_e)^{3/2}(k_B T)^{5/2}}{h^3} \frac{2U_{i+1}(T)}{U_i(T)} \exp\left(-\frac{\chi_i}{k_B T}\right). \tag{2.48}$$

あるいは実計算上は対数に引き直して，

$$\log_{10}\frac{N_{i+1}}{N_i} = -\log_{10} P_e - \chi_i \Theta + \frac{5}{2}\log_{10} T - 0.48 + \log_{10}\frac{2U_{i+1}(T)}{U_i(T)} \tag{2.49}$$

を使用する．ただし，電子圧 P_e の単位は $\mathrm{dyn\,cm^{-2}}$，電離エネルギーの単位は eV，温度の単位は K である．

(4) 電離度

各状態の数密度と**電離度**（ionization degree）の関係をまとめておこう．簡単のために 1 階電離の場合を考え，電離度を x_e とする．中性原子の数を N，イオンの数を N^+，電子数を N_e とすると，電離度の定義より，

$$\frac{N_e}{N+N^+} = \frac{N^+}{N+N^+} = x_e \tag{2.50}$$

となる．また次の関係式も成り立つことは容易にわかるだろう：

$$\frac{N}{N+N^+} = 1 - x_e, \quad \frac{N+N^++N_e}{N+N^+} = \frac{N_{\rm tot}}{N+N^+} = 1 + x_e. \tag{2.51}$$

ここで，全粒子数を $N_{\rm tot} = N + N^+ + N_e$ とした．さらに，全圧を $P\,(= N_{\rm tot} k_B T)$ として，

$$K_x = \frac{K_p}{P} = \frac{N^+ N_e}{N N_{\rm tot}} \tag{2.52}$$

とすると，以下の関係が得られる：

$$\frac{x_e^2}{1-x_e^2} = K_x, \quad x_e = \left(\frac{K_x}{1+K_x}\right)^{1/2}. \tag{2.53}$$

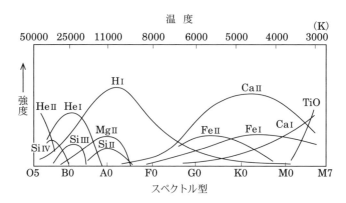

図 2.8 恒星の吸収線の深さの温度（スペクトル型）依存性
(https://srmastro.uvacreate.virginia.edu/astr313/lectures
/spectroscopy/spec.html)．

　図 1.6（1 章）などを見ると，恒星のスペクトル型によって吸収線の強さが大きく変わる．たとえば，中性水素のバルマー線（H I）は，O 型では弱いが，A 型では強く，F 型以降で再び弱くなる．中性ヘリウム（He I）の吸収線は高温度の B 型でもっとも強い．さらに H, K 線と呼ばれる 1 階電離カルシウム（Ca II）の吸収線は，高温度星では弱いが，F 型や G 型で強くなる．各スペクトル型における，これらのスペクトル吸収線の相対的な強さを図 2.8 に示す．

　このようなスペクトル線の消長は，元素の存在量や大気密度にも関係するが，大きな要因が恒星大気の温度だ（A 型より低温の星でヘリウムの吸収線が見られないからといって，低温度の星にヘリウムがないわけではない）．

　定性的には以下のように考えればよい．例として，中性水素のバルマー吸収線（H I）を取ってみよう．水素のバルマー吸収線は，水素原子が光子を吸収して第 1 励起状態からさらに高い準位に遷移する際に生じる．したがって，第 1 励起状態に励起されている水素原子の割合が多いほど，バルマー吸収線は強くなる．M 型や K 型など表面温度の低い星では，水素原子はほとんど基底状態にあるため，バルマー吸収線は弱い．G 型から F 型へと温度が高くなると，水素原子もある程度の割合で第 1 励起状態に励起され，バルマー吸収線は強くなる．ところが温度がさらに高くなると，水素原子は電離されてしまい，中性水素そのものの割合が減って，バルマー吸収線はふたたび弱くなる．

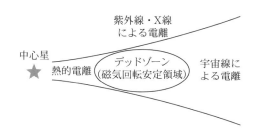

図 **2.9** 原始惑星系円盤内の電離過程と磁気回転安定領域.

恒星以外の天体でも，たとえば，原始惑星系円盤内縁の赤道面付近では，温度が 1000 K 程度以上になると，カリウムの熱電離が主な電離源になり，円盤の磁気回転不安定性に影響をおよぼすと考えられている（e.g., Umebayashi 1983, Sano et al. 2000）（図 2.9）．より低温あるいは低密度な領域では，熱的な電離よりも紫外線や X 線，宇宙線などによる非熱的な電離が支配的となる．

2.6 アインシュタイン係数

ここまでの節や次章以降などでは，マクロな物理量として放射係数や吸収係数を考えるが，ここではミクロなプロセスとしての放射・吸収の素過程を考えて，**アインシュタイン係数**（Einstein coefficients）との関連を述べよう．

簡単のため，2つのエネルギー準位（u；upper level，l；lower level）からなる粒子の系を考える（図 2.10）．光子との相互作用を伴うエネルギー準位の遷移として，以下の3つの素過程があり，それぞれの遷移確率に関する係数としてアインシュタイン係数 A_{ul}, B_{lu}, B_{ul} が以下のように定義される．

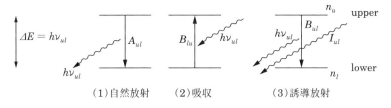

図 **2.10** 光子の放射・吸収によるエネルギー準位の遷移過程.

(1) 自然放射

高エネルギー準位から低エネルギー準位へ，エネルギー $h\nu_{ul}$ の光子を放出して

自然に遷移する過程を，**自然放射**（spontaneous emission）と呼ぶ．その遷移確率をアインシュタインの A 係数と呼び，A_{ul} [s^{-1}] で表す[*18].

(2) 吸収

低エネルギー準位から高エネルギー準位へ，エネルギー $h\nu_{ul}$ の光子を吸収して遷移する過程が**吸収**（absorption）である．その遷移確率は入射光の平均強度 $J_{\nu_{ul}}$ に比例し，$B_{lu}J_{\nu_{ul}}$ [s^{-1}] で表される．B_{lu} をアインシュタインの B 係数と呼ぶ．

(3) 誘導放射

入射してきたエネルギー $h\nu_{ul}$ の光子に誘発され，高エネルギー準位から低エネルギー準位へ，同じエネルギー $h\nu_{ul}$ の光子を放出して遷移する過程を**誘導放射**（stimulated emission）と呼ぶ．その遷移確率は入射光の平均強度 $J_{\nu_{ul}}$ に比例し，$B_{ul}J_{\nu_{ul}}$ [s^{-1}] で表される．B_{ul} もアインシュタインの B 係数と呼ぶ．

2.7 詳細釣合

系が熱力学的平衡状態にあるとき，上下の準位間では放射や吸収が頻繁に起こり，**詳細釣合**（detailed balance）が成り立っている．その条件を利用して，アインシュタイン係数間の関係を導いてみよう．

上下の準位の停在粒子数密度を n_u, n_l とすると，吸収と放射の釣合より，

$$n_l B_{lu} J_{\nu_{ul}} = n_u A_{ul} + n_u B_{ul} J_{\nu_{ul}} \tag{2.54}$$

が成り立ち，系が熱力学平衡なら，n_u と n_l はボルツマンの関係式を満たす：

$$\frac{n_u}{n_l} = \frac{g_u}{g_l} \exp\left(-\frac{h\nu_{ul}}{k_B T}\right). \tag{2.55}$$

したがって，平均強度について解くと以下のようになる：

$$J_{\nu_{ul}} = \frac{A_{ul}/B_{ul}}{(n_l/n_u)(B_{lu}/B_{ul}) - 1} = \frac{A_{ul}/B_{ul}}{(g_l B_{lu}/g_u B_{ul}) \exp(h\nu_{ul}/k_B T) - 1}. \tag{2.56}$$

さらに，熱力学平衡のときは，平均強度は黒体輻射強度になるので，

[*18] 典型的には，$A_{ul} \sim 10^{10}$ s^{-1} ぐらいの値になる．この逆数，$A_{ul}^{-1} \sim 10^{-10}$ s が高エネルギー準位の滞在時間になる．ハイゼンベルグの不確定性原理から，エネルギー値は $\Delta E \sim \hbar/A_{ul}^{-1}$ 程度の自然幅をもつことになる（8 章）．

$$J_{\nu_{ul}} = B_{\nu_{ul}} = \frac{2h\nu_{ul}^3/c^2}{\exp(h\nu_{ul}/k_{\rm B}T) - 1} \tag{2.57}$$

であるはずだ．(2.56) と (2.57) を比較して，アインシュタイン係数は以下のアインシュタイン関係式を満たさないといけないことがわかる：

$$g_l B_{lu} = g_u B_{ul}, \quad A_{ul} = \frac{2h\nu_{ul}^3}{c^2} B_{ul}. \tag{2.58}$$

さらに，粒子の励起・逆励起には，光子との相互作用だけではなく，他の粒子との**衝突**（collision）も関与し得る．ここで，他の粒子[*19]の数密度を $n_{\rm col}$ [cm^{-3}] とし，他の粒子との衝突により，低エネルギー準位から高エネルギー準位へ励起する確率，また高エネルギー準位から低エネルギー準位へ逆励起する確率をそれぞれ $n_{\rm col}C_{lu}$ [s^{-1}]，$n_{\rm col}C_{ul}$ [s^{-1}] で表す[*20]．衝突過程まで入れると，詳細釣合の式は，より一般的には，

$$n_l B_{lu} J_{\nu_{ul}} + n_l n_{\rm col} C_{lu} = n_u A_{ul} + n_u B_{ul} J_{\nu_{ul}} + n_u n_{\rm col} C_{ul} \tag{2.59}$$

となる[*21]．アインシュタイン関係式を導出したときと同様にして，系が熱力学平衡の場合を考えると，C_{ul} と C_{lu} の間の以下の関係式を導くことができる．

$$\frac{C_{lu}}{C_{ul}} = \frac{g_u}{g_l} \exp\left(-\frac{h\nu_{ul}}{k_{\rm B}T}\right) \tag{2.60}$$

したがって，衝突励起は高温（$k_{\rm B}T \gtrsim h\nu_{ul}$）の系において効率よく働く．また，衝突確率 C_{ul} は，衝突する 2 粒子間の平均相対速度および衝突断面積の積で表される．衝突確率 $n_{\rm col}C_{ul}$ は系の密度に比例し，高密度領域ほど衝突励起が良く効く．

さてここで，輻射場が弱い系，すなわち，$A_{ul}, n_{\rm col}C_{ul} \gg B_{ul}J_{\nu_{ul}}$，$n_{\rm col}C_{lu} \gg B_{lu}J_{\nu_{ul}}$ である系を考えてみよう．このとき詳細釣合の式は近似的に，

$$n_l n_{\rm col} C_{lu} = n_u A_{ul} + n_u n_{\rm col} C_{ul} \tag{2.61}$$

で表される．ここで，上述のように衝突確率 $n_{\rm col}C_{ul}$ は系の密度に比例する．し

[*19] 系の電離状態や解離状態に応じ，電子，水素原子，水素分子が主な衝突相手となる．

[*20] 係数 C の単位は [cm^3 s^{-1}] である．なお，文献によっては，他の粒子の密度を含めた形で係数 C' を定義していることもある（$C' = nC$）．

[*21] さらに時間変化まで入れると以下のようになる：

$$\frac{dn_i}{dt} = -n_i \sum_j (A_{ij} + B_{ij}J_{\nu_{ij}} + n_{\rm col}C_{ij}) + \sum_j n_j (B_{ji}J_{\nu_{ji}} + n_{\rm col}C_{ji}).$$

たがって，密度が高くかつアインシュタイン係数が十分小さい場合，すなわち，$n_{\mathrm{col}}C_{ul} \gg A_{ul}$ のとき，詳細釣合の式（2.61）と C_{ul} と C_{lu} の関係式（2.60）より，

$$\frac{n_u}{n_l} = \frac{g_u}{g_l} \exp\left(-\frac{h\nu_{ul}}{k_{\mathrm{B}}T}\right) \tag{2.62}$$

が導かれ，粒子の励起状態はボルツマンの式に従う．すなわち，熱力学的平衡な分布となる．逆に，密度が低い系において，アインシュタイン係数が十分に大きい遷移を持つ粒子の励起状態は，非熱力学的平衡な分布になる．この境界の密度を**臨界密度**（critical density）と呼び，

$$n_{\mathrm{col,crit}} \equiv \frac{A_{ul}}{C_{ul}} \tag{2.63}$$

で定義する[*22]．

このように，宇宙空間における粒子の励起状態は，系の輻射場や密度，温度の影響を受ける．具体例として，分子雲中の水素分子の励起状態を考える．図 2.11 に

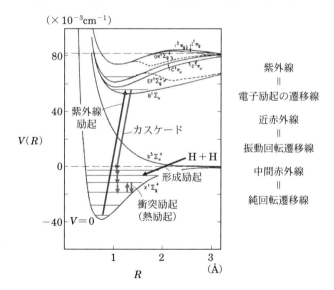

図 **2.11** 水素分子のポテンシャル曲線と励起過程（Shull and Bechwith 1982）．

[*22] 衝突相手の粒子が電子の場合は，**臨界電子密度**（critical electron density）と呼ぶこともある．臨界電子密度の具体的な値などについては第 4 巻も参照してほしい．

水素分子のポテンシャル曲線と励起過程を示す．水素分子は2原子分子であり，電子の軌道運動に加え，分子の回転や振動運動に応じて，エネルギー状態が決まる．水素分子の電子の励起ポテンシャルは数 eV 以上あり，主に紫外線を吸収して電子励起状態になる．電子励起状態にある水素分子は紫外線を放射して電子基底状態に戻るが，このとき回転振動エネルギー的には励起状態にある．この水素分子はさらに，回転振動励起ポテンシャルに相当する赤外線を放射して，よりエネルギーの低い状態へカスケードしていく．一方で，水素分子は系の密度，温度に応じて，衝突励起する．星間雲に存在する水素分子を考える場合，その電子基底状態における回転振動励起状態は主に，衝突励起，あるいは紫外線励起からのカスケードによって決まる．高温高密度な系においては衝突励起が良く効き，分子の励起状態は熱力学的平衡な分布となる．一方で，紫外線輻射場が強い系においては，紫外線励起からのカスケードが良く効き，分子の励起状態は非熱力学的平衡な分布となる．

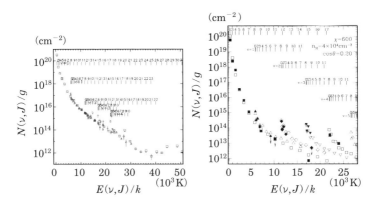

図 **2.12** 若い星に付随するジェット中の衝撃波面（左）と近傍の大質量星からの紫外線に照射された分子雲における水素分子の励起状態（右）．黒丸は観測値，白丸はモデル計算の結果（Beltordi et al. 1999）．

たとえば，図 2.12 の左図は，若い星に付随するジェット中の衝撃波面からの水素分子輝線観測にもとづき，その領域中の水素分子の励起状態を調べたもので，振動励起状態（$\nu = 0, 1, 2, \cdots$）に関係なくなめらかに分布している．すなわち，高温高密度領域において，水素分子の励起状態がボルツマンの式に従っている（熱力学的平衡な分布をしている）ことがわかる．一方で，図 2.12 の右図は近傍の大質

量星からの強い紫外線に照射された分子雲中の水素分子の励起状態を同様にして調べたもので，振動励起状態ごとに不連続な分布をしている．すなわち，紫外線の強い領域において，水素分子の励起状態が非熱力学的平衡な分布をしていることがわかる．ちなみに後者の場合でも，系の温度に比べて十分に低エネルギーな準位の水素分子の励起状態は，熱力学的平衡な分布に従っている．

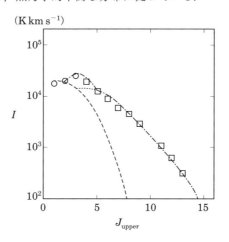

図 **2.13** ハーシェル宇宙望遠鏡やサブミリ波望遠鏡を用いた近傍銀河からの様々な準位の一酸化炭素分子輝線の強度の観測結果（Rangwala *et al.* 2011）．丸，四角は観測値，破線はモデル計算の結果．同一分子の複数の輝線強度の観測と分子の励起・逆励起過程の計算により，天体の諸物理量がわかる．

また最近では，図 2.13 のように，一酸化炭素の遠赤外線–ミリ波/サブミリ波における複数の準位間の遷移線の観測より，系外銀河を含めた様々な天体の諸物理量を求めることが可能になってきている．

2.8　熱力学平衡，局所熱力学平衡，非局所熱力学平衡

すでに言葉としては使っているものもあるが，ここで改めて，**熱力学平衡**（thermodynamic equilibrium；TE），**局所熱力学平衡**（local thermodynamic equilibrium；LTE），そして**非局所熱力学平衡**（non-local thermodynamic equilibrium；non-LTE，NLTE）についてまとめておこう[23]．

---

[23] Kubát, J. 2014, arXiv:1406.3553v1 によくまとめられている．

粒子や光子からなる系（孤立系）が，十分に時間が経って（緩和時間），巨視的には系の温度や密度が変動しなくなり，微視的には系を構成する粒子の分布が変化しなくなった状態が，**熱力学平衡** TE である．熱力学平衡では，粒子の分布はある温度 T のマクスウェル分布となり，光子の分布は同じ温度のプランク分布になる．また原子の準位内の配位はボルツマン分布 (2.36) にしたがい，電離状態の配位はサハの式 (2.47) にしたがう．

星や降着円盤などの現実の天体では，内部の方が温度も密度も高く，内部から外部に向かって輻射の流れが存在するので，完全な熱力学平衡が達成されることはない．しかしながら，よほど希薄な大気でない限りは，粒子同士の衝突が頻繁に起こり粒子分布は緩和していると想定して，各場所における温度や密度のもとでの熱力学平衡が成り立っていると仮定する．そして粒子分布に対しては，マクスウェル分布やボルツマン分布，そしてサハの式が適用できると仮定する．ミクロスコピックには，あらゆる状態間で詳細釣合が成立していると考える．この状況が**局所熱力学平衡** LTE だ．ただし LTE では輻射場は必ずしも平衡には達しておらず，輻射場もプランク分布からずれていても構わない．星の内部深くでは輻射場もその場所の温度のプランク分布になっているが，一般的には LTE では輻射場は輻射輸送方程式を解いて定められる．

最後に NLTE だが，粒子と輻射の大きな相違点は，粒子はごく近傍と相互作用するだけだが（局所的），輻射は遠方とも相互作用ができることだ．すなわち輻射は**非局所的**（non-local）なのだ．輻射場と粒子の非局所的な相互作用（radiative transitions）が粒子の衝突による局所的相互作用より優勢だと，ボルツマンの式やサハの式は適用できなくなり，原子の各準位の分布はアインシュタインの係数などを用いて，ミクロな詳細釣合の状態を解かなければならなくなる．その状態で，輻射場は輻射輸送方程式を同時に解いて得られることになる．これが**非局所熱力学平衡** NLTE である．ただし，NLTE でも，粒子同士の衝突は十分頻繁に起こるので，粒子の速度分布自体はマクスウェル分布を仮定してよい[*24]．

[*24] NLTE の non は local にかかるが，語順からは LTE 全体にかかるようにみえるので，まったく平衡状態になっていないような，勘違いしやすいネーミングになっている．粒子はマクスウェル分布になっているので，一部は平衡状態になっている．したがって，いわゆる NLTE のことを，**運動学的平衡状態** KE (kinetic equilibrium) と呼ぶべきだという意見もある (Hubeny and Mihalas 2014).

Chapter ❷ の章末問題

問題 2.1 黒体輻射強度 $B_\nu(T)$ のグラフを描け．振動数 ν に対するグラフ，波長 λ に対するグラフ，それぞれの対数グラフを描いてみよ．ヒント：プログラムで数値的に値を計算する場合，分母にある指数項が計算の障害となりやすい．指数の肩の $h\nu/k_BT$ が 1 より十分小さいと桁落ち，大きいとオーバーフローするので，それらに対する処理を施しておくこと．

問題 2.2 ウィーンの変位則を用いて，いろいろなスペクトル型の星のスペクトルピーク波長を見積もってみよ．

問題 2.3 黒体輻射のエネルギー密度やウィーンの変位則などを用いて，温度 T の熱輻射中の光子数密度 N_γ を見積もってみよ．なお，より詳しい計算では，$\sim 20T^3$ 個 cm^{-3} となる[*25]．また詳しい計算の結果を用いて，3K宇宙背景放射，地球大気，太陽表面の光子数密度を求めよ．さらに，地球大気（赤外線）の光子数密度と，地球に降り注ぐ太陽光の光子数密度を比較せよ．

問題 2.4 位相空間での光子の占有数 B_ν/ν^3 が相対論的不変量であることを知って，B/ν^4 や T/ν も相対論的不変量であることを導け．

問題 2.5 いろいろな星の温度（30000 K，20000 K，10000 K，8000 K，6000 K）で水素原子の N_1/N_0 を求めてみよ．

問題 2.6 統計的重みや分配関数などの諸量を与えて，ボルツマンの式とサハの式を解けば，図 2.8 のような吸収線の消長が求められる．2 準位原子モデルを用いて，吸収線の消長を計算してみよ．すなわち，原子の状態には，基底状態，第 1 励起状態，そして電離状態しかないとする．ある温度で，それぞれの状態にある原子の数を，N_0, N_1, N_∞ とする（全原子数 $N = N_0 + N_1 + N_\infty$ は一定）．水素原子では，基底状態から第 1 励起状態への励起エネルギー ε は $10.2\,\mathrm{eV}$，電離エネルギー χ は $13.6\,\mathrm{eV}$ である．最初にボルツマンの式を適用し，つぎにサハの式を適用し，それらを掛け合わせて，第 1 励起状態になっている原子の数の割合 N_1/N が温度によってどのように変わるかを求めてみよう．

[*25] $N_\gamma = \int \dfrac{u_\nu}{h\nu} d\nu = \dfrac{4\pi}{c} \int \dfrac{B_\nu}{h\nu} d\nu = \dfrac{8\pi h}{c^3} \int \dfrac{\nu^3}{\exp(h\nu/k_BT) - 1} \dfrac{1}{h\nu} d\nu$
$= \dfrac{8\pi k_B^4 T^4}{c^3 h^3} \dfrac{1}{k_BT} \int \dfrac{x^2}{e^x - 1} dx$；ただし $x = h\nu/k_BT$ と置いた．リーマン・ゼータ関数を使うと，積分は $\int \dfrac{x^2}{e^x - 1} dx \sim 2.40$ となるので，最終的に，$N_\gamma \sim 20T^3$ となる．

Chapter 3
輻射輸送方程式

　ここでは，輻射輸送における基本的な物理量である輻射強度と，重要な変数である光学的厚みを定義した後，輻射輸送の基礎方程式を導く．媒質内に入射した輻射光子は，媒質によって吸収・散乱されたり，媒質内の物質が光子を放射することもあり，その過程によって輻射強度は変化する．これらの素過程は，ミクロスコピックにはアインシュタイン係数などと関連するが，ここではマクロな量として，放射係数・吸収係数・散乱係数などを整理する．さらに，源泉関数と，その物理的な意味についても説明しよう．基礎方程式の導出と並行して，輻射輸送方程式の簡単な解を導き，輻射輸送の基本的な性質を示しておきたい．

3.1 輻射強度

　媒質中（ガスやダスト）を輻射（光）が伝播するとき，媒質によって輻射は吸収や散乱を受け，あるいは媒質から光が放射され，それらの結果，媒質中を伝播しながら光の強さは時間的・空間的に変化していく（図 3.1）．このような輻射の伝わり方を考えるのが**輻射輸送**（radiative transfer）である．

　まずは，輻射の強さを表す輻射強度について，改めて定義しよう．

　時刻 t に位置 r で単位面積を通って l の方向に，単位時間，単位立体角，単位振動数当りに流れていく振動数 ν の輻射エネルギーを**輻射強度**（比強度：specific

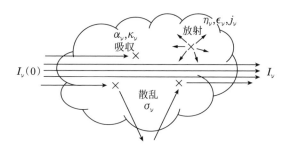

図 **3.1** 媒質中の輻射の伝播.

intensity）あるいは**輝度**（brightness）と呼び，$I_\nu(\boldsymbol{r},\boldsymbol{l},t)$ で表す（図 3.2）[*1,*2]．平たく言えば，**光線**（light ray）と考えてよい．定義から単位は [erg s^{-1} cm^{-2} sr^{-1} Hz^{-1}] である．しばしば I_ν（あるいは I_λ）と略記するが，輻射強度 I_ν は一般に，場所，方向，時刻その他もろもろの状態に依存する[*3]．

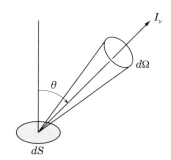

図 **3.2** 輻射強度.

輻射強度 I_ν（あるいは I_λ）を振動数 ν（あるいは波長 λ）について 0 から ∞ まで，すなわち全波長域にわたって積分したもの，

$$I = \int_0^\infty I_\nu d\nu = \int_0^\infty I_\lambda d\lambda \tag{3.1}$$

[*1] 単位振動数当りでなく単位波長当りで定義する場合も多い（2 章参照）．

[*2] 気象学や照明学では radiance を使うこともある．

[*3] 場所に依存しない場合を**一様**（homogeneous），方向に依存しない場合を**等方的**（isotropic），時間に依存しない場合を**定常**（steady），振動数に依存しない場合を**灰色**（gray）と呼ぶ．

を**全輻射強度**（total/net intensity）I [erg s^{-1} cm^{-2} sr^{-1}] と呼ぶ．これはある単位面積を通ってある方向に，単位時間，単位立体角当りに流れて行く輻射エネルギーの総量である．

上記の内容を式で表すと，時間 dt の間に面積 dA を通過し，ベクトル $\boldsymbol{l}$ 方向で，立体角 $d\Omega$ 内に進行する，$(\nu, \nu + d\nu)$ 間の振動数をもつ輻射が有するエネルギーを $d\mathcal{E}$ とすると，

$$d\mathcal{E} = I_\nu(\boldsymbol{r}, \boldsymbol{l}, t) dA d\Omega d\nu dt \tag{3.2}$$

となる．一方，時刻 t，位置 $\boldsymbol{r}$ でベクトル $\boldsymbol{l}$ 方向の立体角 $d\Omega$ 内に進行する，$(\nu, \nu + d\nu)$ 間の振動数をもつ光子の数密度を $\psi_\nu(\boldsymbol{r}, \boldsymbol{l}, t) d\Omega d\nu$ とする．時間 dt の間に面積 dA を光速 c で通過する光子の数は，

$$\psi_\nu(\boldsymbol{r}, \boldsymbol{l}, t) dA (d\Omega d\nu)(cdt) \tag{3.3}$$

で，光子1個のエネルギーは $h\nu$ なので，輻射が輸送するエネルギーは，

$$d\mathcal{E} = ch\nu\psi_\nu dA d\Omega d\nu dt \tag{3.4}$$

と表せる．したがって，輻射強度 I_ν は光子密度 ψ_ν を使うと，以下のようになる：

$$I_\nu(\boldsymbol{r}, \boldsymbol{l}, t) = ch\nu\psi_\nu(\boldsymbol{r}, \boldsymbol{l}, t). \tag{3.5}$$

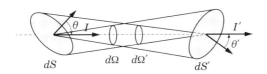

図 **3.3** 輝度不変の原理.

さて，面積要素 dS を通って，いろいろな方向に輻射の流れがあり．さらにそのうちの一部が，dS の面に垂直な方向から角度 θ の方向にある，別の面積要素 dS' を照射している場合を考える（図 3.3）．そして dS から，dS' を見込む微小な立体角 $d\Omega$ 内に，時間 dt 中に流れていく輻射エネルギーを dE とする．このとき dS の θ 方向への投影成分が $dS\cos\theta$ であることを考慮すると，輻射強度の定義から，

$$dE = I_\nu dS\cos\theta d\Omega dt \tag{3.6}$$

となる．立体角 $d\Omega$ は，dS と dS' の距離を r とすると，$d\Omega = dS'\cos\theta'/r^2$ と

表せるので，結局 dE は，以下となる：

$$dE = \frac{I_\nu dS \cos\theta dS' \cos\theta' dt}{r^2}. \tag{3.7}$$

一方，面積要素 dS' において，dS から入ってくる輻射エネルギー dE' は，

$$dE' = I'_\nu dS' \cos\theta' d\Omega' dt = \frac{I'_\nu dS' \cos\theta' dS \cos\theta dt}{r^2} \tag{3.8}$$

となる．面積要素 dS と dS' の間で輻射の吸収や放出がなければ，エネルギーの保存から dE と dE' は等しい．したがって，(3.7) と (3.8) から，

$$I_\nu = I'_\nu \tag{3.9}$$

が得られる．すなわち輻射強度は光線の経路に沿って保存される．このことを**輝度不変の原理**（invariance of the specific intensity）と呼ぶ[*4].

3.2 平均自由行程と光学的厚み

ガスと輻射の相互作用を考える際の，基本的で有用な概念として，平均自由行程と光学的厚みについて説明する．

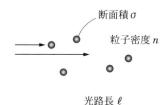

図 **3.4** 衝突断面積と平均自由行程．

媒質中を伝播している光子がガス粒子と衝突するまでに進む平均の距離が，光子の**平均自由行程**（mean free path）である．ガスを構成している粒子の断面積を σ，個数密度を n，そして光子の行路長を ℓ とすると，$n\sigma\ell = 1$ の条件を満たしたときに，$\sigma\ell$ の筒内の粒子数が 1 個となり，光子が 1 個の粒子と衝突する条件となる（図 3.4）．そのときの距離が平均自由行程そのものであり，平均自由行程 ℓ は，

[*4] 月面の反射光や雪原が眩しい理由は，散乱された太陽光の輝度がほとんど変わっていないため．

$$\ell = \frac{1}{\sigma n} \tag{3.10}$$

で与えられる．また粒子の質量を m とすると，質量密度は $\rho = nm$ なので，単位質量当りの断面積として**不透明度**（opacity）κ（$\equiv \sigma/m$）[$\mathrm{cm^2\,g^{-1}}$]を定義すると，平均自由行程は，

$$\ell = \frac{1}{\kappa \rho} \tag{3.11}$$

と表すこともできる．不透明度は一般には振動数に依存する．

太陽内部は平均密度が $\rho \sim 1.4\,\mathrm{g\,cm^{-3}}$ ぐらいで，不透明度が $\kappa \sim 1\,\mathrm{cm^2\,g^{-1}}$ ぐらいである．このとき，平均自由行程は $\ell \sim 0.5\,\mathrm{cm}$ ぐらいになる．

媒質の密度や不透明度によって平均自由行程が大きく違っても，光子にとって，平均自由行程だけ進めば1個の粒子に衝突するという物理過程は変わらない．そこで光子が感じる無次元的な距離として，$\sigma n \ell = \kappa \rho \ell$ が適切である．密度が場所によって異なることや振動数依存性を入れて，光子の経路 s に沿った**光学的深さ**（optical depth）・**光学的厚み**（optical thickness）を以下のように定義する：

$$\tau_\nu(s) \equiv \int_{s_0}^{s} \kappa_\nu \rho ds' = \int_{s_0}^{s} \alpha_\nu(s') ds'. \tag{3.12}$$

ここで α_ν（$= \kappa_\nu \rho$）は単位体積当りの吸収係数である（後述）．

この光学的深さを用いれば，光子の平均自由行程は，平均の光学的深さが1になる実距離だと厳密に定義できる．すなわち，光子の吸収・散乱により，輻射強度は $\exp(-\tau_\nu)$ に比例して減衰する（後述）．したがって，1つの光子が光学的深さ τ_ν 進む確率は，$\exp(-\tau_\nu)$ で表される．そこで平均の光学的深さを計算すると，

$$\langle \tau_\nu \rangle \equiv \int_0^\infty \tau_\nu e^{-\tau_\nu} d\tau_\nu = 1 \tag{3.13}$$

のように1となる．媒質が一様だとすれば，光子の平均自由行程 ℓ_ν は，$\langle \tau_\nu \rangle = \kappa_\nu \rho \ell_\nu = \sigma_\nu n \ell_\nu = \alpha_\nu \ell_\nu = 1$ より，以下となり，(3.10)が再現される：

$$\ell_\nu = \frac{1}{\kappa_\nu \rho} = \frac{1}{\sigma_\nu n}. \tag{3.14}$$

なお，光学的深さが1より大きいとき（$\tau_\nu > 1$）を**光学的に厚い**（optically thick）とか**不透明**（opaque）といい，1より小さいとき（$\tau_\nu < 1$）は**光学的に薄**

図 **3.5** 大阪市内の遠望．光学的に薄い日（左）と厚い日（右）．

い（optically thin）とか**半透明**（translucent）と呼ぶ（図 3.5）[*5]．

3.3 放射係数・吸収係数・散乱係数

ここで，光路 s に沿った輻射強度の変化を引き起こす放射・吸収・散乱を表す係数について，何通りかの形を定義しておく（図 3.6）．

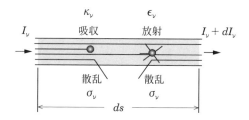

図 **3.6** 光路に沿った放射，吸収，散乱．

3.3.1 放射係数

ガスからは，自由–自由遷移や束縛–自由遷移など，さまざまな放射が起こる．単位体積から単位時間当りに単位立体角へ向けて放射される単位振動数当りのエネルギー放射率を**放射係数**（emission coefficient）とか**放射率**（emissivity）と呼び，本書では記号 η_ν [$\mathrm{erg\,cm^{-3}\,s^{-1}\,Hz^{-1}\,sr^{-1}}$] で表す[*6]．ガスの密度を露わにするために，

[*5] 光学的に薄い場合を透明（transparent）というのは適切ではない．

[*6] 放射係数や吸収係数の記号の取り方はテキストによって異なるので，同じ記号が違う意味をもつことが多々ある．

単位質量当りにした**質量放射率**（mass emissivity）ϵ_ν [erg g^{-1} s^{-1} Hz^{-1} sr^{-1}] や全方位への質量放射係数 j_ν [erg g^{-1} s^{-1} Hz^{-1}] を用いることもある[*7]：

$$\eta_\nu = \epsilon_\nu \rho = \frac{j_\nu}{4\pi}\rho. \tag{3.15}$$

上記の係数を用いると，時間 dt の間に体積 dV の媒質素片から立体角 $d\Omega$ 内の方向に進行する $d\nu$ 間の振動数をもつ放射のエネルギー $d\mathcal{E}$ は，

$$d\mathcal{E} = \eta_\nu dV d\Omega dt d\nu = \epsilon_\nu \rho dV d\Omega dt d\nu = j_\nu \rho dV \frac{d\Omega}{4\pi} dt d\nu \tag{3.16}$$

と表現できる．一方で，(3.2) 式から，輻射強度の増分を dI_ν として，断面積 dA を通過し距離 ds 進む間に加わる放射エネルギーは，

$$d\mathcal{E} = dI_\nu dA d\Omega dt d\nu \tag{3.17}$$

で，$dV = ds dA$ なので，この間に増加する輻射強度 dI_ν は以下となる：

$$dI_\nu = \eta_\nu ds = \epsilon_\nu \rho ds = \frac{j_\nu \rho}{4\pi} ds. \tag{3.18}$$

3.3.2 吸収係数

立体角 $d\Omega$ 内の方向に進行する $d\nu$ 間の振動数をもつ放射が，dA の面積をもつ媒質素片内を距離 ds 進む際に，吸収を受ける状況を考えてみよう．

吸収体の数密度を n とし，吸収体の断面積を ς_ν とすると，この媒質素片に含まれる吸収体の数は $ndAds$ でなので，全吸収断面積は $n\varsigma_\nu dAds$ となる．

このとき，時間 dt の間に吸収体により失われる輻射のエネルギーは，

$$d\mathcal{E} = -I_\nu (n\varsigma_\nu ds dA) d\Omega dt d\nu \tag{3.19}$$

と表されるので，この間に減少する輻射強度 dI_ν は，以下のように表される：

$$dI_\nu = -n\varsigma_\nu I_\nu ds = -\alpha_\nu I_\nu ds = -\kappa_\nu \rho I_\nu ds. \tag{3.20}$$

ここで $\alpha_\nu\ (=n\varsigma_\nu)$ [cm^{-1}] は，(真の) **吸収係数**（absorption coefficient）と呼ぶ．

[*7] たとえば，自由–自由遷移の放射率，および振動数平均したものは，それぞれ以下となる：

$$4\pi\epsilon_\nu^{\rm ff} = j_\nu^{\rm ff} = 2.4 \times 10^{10} \rho T^{-1/2} e^{-h\nu/k_B T} \,[\text{erg g}^{-1}\,\text{s}^{-1}\,\text{Hz}^{-1}],$$
$$4\pi\epsilon^{\rm ff} = j^{\rm ff} = 5.1 \times 10^{20} \rho T^{1/2} \,[\text{erg g}^{-1}\,\text{s}^{-1}].$$

詳しくは付録および第 4 巻参照．

単位質量当りにした**質量吸収係数**（mass absorption coefficient）κ_ν [cm^2 g^{-1}] を用いることも多い*8．質量吸収係数はしばしば**不透明度**（opacity）とも呼ばれる．これらと吸収体断面積 ς_ν [cm^2] には以下の関係が成り立つ：

$$\alpha_\nu = n\varsigma_\nu = \kappa_\nu \rho. \tag{3.21}$$

3.3.3　散乱係数

媒質による吸収以外にも，光線が媒質によって散乱されると，光線の方向が変化し入射方向の光線は減少するので，（真の）吸収と同じ効果になる*9．吸収の場合と同様に考えると，ベクトル $\boldsymbol{l}$ 方向の立体角 $d\Omega$ 内に進行する輻射は，媒質中を距離 ds 進む間に散乱体により，下記の量だけ輻射強度を失う：

$$dI_\nu(\boldsymbol{l}) = -\beta_\nu I_\nu(\boldsymbol{l})ds = -\sigma_\nu \rho I_\nu(\boldsymbol{l})ds. \tag{3.22}$$

ここで，β_ν [cm^{-1}] は**散乱係数**（scattering coefficient）で，単位質量当りの σ_ν [cm^2 g^{-1}] を（散乱）**不透明度**とする*10．なお，吸収係数と散乱係数を併せた量 χ_ν ($=\alpha_\nu + \beta_\nu$) を**減光係数**（extinction coefficient）と呼ぶ．例えば，ダストの減光係数（図 3.7）はおおざっぱには波長のべき関数で，$\lambda^{-\beta}$ (ν^β) に比例する ($\beta \sim 2$)．また，左図の $0.2\,\mu$m (220 nm) のこぶ（bump）は炭素系ダストの吸収による特徴で，$10\,\mu$m–$20\,\mu$m のピークはケイ酸塩ダストの吸収による特徴である．

吸収と散乱の違いは，散乱では，別の方向の輻射が散乱されて，考えている方向に入射することだ．方向ベクトル $\boldsymbol{l}'$ の方向の立体角 $d\Omega'$ 内に進行していた輻射の一部が，散乱体により，ベクトル $\boldsymbol{l}$ 方向の立体角 $d\Omega$ 内に進行するようになったとしよう．このとき，輻射強度は距離 ds 進む間に以下の量だけ増加する：

---

*8 たとえば，自由–自由遷移の吸収係数，および振動数平均したものは，それぞれ以下となる：

$$\kappa_\nu^{\rm ff} = 1.3 \times 10^{56} \rho T^{-1/2} \nu^{-3}(1 - e^{-h\nu/k_{\rm B}T})\,{\rm cm}^2\,{\rm g}^{-1}$$
$$= 1.5 \times 10^{25} \rho T^{-7/2}(h\nu/k_{\rm B}T)^{-3}(1 - e^{-h\nu/k_{\rm B}T})\,{\rm cm}^2\,{\rm g}^{-1}$$
$$\kappa^{\rm ff} = 6.4 \times 10^{22} \rho T^{-7/2}\,{\rm cm}^2\,{\rm g}^{-1}.$$

詳しくは付録および第 4 巻参照．

*9 主な散乱過程には，自由電子による**トムソン散乱**（例：太陽コロナ），光の波長より小さな微粒子による**レイリー散乱**（例：青空，星雲，原始惑星系円盤），波長程度の粒子による**ミー散乱**（例：黄砂，雨滴，雪，星間塵）などがある（第 4 巻参照）．

*10 たとえば，電子散乱の不透明度は，振動数に依存せず，以下となる（付録参照）：

$$\kappa_{\rm es} = 0.4\,{\rm cm}^2\,{\rm g}^{-1}.$$

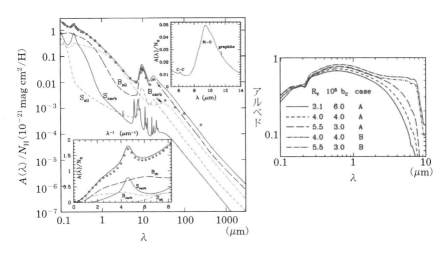

図 3.7 ダストの減光係数とアルベド (Li&Draine 2001, Weingartner&Draine 2001). 左図はダストの理論モデル (実線や破線) と観測値 (白丸) の比較. おおむね $1/\lambda^{1-2}$ で減少する. 右図はさまざまなサイズのダストのアルベド (反射率). サイズの大きなダストほど, より長い波長でもアルベドが大きい.

$$dI_\nu(\boldsymbol{l}) = ds \cdot \sigma_\nu \rho \oint \phi_\nu(\boldsymbol{l},\boldsymbol{l}')I_\nu(\boldsymbol{l}')d\Omega' = \eta_\nu^{\text{sca}}ds. \quad (3.23)$$

ここで, $\phi_\nu(\boldsymbol{l},\boldsymbol{l}')$ は**散乱確率密度** (scattering probability function)[*11]で, 光線が $\boldsymbol{l}'$ から $\boldsymbol{l}$ の方向へ散乱される確率で, 以下の規格化条件を満たす:

$$\oint \phi_\nu(\boldsymbol{l},\boldsymbol{l}')d\Omega' = \oint \phi_\nu(\boldsymbol{l},\boldsymbol{l}')d\Omega = 1. \quad (3.24)$$

散乱が等方的に起こる**等方散乱** (isotropic scattering) の場合, $\phi_\nu(\boldsymbol{l},\boldsymbol{l}') = 1/(4\pi)$ であり, 平均強度 J_ν (4章) を用いて以下のように表される:

$$dI_\nu(\boldsymbol{l}) = ds\frac{\sigma_\nu \rho}{4\pi}\oint I_\nu(\boldsymbol{l}')d\Omega' = \sigma_\nu \rho J_\nu ds. \quad (3.25)$$

トムソン散乱やレイリー散乱は弱い非等方性があり, 散乱確率密度は,

[*11] 散乱再分布関数 (scattering redistribution function) と呼ぶこともある. **位相関数** (phase function) とも呼ぶ.

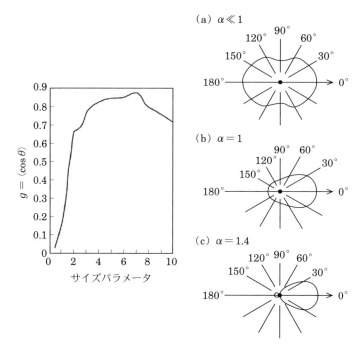

図 3.8 ダストの非等方散乱．(a) サイズパラメータ α が小さいと弱い非等方性をもつレイリー散乱になる．(b), (c) サイズパラメータ α が大きいと前方散乱が強いミー散乱になる．ただし，ここでサイズパラメータ α は，粒子サイズ a と光の波長 λ を用い，$\alpha \equiv 2\pi a/\lambda$ で定義する．

$$\phi_\nu = \frac{3}{4}\frac{1}{4\pi}\left[1 + (\bm{l}\cdot\bm{l}')^2\right] \tag{3.26}$$

で表される．このときは，積分は以下のようになる（K_ν は K 積分；4 章）：

$$\oint \phi_\nu I_\nu(\bm{l}')d\Omega' = \frac{3}{4}\frac{1}{4\pi}\oint I_\nu(1+\cos^2\theta')d\Omega' = \frac{3}{4}(J_\nu + K_\nu). \tag{3.27}$$

星間塵やエアロゾル粒子による非等方散乱では，ヘニエイ–グリーンシュタイン（Henyey–Greenstein）の位相関数（図 3.8）：

$$\phi_{\mathrm{HG}} = \frac{1}{4\pi}\frac{1-g^2}{(1+g^2-2g\cos\theta)^{3/2}} \tag{3.28}$$

も近似的に使われる（Henyey, Greenstein 1941, Wendisch, Yang 2012）．ここ

で g はパラメータだが,位相関数の第 1 モーメントになっている:$\langle \cos\theta \rangle = \int \phi_{\mathrm{HG}} \cos\theta d\Omega = g$. HG の近似式では $g \sim 0$ で等方散乱に近づくが,実際には弱い非等方性をもつレイリー散乱になる.

3.3.4 散乱過程と有効光学的厚み

散乱を繰り返しながら進んでいく光線の実効的な距離と,有効光学的厚みについて,やや詳しく説明しておきたい.

図 3.9 のように,光子が散乱を繰り返しながら媒質中を進行するとしよう.散乱される方向はランダムなので,光子の動きは**酔歩**(random walk)になる.1 回散乱するまでの平均自由行程を ℓ とすると,N 回散乱した後の**実効的な移動距離**(mean square displacement)ℓ_* はどうなるだろうか.

各散乱間の移動ベクトルを $\boldsymbol{r}_i$ とし,始点から N 回散乱後の終点までのベクトルを $\boldsymbol{r}$ とすると,光子の軌跡はベクトル的に,

$$\boldsymbol{r} = \boldsymbol{r}_1 + \boldsymbol{r}_2 + \cdots + \boldsymbol{r}_N \tag{3.29}$$

のように表される.実効的な移動距離は移動ベクトル $\boldsymbol{r}$ の 2 乗平均なので,

$$\ell_*^2 = \langle \boldsymbol{r}^2 \rangle = \langle \boldsymbol{r}_1^2 \rangle + \langle \boldsymbol{r}_2^2 \rangle + \cdots + \langle \boldsymbol{r}_N^2 \rangle + 2\langle \boldsymbol{r}_1 \cdot \boldsymbol{r}_2 \rangle + 2\langle \boldsymbol{r}_1 \cdot \boldsymbol{r}_3 \rangle + \cdots = N\ell^2 \tag{3.30}$$

のようになるが,各散乱間の移動ベクトルの平均が平均自由行程であり($\langle \boldsymbol{r}_i^2 \rangle = \ell^2$),交差項の平均は 0 であることから,上のように和は $N\ell^2$ となる.したがって,実効的な移動距離と平均自由行程は,

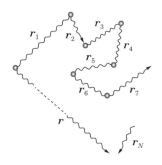

図 **3.9** 散乱とランダムウォーク.

$$\ell_* = \sqrt{N}\ell \tag{3.31}$$

という関係になることがわかる（ℓ の N 倍にはならない）．

例題 3.1 散乱回数 N をシステムの光学的厚み τ と関連づけてみよう．

解答 1回散乱するまでの平均自由行程に相当する光学的厚みが1なので，光学的に薄い場合には，だいたい，

$$N \sim \tau \quad (\tau \ll 1)$$

ぐらいになる．一方，光学的に厚い場合は，実効距離 ℓ_* がシステムのサイズ L になると光子はシステムから脱出するが，システムサイズを平均自由行程で割ったものがシステムの光学的厚みであることから，

$$N \sim \frac{\ell_*^2}{\ell^2} \sim \frac{L^2}{\ell^2} \sim \tau^2 \quad (\tau \gg 1)$$

のようになる．したがって，両方を合わせた表現として，

$$N \sim \tau^2 + \tau \tag{3.32}$$

が得られる[*12]．あるいは，$\ell_* \sim \sqrt{\tau^2 + \tau}\,\ell$ となる．■

例題 3.2 太陽内部の平均自由行程を 0.5 cm としたとき，太陽内部から光子が抜け出てくる間の散乱回数や，抜け出るまでの時間を見積もってみよう．

解答 実効移動距離を太陽半径とすると，$\ell_* = \sqrt{N}\ell = R_\odot$ となり，$\sqrt{N} \sim R_\odot/\ell \sim 10^{11}$ ぐらいになる．すなわち，抜け出るまでの散乱回数として $N \sim 10^{22}$ が得られる．光子が踏破する全距離は $N\ell \sim 10^{22}$ cm ほどで，踏破時間は $N\ell/c \sim 10^4$ 年となる（太陽中心部は高密度なので，実際は 10^6 年ほどかかる）．■

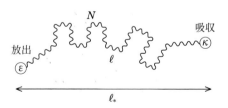

図 3.10 放出と吸収の間の実効平均行程．

[*12] $N \sim \mathrm{Max}(\tau, \tau^2)$ と表すこともある．

ではつぎに，以上の議論を用いて，有効光学的厚みについて説明しよう．

まず，放射によってガスから生まれた光子が，無限媒質中で N 回の散乱を受け，ふたたびガスに吸収される過程を考えてみる（図3.10）．このとき，光子がランダムウォークするときの平均自由行程 ℓ_ν は，

$$\ell_\nu = \frac{1}{\alpha_\nu + \beta_\nu} = \frac{1}{(\kappa_\nu + \sigma_\nu)\rho} \tag{3.33}$$

で，実効的な移動距離 ℓ_* は，$\ell_* = \sqrt{N}\ell_\nu$ だった．

吸収係数や散乱係数を使うと，1つの自由行程の後で光子が吸収される確率および引き続き散乱される確率は，それぞれ，

$$\varepsilon_\nu = 1 - \varpi_\nu \equiv \frac{\kappa_\nu}{\kappa_\nu + \sigma_\nu} \tag{3.34}$$

$$1 - \varepsilon_\nu = \varpi_\nu \equiv \frac{\sigma_\nu}{\kappa_\nu + \sigma_\nu} \tag{3.35}$$

になる．ここで ε_ν は**光子破壊確率**（photon destruction probability）と呼ばれ，ϖ_ν は**単散乱アルベド（反射能）**（single scattering albedo）と呼ばれる[*13]．

これらを使うと散乱回数はだいたい $N \sim 1/\varepsilon_\nu = 1/(1-\varpi_\nu)$ となるので，結局，実効的な移動距離は，

$$\ell_* = \sqrt{N}\ell_\nu = \frac{\ell_\nu}{\sqrt{\varepsilon_\nu}} = \frac{1}{\sqrt{\kappa_\nu(\kappa_\nu + \sigma_\nu)}\rho} \tag{3.36}$$

と表される．このときの実効的な移動距離は，光子が生まれた場所と破壊される場所の距離を表しており，**拡散長さ**（diffusion length）とか**熱化長さ**（thermalization length）とか**実効平均行程**（effective mean path）などと呼ばれている．

さらにこの実効平均行程を使うと，サイズが L である系全体の**有効光学的厚み**（effective optical depth）τ_* は，

$$\tau_* \equiv \frac{L}{\ell_*} = L\sqrt{\kappa_\nu(\kappa_\nu + \sigma_\nu)}\rho = \sqrt{\kappa_\nu\rho L(\kappa_\nu\rho L + \sigma_\nu\rho L)} \tag{3.37}$$

で与えられる[*14]．系全体の吸収に関する光学的厚みと散乱に関する光学的厚みを，

[*13] 恒星大気では前者が使われることが多く，地球大気では後者が使われることが多い．

[*14] 微小量の関係としては，以下の関係式の方が使用頻度が高いだろう：

$$d\tau = (\kappa_\nu + \sigma_\nu)\rho ds,$$
$$d\tau_* = \sqrt{\kappa_\nu(\kappa_\nu + \sigma_\nu)}\rho ds.$$

$$\tau_{\text{abs}} \equiv \kappa_\nu \rho L, \tag{3.38}$$

$$\tau_{\text{sca}} \equiv \sigma_\nu \rho L \tag{3.39}$$

で定義すると，有効光学的厚みは下記のように表現できる：

$$\tau_* = \sqrt{\tau_{\text{abs}}(\tau_{\text{abs}} + \tau_{\text{sca}})}. \tag{3.40}$$

有効光学的厚みが十分に大きいとき（$\ell_* \ll L$; $\tau_* \sim \tau_{\text{abs}} \gg 1$），系は有効的に光学的に厚い（effectively thick）といわれ，逆の場合（$\ell_* \gg L$; $\tau_* \ll 1$），系は有効的に光学的に薄い（effectively thin）といわれる[*15]．

3.4 輻射輸送方程式と簡単な解

光路に沿った輻射強度の時間的・空間的変化（伝播の仕方）を方程式に仕立てたものが，**輻射輸送方程式**（radiative transfer equation）である．

3.4.1 輻射輸送方程式

距離 ds 間の輻射強度の変化 dI_ν は，放射による増加分（3.18），吸収による減少分（3.20），散乱による減少分（3.22）と増加分（3.23）をすべて考慮すると，

$$dI_\nu = \eta_\nu ds - \alpha_\nu I_\nu ds - \beta_\nu I_\nu ds + ds \cdot \beta_\nu \oint \phi_\nu(\boldsymbol{l},\boldsymbol{l}') I_\nu(\boldsymbol{l}') d\Omega' \tag{3.41}$$

となる．あるいは微分を立てると，以下のように表すことができる：

$$\begin{aligned}
\frac{dI_\nu}{ds} &= \eta_\nu - \alpha_\nu I_\nu - \beta_\nu I_\nu + \beta_\nu \oint \phi_\nu(\boldsymbol{l},\boldsymbol{l}') I_\nu(\boldsymbol{l}') d\Omega' \\
&= \frac{j_\nu}{4\pi}\rho - \kappa_\nu \rho I_\nu - \sigma_\nu \rho I_\nu + \sigma_\nu \rho \oint \phi_\nu(\boldsymbol{l},\boldsymbol{l}') I_\nu(\boldsymbol{l}') d\Omega'.
\end{aligned} \tag{3.42}$$

これが**輻射輸送方程式**（radiative transfer equation）の基本形である[*16]．なお，輻射（光線）はガス系の変化のタイムスケールよりも，はるかに速く伝わるので，多くの場合，輻射輸送は定常として扱ってよい．

[*15] これらの性質は通常は振動数にも依存する．たとえば，自由–自由吸収と電子散乱のみを考慮した高温プラズマの場合，電子散乱は振動数に依存しないが，自由–自由吸収は低振動数で大きく高振動数で小さい．その結果，高温プラズマは低振動数領域では有効的に光学的に厚くスペクトルは黒体輻射に近いが，X 線領域では光学的に薄くなり（散乱が優勢），スペクトルが黒体輻射からずれたりする．

[*16] ここでは光線の経路に沿った方向で考えているが，一般的な場合は本章の最後などを参照．

さらに等方散乱の場合には，平均強度 J_ν（4 章）を用いて，以下のように表せる：
$$\frac{dI_\nu}{ds} = \frac{j_\nu}{4\pi}\rho - \kappa_\nu \rho I_\nu - \sigma_\nu \rho I_\nu + \sigma_\nu \rho J_\nu. \tag{3.43}$$

輻射輸送や輻射流体力学の取り扱いが難しい理由の一つは，散乱項に輻射強度の積分を含むために，輻射輸送方程式は微分積分方程式になっている点だ．もう一つは，輻射強度が一般には 7 つの独立変数をもつ関数である点だ[*17]．そのため，モーメント定式化（5 章）や数値計算法（7 章）などいろいろな手法が開発されてきた．まずは，散乱なしで簡単な場合の輻射輸送方程式を解いてみよう．

3.4.2 放射と吸収のみの簡単な解

3.4.1 節で示した距離 ds 進む間の放射と吸収による輻射強度の変化を纏めると，以下の輻射輸送方程式が得られる：
$$\frac{dI_\nu}{ds} = -\alpha_\nu I_\nu + \eta_\nu = -\alpha_\nu\left(I_\nu - \frac{\eta_\nu}{\alpha_\nu}\right). \tag{3.44}$$

（1）放射のみの場合

放射のみの場合，輻射輸送方程式は $dI_\nu/ds = \eta_\nu$ となり，その解は，
$$I_\nu(s) = I_\nu(s_0) + \int_{s_0}^{s} \eta_\nu(s')ds' \tag{3.45}$$
となる．とくに放射係数 η_ν が一定であれば，下のような解になる（図 3.11（左））：
$$I_\nu(s) = I_\nu(s_0) + \eta_\nu(s - s_0). \tag{3.46}$$

（2）吸収のみの場合

吸収のみの場合，輻射輸送方程式は $dI_\nu/ds = -\alpha_\nu I_\nu$ となり，その解は，
$$I_\nu(s) = I_\nu(s_0)\exp\left[-\int_{s_0}^{s}\alpha_\nu(s')ds'\right] \tag{3.47}$$
となる．とくに吸収係数 α_ν が一定であれば，下のような解になる（図 3.11（右））：
$$I_\nu(s) = I_\nu(s_0)e^{-\alpha_\nu(s-s_0)} = I_\nu(\tau_{\nu 0})e^{-\tau_\nu}. \tag{3.48}$$

[*17] 空間 3 つ，方向 2 つ，そして時間と振動数．

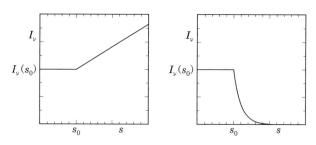

図 3.11 (左) 放射のみで放射係数が一定の場合の解. (右) 吸収のみで吸収係数が一定の場合の解.

ただし,$\tau_\nu = \alpha_\nu(s - s_0)$ は光学的厚さである.

この単純な解で現れた吸収による指数的な減光は,輻射輸送の性質を端的に表している.すなわち,媒質中での減光率が入力の強さに比例するという性質だ[*18].

例えば光子の吸収による分子のエネルギー状態の遷移を考えると,ある特定の波長帯でのみ吸収係数 α_ν が正の値を持ち,減光がおこる(2.6 節,3.6 節参照).図 3.12 に惑星大気中の分子による惑星の散乱光や熱放射の減光の例を示す.

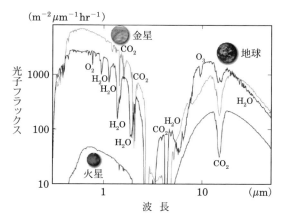

図 3.12 惑星大気中の分子のエネルギー状態の遷移に伴い,惑星の散乱光や熱放射がある特定の波長帯で吸収(減光)されている (Selsis and Tinetti 2007).

[*18] 振動現象における減衰振動や,ニュートンの冷却則,放射性物質の壊変,ある種の化学反応など,指数的減衰は自然界では比較的よくみられる事象である.

例題 3.3 距離 $r\,[\mathrm{pc}]$ にある絶対等級 M の天体の見かけの等級が，星間吸収がないときに m_0 で，あるときに m だとすると，距離引数の関係から，

$$m_0 = M + 5\log_{10} r - 5, \tag{3.49}$$

$$m = M + 5\log_{10} r - 5 + A_\nu, \tag{3.50}$$

$$m = m_0 + A_\nu \tag{3.51}$$

が成り立つ．ここで A_ν は途中にあるガス雲などによる減光量で，**星間吸収・星間減光**（interstellar extinction）と呼ばれる．輻射輸送の観点から，星間吸収 A_ν と光学的厚みとの関係を導いてみよ．

解答 遠方の天体の輻射強度を $I_{\nu 0}$ とし，減光を受けた後の強度を I_ν とすると（減光がなければ $I_{\nu 0}$ のまま），$I_\nu = I_{\nu 0}e^{-\tau_\nu}$ が成り立つ．ここで τ_ν は星間吸収の光学的厚みである．この式の両辺の対数をとって -2.5 を掛けると，

$$-2.5\log_{10} I_\nu = -2.5\log_{10} I_{\nu 0} + 2.5\frac{\tau_\nu}{\log_e 10} \tag{3.52}$$

が得られる．等級の定義から，左辺は m に，右辺の第一項は m_0 に相当するので，距離引数の関係（3.51）と比較して，

$$A_\nu = \frac{2.5}{\log_e 10}\tau_\nu = 1.0857\tau_\nu \tag{3.53}$$

となる．すなわち，星間吸収の等級はほぼ対応する光学的厚み程度になる． ∎

例題 3.4 本来の光度 L（スペクトル分布は L_ν）の星が星周ダスト（光学的厚みは τ）による吸収で減光され，光度 L_{obs}（スペクトル分布 $L_{\nu,\mathrm{obs}}$）で観測されたとする．星周ダストは光度 L_{dust} で再放射しているとする．このとき，観測量（L_{obs} と L_{dust}）から星周ダストの光学的厚みを見積もる式を導出してみよう．

解答 ダストによる吸収を受けた星のスペクトルは，$L_{\nu,\mathrm{obs}} = L_\nu e^{-\tau_\nu}$ となるので，観測される星の光度は，以下のように表せる：

$$L_{\mathrm{obs}} = \int L_{\nu,\mathrm{obs}}d\nu = \int L_\nu e^{-\tau_\nu}d\nu = L\langle e^{-\tau}\rangle, \quad \langle e^{-\tau}\rangle \equiv \int L_\nu e^{-\tau_\nu}d\nu/L.$$

エネルギーの保存から，$L = L_{\mathrm{obs}} + L_{\mathrm{dust}}$ なので，

$$\langle e^{-\tau}\rangle = \frac{L_{\mathrm{obs}}}{L_{\mathrm{obs}} + L_{\mathrm{dust}}}$$

が得られる．$L_{\mathrm{obs}} \sim L_{\mathrm{dust}}$ だと $\tau \sim 0.7$ ぐらいになる． ∎

(3) 放射と吸収がある場合

放射と吸収がある場合,(3.44) は,$dI_\nu/(I_\nu - \eta_\nu/\alpha_\nu) = -\alpha_\nu ds$ のように変数分離でき,放射係数と吸収係数の比:$\eta_\nu/\alpha_\nu = \epsilon_\nu/\kappa_\nu$ が一定ならば,両辺を積分して下のような解になる(図 3.13):

$$I_\nu(s) = \frac{\eta_\nu}{\alpha_\nu} + \left[I_\nu(s_0) - \frac{\eta_\nu}{\alpha_\nu}\right]\exp\left[-\int_{s_0}^{s}\alpha_\nu(s')ds'\right]. \tag{3.54}$$

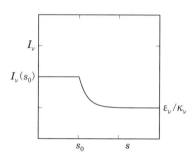

図 **3.13** 放射係数と吸収係数の比が一定の場合の解.

例題 3.5 α_ν が一定で光学的厚みが小さい極限では,(3.54) はどうなるか.
解答 指数を展開し整理すると,下記のようになる:

$$I_\nu(s) \sim I_\nu(s_0) + \left[I_\nu(s_0) - \frac{\eta_\nu}{\alpha_\nu}\right][1 - \alpha_\nu(s - s_0)].$$

3.5 源泉関数とその物理的意味

座標として実距離を用い,放射係数などにも具体的な表式を使って,輻射輸送方程式を直接に解くこともある.しかし一般的には,歴史的な経緯や物理的な振る舞いをわかりやすくするなどの理由で,無次元化した座標として光学的厚みと,放射係数などの代わりに源泉関数というものがよく用いられる.

3.5.1 放射と吸収のみの場合

散乱がない場合の輻射輸送方程式 (3.44) は,吸収による光学的厚みを,

$$d\tau_\nu \equiv \alpha_\nu ds = \kappa_\nu \rho ds \tag{3.55}$$

で定義すると，下のように書き直すことができる：

$$\frac{dI_\nu}{d\tau_\nu} = -I_\nu + S_\nu. \tag{3.56}$$

ただしここで，S_ν は，

$$S_\nu \equiv \frac{\eta_\nu}{\alpha_\nu} = \frac{j_\nu}{4\pi\kappa_\nu} \tag{3.57}$$

で定義される量で，散乱のない場合の**源泉関数**（source function）と呼ばれる．

(1) 放射のみの場合

形の上では (3.56) は，$dI_\nu/d\tau_\nu = S_\nu$ と表せて，以下のように積分できる：

$$I_\nu(\tau_\nu) = I_\nu(0) + \int_0^{\tau_\nu} S_\nu(\tau'_\nu) d\tau'_\nu. \tag{3.58}$$

(2) 放射と吸収がある場合

放射係数と吸収係数の比，すなわち源泉関数が一定であれば，(3.56) は，$dI_\nu/(I_\nu - S_\nu) = -d\tau_\nu$ となり，以下のような解になる（図 3.14）：

$$I_\nu(\tau_\nu) = S_\nu + [I_\nu(0) - S_\nu] e^{-\tau_\nu}. \tag{3.59}$$

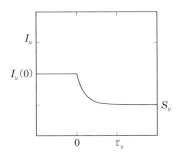

図 3.14 放射係数と吸収係数の比，源泉関数が一定の場合の解．

この解は，光学的に十分厚くなると，

$$I_\nu(\tau_\nu) \longrightarrow S_\nu = \eta_\nu/\alpha_\nu = j_\nu/(4\pi\kappa_\nu) \tag{3.60}$$

となることを表している．この振る舞いは，$\tau_\nu = 0$ で $I_\nu(0) > S_\nu$ でも $I_\nu(0) <$

S_ν でも変わらない．いずれにせよ，源泉関数というものは輻射強度が近づいていこうとする量で，十分に光学的に厚い場所における輻射強度そのものだといえる．

光学的に薄い場合は，$I_\nu \sim I_\nu(0) + S_\nu \tau_\nu$ となる．また $I_\nu(0) \ll S_\nu \tau_\nu$ であれば，たとえば，観測量より分子雲などの質量が求まる．

3.5.2 放射・吸収・散乱がある場合

散乱がある場合，まず散乱のみの場合について考えると，距離 ds 進む間の散乱による輻射強度の変化は，以下の輻射輸送方程式で表される：

$$\frac{dI_\nu}{ds} = -\beta_\nu(I_\nu - \Phi_\nu), \quad \Phi_\nu \equiv \oint \phi_\nu(\boldsymbol{l}, \boldsymbol{l}')I_\nu(\boldsymbol{l}')d\Omega'. \tag{3.61}$$

等方散乱の場合は，$\Phi_\nu = J_\nu$（4 章）である．

放射・吸収・散乱すべてを考慮すると，輻射輸送方程式は以下のようになる：

$$\frac{dI_\nu}{ds} = -\alpha_\nu\left(I_\nu - \frac{\eta_\nu}{\alpha_\nu}\right) - \beta_\nu(I_\nu - \Phi_\nu) = -(\alpha_\nu + \beta_\nu)(I_\nu - S_\nu). \tag{3.62}$$

あるいは吸収および散乱を入れた光学的厚みを，

$$d\tau_\nu \equiv (\alpha_\nu + \beta_\nu)ds = \chi_\nu ds = (\kappa_\nu + \sigma_\nu)\rho ds \tag{3.63}$$

で定義すると，形の上では散乱がない場合と同じ形に書き直すことができる：

$$\frac{dI_\nu}{d\tau_\nu} = -I_\nu + S_\nu. \tag{3.64}$$

ただし，今回は S_ν は，**散乱を考慮した源泉関数**で，

$$S_\nu \equiv \frac{\eta_\nu + \beta_\nu \Phi_\nu}{\alpha_\nu + \beta_\nu} = \varepsilon_\nu \frac{\eta_\nu}{\alpha_\nu} + (1 - \varepsilon_\nu)\Phi_\nu = \varepsilon_\nu \frac{j_\nu}{4\pi\kappa_\nu} + (1 - \varepsilon_\nu)\Phi_\nu \tag{3.65}$$

のように定義される．また，

$$\varepsilon_\nu \equiv \frac{\alpha_\nu}{\alpha_\nu + \beta_\nu} = \frac{\kappa_\nu}{\kappa_\nu + \sigma_\nu} \tag{3.66}$$

は**光子破壊確率**（photon destruction probability）である[19]．

とくに局所熱力学平衡（LTE）のときには，源泉関数は以下のようになる：

$$S_\nu = \varepsilon_\nu B_\nu + (1 - \varepsilon_\nu)\Phi_\nu = (1 - \varpi_\nu)B_\nu + \varpi_\nu \Phi_\nu. \tag{3.67}$$

---

[19] $1 - \varepsilon_\nu = \varpi_\nu \equiv \sigma_\nu/(\kappa_\nu + \sigma_\nu)$ は**単散乱アルベド**（single-scattering albedo）と呼ぶ．

例題 3.6 散乱が等方的な場合，さらに LTE の場合，源泉関数を表してみよ。

解答 散乱が等方的な場合，$\Phi_\nu = J_\nu$（4 章）なので，

$$S_\nu = \frac{\eta_\nu + \beta_\nu J_\nu}{\alpha_\nu + \beta_\nu} = \frac{j_\nu/(4\pi) + \sigma_\nu J_\nu}{\kappa_\nu + \sigma_\nu} \tag{3.68}$$

などの形で表せる．さらに LTE であれば，$\eta_\nu/\alpha_\nu = \varepsilon_\nu/\kappa_\nu = B_\nu$ なので，

$$S_\nu = \frac{\alpha_\nu B_\nu + \beta_\nu J_\nu}{\alpha_\nu + \beta_\nu} = \frac{\kappa_\nu B_\nu + \sigma_\nu J_\nu}{\kappa_\nu + \sigma_\nu} = \varepsilon_\nu B_\nu + (1-\varepsilon_\nu) J_\nu \tag{3.69}$$

のように，熱的成分と散乱成分に関して，対称的な形で表すことができる．■

源泉関数は，その名前が示すとおり，ある光学的深さにおけるガスから放射される輻射の量，すなわち輻射輸送方程式における源泉項を表している．そして散乱がある場合には，源泉項の一部（$\varepsilon_\nu = 1 - \varpi_\nu$）はガスから発する熱的放射に由来し，一部（$1 - \varepsilon_\nu = \varpi_\nu$）は輻射の散乱に由来することを意味している．

3.5.3 輻射輸送方程式の形式解

平行平板の場合など後で詳述するが，輻射輸送方程式の**形式解**（formal solution）に少し触れておく．輻射輸送方程式（3.64）の両辺に e^{τ_ν} を掛けると，

$$e^{\tau_\nu} \frac{dI_\nu}{d\tau_\nu} = -I_\nu e^{\tau_\nu} + S_\nu e^{\tau_\nu} \tag{3.70}$$

となるが，指数の性質を使うと，

$$\frac{d}{d\tau_\nu} I_\nu e^{\tau_\nu} = S_\nu e^{\tau_\nu} \tag{3.71}$$

という形に整理できる．したがって，

$$I_\nu e^{\tau_\nu} = I_\nu(0) + \int_0^{\tau_\nu} S_\nu e^{\tau_\nu'} d\tau_\nu' \tag{3.72}$$

と積分できて，両辺に $e^{-\tau_\nu}$ を乗じて，最終的に，以下の形式解で表される：

$$I_\nu(\tau_\nu) = I_\nu(0) e^{-\tau_\nu} + \int_0^{\tau_\nu} e^{-(\tau_\nu - \tau_\nu')} S_\nu(\tau_\nu') d\tau_\nu'. \tag{3.73}$$

形式解（3.73）の意味を少し考えてみよう（図 3.15）．右辺の第 1 項は，$\tau_\nu = 0$ で入射してきた光線 $I_\nu(0)$ が，τ_ν 進む間に吸収などで指数的に減光していくことを表している．源泉関数の積分を含む右辺第 2 項は，光線の経路の途中 τ_ν' で放射

図 **3.15** 形式解の放射の経路と光学的厚さ.

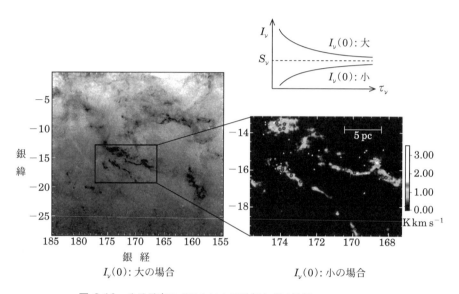

図 **3.16** 分子雲内のダストによる吸収とガス放射
(http://darkclouds.u-gakugei.ac.jp/public/museum/gallery),
(http://www.a.phys.nagoya-u.ac.jp/ae/data/taurus.html).

された分 $S_\nu(\tau_\nu')$ が,経路に沿って伝播していく間にやはり指数的に減光する部分で(光学的厚みは τ_ν' だけ小さい),それを経路全体で積分したものだ.

源泉関数が光学的厚みの関数として既知であれば,積分は原理的に実行できる.しかし散乱がある場合には,源泉関数が輻射強度を含むため,形式解(3.73)は相変わらず微分積分方程式で,それが"形式解"と呼ばれる所以である.

例題 3.7 $S_\nu(\tau_\nu)$ が一定の場合,形式解の振る舞いはどうなるか.

解答 源泉関数が一定ならば,以下となる:

$$I_\nu(\tau_\nu) = I_\nu(0)e^{-\tau_\nu} + S_\nu(1 - e^{-\tau_\nu}) = S_\nu + e^{-\tau_\nu}[I_\nu(0) - S_\nu].$$

したがって，光学的に厚い極限（$\tau_\nu \to \infty$）では，$I_\nu \to S_\nu$ と源泉関数に漸近し，光学的に薄く（$\tau_\nu \ll 1$）かつ $I_\nu(0)$ が小さい場合，$I_\nu \approx S_\nu \tau_\nu$ となる． ∎

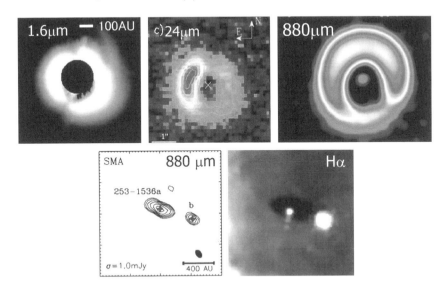

図 3.17 上段：HD142527 周囲の原始惑星系円盤（Fukagawa et al. 2006, 2013, Fujiwara et al. 2006）．近赤外線（上段左）ではダストの散乱光，中間赤外線（上段中）とサブミリ波（上段右）ではダストの熱放射をみている．下段：トラペジウム星団内の原始惑星系円盤（Mann and Williams 2009）．サブミリ波（下段左）ではダストの熱放射，可視光（下段右）ではダストによる吸収をみている．

観測の例を図 3.16 と図 3.17 に示しておく．

図 3.16（左）は可視光で観測したおうし座分子雲領域で，背景光すなわち $I_\nu(0)$ が大きいが，分子雲領域では背景光は吸収されていき，分子雲の源泉関数程度まで暗くなっている．図 3.16（右）は同じ分子雲をミリ波の一酸化炭素分子輝線で観測したもので，こちらは背景光は弱いが，分子雲領域では，分子雲内での放射によって分子雲の源泉関数近くまで明るくなっている．

図 3.17 は原始惑星系円盤内のダストによる，散乱・熱放射・吸収の例である．

3.6 放射・吸収のミクロ過程

ここで,本章で出てきたマクロな放射係数,吸収係数と,2 章で導いたミクロなアインシュタイン係数の関係を導いておこう.

3.6.1 放射係数,吸収係数とアインシュタイン係数の関係

時間 dt の間に体積 dV の媒質素片から立体角 $d\Omega$ 内の方向に進行する $d\nu$ 間の振動数をもつ放射のエネルギー $d\mathcal{E}$ を,アインシュタイン係数 A_{ul} を用いて表す.高エネルギー準位に存在する 1 つの粒子が低エネルギー準位に遷移する際,全立体角 4π の方向に $h\nu_{ul}$ のエネルギーを放射するので,その遷移確率が A_{ul} で表されるとき,$d\mathcal{E}$ は以下のように表せる:

$$d\mathcal{E} = \frac{h\nu_{ul}}{4\pi} n_u A_{ul} dV d\Omega d\nu dt. \tag{3.74}$$

これと放射係数を用いた $d\mathcal{E}$ の (3.16) を比較すると,放射係数は,

$$\eta_\nu = \frac{h\nu}{4\pi} n_u A_{ul} = \frac{h\nu}{4\pi} n_u \frac{2h\nu^3}{c^2} B_{ul} \tag{3.75}$$

のように表すことができる(アインシュタインの関係式を用いた).

一方,時間 dt の間に体積 dV に吸収される全輻射エネルギーは,

$$\int_0^\infty d\nu h\nu n_l B_{lu} \frac{1}{4\pi} \oint d\Omega I_\nu \cdot dV dt \tag{3.76}$$

であり,時間 dt の間に立体角 $d\Omega$ 内の方向から体積 dV に吸収される $d\nu$ 間の振動数をもつ輻射のエネルギーは,$(h\nu/4\pi)n_l B_{lu} I_\nu \cdot dV d\Omega d\nu dt$ となる.ここで吸収係数の定義より,このエネルギーは $dE = \alpha_\nu I_\nu ds dA d\Omega dt d\nu$ に相当し,また $dV = dAds$ であるから,吸収係数は,

$$\alpha_\nu = \frac{h\nu}{4\pi} n_l B_{lu} \tag{3.77}$$

となり,誘導放射の影響も取り入れると吸収係数は,

$$\alpha_\nu = \frac{h\nu}{4\pi} (n_l B_{lu} - n_u B_{ul}) = \frac{h\nu}{4\pi} n_l B_{lu} \left(1 - \frac{g_l n_u}{g_u n_l}\right) \tag{3.78}$$

のように表すことができる(アインシュタインの関係式を用いた).

これらの放射・吸収係数を用いて輻射輸送方程式を表すと,

のようになり,また源泉関数は以下のように表される:

$$\frac{dI_\nu}{ds} = -\frac{h\nu}{4\pi}(n_l B_{lu} - n_u B_{ul})I_\nu + \frac{h\nu}{4\pi}n_u A_{ul} \tag{3.79}$$

$$S_\nu = \frac{n_u A_{ul}}{n_l B_{lu} - n_u B_{ul}}. \tag{3.80}$$

ここでアインシュタインの関係式を用いると,

$$S_\nu = \frac{2h\nu^3}{c^2}\left(\frac{g_u n_l}{g_l n_u} - 1\right)^{-1} \tag{3.81}$$

となるので,$\eta_\nu = \alpha_\nu S_\nu$ が成り立つ(一般化されたキルヒホッフの法則).

3.6.2 熱的放射とメーザー

局所熱力学平衡 LTE の場合,粒子の励起状態はボルツマンの式

$$\frac{n_l}{n_u} = \frac{g_l}{g_u}\exp\left(\frac{h\nu}{k_B T}\right) \tag{3.82}$$

に従うので,吸収係数,源泉関数はそれぞれ

$$\alpha_\nu = \frac{h\nu}{4\pi}n_l B_{lu}\left[1 - \exp\left(-\frac{h\nu}{k_B T}\right)\right], \quad S_\nu = B_\nu(T) \tag{3.83}$$

のように表すことができる.これは,2 章にでてきたキルヒホッフの法則(2.2)そのものである.

さて局所熱力学平衡 LTE の場合は,

$$\frac{n_u g_l}{n_l g_u} = \exp\left(-\frac{h\nu_{ul}}{k_B T}\right) < 1 \tag{3.84}$$

なので,

$$\frac{n_l}{g_l} > \frac{n_u}{g_u} \quad (\text{正規停在密度分布}) \tag{3.85}$$

となっている.熱平衡以外の場合でも,多くの場合はこの関係が成り立つ.

逆に,

$$\frac{n_l}{g_l} < \frac{n_u}{g_u} \quad (\text{反転停在密度分布}) \tag{3.86}$$

のように逆転していると,

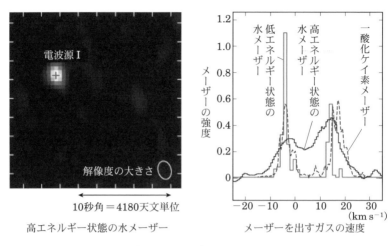

図 **3.18** オリオン KL 天体でアタカマ大型ミリ波サブミリ波望遠鏡アルマを用いて観測された高エネルギー状態の水メーザー (Hirota *et al.* 2012).

$$\alpha_\nu = \frac{h\nu}{4\pi} n_l B_{lu} \left(1 - \frac{g_l n_u}{g_u n_l}\right) < 0 \tag{3.87}$$

となり，吸収係数が負になる．言い換えれば，放射が増幅される $(I_\nu \propto \exp(|\alpha_\nu|s))$．マイクロ波領域で最初に知られたこの現象を**誘導放射によるマイクロ波増幅**（microwave amplification by stimulated emission of radiation），略して**メーザー**（maser）と呼ぶ．

　衝突により下位の準位から上位の準位へ励起する確率と上位の準位から下位の準位へ逆励起する確率の間に詳細釣合の関係が成り立つ場合には，停在密度分布はボルツマンの式に従い，上位の準位よりも下位の準位に存在する分子の停在数の方が大きい（2.7 節参照）．しかし，衝撃波付近など物理状態が急激に変化する領域で衝突励起が多く起きる場合（衝突ポンピング），また，強い照射源が近くに存在して光子の吸収による励起が非常に高い確率で起こる場合（光電ポンピング），あるいは，化学反応により励起状態の分子が生成される場合（化学ポンピング）などでは，停在分布が逆転し，上位の準位の方が下位の準位よりも停在数が大きくなることがある．自然放射が起きるまでの平均的な時間が長い物質であることも重要で，メーザー放射が観測される分子には，OH, H_2O, SiO, CH_3OH などがある（図 3.18）．

3.7 いろいろな座標系における輻射輸送方程式

ここまでは，光線に沿った輻射輸送のみを考えてきた．実際には，星の表層大気や平板的な降着円盤大気，拡がった球状大気や，さらには一般的な 3 次元空間など，さまざまな状況での輻射輸送を考える必要がある．ここでは，いくつかの幾何学的状況での輻射輸送方程式を簡単にまとめておこう．

3.7.1 平行平板大気の輻射輸送方程式

太陽のような比較的密度の高い主系列星の表層大気では，輻射輸送で問題とする範囲で，ガスがほぼ鉛直方向 1 次元の層状構造をなしていると近似でき，これを**平行平板近似**（plane-parallel approximation）と呼ぶ（図 3.19）．地球の大気，降着円盤，銀河円盤などでも平行平板近似が適用できる．

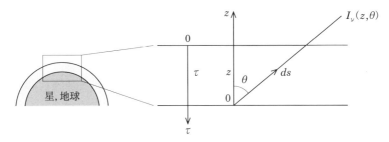

図 3.19 平行平板大気と座標系．鉛直座標 z は下から上向きに測るが，光学的厚み τ は外側（上）から内部へ向けて測る．

伝播方向を s とすると定常 1 次元な輻射輸送方程式（3.43）は，

$$\frac{dI_\nu}{ds} = \frac{j_\nu}{4\pi}\rho - (\kappa_\nu + \sigma_\nu)\rho I_\nu + \sigma_\nu \rho J_\nu \tag{3.88}$$

と表せた（等方散乱を仮定）．鉛直方向を z とする平行平板大気では，真上から測った角度を θ とすると，$ds = dz/\cos\theta$ なので，

$$\cos\theta \frac{dI_\nu}{dz} = \frac{j_\nu}{4\pi}\rho - (\kappa_\nu + \sigma_\nu)\rho I_\nu + \sigma_\nu \rho J_\nu \tag{3.89}$$

と書き直すことができる（方向余弦 $\cos\theta$ を μ で表すことも多い）．

大気上層で光学的厚みが 0 になるので，平行平板大気では光学的厚みを，

$$d\tau_\nu \equiv -(\kappa_\nu + \sigma_\nu)\rho dz \tag{3.90}$$

のように定義する．その結果，輻射輸送方程式は以下のようになる：

$$\mu \frac{dI_\nu}{d\tau_\nu} = I_\nu - S_\nu. \tag{3.91}$$

ただし，S_ν は源泉関数である．(3.91) の右辺の符号は (3.64) と反対である．

例題 3.8 放射や散乱はないとして，地球大気による星の減光を考えてみよう．

解答 大気圏外の星から来る光線を考える場合は，光路 ds と光学的厚み $d\tau_\nu$ の向きは同じなので，輻射輸送方程式は (3.64) と同じになる．あるいは (3.91) で $\mu<0$ の範囲と考えてもよい．さらに放射や散乱がなければ $S_\nu=0$ なので，$dI_\nu/d\tau_\nu = -I_\nu/\mu$ となる．したがって，大気による吸収を受ける前の星の輝度を $I_\nu(0)$ とすると，以下の解が大気減光を表すことになる：

$$I_\nu(\tau_\nu) = I_\nu(0)e^{-\tau_\nu/\mu} = I_\nu(0)e^{-\tau_\nu/\cos\theta}. \tag{3.92}$$

この式の両辺の常用対数を取ると，以下のようになる：

$$\log_{10} I_\nu(\tau_\nu) = \log_{10} I_\nu(0) - (\log_{10} e)\tau_\nu/\mu. \tag{3.93}$$

そこで，横軸を $1/\mu$ として縦軸に $\log_{10} I_\nu$ の値をプロットすると，$1/\mu = 0$ での値が $\log_{10} I_\nu(0)$ になる（$1/\mu = 1$ が天頂で $1/\mu < 1$ は $1/\mu \geq 1$ を外挿する）．

さらに例題 3.3 の星間減光の話をそのまま使うと，大気吸収を受けない星の等級を m_0 とし，大気吸収を受けた等級を m として，以下の式が成り立つ[20]：

$$m = m_0 + 1.0857\frac{\tau_\nu}{\cos\theta}. \tag{3.94}$$

∎

3.7.2 球対称大気の輻射輸送方程式

赤色巨星や太陽コロナ，太陽風や恒星風，新星風や中性子星風など，球状大気で近似できる現象は多い．

---

[20] なお，経験的には大気減光は，以下のように表される：
$$m = m_0 + 1.086aF(\theta),$$
$$F(\theta) = \frac{1}{\cos\theta} - 0.0018167(1/\cos\theta - 1)$$
$$- 0.002875(1/\cos\theta - 1)^2 - 0.008083(1/\cos\theta - 1)^3.$$

ここで a は 0.2 程度の係数で（場所や条件によって異なる），鉛直方向の光学的厚み τ_ν に相当する量である．また $F(\theta)$ は空気関数と呼ばれる θ の関数で，$1/\cos\theta$ に補正項が付いたものである．

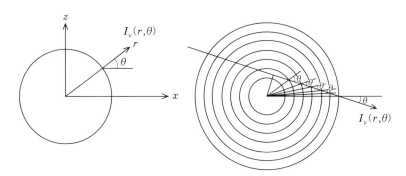

図 **3.20** 球対称大気と座標系.光線の伝播に沿って角度 θ が変わる.

伝播方向を s として,輻射輸送方程式を,

$$\frac{dI_\nu}{ds} = \frac{j_\nu}{4\pi}\rho - (\kappa_\nu + \sigma_\nu)\rho I_\nu + \sigma_\nu \rho J_\nu = -(\kappa_\nu \rho + \sigma_\nu \rho)(I_\nu - S_\nu) \quad (3.95)$$

と表しておこう.ただし,S_ν は源泉関数である.

主系列星でも高温度星になると大気は拡がって平行平板近似は使えないが,半径方向に球状 1 次元という近似は使える(図 3.20)[*21].球対称な場合は球座標を (r, θ, φ) とすると,輻射強度 $I_\nu(\boldsymbol{r}, \boldsymbol{l}, t)$ は r と θ の関数 $I_\nu(r, \theta)$ になる(図 3.20).ただし,平行平板の場合と違って,光線が伝播するにしたがい図 3.20 のように角度 θ が変化していくので,輻射強度の増分については経路に沿った角度の変化まで考慮しないといけない.真上から測った角度を θ としたとき,経路の増

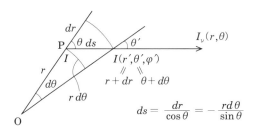

図 **3.21** 球対称大気における光線の経路と変数の関係.

[*21] 歴史的な参考文献として,Kosirev (1934), Chandrasekhar (1934) などを挙げておく.

分が，図 3.21 より，
$$ds = \frac{dr}{\cos\theta} = -\frac{rd\theta}{\sin\theta} \tag{3.96}$$
と表されることを使うと，輻射強度の増分は，
$$dI_\nu = \frac{\partial I_\nu}{\partial r}\frac{\partial r}{\partial s}ds + \frac{\partial I_\nu}{\partial \theta}\frac{\partial \theta}{\partial s}ds = \frac{\partial I_\nu}{\partial r}\cos\theta ds - \frac{\partial I_\nu}{\partial \theta}\frac{\sin\theta}{r}ds \tag{3.97}$$
のように変形できる．したがって，(3.95) は，
$$\cos\theta\frac{\partial I_\nu}{\partial r} - \frac{\sin\theta}{r}\frac{\partial I_\nu}{\partial \theta} = -(\kappa_\nu\rho + \sigma_\nu\rho)(I_\nu - S_\nu) \tag{3.98}$$
と書き直すことができる．さらに，方向余弦 $\cos\theta$ を μ で表せば，
$$\mu\frac{\partial I_\nu}{\partial r} + \frac{1-\mu^2}{r}\frac{\partial I_\nu}{\partial \mu} = -(\kappa_\nu\rho + \sigma_\nu\rho)(I_\nu - S_\nu) \tag{3.99}$$
と表すことができる．曲率を無視すれば平行平板の場合に帰着する．

境界条件は，球状大気の外側半径を R（十分大きくてもよい）とし，コアの半径を a（十分小さくてもよい）とすると，表面と深部とで，
$$r = R \text{ で } I_\nu(R,\mu) = 0 \quad (\mu < 0), \tag{3.100}$$
$$r \to 0 \text{ で } I_\nu(0,\mu)e^{-\tau_\nu/\mu} \to 0 \quad (\mu > 0), \tag{3.101}$$
$$r = a \text{ で } I_\nu(a,\mu) = I_a \quad (\mu > 0) \tag{3.102}$$
などのようになる（問題によって境界条件は変わる）．

3.7.3　3 次元空間での輻射輸送方程式

位置ベクトルを $\bm{r}$，方向余弦ベクトルを $\bm{l}$，輻射強度を $I_\nu(\bm{r},\bm{l})$ とすると，時間によらない輻射輸送方程式は，以下のようになる：
$$\bm{l}\cdot\bm{\nabla}I_\nu = \bm{l}\cdot\frac{\partial I_\nu}{\partial \bm{r}} = -(\kappa_\nu\rho + \sigma_\nu\rho)(I_\nu - S_\nu). \tag{3.103}$$
直角座標 (x,y,z) では，位置ベクトルなどは具体的には，
$$\bm{r} = (x,y,z), \tag{3.104}$$
$$\bm{l} = (\ell_x, \ell_y, \ell_z), \quad \ell_x^2 + \ell_y^2 + \ell_z^2 = 1, \tag{3.105}$$
$$I_\nu = I_\nu(x,y,z,\ell_x,\ell_y,\ell_z) \tag{3.106}$$

となるので，(3.103) の左辺は，以下となる：

$$\boldsymbol{l} \cdot \boldsymbol{\nabla} I_\nu = \ell_x \frac{\partial I_\nu}{\partial x} + \ell_y \frac{\partial I_\nu}{\partial y} + \ell_z \frac{\partial I_\nu}{\partial z}. \tag{3.107}$$

円筒座標 (r, Φ, z) では，位置ベクトルなどは具体的には，

$$\boldsymbol{r} = (r, \Phi, z), \tag{3.108}$$

$$\boldsymbol{l} = (\xi, \eta, \mu) \equiv (\sin\theta\cos\varphi, \sin\theta\sin\varphi, \cos\theta), \quad \xi^2 + \eta^2 + \mu^2 = 1, \tag{3.109}$$

$$I_\nu = I_\nu(r, \Phi, z, \theta, \varphi) \tag{3.110}$$

となるので，(3.103) の左辺は，以下となる[*22]：

$$\boldsymbol{l} \cdot \boldsymbol{\nabla} I_\nu = \xi \frac{\partial I_\nu}{\partial r} + \frac{\eta}{r}\frac{\partial I_\nu}{\partial \Phi} + \mu \frac{\partial I_\nu}{\partial z} - \frac{\eta}{r}\frac{\partial I_\nu}{\partial \varphi} \tag{3.111}$$

球座標 (r, Θ, Φ) では，位置ベクトルなどは具体的には，

$$\boldsymbol{r} = (r, \Theta, \Phi), \tag{3.112}$$

$$\boldsymbol{l} = (\xi, \eta, \mu) \equiv (\sin\theta\cos\varphi, \sin\theta\sin\varphi, \cos\theta), \quad \xi^2 + \eta^2 + \mu^2 = 1, \tag{3.113}$$

$$I_\nu = I_\nu(r, \Theta, \Phi, \theta, \varphi) \tag{3.114}$$

となるので，(3.103) の左辺は，以下となる[*23]：

$$\boldsymbol{l} \cdot \boldsymbol{\nabla} I_\nu = \mu \frac{\partial I_\nu}{\partial r} + \frac{\xi}{r}\frac{\partial I_\nu}{\partial \Theta} + \frac{\eta}{r\sin\Theta}\frac{\partial I_\nu}{\partial \Phi} + \frac{1-\mu^2}{r}\frac{\partial I_\nu}{\partial \mu} - \frac{\eta\cot\Theta}{r}\frac{\partial I_\nu}{\partial \varphi}. \tag{3.115}$$

3.7.4 一般の輻射輸送方程式

粒子の速度に比べて光速ははるかに速いので，ガス系に対して輻射輸送方程式は定常的として扱える場合も少なくない．しかし，動的な問題や振動・不安定性など輻射場の時間変化を考えないといけない場面も多い．

時間変化まで入れた一般的な輻射輸送方程式は以下のように表せる[*24]：

[*22] 円筒座標系で各ベクトルの成分の幾何学を丁寧に考えると導出できるが，かなり長くなるので本書では省略する．導出に関心がある人は，参考文献（Kato and Fukue 2020）を参照してほしい．

[*23] 同じく，詳しい導出に関心がある人は，参考文献（Kato and Fukue 2020）を参照してほしい．

[*24] 輻射場に対する輻射輸送方程式は，ガス系における原理方程式であるボルツマン方程式と基本的には同じものである．ガス粒子に対して，光子は質量がなく常に光速で動くことを考慮したものである．またボルツマン方程式と同形式である一方，輻射輸送方程式は電磁波に対する基礎方程式であるマクスウェル方程式から導かれることも証明されている（Mishchenko 2006, 2008）．

$$\frac{1}{c}\frac{\partial I_\nu(\boldsymbol{l})}{\partial t} + (\boldsymbol{l} \cdot \boldsymbol{\nabla}) I_\nu(\boldsymbol{l})$$
$$= \frac{j_\nu}{4\pi}\rho - \kappa_\nu \rho I_\nu(\boldsymbol{l}) - \sigma_\nu \rho \int \phi_\nu(\boldsymbol{l},\boldsymbol{l}')I_\nu(\boldsymbol{l})d\Omega'$$
$$+ \sigma_\nu \rho \int \phi_\nu(\boldsymbol{l},\boldsymbol{l}')I_\nu(\boldsymbol{l}')d\Omega', \tag{3.116}$$

ここで $\phi_\nu(\boldsymbol{l},\boldsymbol{l}')$ は散乱確率密度である．

等方散乱の場合，$\phi_\nu = 1/(4\pi)$ なので，以下となる：

$$\frac{1}{c}\frac{\partial I_\nu}{\partial t} + (\boldsymbol{l} \cdot \boldsymbol{\nabla}) I_\nu = \frac{j_\nu}{4\pi}\rho - (\kappa_\nu + \sigma_\nu)\rho I_\nu + \sigma_\nu \rho J_\nu. \tag{3.117}$$

ただしここで，J_ν は次章で定義する平均強度である．

またトムソン散乱やレイリー散乱の場合，$\phi_\nu = [1/(4\pi)](3/4)(1+\cos^2\theta)$ の弱い非等方性をもち，以下となる：

$$\frac{1}{c}\frac{\partial I_\nu}{\partial t} + (\boldsymbol{l} \cdot \boldsymbol{\nabla}) I_\nu = \frac{j_\nu}{4\pi}\rho - (\kappa_\nu + \sigma_\nu)\rho I_\nu + \frac{3}{4}\sigma_\nu \rho (J_\nu + K_\nu). \tag{3.118}$$

ただしここで，K_ν は次章で定義する K 積分である．また後述するエディントン近似（$K_\nu = J_\nu/3$）が成り立つ場合は，等方散乱の場合と同じ形に帰着する．

3.8 偏光の輻射輸送方程式

いままで**偏光**（polarization）については考慮していなかったが，ここで偏光の輻射輸送方程式について簡単にまとめておく（Chandrasekhar 1960；Rybicki & Lightman 1979；Castor 2004 など．第 4 巻も参照）．

そもそも波数ベクトル $\boldsymbol{k}$，角振動数 ω の電磁波（単色光）：

$$\boldsymbol{E} = \boldsymbol{E}_0 e^{i(\boldsymbol{k}\cdot\boldsymbol{r}-\omega t)}, \tag{3.119}$$
$$\boldsymbol{B} = \boldsymbol{B}_0 e^{i(\boldsymbol{k}\cdot\boldsymbol{r}-\omega t)} \tag{3.120}$$

はある面内でのみ振動する**直線偏光**（linear polarized light）である．さまざまな方向の偏光が均等に混ざった電磁波——**無偏光**（unpolarized light）とか**自然光**（natural light）と呼ばれる——については，振幅の 2 乗に比例する光の強度 I_ν だけですむ．一方，一般的な偏光については，電磁波の独立な振動方向が 2 つあり，それぞれに振幅と位相があるので，4 つの物理量を考える必要があることがわかる．

3.8.1 ストークスパラメータ

原点（$r=0$）で電場の振動面が互いに垂直な2つの単色光 E_1 と E_2 の合成：

$$E = E_1 + E_2 = E_1 e^{-i(\omega t - \phi_1)} e_x + E_2 e^{-i(\omega t - \phi_2)} e_y \tag{3.121}$$

を考えてみよう．ここで，E_1 と E_2 は振幅，ϕ_1 と ϕ_2 は位相である．

このとき，(3.121) の実部：

$$E_x = E_1 \cos(\omega t - \phi_1), \quad E_y = E_2 \cos(\omega t - \phi_2) \tag{3.122}$$

は，ϕ_1 と ϕ_2 の値によって決まる楕円の上で変化する．そして，ϕ_1 と ϕ_2 に応じて，楕円の主軸 x' と y' が決まり，主軸の座標では，

$$E'_x = E_0 \cos\beta \cos\omega t, \quad E'_y = -E_0 \sin\beta \cos\omega t \tag{3.123}$$

のような形で表現できる．ここで，β は ϕ_1 と ϕ_2 で決まり，$-\pi/2 \leqq \beta \leqq \pi/2$ の範囲の値を取る量である．この (3.123) は楕円の式：

$$\left(\frac{E'_x}{E_0 \cos\beta}\right)^2 + \left(\frac{E'_y}{E_0 \sin\beta}\right)^2 = 1 \tag{3.124}$$

を満たすことは容易にわかるだろう――**楕円偏光**．

楕円の主軸 x' 軸と x 軸のなす角を χ とすると，(3.123) は (x,y) 座標で，

$$E_x = E_0(\cos\beta \cos\chi \cos\omega t + \sin\beta \sin\chi \sin\omega t), \tag{3.125}$$

$$E_y = E_0(\cos\beta \sin\chi \cos\omega t - \sin\beta \cos\chi \sin\omega t) \tag{3.126}$$

と表せるが，これは (3.122) に等しいので，結局，

$$E_1 \cos\phi_1 = E_0 \cos\beta \cos\chi, \quad E_1 \sin\phi_1 = E_0 \sin\beta \sin\chi, \tag{3.127}$$

$$E_2 \cos\phi_2 = E_0 \cos\beta \sin\chi, \quad E_2 \sin\phi_2 = -E_0 \sin\beta \cos\chi \tag{3.128}$$

の関係があることがわかる．そして，振幅や位相を用いた独立な4つの量として，

$$I \equiv E_1^2 + E_2^2 = E_0^2, \tag{3.129}$$

$$Q \equiv E_1^2 - E_2^2 = E_0^2 \cos 2\beta \cos 2\chi, \tag{3.130}$$

$$U \equiv 2 E_1 E_2 \cos(\phi_1 - \phi_2) = E_0^2 \cos 2\beta \sin 2\chi, \tag{3.131}$$

$$V \equiv 2 E_1 E_2 \sin(\phi_1 - \phi_2) = E_0^2 \sin 2\beta \tag{3.132}$$

表 3.1 偏光の種類.

偏光の種類	β	ストークスパラメータ
直線偏光	$0, \pm\pi/2$	$V = 0$
右円偏光	$\pi/4$	$V = I$
左円偏光	$-\pi/4$	$V = -I$
右楕円偏光	$0 < \beta < \pi/2$	$0 < V < I$
左楕円偏光	$-\pi/2 < \beta < 0$	$-I < V < 0$
無偏光		$Q = U = V = 0$

を定義し，これらを**ストークスパラメータ**（Stokes parameters）と呼ぶ．なお，Q は進行方向に平行ないし垂直な線偏光，U は斜め方向の線偏光，V は円偏光を表す．ストークスパラメータは下記の関係式を満たす：

$$I^2 = Q^2 + U^2 + V^2, \quad \frac{U}{Q} = \tan 2\chi, \quad \frac{V}{I} = \sin 2\beta. \tag{3.133}$$

またこれらのパラメータと偏光の種類の関係を表 3.1 にまとめておく．

現実的には，不確定性関係による線幅や計測装置による変調が生じ，**準単色光**となる．その場合は平均などの操作が必要になるが，やはりストークスパラメータを決めることができる．ただし，ストークスパラメータの関係は一般には，

$$I^2 \geqq Q^2 + U^2 + V^2 \tag{3.134}$$

となり（等号は完全な楕円偏光のとき），完全な無偏光では，

$$Q = U = V = 0 \tag{3.135}$$

となる．さらにストークスパラメータは下記のように，

$$\begin{pmatrix} I \\ Q \\ U \\ V \end{pmatrix} = \begin{pmatrix} I - \sqrt{Q^2 + U^2} - |V| \\ 0 \\ 0 \\ 0 \end{pmatrix} + \begin{pmatrix} \sqrt{Q^2 + U^2} \\ Q \\ U \\ 0 \end{pmatrix} + \begin{pmatrix} |V| \\ 0 \\ 0 \\ V \end{pmatrix}, \tag{3.136}$$

無偏光成分（右辺第 1 項），直線偏光成分（右辺第 2 項），円偏光成分（右辺第 3 項）に分解でき，

$$\Pi_{\rm L} \equiv \frac{\sqrt{Q^2 + U^2}}{I}, \quad \Pi_{\rm C} \equiv \frac{|V|}{I}, \quad \Pi \equiv \frac{\sqrt{Q^2 + U^2 + V^2}}{I} \tag{3.137}$$

をそれぞれ，直線偏光度，円偏光度，**偏光度**（degree of polarization）と呼ぶ．

3.8.2 ベクトル輻射輸送方程式

偏光の輻射輸送方程式は，ストークスパラメータを**ストークスベクトル**の成分とするベクトル形式で表現できる．偏光状態が変化しなければ独立な4つのスカラー方程式になるが，一般には，伝播中の媒質の影響や散乱の効果によって，偏光状態が変化する（第4巻参照）．すなわち，連続的な散乱体や複数の散乱体による偏光の輻射輸送は，一般的に，以下のような輻射輸送方程式によって支配される：

$$\left(\frac{\partial}{c\partial t}+\boldsymbol{l}\cdot\nabla\right)\begin{pmatrix}I\\Q\\U\\V\end{pmatrix}=\begin{pmatrix}\eta_I\\\eta_Q\\\eta_U\\\eta_V\end{pmatrix}-\begin{pmatrix}\chi_I&\chi_Q&\chi_U&\chi_V\\\chi_Q&\chi_I&\gamma_V&-\gamma_U\\\chi_U&-\gamma_V&\chi_I&\gamma_Q\\\chi_V&\gamma_U&-\gamma_Q&\chi_I\end{pmatrix}\begin{pmatrix}I\\Q\\U\\V\end{pmatrix}. \tag{3.138}$$

ここで，$\eta_{I,Q,U,V}$ は媒質から放射される偏光波の各成分と散乱によって生じた偏光波成分の和で，$\chi_{I,Q,U,V}$ は各ストークスパラメータ I,Q,U,V に対する減光係数である．また，$\gamma_{Q,U}$ と γ_V は円偏光や直線偏光の度合いを変える係数で，それぞれ，**ファラデー変換係数**，**ファラデー回転係数**と呼ばれる．

定常な場合は，光学的厚みを $d\tau=\chi_I ds$ と定義すれば，(3.138) は以下となる：

$$\frac{d\boldsymbol{I}}{d\tau}=\boldsymbol{S}-\boldsymbol{K}\boldsymbol{I}, \tag{3.139}$$

$$\boldsymbol{I}=\begin{pmatrix}I\\Q\\U\\V\end{pmatrix},\quad \boldsymbol{S}=\frac{1}{\chi_I}\begin{pmatrix}\eta_I\\\eta_Q\\\eta_U\\\eta_V\end{pmatrix},\quad \boldsymbol{K}=\frac{1}{\chi_I}\begin{pmatrix}\chi_I&\chi_Q&\chi_U&\chi_V\\\chi_Q&\chi_I&\gamma_V&-\gamma_U\\\chi_U&-\gamma_V&\chi_I&\gamma_Q\\\chi_V&\gamma_U&-\gamma_Q&\chi_I\end{pmatrix}.$$

ここで，$\boldsymbol{I}$ はストークスベクトル，$\boldsymbol{S}$ は源泉関数ベクトルである．

偏光輻射輸送方程式 (3.139) の形式解は，以下のように表せる：

$$\boldsymbol{I}=\boldsymbol{I}_0 e^{-\boldsymbol{K}\tau}+\boldsymbol{K}^{-1}(1-e^{-\boldsymbol{K}\tau})\boldsymbol{S}. \tag{3.140}$$

微積分方程式 (3.140) は，一般的には数値計算で解かれる（第4巻参照）[*25].

3.8.3 平行平板大気の場合

平行平板大気で，減光係数が偏光に依存しない場合（$\boldsymbol{K}$ が対角行列）は，座標をうまく設定すると $U = V = 0$ と置けて，輻射強度 I と偏光成分 Q だけで考えることができ[*26]，方程式が多少わかりやすいものになる（Chandrasekhar 1960；Harrington 1970；Stenflo 1994；Fluri & Stenflo 1999 など参照）.

このときは，光学的厚みを $d\tau = -\chi_I dz$ で定義して，輻射輸送方程式は，

$$\mu \frac{d\boldsymbol{I}_\nu}{d\tau_\nu} = \boldsymbol{I}_\nu - \boldsymbol{S}_\nu, \quad \boldsymbol{I}_\nu = \begin{pmatrix} I_\nu \\ Q_\nu \end{pmatrix}, \quad \boldsymbol{S}_\nu = \begin{pmatrix} S^I_\nu \\ S^Q_\nu \end{pmatrix} \tag{3.141}$$

のように表せる．さらに LTE を仮定すると，源泉関数ベクトルは，

$$\boldsymbol{S}_\nu = \frac{1}{\kappa_\nu + \sigma_\nu}(\kappa_\nu \boldsymbol{B}_\nu + \sigma_\nu \boldsymbol{J}_\nu), \tag{3.142}$$

$$\boldsymbol{B}_\nu = \begin{pmatrix} B_\nu(T) \\ 0 \end{pmatrix}, \tag{3.143}$$

$$\boldsymbol{J}_\nu = \frac{1}{2}\int_{-1}^{1} \boldsymbol{P}_R(\mu, \mu')\boldsymbol{I}_\nu(\mu')d\mu' \tag{3.144}$$

と表せる．ここで $\boldsymbol{P}_R$ はレイリー位相行列（Rayleigh phase matrix）で，レイリー散乱やトムソン散乱の角度依存性を表す散乱再分配関数である．

具体的には，無偏光等方散乱成分と直線偏光散乱成分に分解して，

$$\boldsymbol{P}_R = \boldsymbol{E} + \frac{3}{4}\boldsymbol{P}, \tag{3.145}$$

$$\boldsymbol{E} = \begin{pmatrix} 1 & 0 \\ 0 & 0 \end{pmatrix}, \quad \boldsymbol{P} = \frac{1}{2}\begin{pmatrix} \frac{1}{3}(1-3\mu^2)(1-3\mu'^2) & (1-3\mu^2)(1-\mu'^2) \\ (1-\mu^2)(1-3\mu'^2) & 3(1-\mu^2)(1-\mu'^2) \end{pmatrix} \tag{3.146}$$

のように表すことができる．

例題 3.9 具体的に $\boldsymbol{J}$（添え字 ν は省略）の成分を計算してみよ．

[*25] （79 ページ）離散双極子近似（DDA）に基づいて輻射輸送を計算するコードは，公開コード DDSCAT として提供されている（http://ddscat.wikidot.com/）.

[*26] 星のような球体の場合，子午線方向の成分を I_l，経度方向の成分を I_r とすると，$I = I_l + I_r$，$Q = I_l - I_r < 0$ と表せる．

解答 (3.146) などを (3.144) へ入れて丁寧に計算すると,

$$J_1(\mu) = J + \frac{3}{8}\frac{1-3\mu^2}{3}[(J-3K) + 3(J^Q - K^Q)], \tag{3.147}$$

$$J_2(\mu) = \frac{3}{8}(1-\mu^2)[(J-3K) + 3(J^Q - K^Q)] \tag{3.148}$$

となる.ただし,$J \equiv (1/2)\int I d\mu$, $K \equiv (1/2)\int I\mu^2 d\mu$, $J^Q \equiv (1/2)\int Q d\mu$, $K^Q \equiv (1/2)\int Q\mu^2 d\mu$. ∎

レイリー散乱・トムソン散乱の場合に対して,(3.141) の成分を具体的に表すと以下のようになる(以下,振動数を表す添え字 ν は省略):

$$\mu\frac{dI}{d\tau} = I - \left[S + \frac{1-3\mu^2}{3}P\right], \tag{3.149}$$

$$\mu\frac{dQ}{d\tau} = Q - (1-\mu^2)P. \tag{3.150}$$

ただしここで,

$$S \equiv \varepsilon B + (1-\varepsilon)J, \tag{3.151}$$

$$P \equiv \frac{3}{8}(1-\varepsilon)[(J-3K) + 3(J^Q - K^Q)]. \tag{3.152}$$

角度によって成分が入り混じる様子がわかるだろう.

これらはやはり散乱を含む連立微積分方程式で,7 章で述べる数値計算法で解かれるが(Harrington 1970),一般に偏光量は数%なので計算精度が必要である.

Chapter ③ の章末問題

問題 3.1 黒体輻射光子の数密度 ψ_ν を求めよ．

問題 3.2 銀河間物質の平均密度を $2\times 10^{-7}\,\mathrm{cm}^{-3}$ として，銀河間空間におけるトムソン散乱の平均自由行程を求めよ．

問題 3.3 太陽コロナの光学的厚みを見積もってみよ．コロナの電子数密度は $1.1R_\odot$ で $n_\mathrm{e}=10^8\,\mathrm{cm}^{-3}$ とする．

問題 3.4 3 km の高度にある厚さ $H=100\,\mathrm{m}$ の典型的な雲の光学的厚みを見積もってみよ．水滴量（LWC；liquid water content）は $0.2\,\mathrm{mg\,L}^{-1}$ で，雨滴のサイズは半径 $r=10\,\mu\mathrm{m}=10^{-3}\,\mathrm{cm}$ とする．LWC は同じで，雨滴のサイズが半分になったらどうなるか．

問題 3.5 レイリー散乱の位相関数を描いてみよ．

問題 3.6 いろいろな g に対して，ヘニエイ–グリーンシュタインの位相関数を描いてみよ．

問題 3.7 自由–自由吸収と電子散乱のみを考慮したとき，有効光学的厚みとトムソン散乱の光学的厚みの比を求めよ．

問題 3.8 $\mathcal{I}\equiv I_\nu e^{\tau_\nu},\mathcal{S}\equiv S_\nu e^{\tau_\nu}$ として輻射輸送方程式より形式解を導出せよ．

問題 3.9 地球大気において，鉛直方向の光学的厚みを τ，天頂から測った角度（天頂距離と呼ぶ）を θ（$\cos\theta=\mu$）とすると，大気圏外での太陽の輝度 $I_\odot$ と地表で測定される輝度 I の関係はどうなるか．また $I/I_\odot \sim 0.02$ まで落ちると，太陽は明瞭にみえなくなる（visibility threshold）．空気の場合（$\tau=0.14$），塵の場合（$\tau=1$），雲の場合（$\tau=10$）のそれぞれについて，太陽がみえなくなる $1/\mu$ および θ はいくらか．

問題 3.10 軸対称の場合の輻射輸送方程式を導出せよ．

問題 3.11 （3.149）と（3.150）の形式解を求めてみよ．

Chapter 4
輻射場の物理量

輻射輸送の基本的物理量である輻射強度は，一般的には，時間 1 次元, 空間 3 次元，方向 2 次元，振動数 1 次元，計 7 個の独立変数をもつので，取り扱いなどが難しい．そこでしばしば，物理的な観点から，輻射場の等方成分，1 次の非等方成分，2 次の非等方成分などを表すモーメント量で，輻射強度を展開して表し，輻射強度の代替変数とすることも多い．本章では，輻射場のモーメント量について，平均量としての定義および物理的な意味合いでの定義をし，簡単な計算もしてみよう．また輻射場が媒質に与える輻射力も改めて説明する．

4.1 輻射ストレステンソルの定義

輻射のモーメント量を以下のように定義する．それぞれ，輻射エネルギー密度（0 次），輻射流束（1 次），輻射応力テンソル（2 次）を表す[*1,*2]：

$$\begin{pmatrix} cE_\nu \\ F_\nu \\ cP_\nu \end{pmatrix} = \oint \begin{pmatrix} I_\nu \\ I_\nu \cos\theta \\ I_\nu \cos^2\theta \end{pmatrix} d\Omega, \quad \begin{pmatrix} J_\nu \\ H_\nu \\ K_\nu \end{pmatrix} = \frac{1}{4\pi} \oint \begin{pmatrix} I_\nu \\ I_\nu \cos\theta \\ I_\nu \cos^2\theta \end{pmatrix} d\Omega. \tag{4.1}$$

[*1] n 次のモーメント（n-th moment）は，以下で定義される：$M_\nu^n \equiv \dfrac{1}{4\pi} \oint I_\nu(\theta) \cos^n\theta d\Omega$.

[*2] 展開方法はいろいろある．一例として，テンソルモーメント展開を挙げておく（Thorne 1981）．

一般的な 3 次元空間では以下のように定義される：

$$\begin{pmatrix} cE_\nu \\ F_\nu^i \\ cP_\nu^{ij} \end{pmatrix} = \oint \begin{pmatrix} 1 \\ l^i \\ l^i l^j \end{pmatrix} I_\nu d\Omega, \quad \boldsymbol{l} = \begin{pmatrix} \sin\theta\cos\varphi \\ \sin\theta\sin\varphi \\ \cos\theta \end{pmatrix}. \quad (4.2)$$

以下，各要素についてみていこう．なお，下付きの ν は省略することもある．

4.2 輻射エネルギー密度および平均強度

物理的なモーメント量として，ある場所の**輻射エネルギー密度**（radiation energy density）E_ν [erg cm^{-3} Hz^{-1}] は以下の式で定義される[*3]：

$$E_\nu \equiv \frac{1}{c} \oint I_\nu d\Omega. \quad (4.3)$$

一方，平均量として，輻射強度 I_ν を全立体角で平均した量を**平均輻射強度**（mean intensity）と呼び J_ν [erg s^{-1}cm^{-2}Hz^{-1}sr^{-1}][*4]で表す：

$$J_\nu \equiv \frac{1}{4\pi} \oint I_\nu d\Omega. \quad (4.4)$$

平均輻射強度は，輻射強度の等方的成分になっている．

平均輻射強度 J_ν と輻射エネルギー密度 E_ν には以下の関係式が成り立つ：

$$J_\nu = \frac{c}{4\pi} E_\nu. \quad (4.5)$$

例題 4.1 一様等方な輻射場における輻射エネルギー密度と輻射強度の関係はどうなるか．一様等方な輻射強度を $\bar{I}$ とする．

解答
$$E = \frac{1}{c} \oint \bar{I} d\Omega = \frac{\bar{I}}{c} \int_0^{2\pi} d\varphi \int_0^\pi \sin\theta d\theta = \frac{4\pi}{c} \bar{I}.$$

したがって，$J = \bar{I}$ となっている．■

例題 4.2 星から放射される輻射強度が等方的な場合，星の表面での輻射エネルギー密度はどうなるか．等方的な輻射強度を $\bar{I}$ とする．

[*3] 輻射強度 I_ν（光線）は 1 秒当りで 3×10^{10} cm の長さがある．光速 c で割れば光線の長さは 1 cm となり，全立体角で積分すれば単位体積当りのエネルギーになる．

[*4] 平均輻射強度 J_ν の単位は輻射強度 I_ν の単位と同じ．

解答 星の表面では内向き（$\pi/2 \leqq \theta \leqq \pi$）の入射はないので，

$$E = \frac{1}{c}\oint \bar{I}d\Omega = \frac{\bar{I}}{c}\int_0^{2\pi} d\varphi \int_0^{\pi/2} \sin\theta d\theta = \frac{2\pi}{c}\bar{I}.$$

■

例題 4.3 半径 R の星から距離 r における輻射エネルギー密度はどうなるか．星の輻射強度は等方的で $\bar{I}$ とする．

解答 距離 r の位置から星を見込む角度を θ_0 とすると，極角方向の積分範囲を $0 \leqq \theta \leqq \theta_0$ として，

$$E = \frac{\bar{I}}{c}\int_0^{2\pi} d\varphi \int_0^{\theta_0} \sin\theta d\theta = \frac{2\pi\bar{I}}{c}(1 - \cos\theta_0).$$

ここで $\cos\theta_0 = \sqrt{1 - \sin^2\theta_0} = \sqrt{1 - (R/r)^2}$ である．また一様等方な輻射場では，$E = 4\pi\bar{I}/c$ であることから，

$$E(r) = \frac{4\pi\bar{I}}{c}W(r) \tag{4.6}$$

と置くこともある．ここで，

$$W(r) \equiv \frac{1}{2}\left[1 - \sqrt{1 - \left(\frac{R}{r}\right)^2}\right] \tag{4.7}$$

を**希釈因子**（dilution factor）と呼ぶ．希釈因子は名前の通りに，一様等方な輻射場に対して輻射エネルギー密度がどれだけ薄まっているかを表す因子で，星の表面だと $W = 1/2$ だが，十分遠方（$r \gg R$）では $W \sim (1/4)(R/r)^2$ となる． ■

物理的には，単位立体角あたりの輻射エネルギー密度が，$u_\nu(\Omega) = h\nu\psi_\nu$ で，

$$d\mathcal{E} = u_\nu(\Omega)dAd\Omega d\nu cdt \tag{4.8}$$

より $u_\nu(\Omega) = I_\nu/c$ となる．そして $u_\nu(\Omega)$ を全立体角で積分した輻射エネルギー密度を E_ν とすると，(4.3) が得られる：

$$E_\nu \equiv \frac{1}{c}\oint I_\nu d\Omega. \tag{4.9}$$

4.3 輻射流束およびエディントン流束

物理的なモーメント量として，単位面積を通り，ある方向（方向余弦 $\cos\theta$）に流れる**輻射流束**（radiative flux）F_ν [$\mathrm{erg\,s^{-1}\,cm^{-2}\,Hz^{-1}}$] を以下で定義する[*5]：

$$F_\nu \equiv \oint I_\nu \cos\theta d\Omega. \tag{4.10}$$

一方，平均量として，**エディントン流束**（Eddington flux）H_ν [$\mathrm{erg\,s^{-1}\,cm^{-2}\,Hz^{-1}\,sr^{-1}}$][*6]は以下で定義する：

$$H_\nu \equiv \frac{1}{4\pi} \oint I_\nu \cos\theta d\Omega. \tag{4.11}$$

エディントン流束は，輻射強度の 1 次非等方的成分になっている．

エディントン流束と輻射流束には以下の関係式が成り立つ：

$$H_\nu = \frac{F_\nu}{4\pi}. \tag{4.12}$$

例題 4.4 星から放射される輻射強度が等方的な場合，星の表面での輻射流束はどうなるか．等方的な輻射強度を $\bar{I}$ とする．

解答 上方（$\pi/2 \leqq \theta < \pi$）の輻射はないので，以下となる：

$$F_\mathrm{s} = \oint \bar{I}\cos\theta d\Omega = \bar{I}\int_0^{2\pi} d\varphi \int_0^{\pi/2} \sin\theta\cos\theta d\theta = \pi\bar{I}.$$

■

例題 4.5 半径 R の星から距離 r における輻射流束 f はどうなるか．星の輻射強度は等方的で $\bar{I}$ とする．

解答 距離 r の位置から星を見込む角度を θ_0 とすると，

$$f = \bar{I}\int_0^{2\pi} d\varphi \int_0^{\theta_0} \sin\theta\cos\theta d\theta = \pi\bar{I}\sin^2\theta_0 = F_\mathrm{s}\left(\frac{R}{r}\right)^2.$$

■

[*5] 単位面積を θ 方向に通過する輻射強度 I_ν（光線）に $\cos\theta$ をかけたものが，その光線が運ぶ，単位面積に対して垂直方向へ通過する単位時間当りのエネルギーになる．すべての光線について立体角積分をしたものが単位面積に対して垂直方向へ通過する単位時間当りの輻射エネルギー量となる．なお，単位振動数当りのものを**単色輻射流束**（monochromatic flux），振動数で積分したものを**全輻射流束**（total/net flux）と呼び分けることもある．また気象学や惑星大気の分野では，しばしば**放射照度**（irradiance）と呼ぶ．

[*6] エディントン流束 H_ν の単位は輻射強度 I_ν の単位と同じ．

物理的には，時間 dt の間に面積 dA を光速 c で通過する $(\nu, \nu+d\nu)$ 間の振動数をもつ光子の流束の正味のフラックスは，(3.3) より，

$$N d\nu dt = \left(\oint \psi_\nu c \boldsymbol{l} d\Omega\right) \cdot \boldsymbol{n} dA d\nu dt \tag{4.13}$$

である（$\boldsymbol{n}$ は dA の法線）．したがって，一般の 3 次元空間では，輻射場のエネルギーフラックスは (4.2) のような定義となる：

$$\boldsymbol{F}_\nu = h\nu \oint \psi_\nu c \boldsymbol{l} d\Omega = \oint I_\nu \boldsymbol{l} d\Omega. \tag{4.14}$$

さらに，極角と方位角を用いて，以下のように表される（$\mu = \cos\theta$）：

$$F_\nu^i = \begin{pmatrix} F_\nu^x \\ F_\nu^y \\ F_\nu^z \end{pmatrix} = \begin{pmatrix} \oint I_\nu \sin\theta\cos\varphi d\Omega \\ \oint I_\nu \sin\theta\sin\varphi d\Omega \\ \oint I_\nu \cos\theta d\Omega \end{pmatrix} = \begin{pmatrix} \oint I_\nu (1-\mu^2)^{1/2} \cos\varphi d\mu d\varphi \\ \oint I_\nu (1-\mu^2)^{1/2} \sin\varphi d\mu d\varphi \\ \oint I_\nu \mu d\Omega \end{pmatrix}. \tag{4.15}$$

4.4　輻射応力テンソルおよび K 積分

物理的なモーメント量として，**輻射圧**（radiation pressure）P_ν [dyn cm^{-2} Hz^{-1}][*7]は以下で定義する[*8]：

$$P_\nu \equiv \frac{1}{c} \oint I_\nu \cos^2\theta d\Omega. \tag{4.16}$$

一方，平均量として，第 2 モーメント量あるいは **K 積分**（K-integral）K_ν [erg s^{-1}cm^{-2}Hz^{-1}sr^{-1}][*9]は以下で定義する：

$$K_\nu \equiv \frac{1}{4\pi} \oint I_\nu \cos^2\theta d\Omega. \tag{4.17}$$

K 積分と輻射圧には以下の関係式が成り立つ：

[*7] 輻射エネルギー密度 E_ν と同じ単位になる！

[*8] 単位面積に向かう光線は，単位面積に垂直方向へ $I_\nu \cos\theta/c$ の運動量を運んでいる．そして単位面積で跳ね返る際には，さらに $\cos\theta$ の割合で単位面積に垂直方向へ力積をおよぼす（単位面積に平行方向には $\sin\theta$ の割合）．単位面積に垂直方向へ働く輻射圧は，$I_\nu \cos^2\theta/c$ を全立体角で積分して得られる（単位面積に平行方向の輻射応力は，$I_\nu \cos\theta \sin\theta/c$ を全立体角で積分して得られる）．

[*9] K 積分 K_ν の単位は輻射強度 I_ν の単位と同じ．

$$K_\nu = \frac{c}{4\pi} P_\nu. \tag{4.18}$$

例題 4.6 一様等方な輻射場における輻射圧はどうなるか.

解答 一様等方な輻射強度を $\bar{I}$ とすると,

$$P = \frac{1}{c}\oint \bar{I}\cos^2\theta d\Omega = \frac{\bar{I}}{c}\int_0^{2\pi}d\varphi\int_0^\pi \sin\theta\cos^2\theta d\theta = \frac{4\pi}{3c}\bar{I} = \frac{1}{3}E.$$

温度 T の黒体輻射場だと, $E = aT^4$ および $P = aT^4/3$ となる (2.2.3 節). ■

例題 4.7 星から放射される輻射強度が等方的な場合,星の表面での輻射圧はどうなるか. 等方的な輻射強度を $\bar{I}$ とする.

解答

$$P = \frac{1}{c}\oint \bar{I}\cos^2\theta d\Omega = \frac{\bar{I}}{c}\int_0^{2\pi}d\varphi\int_0^{\pi/2}\sin\theta\cos^2\theta d\theta = \frac{2\pi}{3c}\bar{I} = \frac{1}{3}E.$$ ■

例題 4.8 半径 R の星から距離 r における輻射圧はどうなるか. 星の輻射強度は等方的で $\bar{I}$ とする.

解答 距離 r の位置から星を見込む角度を θ_0 とすると,

$$P = \frac{\bar{I}}{c}\int_0^{2\pi}d\varphi\int_0^{\theta_0}\sin\theta\cos^2\theta d\theta = \frac{2\pi\bar{I}}{3c}(1 - \cos^3\theta_0).$$

十分遠方 ($\cos\theta_0 \sim 1$) では,

$$P = \frac{2\pi\bar{I}}{3c}(1 - \cos\theta_0)(1 + \cos\theta_0 + \cos^2\theta_0) \sim \frac{2\pi\bar{I}}{c}(1 - \cos\theta_0) \sim E.$$ ■

物理的には輻射応力テンソルは以下のようなものである. ベクトル l^j 周りの微小立体角 $d\Omega$ 内の方向から輻射強度 I_ν で入射する光子を考える. 単位面積を光速 c で l^j の方向に進む光子の数は $\psi_\nu c l^j$, それぞれの光子は l^i の方向に運動量 $h\nu l^i/c$ をもつので, 輻射応力テンソル P_ν^{ij} は以下のように定義される:

$$P_\nu^{ij} = \oint \psi_\nu(h\nu l^i/c)(cl^j)d\Omega = \frac{1}{c}\oint I_\nu l^i l^j d\Omega. \tag{4.19}$$

ただしここで, $h\nu\psi_\nu = u_\nu = I_\nu/c$ を用いた.

輻射場が等方な場合, P_ν と E_ν の定義より, $P_\nu = (1/3)E_\nu$ が成り立つ[*10].

4.5　輻射圧と輻射力

輻射と媒質が相互作用すると，輻射場と媒質の間でエネルギーや運動量の授受が起こる．とくに運動量の授受によって，輻射場は媒質へ輻射圧/力を及ぼすことになる．そしてガス圧の場合と同様に，輻射圧の場合も，圧力そのものではなく圧力の差，すなわち圧力勾配が，媒質に対して働く力となる（1 章，5 章）．

たとえば，鉛直方向 1 次元の場合，媒質の単位体積当りに働く輻射力は，

$$f_{\rm rad} = -\frac{dP}{dz} = -\frac{d}{dz}\frac{1}{c}\int_0^\infty d\nu \oint I_\nu \cos^2\theta d\Omega = -\frac{1}{c}\int_0^\infty d\nu \oint \frac{dI_\nu}{dz}\cos^2\theta d\Omega \tag{4.20}$$

と表される．ここで，平行平板における輻射輸送方程式が，(3.89) の $\cos\theta dI_\nu/dz = -(\kappa_\nu+\sigma_\nu)\rho I_\nu$ で表されることを思い出し，上式に代入すると，以下となる：

$$f_{\rm rad} = \frac{1}{c}\int_0^\infty d\nu \oint (\kappa_\nu+\sigma_\nu)\rho I_\nu \cos\theta d\Omega = \frac{1}{c}\int_0^\infty d\nu(\kappa_\nu+\sigma_\nu)\rho F_\nu. \tag{4.21}$$

さらに，より一般的な 3 次元の表現としては，単位体積当りに働く輻射力は，

$$\boldsymbol{f}_{\rm rad} = -\boldsymbol{\nabla}P = \frac{1}{c}\int_0^\infty d\nu(\kappa_\nu+\sigma_\nu)\rho \boldsymbol{F}_\nu \tag{4.22}$$

となり，単位質量当りの輻射力は以下となる：

$$\frac{1}{\rho}\boldsymbol{f}_{\rm rad} = -\frac{1}{\rho}\boldsymbol{\nabla}P = \frac{1}{c}\int_0^\infty d\nu(\kappa_\nu+\sigma_\nu)\boldsymbol{F}_\nu. \tag{4.23}$$

例題 4.9　電子散乱のように，不透明度が振動数に依存しない場合は輻射力はどうなるか．さらに質量 M で光度 L の球状天体から距離 r の場所で，天体の重力と輻射力を比較してみよ（1 章の復習）．

解答　電子散乱の不透明度 $\kappa_{\rm es}$ は，トムソン散乱の断面積 $\sigma_{\rm T}$ と陽子質量 $m_{\rm p}$ とを使うと，$\kappa_{\rm es} = \sigma_{\rm T}/m_{\rm p}$ となる．このとき，単位質量あたりの輻射力は，$f_{\rm rad}/\rho = \kappa_{\rm es}F/c$ になる．球状光源から距離 r では $F = L/(4\pi r^2)$ なので，輻射力と重力の比は，$\kappa_{\rm es}L/(4\pi cGM) = L/L_{\rm E}$ となる（$L_{\rm E}$ はエディントン光度）． ∎

[*10] (88 ページ) 理想気体では，比熱比を γ として，ガス圧 p と単位体積当りのガスの内部エネルギー ρU の間には，$p = (\gamma-1)\rho U$ の関係が成り立つ（第 1 巻参照）．すなわち，輻射流体の比熱比は $\gamma = 4/3$ に相当している．これは単原子気体の自由度が 3 であるのに対し，輻射の自由度が 2 しかないためで，また輻射流体が相対論的流体であることも意味している．

4.6 輻射場の諸量の具体例

輻射場の諸量は定義だけではピンとこないと思うので，光輝くガス降着円盤の表面から放射された輻射による，降着円盤上空の輻射場について，具体的な計算例を示しておく．

詳細については第 1 巻や 10 章を参照してほしいが，**降着円盤**（accretion disk）はブラックホールなど中心天体のまわりに形成された光輝く回転ガス円盤で，標準的なモデルでは，表面温度 T_d と表面輝度 I_0 は以下のように与えられる：

$$I_0 = \frac{1}{\pi}\sigma_\mathrm{SB}T_\mathrm{d}^4 = \frac{1}{\pi}\frac{3GM\dot{M}}{8\pi r_\mathrm{d}^3}\left(1 - \sqrt{\frac{r_\mathrm{in}}{r_\mathrm{d}}}\right). \tag{4.24}$$

ここで，M は中心天体の質量，$\dot{M}$ は質量降着率だが，どちらも定数パラメータでいまは気にしなくてよい．表面温度や表面輝度が円盤上での中心からの距離 r_d の関数であり，また降着円盤には内縁 r_in があって（シュバルツシルト・ブラックホールの場合はシュバルツシルト半径 r_S の 3 倍；$r_\mathrm{in} = 3r_\mathrm{S}$），内縁より内側には円盤ガスがない，すなわち内縁より内側からは放射がないことに注意しておく．また内縁の影響のため，(4.24) を r_d で微分するとすぐわかるが，I_0 の値は $r_\mathrm{d} \sim 1.36 r_\mathrm{in} \sim 4r_\mathrm{S}$ で最大値になる．

さて，降着円盤上空が晴れ渡っている場合（光学的に薄い場合），上空の各点において，輝度不変の原理にもとづいて，降着円盤表面の各微小部分から到来する輻射強度 I_0 を足し合わせ，定義にしたがって輻射場の諸量を計算することは難しくない．円筒座標系 (r, φ, z) における実際の計算例を図 4.1 と図 4.2（92 ページ）に示す（Tajima & Fukue 1998）．図に示した諸量はエディントン光度などを用いて規格化されたもので，一般相対論的な光線の曲がりまでは考慮していないが，回転に伴う特殊相対論的ドップラー効果は取り入れてある．図の左下にある黒丸がブラックホール領域で，水平方向の太い線が円盤面になっており，子午面内での輻射場の諸量の強さを等高線にしてある．また，横軸と縦軸の単位は r_S である．

まず図 4.1 左上の規格化された輻射エネルギー密度 ε をみると，円盤表面輝度 I_0 のピーク（$r_\mathrm{d} \sim 4r_\mathrm{S}$）を反映して，ピーク付近の上空でもっとも強く分布していることがわかる．

輻射流束の各成分（図 4.1 右上から右下）はもっと複雑である．半径方向の成分

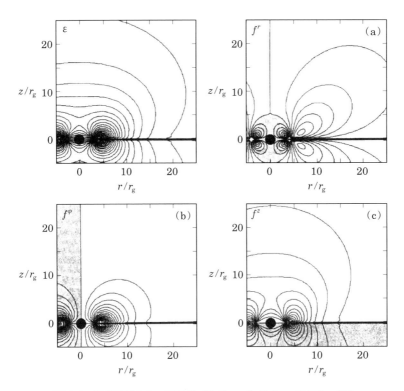

図 4.1 降着円盤上空の輻射場（Tajima & Fukue 1998）．規格化した輻射エネルギー密度 ε（左上）と，円筒座標系 (r, φ, z) での輻射流束の各成分 f^r，f^φ，f^z（右上から右下）．

f^r は表面輝度のピークより外側では外向き（正）だが，ピークより内側では内向き（負：図の影を付けた部分）になっている．また回転方向の成分 f^φ が存在するのは回転に伴う相対論的ドップラー効果を考慮したためだ．すなわち，円盤は軸対称なので，ドップラー効果がなければ f^φ 成分は生まれない．しかし，表面からいろいろな方向に放射された輻射強度は，円盤の回転に伴うドップラー効果で円盤の回転方向前方に強められて，f^φ 成分を生じる．やはり表面輝度のピーク付近で最大となり，回転の反対方向（図の影の部分）では負の値になる．最後に，鉛直方向の成分 f^z であるが，分布的には ε と似ているが，f^z は輻射流束ベクトルの成分で上向きの運動量をもっている（円盤の下面では下向きで負の値になる）．したがって輻射力で粒子を駆動して円盤風を形成することもある．

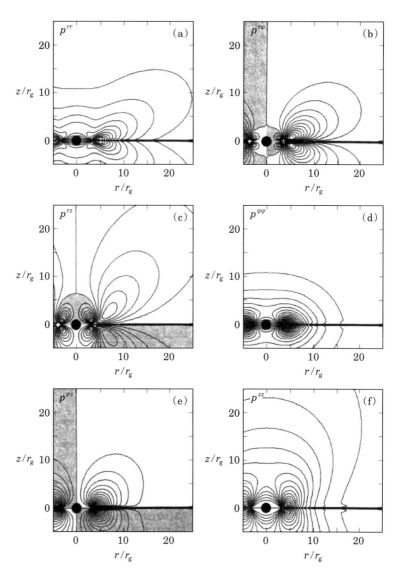

図 4.2　降着円盤上空の輻射場（Tajima & Fukue 1998）．円筒座標系 (r, φ, z) での規格化した輻射応力テンソルの各成分 p^{ij}．

輻射応力テンソルの各成分（図 4.2）もかなり複雑な分布となっている．まず対角成分 p^{rr}（左上），$p^{\varphi\varphi}$（右中），p^{zz}（右下）を比べてみよう．これらは輻射場が

等方ならば等しいが，円盤輻射場は非等方なために分布が異なっている．具体的には，p^{zz} が上方に拡がっていて，p^{rr} と $p^{\varphi\varphi}$ は円盤面付近に極在化している．

非対角成分については，$p^{r\varphi}$（右上）は f^r に似て内部に負の領域があり，$p^{\varphi z}$（左下）は f^z のように下面側が負になっている．そして，p^{rz}（左中）はそれらを組み合わせたような分布になる．

動力学的には，輻射応力テンソルは輻射エネルギー密度と似た性質があって，輻射流束ベクトルがガスの加速にはたらくのに対し，輻射エネルギー密度と輻射応力テンソルはガスの減速（抵抗）として作用する（9章参照）．

降着円盤に限らず，光学的に薄い場合には，輻射場の全成分を計算して，ガス物質の運動を調べることは難しくない．一方，曇っている（光学的に厚い）場合は，3章でみたように，輻射強度は光学的厚みの指数関数で減衰する．さらに光学的に厚くなると次の5章でみるように，輻射場の諸量は拡散近似にしたがって変化することになる．もっとも，十分に光学的に厚くなり，輻射場がほぼ等方的で拡散近似が成り立つような状況になれば，輻射場はむしろ扱いやすくなる．一般的には，光学的厚みが1程度の薄曇りの状況が，輻射場の非等方性がまだ大きく，輻射の遠距離相互作用もはたらくため，輻射と物質の相互作用を丁寧に調べる必要があり，取り扱いにくい領域となる．

Chapter 4 の章末問題

問題 4.1 一様で等方的に輻射している無限平面上空における輻射エネルギー密度はどうなるか.また輻射流束はどうなるか.

問題 4.2 有限の面積 S をもつ平面光源上空における輻射エネルギー密度はどうなるか.

問題 4.3 等方的で一様な輻射場(例:3K 宇宙背景放射)における輻射モーメントの全成分:$E, F^r, F^\varphi, F^z, P^{rr}, P^{r\varphi}, P^{rz}, P^{\varphi\varphi}, P^{\varphi z}, P^{zz}$ を求めよ.

問題 4.4 無限平面上空の等方輻射場の全成分:$E, F^r, F^\varphi, F^z, P^{rr}, P^{r\varphi}, P^{rz}, P^{\varphi\varphi}, P^{\varphi z}, P^{zz}$ を求めよ.

問題 4.5 恒星近傍の等方輻射場の全成分:$E, F^r, F^\varphi, F^z, P^{rr}, P^{r\varphi}, P^{rz}, P^{\varphi\varphi}, P^{\varphi z}, P^{zz}$ を求めよ.

問題 4.6 一様に光っている無限平面上空でのエディントン因子 $f\ (=P^{zz}/E$;5章) はどうなるか.また一様に光っている球状光源の場合はどうなるか.

問題 4.7 太陽の視半径は $\theta = 959''\!.63$ で,地球軌道での太陽定数は $f = 1.37 \times 10^6\,\mathrm{erg\,s^{-1}\,cm^{-2}}$ である.また1天文単位と太陽半径をそれぞれ,$r = 1\,\mathrm{au} = 1.496 \times 10^{13}\,\mathrm{cm}$,$R_\odot = r\theta = 6.96 \times 10^{10}\,\mathrm{cm}$ とする.

(1) 平均強度:地球軌道での平均強度 $\bar{I}$ はいくらになるか.

(2) 輻射流束:輝度保存から,太陽表面での平均強度も同じである.太陽表面での輻射流束 F はいくらになるか.

(3) 太陽光度:太陽表面での輻射流束から太陽光度を求めよ.一方,地球軌道での太陽定数から太陽光度 L を求めよ.

問題 4.8 地上における太陽光の希釈因子を求めよ.

問題 4.9 太陽の等級は -26.7 で $f = 1.37 \times 10^6\,\mathrm{erg\,s^{-1}\,cm^{-2}}$ である.6等星の観測される輻射流束 f はいくらか.

Chapter 5
モーメント定式化とエディントン近似

　すでに述べたように，輻射輸送方程式は一般に7個の独立変数をもつ偏微分積分方程式だが，定常1次元の場合でさえ，2つの変数（z と θ）をもつ微分積分方程式である．そのため，解析的あるいは数値的に簡単に解くために，さまざまな近似法が研究・開発されてきた．その代表的なものが，輻射場の角度依存性があまり強くないという仮定で，輻射場を角度方向に展開してモーメント量で考えていく，モーメント定式化とエディントン近似である．

5.1　平行平板大気のモーメント方程式

　しばらくの間は，星や降着円盤や地球の大気を念頭に置いて，定常1次元で平行平板大気の場合について，モーメント定式化を行ってみよう．

　鉛直方向を z とする平行平板大気（図5.1）では，真上から測った角度を θ（方向余弦を $\mu = \cos\theta$）とすると，輻射輸送方程式は，

$$\mu \frac{dI_\nu}{dz} = \frac{j_\nu}{4\pi}\rho - \kappa_\nu \rho I_\nu - \sigma_\nu \rho I_\nu + \sigma_\nu \rho J_\nu \tag{5.1}$$

のように表せる（3.4節，3.7節など）．ただし簡単のために散乱は等方とした．

5.1.1　0次のモーメント式

　まず輻射輸送方程式の両辺を全立体角で積分する．平行平板大気で，輻射強度が極角 θ にのみ依存し，方位角 φ に依存しないと仮定すると，立体角の積分

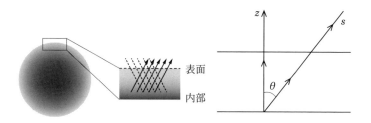

図 5.1 平行平板大気と座標系. $ds = dz/\cos\theta$ に注意.

は $\int d\Omega = \int_0^{2\pi}\int_0^\pi \sin\theta d\theta d\varphi = 2\pi \int_0^\pi \sin\theta d\theta = 2\pi \int_{-1}^1 d\mu$ と書き換えられる. さらに z と μ が独立なことを考慮すると, 全立体角積分は,

$$\frac{dH_\nu}{dz} = \rho\left(\frac{j_\nu}{4\pi} - \kappa_\nu J_\nu\right) \tag{5.2}$$

となる[*1]. ただしここで, J_ν は平均強度, H_ν はエディントン流束である. この (5.2) を **0 次のモーメント式** (0th moment equation) と呼ぶ.

この (5.2) の物理的な意味は, 以下のようになる. 左辺の時間微分の項を落としているので少しわかりにくくなっているが, この式は輻射系のエネルギー式になっていて, 右辺が輻射系とガス系との間のエネルギーの授受を表している. すなわち, 右辺第1項がガス系からの放射で輻射系のエネルギーが増加する項, 第2項がガス系が輻射を吸収することによって輻射系のエネルギーが減少する項である. 一方, 散乱項 (σ_ν のかかる項) は立体角積分でキャンセルしている. ここで考えている非相対論の範囲内では, 散乱過程でガス系から輻射系へエネルギーが輸送され, まったく等量がやはり散乱過程で輻射系からガス系へ輸送され, 正味には散乱によるエネルギーの増減は起こらない[*2].

源泉関数 S_ν を使えば, (5.2) は,

[*1] エネルギー密度 E_ν と輻射流束 F_ν で表すと, 以下のように書ける:
$$\frac{dF_\nu}{dz} = \rho\left(j_\nu - \kappa_\nu c E_\nu\right).$$
[*2] 弱い非等方性をもつトムソン散乱でも, より非等方性の強い散乱でもエネルギーの総量的な変化はない. 一方, 相対論的なコンプトン散乱などでは, 散乱過程によってガス系から輻射系へ (あるいはその逆に) エネルギーの正味な輸送が生じることがある. 前者を**弾性散乱**, 後者を**非弾性散乱**と呼ぶ.

$$\frac{dH_\nu}{dz} = -\rho(\kappa_\nu + \sigma_\nu)(J_\nu - S_\nu), \tag{5.3}$$

$$S_\nu = \frac{1}{\kappa_\nu + \sigma_\nu}\frac{j_\nu}{4\pi} + \frac{\sigma_\nu}{\kappa_\nu + \sigma_\nu}J_\nu \tag{5.4}$$

のように表すこともできる．

さらに，光学的厚みを $d\tau_\nu \equiv -\rho(\kappa_\nu + \sigma_\nu)dz$ で定義して導入すると，(5.3) は以下のようになる：

$$\frac{dH_\nu}{d\tau_\nu} = J_\nu - S_\nu. \tag{5.5}$$

例題 5.1 LTE の場合，0 次のモーメント式はどうなるか．

解答 LTE ならば，$j_\nu/4\pi = \kappa_\nu B_\nu$ なので，(5.2) は，以下のようになる：

$$\frac{dH_\nu}{dz} = \rho\kappa_\nu\left(B_\nu - J_\nu\right). \tag{5.6}$$

∎

例題 5.2 正味の輻射流束の増減が 0 になる輻射平衡（RE）の条件を導いてみよ．

解答 RE は，(5.3) を振動数積分して，

$$\frac{dH}{dz} = \frac{d}{dz}\int H_\nu d\nu = -\rho\int(\kappa_\nu + \sigma_\nu)(J_\nu - S_\nu)d\nu = 0 \tag{5.7}$$

が**輻射平衡** RE（radiative equilibrium）である．したがって，もし散乱が波長によらなければ，輻射平衡の条件は以下のようになる：

$$\int \kappa_\nu J_\nu d\nu = \int \kappa_\nu S_\nu d\nu. \tag{5.8}$$

さらにまた，もし LTE ならば，$(\kappa_\nu + \sigma_\nu)S_\nu = \kappa_\nu B_\nu + \sigma_\nu J_\nu$ なので，

$$\int_0^\infty \kappa_\nu J_\nu d\nu = \int_0^\infty \kappa_\nu B_\nu d\nu \tag{5.9}$$

と表すことができる．なお一般的には $J_\nu \neq B_\nu$ なので，$J \neq B$ である．ただし，灰色大気（κ_ν が振動数に依存しない）の仮定では，$S = J = B$ となる． ∎

5.1.2 1次のモーメント式

つぎに輻射輸送方程式の両辺に $\cos\theta$ を乗じて全立体角で積分する．立体角の積分因子は $\int \cos\theta d\Omega = 2\pi \int_0^\pi \sin\theta \cos\theta d\theta = 2\pi \int_{-1}^1 \mu d\mu$ と書き換えられる．さらに z と μ が独立なこと，$\int \cos\theta d\Omega = 0$ などを考慮すると，立体角積分は，

$$\frac{dK_\nu}{dz} = -\rho(\kappa_\nu + \sigma_\nu) H_\nu \tag{5.10}$$

となる[*3]．ただしここで，$K_\nu \left(\equiv \dfrac{1}{4\pi} \int I_\nu \cos^2\theta d\Omega = \dfrac{1}{2} \int I_\nu \mu^2 d\mu\right)$ は K 積分である．この (5.10) を **1 次のモーメント式**（1st moment equation）と呼ぶ．

この (5.10) の物理的な意味は，以下のようになる．この式は輻射系の運動量変化を表していて，右辺が輻射系とガス系との間の運動量の授受を表している．すなわち，右辺は輻射がガスに当たって吸収や散乱を受け輻射系の運動量が減少することを意味している．一方，輻射輸送方程式 (5.1) の右辺の第 1 項と第 4 項の立体角積分は 0 になる．すなわち，ガス系からの放射（j_ν の項）は任意の方向に等しく生じるので，輻射系が全体として運動量を得ることはない（第 1 項）．同様に，散乱過程によって生じた光子も任意の方向に現れるので，やはり全体として運動量を得ることはない（第 4 項）．ただし，散乱が非等方な場合には，正味の運動量の増減（増加）が起きることもある（章末問題 5.6 参照）．

光学的厚み $d\tau_\nu \equiv -\rho(\kappa_\nu + \sigma_\nu)dz$ を使うと，(5.10) は以下のようになる：

$$\frac{dK_\nu}{d\tau_\nu} = H_\nu. \tag{5.11}$$

5.1.3 クロージャー関係

角度方向について積分した (5.2) と (5.10) は，独立変数が減ったので，もとの輻射輸送方程式より扱いやすく解きやすい．一方で，平行平板の場合には，方程式が 2 本なのに対して，未知変数が J_ν，H_ν と K_ν の 3 つあるため，このままでは解けないのは明らかである．

[*3] 輻射流束 F_ν と輻射圧 P_ν で表すと，以下のように書ける：

$$c\frac{dP_\nu}{dz} = -\rho(\kappa_\nu + \sigma_\nu) F_\nu.$$

さらに次数の高いモーメント式を作っても，より高次のモーメント量が現れるため，いつまでたってもモーメント式系は閉じることがない*4．実際的な問題としては，モーメント式系をどこかで閉じてやる必要がある．そのために仮定する関係を**閉包関係・クロージャー関係**（closure relation）と呼ぶ．

いままでに数多くのクロージャー関係が提案されているが，つぎに紹介するエディントン近似は，もっとも古くに提案されたものの一つであり，かつ非常によく使われているものである．

5.2 エディントン近似

モーメント定式化におけるクロージャー関係としては，天文の分野ではエディントン近似がよく使われてきた*5．引き続き平行平板の場合を考えよう．

モーメント定式化は，輻射場の非等方性が小さいという環境が前提にある．実際，星や降着円盤の内部領域，光源が一様に分布した星間空間，そして初期宇宙などでは，輻射場はほぼ等方的になっているだろう．輻射場が完全に等方で I_ν が角度依存性をもたなければ，定義から即座に，以下の関係が成り立つ*6：

$$K_\nu = \frac{1}{3} J_\nu. \tag{5.12}$$

つぎに輻射場が，等方成分に加え，μ に比例する線形成分をもつ場合，

$$I_\nu(z,\mu) = a_\nu(z) + b_\nu(z)\mu \tag{5.13}$$

のような角度依存性をもつと仮定してみよう．このときもモーメント量の定義から計算すると，

$$J_\nu = a_\nu, \quad H_\nu = \frac{1}{3} b_\nu, \quad K_\nu = \frac{1}{3} a_\nu \tag{5.14}$$

が得られ，やはり（5.12）が成り立つ．

---

*4 ガス系でボルツマン方程式のモーメント（速度空間での積分）を取っていくのと同じである．無限次数のモーメント式系が，数学的にはもとの輻射輸送方程式と同等になっている．

*5 FLD 近似や M1 クロージャーなど他の方式もある．5.6 節や第 5 巻を参照．

*6 輻射圧と輻射エネルギー密度で表すと，

$$P_\nu = \frac{1}{3} E_\nu.$$

さらに一般に敷衍し，輻射場がほぼ等方的だとして，(5.12) でモーメント式系を閉じる考え方を，**エディントン近似**（Eddington approximation）と呼んでいる[*7]．エディントン近似を使えば，（輻射輸送方程式を直接に解かずに）0 次と 1 次のモーメント式を解いて輻射場を近似的に求めることができる（6.3 節）．

5.2.1 輻射拡散方程式（0 次近似）

光学的厚みを用いて表した平行平板大気のモーメント式 (5.5) と (5.11) から H_ν を消去し，エディントン近似を用いて $K_\nu = J_\nu/3$ と置くと，

$$\frac{1}{3}\frac{d^2 J_\nu}{d\tau_\nu^2} = \frac{1}{\kappa_\nu + \sigma_\nu}\left(\kappa_\nu J_\nu - \frac{j_\nu}{4\pi}\right) \tag{5.15}$$

のようになる．さらに LTE（$j_\nu/4\pi = \kappa_\nu B_\nu$）を仮定すると，

$$\frac{1}{3}\frac{d^2 J_\nu}{d\tau_\nu^2} = \varepsilon_\nu (J_\nu - B_\nu) \tag{5.16}$$

が得られる．ただしここで，ε_ν は，

$$\varepsilon_\nu \equiv \frac{\kappa_\nu}{\kappa_\nu + \sigma_\nu} \tag{5.17}$$

定義される量で，吸収と散乱を合わせた全吸収係数のうち真の吸収の割合を表すことから，**光子破壊確率**（photon destruction probability）と呼ばれる[*8]．

モーメント量としては平均強度 J_ν だけを含む (5.15) は，**輻射拡散方程式**（radiative diffusion equation）と呼ばれる．太陽・星の大気などで，非常に単純化した輻射輸送の問題では，この (5.15) を解くことも多い．

例題 5.3 散乱だけ（$\varepsilon_\nu = 0$）の場合，(5.16) の解はどうなるか．また一般（$\varepsilon_\nu \neq 0$）の場合も，もし ε_ν が一定で，B_ν が光学的厚みの 1 次関数なら，輻射拡散方程式 (5.16) の解はどうなるか．

解答 散乱だけの場合は，$d^2 J_\nu/d\tau_\nu^2 = 0$ なので，$J_\nu = a_\nu + b_\nu \tau_\nu$ という 1 次関数になる（a_ν と b_ν は定数）．一方，一般の場合も，B_ν が τ_ν の 1 次関数ならば，2 階微分は 0 になるので，輻射拡散方程式は，

[*7] 星の構造その他，天文学の多くの分野で大きな足跡を残したイギリスの天体物理学者アーサー・スタンレー・エディントン卿（Sir Arthur Stanley Eddington；1882〜1944）にちなむ．

[*8] この光子破壊確率に対し，$\varpi_\nu = 1 - \varepsilon_\nu$ を**単散乱アルベド**（single scattering albedo）と呼ぶ．恒星大気では前者が，惑星大気では後者がよく使われる．

$$\frac{d^2}{d\tau_\nu^2}(J_\nu - B_\nu) = 3\varepsilon_\nu (J_\nu - B_\nu) \tag{5.18}$$

と表すことができる．この式は $J_\nu - B_\nu$ に関する線形微分方程式なので，

$$J_\nu - B_\nu = C_1 e^{-\sqrt{3\varepsilon_\nu}\tau_\nu} + C_2 e^{\sqrt{3\varepsilon_\nu}\tau_\nu} \tag{5.19}$$

なる一般解をもつ．また H_ν は $(1/3)dJ_\nu/d\tau_\nu$ で与えられる．係数の C_1 と C_2 は問題の境界条件で決められる．

係数の決定も含め，これらの解は，6 章でふたたび丁寧に説明する．■

5.2.2　ホップ関数とエディントン因子の振る舞い

灰色大気の場合，輻射平衡が成立していれば，モーメント式は，

$$\frac{dH}{d\tau} = 0, \tag{5.20}$$

$$\frac{dK}{d\tau} = H \tag{5.21}$$

となり，H_0 および C を定数として，以下のように積分できる：

$$H = H_0, \tag{5.22}$$

$$K = H_0(\tau + C). \tag{5.23}$$

光学的に十分厚い領域ではエディントン近似の精度はいいので，$\tau \gg 1$ では $J(\tau) \sim 3K(\tau) \sim 3H_0\tau$ になっている．一方，表面近傍では輻射場は等方的ではなくなりエディントン近似の精度が落ちるので，一般的にはそれを補正して，

$$J(\tau) = 3H_0[\tau + q(\tau)] \tag{5.24}$$

と置くことができるだろう．ここで $q(\tau)$ は τ が大きい領域で頭打ちになる関数で，**ホップ関数**（Hopf function）と呼ばれている（7.1.2 節）．

ホップ関数を使えば，定数 C やエディントン因子は，

$$K(\tau) = H_0[\tau + q(\infty)], \tag{5.25}$$

$$f(\tau) \equiv \frac{K(\tau)}{J(\tau)} = \frac{\tau + q(\infty)}{3[\tau + q(\tau)]} \tag{5.26}$$

のように表すことができる[*9]．ホップ関数とエディントン因子の具体的な形につい

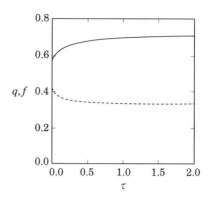

図 **5.2** ホップ関数（実線）とエディントン因子（波線）．

ては図 5.2 に示す．具体的な値は以下のようになっている：

$$q(0) = 0.577, \quad q(\infty) = 0.710. \tag{5.27}$$

$$f(0) = 0.410, \quad f(\infty) = 1/3. \tag{5.28}$$

また，ホップ関数は近似的には，以下の式で表せる：

$$q(\tau) \sim 0.6940 - 0.1167 e^{-1.972\tau}. \tag{5.29}$$

5.3 拡散近似（ロスランド近似，1 次近似）

　星の内部では輻射場は光学的に十分厚い．降着円盤の内部や初期宇宙でも，光学的に厚い場合が多い．光学的に"十分に"厚い場合は，光子の平均自由行程は十分に短くて，光子はガスによって吸収・散乱を繰り返しながら，ジグザグとランダムに拡散していくことになる．そのような状況では輻射場は拡散方程式として近似的に扱える．

　ここでは物理的な表現を強調するために，エネルギー密度，輻射流束，輻射圧を

[*9] （101 ページ）これらは同時に，エディントン近似を使わない厳密解である．また，後述するミルン–エディントン解の方法を使うと，

$$T^4 = \frac{3}{4} T_{\text{eff}}^4 [\tau + q(\tau)].$$

用いてみよう．平行平板の場合のモーメント式は以下のようになる：

$$\frac{dF_\nu}{dz} = \rho(j_\nu - \kappa_\nu c E_\nu), \tag{5.30}$$

$$\frac{dP_\nu}{dz} = -\frac{\rho(\kappa_\nu + \sigma_\nu)}{c} F_\nu. \tag{5.31}$$

光学的に十分厚く，かつ輻射とガスが局所熱平衡状態に達していれば，輻射強度 I_ν はほぼプランク分布 $B_\nu(T)$ になっており，したがって，$E_\nu \sim 4\pi B_\nu/c$, $P_\nu \sim 4\pi B_\nu/(3c)$ ぐらいになっている．ガスによる吸収と放出が釣り合って局所熱平衡になっていれば，(5.30) の左辺，すなわち輻射流束の勾配は非常に小さく，かつ右辺は大きい量から大きい量を引いて打ち消し合った状態で，

$$j_\nu = \kappa_\nu c E_\nu = 4\pi \kappa_\nu B_\nu \tag{5.32}$$

がほぼ実現しており，これはキルヒホッフの法則（2.1.2 節）に他ならない[*10]．

一方，(5.31) は，本来は右辺の量だけ輻射圧が変化していくことを表す微分方程式だが，両辺を入れ替えて読み替えれば，輻射圧の勾配に比例して輻射流束が定まると考えることも可能だ．さらに，光学的に厚い場合の輻射圧が局所プランク分布で表せると仮定すれば，輻射流束に対して，

$$\begin{aligned}F_\nu(z) &= -\frac{c}{\rho(\kappa_\nu + \sigma_\nu)} \frac{dP_\nu}{dz} \\ &= -\frac{4\pi}{3\rho(\kappa_\nu + \sigma_\nu)} \frac{d}{dz} B_\nu(T) \\ &= -\frac{4\pi}{3\rho(\kappa_\nu + \sigma_\nu)} \frac{\partial B_\nu}{\partial T} \frac{dT}{dz}\end{aligned} \tag{5.33}$$

という関係が得られる．すなわち，輻射流束が温度勾配に比例していて，温度勾配以外の部分を熱伝導率とするような熱伝導/熱拡散の式になっているので，これを**拡散近似**（diffusion approximation）と呼んでいる．

より一般には，流束ベクトル $\boldsymbol{F}$ が温度 T の勾配に比例する形：$\boldsymbol{F} \propto \boldsymbol{\nabla} T$ という，いわゆる拡散の**フィック則**（Fick's law）の形になっている．

[*10] 高次の近似など詳しい議論は，たとえば，Castor（2004）4.4 節など．

さらに (5.33) を振動数で積分すると,以下のように変形できる[*11],[*12]:

$$
\begin{aligned}
F(z) = \int_0^\infty F_\nu(z)d\nu &= -\frac{4\pi}{3\rho}\frac{dT}{dz}\int_0^\infty \frac{1}{\kappa_\nu+\sigma_\nu}\frac{\partial B_\nu}{\partial T}d\nu \\
&= -\frac{4\pi}{3\rho}\frac{dT}{dz}\frac{\displaystyle\int \frac{1}{\kappa_\nu+\sigma_\nu}\frac{\partial B_\nu}{\partial T}d\nu}{\displaystyle\int \frac{\partial B_\nu}{\partial T}d\nu}\int \frac{\partial B_\nu}{\partial T}d\nu \\
&= -\frac{16\sigma_{\rm SB}}{3\rho}\frac{dT}{dz}T^3\frac{\displaystyle\int \frac{1}{\kappa_\nu+\sigma_\nu}\frac{\partial B_\nu}{\partial T}d\nu}{\displaystyle\int \frac{\partial B_\nu}{\partial T}d\nu} \\
&= -\frac{4acT^3}{3\kappa_{\rm R}\rho}\frac{dT}{dz}.
\end{aligned} \quad (5.34)
$$

ここで最後の行の $\kappa_{\rm R}$ は,以下のように定義される量で,

$$
\frac{1}{\kappa_{\rm R}} \equiv \frac{\displaystyle\int \frac{1}{\kappa_\nu+\sigma_\nu}\frac{\partial B_\nu}{\partial T}d\nu}{\displaystyle\int \frac{\partial B_\nu}{\partial T}d\nu}, \quad (5.35)
$$

ロスランド平均不透明度(Rosseland mean opacity)と呼ばれる[*13],[*14].

[*11] 途中で以下のような変形を使う:
$$\int \frac{\partial B_\nu}{\partial T}d\nu = \frac{d}{dT}\int B_\nu d\nu = \frac{d}{dT}\left(\frac{1}{\pi}\sigma_{\rm SB}T^4\right) = \frac{4}{\pi}\sigma_{\rm SB}T^3.$$

[*12] ステファン–ボルツマンの定数 $\sigma_{\rm SB}$ と輻射定数 a は,$\sigma_{\rm SB}=ac/4$ という関係になっている.

[*13] ノルウェーの天文学者,ロズランド(Svein Rosseland; 1894~1985)より.通常 "ロスランド" と訳されるので慣例にしたがうが,もともとは "ロズランド" と濁って発音される.

[*14] 自由–自由吸収と束縛–自由吸収の不透明度のロスランド平均は,近似的に**クラマースの式**(Kramers' law)で表される(付録):

$$
\begin{aligned}
\kappa_{\rm ff} &= 3.68\times 10^{22}g_{\rm ff}(X+Y)(1+X)\rho T^{-7/2}\,{\rm cm^2\,g^{-1}} \\
&\sim 6.24\times 10^{22}\rho T^{-7/2}\,{\rm cm^2\,g^{-1}}, \\
\kappa_{\rm bf} &= 4.34\times 10^{25}(g_{\rm bf}/t)Z(1+X)\rho T^{-7/2}\,{\rm cm^2\,g^{-1}} \\
&\sim 1.50\times 10^{24}\rho T^{-7/2}\,{\rm cm^2\,g^{-1}}.
\end{aligned} \quad (5.36)\,(5.37)
$$

ただしここで,$g_{\rm ff}$ と $g_{\rm bf}$ は 1 のオーダーのガウント因子,t は 1 のオーダーのギロチン因子,そして X, Y, Z は水素,ヘリウム,重元素の重量組成比である(Morse 1940; Schwarzschild 1958).また電子散乱の不透明度は,以下となる:

$$\kappa_{\rm es} = 0.20(1+X)\,{\rm cm^2\,g^{-1}} \sim 0.4\,{\rm cm^2\,g^{-1}}. \quad (5.38)$$

振動数で積分した (5.34) は，振動数で積分した全輻射流束 F が温度勾配に比例することを表しており，しばしば**輻射伝導方程式** (radiative conduction equation) と呼ばれる．また"比例係数"の $4acT^3/(3\kappa_\mathrm{R}\rho)$ を，**輻射熱伝導率** (radiative heat conductivity) と呼ぶ (9.4.3 節参照)．太陽・星の内部構造や降着円盤の鉛直構造など，静的で静水圧平衡状態にある[*15]大気の構造を求める際には，振動数で積分した (5.34) とロスランド平均不透明度を用いることが多い．

なお，(5.35) を眺めたとき，一般に，$\partial B_\nu/\partial T$ は考えている領域で緩やかに変化する関数なので，$\kappa_\nu + \sigma_\nu$ の小さい波長域が κ_R に寄与することがわかる．$\kappa_\nu + \sigma_\nu$ が小さいということは深部まで透明だということで，深部からの輻射が平均不透明度に大きく寄与するのである．

図 5.3 にロスランド平均不透明度を示す．まず低温 (1 万 K 以下) では，ほとんどの原子は電離しておらず，自由–自由吸収や電子散乱は小さい．また束縛–自由吸収を起こす高いエネルギーの光子もない．したがって吸収係数は小さい．一方，逆に高温 (100 万 K 以上) では，ほとんどの光子が高いエネルギーをもっており，低いエネルギーの光子より吸収されにくい．したがって束縛–自由吸収や自由–自由吸収は小さく，電子散乱が主である．結局，吸収係数は，束縛–自由吸収や自由–自由吸収が重要となる中間的な温度でもっとも大きくなる．

吸収係数全体は，近似的には，以下のように表せる：

$$\kappa \propto \rho^{1/2} T^4 \quad (10^4\,\mathrm{K} \leq T \leq 10^5\,\mathrm{K}), \tag{5.39}$$

$$\kappa \propto \rho T^{-7/2} \quad (10^5\,\mathrm{K} \leq T \leq 10^6\,\mathrm{K}), \tag{5.40}$$

$$\kappa = 0.2(1+X) \quad (10^6\,\mathrm{K} \leq T). \tag{5.41}$$

例題 5.4 輻射輸送方程式に立ち戻ってロスランド近似を考えてみよう．光学的に十分厚い領域では，輻射強度の勾配は小さく，また源泉関数は黒体輻射で近似できると考えてよい．

解答 源泉関数を $S_\nu = (j_\nu/4\pi + \sigma_\nu J_\nu)/(\kappa_\nu + \sigma_\nu)$ とすると，(5.1) は，

$$\cos\theta \frac{dI_\nu}{dz} = -\rho(\kappa_\nu + \sigma_\nu)(I_\nu - S_\nu) \tag{5.42}$$

[*15] 逆に言えば，輻射圧駆動型恒星風や降着円盤風など，動的で流れのある輻射流体に対して，拡散近似を使える保証はない (後述)．

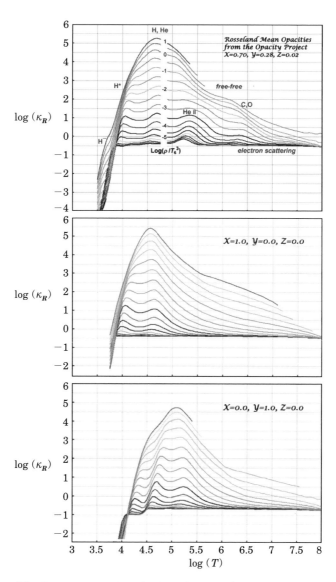

図 **5.3** ロスランド平均不透明度の具体的な形（Opacity Project, http://astro1.panet.utoledo.edu/lsa/inter/SIE05.htm）。一番上は，宇宙元素組成比（$X = 0.70, Y = 0.28, Z = 0.02$）の場合で，各曲線は密度 ρ（および温度 τ）での違い．真中は水素のみ（$X = 1$），一番下はヘリウムのみ（$Y = 1$）．

と表せる．この式を以下のように書き換えてみよう：

$$I_\nu = S_\nu - \frac{\cos\theta}{\rho(\kappa_\nu + \sigma_\nu)}\frac{dI_\nu}{dz}. \tag{5.43}$$

このとき，光学的に十分厚い領域では右辺の第2項は第1項に比べ十分に小さい．また第1項の源泉関数は黒体輻射に近い．したがって，第0近似として，

$$I_\nu^{(0)}(z,\theta) \sim S_\nu^{(0)} \sim B_\nu(T) \tag{5.44}$$

と置いていいだろう．この式を輻射強度の勾配に入れて近似を高めると，第1近似として，

$$I_\nu^{(1)}(z,\theta) \sim S_\nu^{(0)} - \frac{\cos\theta}{\rho(\kappa_\nu + \sigma_\nu)}\frac{dI_\nu^{(0)}}{dz} \sim B_\nu(T) - \frac{\cos\theta}{\rho(\kappa_\nu + \sigma_\nu)}\frac{dB_\nu(T)}{dz} \tag{5.45}$$

が得られる．この式に対して1次のモーメントを取ると（5.33）が導かれる．■

5.4 光学的に厚い領域から薄い領域まで

輻射場が黒体輻射になっていれば同時に等方的でもあるが，等方的だからといって必ずしも黒体輻射になっているとは限らない．したがって，一般的には，拡散近似よりエディントン近似の方が適用範囲は広い．光学的厚みに応じた輻射場の状況をまとめておこう．

5.4.1 拡散領域，熱化領域，等方化領域，自由流領域

光学的に厚いガス塊が真空と境界を接して存在しているとしよう（図5.4）．ひとまず流れや運動はないとする（流れのある場合は11章参照）．このとき，光学的

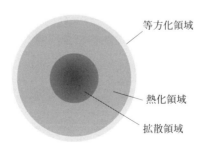

図 **5.4** さまざまな領域．

に厚い深部から光学的に薄い外部へ向けて，輻射輸送の観点からは，拡散領域・熱化領域・等方化領域・自由流領域とわかれる．

拡散領域　まず，十分に光学的に厚い内部領域では，ガスと輻射は局所熱平衡（LTE）になっており，輻射場は等方的かつ黒体輻射で，よい精度で拡散近似が成り立っている．この拡散内部領域（diffusion interior）では，局所的には拡散は等方的に起こるが，大局的には光子密度の負の勾配方向へ起こる．

熱化領域　拡散領域の周辺では，ガスと輻射は近似的には熱平衡だが，光学的に厚い深部に比べると拡散近似は少し悪くなる．散乱がなければ熱化領域の光学的厚みは1程度だが，散乱が働くと熱化領域の全光学的厚みは大きくなる．光子破壊確率 ε_ν を使うと，熱化領域の光学的厚み：**熱化長さ**（thermalization length）Λ_ν は，以下のようになる（3.3節参照）[*16]：

$$\Lambda_\nu = \frac{1}{\sqrt{3\varepsilon_\nu}}. \tag{5.46}$$

等方化領域　全光学的厚みが1（平均自由行程）程度の表面境界層では，拡散近似は破れ，輻射場は黒体輻射ではなくなる．しかし，熱放射や散乱は等方的に生じるので，散乱などによって輻射場は簡単に等方的になるため，拡散近似の成り立たない境界層領域：等方化層（isotropization layer）でもエディントン近似は成り立っている．なお，ダイナミックスは中心部分が左右するが，スペクトルは表面部分が決めるので，表面付近の輻射場が非常に重要になる．

自由流領域　最後に，光学的に薄い外部，たとえば，太陽表面付近から惑星間空間のような平均自由行程が十分に長い領域では，光子は吸収も散乱もほとんど受けずに，光源から反対方向へ向けて，"自由流"（free stream）として直進する．この領域では，$F_\nu = cE_\nu = cP_\nu$ になっている（すなわち，$f = 1$）．

5.5　球対称大気のモーメント式

太陽のような星は表面付近で密度が急増するので平行平板近似が使えるが，巨星のように希薄な大気が拡がっている場合や，恒星風など球対称流の場合には，平行

[*16] 光学的厚みと有効光学的厚みの定義から，おおざっぱには，

$$\tau_\nu^* = \int \sqrt{\kappa_\nu(\kappa_\nu + \sigma_\nu)}\rho ds = \int \sqrt{\varepsilon_\nu}(\kappa_\nu + \sigma_\nu)\rho ds \sim \sqrt{\varepsilon_\nu}\tau_\nu \sim \frac{1}{\Lambda_\nu}\tau_\nu$$

となる．因子3はエディントン因子に由来する．たとえば（5.19）など参照．すなわち，熱化領域の（全）光学的厚みは $\tau_\nu \sim \Lambda_\nu$ 程度だが，有効光学的厚みは1程度である．

平板近似は使えない．球対称な場合のモーメント式を導いてみよう[*17]．

球対称における輻射輸送方程式（3.7.2 節）：

$$\mu \frac{\partial I_\nu}{\partial r} + \frac{1-\mu^2}{r}\frac{\partial I_\nu}{\partial \mu} = -(\kappa_\nu \rho + \sigma_\nu \rho)(I_\nu - S_\nu) \tag{5.47}$$

のモーメントを取っていこう．

まず輻射輸送方程式の両辺を全立体角で積分するが，平行平板大気のときと同様に，方向余弦 μ の積分については部分積分などを行うことにより，

$$\frac{\partial H_\nu}{\partial r} + \frac{2}{r}H_\nu = \frac{1}{r^2}\frac{\partial}{\partial r}\left(r^2 H_\nu\right) = -(\kappa_\nu \rho + \sigma_\nu \rho)(J_\nu - S_\nu) \tag{5.48}$$

のような 0 次のモーメント式が得られる[*18]．平行平板の場合と比較すると，左辺に曲率の項（第 2 項）が加わっている．

つぎに輻射輸送方程式の両辺に $\cos\theta = \mu$ を乗じて全立体角で積分し，方向余弦の積分は部分積分などを行って整理すると，

$$\frac{\partial K_\nu}{\partial r} + \frac{3K_\nu - J_\nu}{r} = -(\kappa_\nu \rho + \sigma_\nu \rho)H_\nu \tag{5.49}$$

のような 1 次のモーメント式が得られる[*19]．平行平板の場合と比較すると，やはり左辺に曲率の項（第 2 項）が加わっている．

クロージャー関係として，平行平板大気ではエディントン近似：$K_\nu = J_\nu/3$ を仮定した．平行平板大気の場合でも，光学的厚み τ_ν が小さい表層付近では，輻射場の非等方性が現れてきてエディントン近似の精度は少し悪くなる．球対称大気の場合は大気が希薄になることなどもあって，一般に輻射場の非等方性はより顕著になる．そして光学的厚みが 1 程度の領域が実距離では広範にわたることもあり，そのような外域では自由流近似（$J_\nu \sim H_\nu \sim K_\nu$）に近づいていく．そこで単純なエディントン近似ではなく，

[*17] Kosirev (1934), Chandrasekhar (1934, 1966) など．

[*18] エネルギー密度 E_ν と輻射流束 F_ν で表すと，以下のように書ける：

$$\frac{\partial F_\nu}{\partial r} + \frac{2}{r}F_\nu = \frac{1}{r^2}\frac{\partial}{\partial r}\left(r^2 F_\nu\right) = -4\pi(\kappa_\nu \rho + \sigma_\nu \rho)(J_\nu - S_\nu).$$

[*19] 輻射流束 F_ν と輻射圧 P_ν で表すと，以下のように書ける：

$$\frac{\partial P_\nu}{\partial r} + \frac{3P_\nu - E_\nu}{r} = -\frac{\kappa_\nu \rho + \sigma_\nu \rho}{c}F_\nu.$$

$$K_\nu = f_\nu J_\nu \tag{5.50}$$

と置いて，係数 f_ν ——エディントン因子（variable Eddington factor）と呼ぶ——を $1/3$（光学的に厚い領域）から 1（薄い領域）の範囲で変化させる方法がある．

エディントン因子の与え方はいろいろあるが，アプリオリに与える例としては以下のようなものがある（図 5.5；Tamazawa et al. 1975）[*20]：

$$f_\nu = \frac{1+\tau_\nu}{1+3\tau_\nu}. \tag{5.51}$$

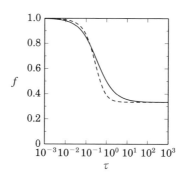

図 **5.5** エディントン因子 $f(\tau)$．実線は (5.51) のもので，破線は (5.75) で R_ν を τ^{-1} と読み替えたもの．

 数値計算的には，与えられた境界条件などのもとで，最初にトライアル（$f_\nu = 1/3$ など）を与えてモーメント式を解き，得られたモーメント量を輻射輸送方程式に代入して輻射強度を求め，その輻射強度のモーメントを取ってエディントン因子を計算し，以上のプロセスを繰り返して精度を上げていく（7 章）．

 例題 5.5 輻射平衡 RE のとき，振動数に依存しない灰色近似では (5.48) はどうなるか．また散乱のみの場合はどうなるか．

 解答 灰色近似で RE だと (5.48) を積分した式の右辺は打ち消して 0 になるので，$r^2 H$ が一定になる．$16\pi^2 H = 4\pi r^2 F = L$ は光度なので，光度が保存されることを表している．一方，放射や吸収がなく散乱のみの場合は，(5.48) の右辺が

[*20] 数値シミュレーションの結果から導かれた近似式もある：$f = 1 - (2/3)e^{-1/\tau^2}$ （Hummer and Rybicki 1971）．

そもそもないので，$r^2 H_\nu$ が一定になる．この場合は，各振動数ごとでの光度：$16\pi^2 H_\nu = 4\pi r^2 F_\nu = L_\nu$ が保存する． ∎

5.6 3次元空間でのモーメント式

散乱が等方的な場合（あるいは非等方的であってもトムソン散乱やレイリー散乱のような散乱確率関数の形をしていてエディントン近似が成り立つ場合），輻射輸送方程式は一般的なベクトル形式で以下のように表せた（3.7.4節）：

$$\frac{1}{c}\frac{\partial I_\nu}{\partial t} + (\boldsymbol{l}\cdot\boldsymbol{\nabla})I_\nu = \frac{j_\nu}{4\pi}\rho - \rho(\kappa_\nu + \sigma_\nu)I_\nu + \rho\sigma_\nu J_\nu. \tag{5.52}$$

5.6.1 0次と1次のモーメント式

ベクトルであることに注意して，この (5.52) の両辺を立体角で積分すれば0次のモーメントが，両辺に方向余弦を掛けて立体角で積分すれば1次のモーメントが得られる．それぞれ以下のようになる[21]：

$$\frac{1}{c}\frac{\partial J_\nu}{\partial t} + \frac{\partial H_\nu^k}{\partial x^k} = \rho\left(\frac{j_\nu}{4\pi} - \kappa_\nu J_\nu\right), \tag{5.53}$$

$$\frac{1}{c}\frac{\partial H_\nu^i}{\partial t} + \frac{\partial K_\nu^{ik}}{\partial x^k} = -\rho(\kappa_\nu + \sigma_\nu)H_\nu^i. \tag{5.54}$$

(5.53) は輻射場のエネルギー保存の式で，単位体積内の平均輻射強度 J_ν の変化が，境界面から出入りする輻射流束（左辺第2項）と体積内での源泉項（右辺）で決まることを表している．同様に，(5.54) は輻射場の運動量保存の式である．

源泉関数 S_ν を使うと，(5.52), (5.53), (5.54) は，それぞれ以下となる：

$$\frac{1}{c}\frac{\partial I_\nu}{\partial t} + (\boldsymbol{l}\cdot\boldsymbol{\nabla})I_\nu = \rho(\kappa_\nu + \sigma_\nu)(S_\nu - I_\nu), \tag{5.55}$$

$$\frac{1}{c}\frac{\partial J_\nu}{\partial t} + \frac{\partial H_\nu^k}{\partial x^k} = \rho(\kappa_\nu + \sigma_\nu)(S_\nu - J_\nu), \tag{5.56}$$

---

[21] エネルギー密度などを使うと以下のようになる：

$$\frac{\partial E_\nu}{\partial t} + \frac{\partial F_\nu^k}{\partial x^k} = \rho(j_\nu - c\kappa_\nu E_\nu),$$

$$\frac{1}{c^2}\frac{\partial F_\nu^i}{\partial t} + \frac{\partial P_\nu^{ik}}{\partial x^k} = -\frac{\rho(\kappa_\nu + \sigma_\nu)}{c}F_\nu^i.$$

$$\frac{1}{c}\frac{\partial H_\nu^i}{\partial t} + \frac{\partial K_\nu^{ik}}{\partial x^k} = -\rho(\kappa_\nu + \sigma_\nu)H_\nu^i. \tag{5.57}$$

方程式系を閉じるためには，何らかのクロージャー関係が必要になる．

また振動数で積分し平均化すると，(5.52), (5.53), (5.54) はそれぞれ以下のように表せる[*22]：

$$\frac{1}{c}\frac{\partial I}{\partial t} + (\boldsymbol{l} \cdot \boldsymbol{\nabla})I = \rho\left[\frac{j}{4\pi} - (\kappa_I + \sigma_I)I + \sigma_J J\right], \tag{5.61}$$

$$\frac{1}{c}\frac{\partial J}{\partial t} + \frac{\partial H^k}{\partial x^k} = \rho\left(\frac{j}{4\pi} - \kappa_J J\right), \tag{5.62}$$

$$\frac{1}{c}\frac{\partial H^i}{\partial t} + \frac{\partial K^{ik}}{\partial x^k} = -\rho(\kappa_H + \sigma_H)H^i. \tag{5.63}$$

ただし，

$$j \equiv \int j_\nu d\nu, \quad \kappa_I + \sigma_I \equiv \frac{1}{I}\int (\kappa_\nu + \sigma_\nu)I_\nu d\nu, \quad \sigma_J \equiv \frac{1}{J}\int \kappa_\nu J_\nu d\nu,$$

$$\sigma_J \equiv \frac{1}{J}\int \sigma_\nu J_\nu d\nu, \quad \kappa_H + \sigma_H \equiv \frac{1}{H^i}\int (\kappa_\nu + \sigma_\nu)H_\nu^i d\nu. \tag{5.64}$$

5.6.2　エディントン近似とエディントンテンソル

一般的な 3 次元空間での**エディントン近似**（Eddington approximation）は，

$$P_\nu^{ij} = \frac{\delta^{ij}}{3}E_\nu \tag{5.65}$$

となる．これは輻射場がほぼ等方的であれば比較的よい近似で成立している．

光学的に薄い領域を含んだり，球対称その他で，輻射場の等方性が悪くなる場合には，等方的なエディントン近似は，

[*22] エネルギー密度などを使うと以下のようになる：

$$\frac{1}{c}\frac{\partial I}{\partial t} + (\boldsymbol{l} \cdot \boldsymbol{\nabla})I = \rho\left[\frac{j}{4\pi} - (\kappa_I + \sigma_I)I + \sigma_E \frac{cE}{4\pi}\right], \tag{5.58}$$

$$\frac{\partial E}{\partial t} + \frac{\partial F^k}{\partial x^k} = \rho\left(j - c\kappa_E E\right), \tag{5.59}$$

$$\frac{1}{c^2}\frac{\partial F^i}{\partial t} + \frac{\partial P^{ik}}{\partial x^k} = -\frac{1}{c}\rho(\kappa_F + \sigma_F)F^i. \tag{5.60}$$

ただし，積分量/平均量として以下のように定義した：

$$\kappa_E \equiv \frac{1}{E}\int \kappa_\nu E_\nu d\nu, \quad \sigma_E \equiv \frac{1}{E}\int \sigma_\nu E_\nu d\nu, \quad (\kappa_F + \sigma_F) \equiv \frac{1}{F^i}\int (\kappa_\nu + \sigma_\nu)F_\nu^i d\nu.$$

参考までに，最後の式の右辺は，物質に働く単位体積当りの輻射力である（4.5 節）．

$$P^{ij} = f^{ij} E \tag{5.66}$$

のように一般化される．ここで f^{ij} はエディントンテンソル（Eddington tensor）と呼ばれ，一般的には光学的厚みの関数である．

輻射場の性質から，$\sum P^{ii} = E$ なので，$\sum f^{ii} = 1$ になっている[*23]．

5.6.3 拡散近似と流束制限拡散近似

光学的に十分厚く LTE ならば，輻射強度 I_ν はほぼプランク分布 $B_\nu(T)$ になっている．このときは，$E_\nu \sim 4\pi B_\nu/c$，$P_\nu^{ij} \sim \delta^{ij} 4\pi B_\nu/(3c)$ に近い状態になっている．したがって，定常状態では，以下の式が得られる：

$$F_\nu^i = -\frac{c}{\rho(\kappa_\nu + \sigma_\nu)}\frac{\partial P^{ik}}{\partial x^k} = -\frac{4\pi}{3\rho(\kappa_\nu + \sigma_\nu)}\frac{\partial B_\nu}{\partial T}\frac{\partial T}{\partial x^i} \tag{5.67}$$

(5.3 節のベクトル形)．この (5.67) を振動数で積分すると，

$$\boldsymbol{F} = \int \boldsymbol{F}_\nu d\nu = -\frac{4\pi}{3\rho}\boldsymbol{\nabla}T \frac{\int \frac{1}{\kappa_\nu + \sigma_\nu}\frac{\partial B_\nu}{\partial T}d\nu}{\int \frac{\partial B_\nu}{\partial T}d\nu}\int \frac{\partial B_\nu}{\partial T}d\nu = -\frac{4acT^3}{3\bar{\kappa}_R \rho}\boldsymbol{\nabla}T \tag{5.68}$$

のように変形できる．ここで $\bar{\kappa}_R$ はロスランド平均不透明度である．

拡散近似（ロスランド近似）は**フィック則**の形をしており，輻射場のエネルギーが光子の拡散によって運ばれていくことを意味している：

$$\boldsymbol{F} = -\frac{c}{3\bar{\kappa}_R \rho}\boldsymbol{\nabla}E. \tag{5.69}$$

この拡散近似は，静的な大気で十分に光学的に厚い領域（$1/(\bar{\kappa}_R \rho)$ 程度である光子の平均自由行程が，輻射エネルギー E の変化のスケールより十分に小さい）では，ほぼ正しい輻射流束を与える．また輻射エネルギーが，$c/(3\tau)$ の速さで拡散することを表している．一方で，平均自由行程が発散する光学的に薄い領域になると，この近似では輻射流束は無限大に近づいていくが，輻射が運ぶエネルギーの

[*23] たとえば球対称の場合だと，エディントンテンソルの対角成分は，

$$\left(f(\tau), \frac{1}{2} - \frac{1}{2}f(\tau), \frac{1}{2} - \frac{1}{2}f(\tau)\right)$$

のように表すことができる（非対角成分は 0）．ここで $f(\tau)$ は，たとえば (5.51) などである．

割合は有限なので*24,この近似は光学的に薄い領域では成り立たないことになる.その観点から考えると,光学的に薄い領域で輻射流束 $\boldsymbol{F}$ を何らかの方法で制限すれば,拡散近似を光学的に薄い領域まで延長できるかもしれない.その一つが,**流束制限拡散近似**(FLD；flux-limited diffusion approximation)と呼ばれるものである*25.

流束制限拡散近似 FLD でも,輻射場に対しては,フィック則の形をした拡散過程を仮定する:

$$\boldsymbol{F}_\nu = -\frac{c\lambda_\nu}{(\kappa_\nu + \sigma_\nu)\rho}\boldsymbol{\nabla} E_\nu. \tag{5.70}$$

ここで導入した $\lambda_\nu(E_\nu)$ は**流束制限子**(flux limiter)と呼ばれ,光学的に薄い領域から厚い領域にかけて,$0 \leqq \lambda_\nu \leqq 1/3$ の範囲で変化する関数因子である.

この流束制限拡散近似では,一般的なエディントン近似,

$$P_\nu^{ij} = f_\nu^{ij} E_\nu \tag{5.71}$$

でのエディントンテンソル f_ν^{ij} は以下のように表せる:

$$f_\nu^{ij} = \frac{1-f_\nu}{2}\delta^{ij} + \frac{3f_\nu - 1}{2}n^i n^j. \tag{5.72}$$

ただしここで,

$$n^i \equiv \frac{\boldsymbol{\nabla} E_\nu}{|\boldsymbol{\nabla} E_\nu|} \tag{5.73}$$

は輻射エネルギー密度の勾配方向の単位ベクトルである.エディントン因子 $f_\nu(E_\nu)$ は,光学深さパラメータ R_ν を

$$R_\nu \equiv \frac{|\boldsymbol{\nabla} E_\nu|}{\kappa_\nu \rho E_\nu} \tag{5.74}$$

として($R_\nu \sim 1/\tau_\nu$),以下のように表せる(図 5.5):

$$f_\nu = \lambda_\nu + \lambda_\nu^2 R_\nu^2. \tag{5.75}$$

以上の式で出てきた,n^i, R_ν, f_ν などはすべて局所的な物理量で表現されてい

---

*24 球対称の場合は輻射流束は $|\boldsymbol{F}| \leqq cE$ で制限され,無限平面だと $|\boldsymbol{F}| \leqq cE/2$ で制限される.

*25 Levermore and Pomraning(1981).相対論的な補正は Pomraning(1983),散乱が重要な媒質は Melia and Zylstra(1991)など.

るので，流束制限子 λ_ν に対して適切な形を与えれば，すべての関係式が局所的な物理量のみで決まることになる．

流束制限子にはいろいろな形が考えられるが[*26]，レバーモアとポムラニング (Levermore and Pomraning 1981) は以下のようなものを提案している:

$$\lambda_\nu = \frac{2+R_\nu}{6+3R_\nu+R_\nu^2}. \tag{5.76}$$

光学的に厚い極限（$R_\nu \to 0$）では，$\lambda_\nu \to 1/3$ および $f_\nu \to 1/3$ となり，光学的に薄い極限（$R_\nu \to \infty$）では，$\lambda_\nu \to 1/R_\nu$ および $f_\nu \to 1+1/R_\nu$ となる．FLD近似の問題点として，多次元系では一般に $\boldsymbol{F} /\!/ \boldsymbol{\nabla} E$ にならないこと（たとえば回転系では F_φ が生じる），また光学的に薄い極限で波動方程式になっていないこと，などが挙げられる．

5.6.4 M1 クロージャー

M1 クロージャーと呼ばれる近似法でも，エディントンテンソル f_ν^{ij} を以下のように表す:

$$f_\nu^{ij} = \frac{1-f_\nu}{2}\delta^{ij} + \frac{3f_\nu-1}{2}n^i n^j. \tag{5.77}$$

ただし，FLD 近似と異なり，単位ベクトルの方向は輻射流束の方向で，

$$n^i \equiv \frac{\boldsymbol{F}}{F} \tag{5.78}$$

となり，エディントン因子 f_ν は，以下のように表される (Levermore 1984):

$$f_\nu = \frac{3+4\xi^2}{5+2\sqrt{4-3\xi^2}}, \quad \xi \equiv \frac{|\boldsymbol{F}|}{cE}. \tag{5.79}$$

光学的に厚い極限では，$\xi \to 0$ および $f_\nu \to 1/3$ となり，光学的に薄い極限では，$\xi_\nu \to 1$ および $f_\nu \to 1$ となる．

M1 クロージャーは，FLD 近似に比べて輻射流束の情報が加わる分，近似精度が上がるが，2 つのビームが交差するような問題は正しく解くことができない．

[*26] たとえば，他の 2 例を挙げると (Castor 2004)，以下のようなものがある:

$$\lambda_\nu = \frac{3}{3+R_\nu}, \quad \lambda_\nu = \frac{1}{R_\nu}\left(\coth R_\nu - \frac{1}{R_\nu}\right).$$

Chapter 5 の章末問題

問題 5.1 散乱だけの場合,0 次のモーメント式はどうなるか.

問題 5.2 2 次のモーメント式を導いてみよ.

問題 5.3 輻射強度が方向余弦の 2 次関数の場合,モーメント量およびエディントン近似はどうなるか.

問題 5.4 輻射強度 $I_\nu(\tau_\nu, \mu)$ が,等方成分と非等方成分にわけて,$I_\nu(\tau_\nu, \mu) = I_\nu^0(\tau_\nu) + 3\mu H_\nu^0(\tau_\nu)$ のように表される場合,モーメント量およびエディントン近似はどうなるか.

問題 5.5 さらに 3 次元空間でベクトル的に,$I_\nu(\tau_\nu, \boldsymbol{l}) = I_\nu^0(\tau_\nu) + 3l^k H_\nu^k(\tau_\nu)$ のように表される場合,モーメント量およびエディントン近似はどうなるか.

問題 5.6 散乱が非等方な場合について,輻射輸送方程式とモーメント式を導いてみよう.位相関数が以下の場合はどうなるか(a はパラメータ):
$$\phi_2 = \frac{1}{4\pi}\frac{1}{1+4a/3}[1+a(1+\mu)^2].$$
$\phi_1 = (1+a\mu)/(4\pi)$, $\phi_3 = [1+a(1+\mu)^3]/(1+2a)/(4\pi)$ なども考えてみよ.

問題 5.7 半径 R_* で表面温度が T_* の星から距離 r にある,半径 a のダストは何度にまで加熱されるか(1.2.2 節参照).吸収係数が一定の場合と振動数依存性がある場合について考えてみよ.

問題 5.8 エディントン因子:
$$f_\nu(r) \equiv \frac{K_\nu(r)}{J_\nu(r)}$$
を用いると,球対称な場合の 1 次モーメント式はどうなるか.さらに,
$$\frac{1}{r^2 q_\nu}\frac{\partial}{\partial r}(r^2 q_\nu) \equiv \frac{3f_\nu - 1}{r f_\nu}$$
で定義される**球形因子**(sphericality factor)を導入すると,球対称な場合の 1 次モーメント式はどう表せるか.輻射拡散方程式はどうなるか.

Chapter 6
輻射輸送方程式の解析的な解き方

本章では,代表的な近似法であるミルン–エディントン近似を中心に,平行平板近似や球対称近似など定常1次元の場合について,輻射輸送方程式の解析的な解き方を説明する.なお,本章では恒星大気を想定した半無限平面など基本的な場合を考え,有限の光学的厚みなど他のいろいろな応用例については10章で扱う.

6.1 半無限平行平板大気の方程式と境界条件

最初に,半無限平行平板大気の場合について,輻射輸送方程式とモーメント式,およびそれぞれの境界条件を整理しておく.

6.1.1 半無限平行平板大気の輻射輸送方程式と境界条件

定常1次元の平行平板大気(図6.1)における輻射輸送方程式は,

$$\mu \frac{dI_\nu}{dz} = \frac{j_\nu}{4\pi}\rho - (\kappa_\nu + \sigma_\nu)\rho I_\nu + \sigma_\nu \rho J_\nu \tag{6.1}$$

と書き表せた.光学的厚み $d\tau_\nu \equiv -(\kappa_\nu + \sigma_\nu)\rho dz$ を用いると,

$$\mu \frac{dI_\nu}{d\tau_\nu} = I_\nu - \frac{1}{\kappa_\nu + \sigma_\nu}\frac{j_\nu}{4\pi} - \frac{\sigma_\nu}{\kappa_\nu + \sigma_\nu}J_\nu \tag{6.2}$$

となり,LTE ($j_\nu/4\pi = \kappa_\nu B_\nu$) の場合には,

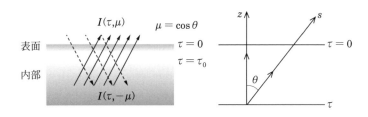

図 6.1 星の表面と平行平板大気.

$$\mu \frac{dI_\nu}{d\tau_\nu} = I_\nu - \frac{\kappa_\nu}{\kappa_\nu + \sigma_\nu} B_\nu - \frac{\sigma_\nu}{\kappa_\nu + \sigma_\nu} J_\nu \tag{6.3}$$

のように表せる[*1]. 光子破壊確率 $\varepsilon_\nu \equiv \kappa_\nu/(\kappa_\nu + \sigma_\nu)$ を用いると,

$$\mu \frac{dI_\nu}{d\tau_\nu} = I_\nu - \varepsilon_\nu B_\nu - (1-\varepsilon_\nu) J_\nu \tag{6.4}$$

と表すこともできる[*2].

この (6.3) が LTE を仮定した場合の輻射輸送方程式である. 光子破壊確率 $\varepsilon_\nu(\tau_\nu)$ と黒体輻射 $B_\nu(T)$ が既知として, 平均強度 J_ν が I_ν の積分を含むので, (6.3) は輻射強度 $I_\nu(\tau_\nu, \mu)$ に関する微分積分方程式になっている.

最初に輻射輸送の研究分野が発展した恒星大気は, 光学的厚みの観点からは, 星の内部に向かって無限に大気が存在しているとみなせる (図 6.1). そのような**半無限媒質** (semi-infinite medium) では, 表面と無限深さとで,

$$\tau_\nu = 0 \quad \text{で} \quad I_\nu(0,\mu) = 0 \quad (\mu < 0), \tag{6.6}$$

$$\tau_\nu \to \infty \quad \text{で} \quad I_\nu(\tau_\nu, \mu) e^{-\tau_\nu/\mu} \to 0 \quad (\mu > 0) \tag{6.7}$$

という境界条件を課すのが妥当である (状況によって境界条件は変わる).

なお, 上記の方程式は, 源泉関数 S_ν を

[*1] 英文のテキストなどでは源泉関数でいきなり書き下されて戸惑うことも多いので, ここではあからさまな形でも書いておく.

[*2] 単散乱アルベド $\varpi_\nu \equiv \sigma_\nu/(\kappa_\nu + \sigma_\nu)$ を使って,

$$\mu \frac{dI_\nu}{d\tau_\nu} = I_\nu - (1-\varpi_\nu) B_\nu - \varpi_\nu J_\nu \tag{6.5}$$

と表すことも多い. 伝統的に, 恒星大気では光子破壊確率 ε_ν を, 惑星大気では単散乱アルベド ϖ_ν を使うことが多いようだが, その他の新興分野ではいろいろで多分に好みによる.

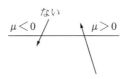

図 **6.2** 半無限大気における輻射強度の境界条件.

$$S_\nu \equiv \frac{1}{\kappa_\nu + \sigma_\nu}\left(\frac{j_\nu}{4\pi} + \sigma_\nu J_\nu\right) = \varepsilon_\nu B_\nu + (1-\varepsilon_\nu)J_\nu \tag{6.8}$$

とすると（2つ目の等号はLTEを仮定），以下となる：

$$\mu\frac{dI_\nu}{d\tau_\nu} = I_\nu - S_\nu. \tag{6.9}$$

源泉関数で表せば見かけは非常に簡単な式になるが，複雑な部分を源泉関数に組み込んだだけで，微分積分方程式であることに変わりはない．源泉関数の重要性は3.5節で述べたように，その光学的深さにおける輻射の源泉量を表すという物理的な意味にある．したがって，後述していくように，源泉関数がわかれば，それから輻射強度を求めることができる．あるいは源泉関数が近似的にでもわかれば，それをもとに輻射強度を近似的に求め，源泉関数に戻すという逐次的な方法を取ることもできる．源泉関数が不明な場合でさえ，適当な初期推定値から，逐次的に求めていくことが可能な場合もある．

6.1.2 半無限平行平板大気のモーメント方程式と境界条件

平行平板大気の場合，0次のモーメント式，1次のモーメント式，そしてエディントン近似は，それぞれ，以下となる：

$$\frac{dH_\nu}{d\tau_\nu} = J_\nu - S_\nu, \tag{6.10}$$

$$\frac{dK_\nu}{d\tau_\nu} = H_\nu, \tag{6.11}$$

$$K_\nu = \frac{1}{3}J_\nu. \tag{6.12}$$

$\varepsilon_\nu(\tau_\nu)$ と $B_\nu(T)$ を既知とするなら，5つの変数 $(I_\nu, J_\nu, H_\nu, K_\nu, S_\nu)$ に対して，(6.9)(6.10)(6.11)(6.12)(6.8) が5つの方程式系を構成する．

モーメント量に関する境界条件は，表面では下向きの輻射強度はないので（照射があると条件は変わる），表面で上向きの輻射強度が等方的（$I_\nu = I_\nu^+$）だと仮定すると，$J_\nu(0) = \frac{1}{2}\int_0^1 I_\nu^+ d\mu = \frac{1}{2}I_\nu^+$ および $H_\nu(0) = \frac{1}{2}\int_0^1 I_\nu^+ \mu d\mu = \frac{1}{4}I_\nu^+$ となり，境界条件は以下のようになる：

$$J_\nu(0) = 2H_\nu(0). \tag{6.13}$$

また光学的に厚い内部へ向かっては，輻射強度と同様に，以下となる：

$$\tau_\nu \to \infty \quad \text{で} \quad J_\nu e^{-\tau_\nu} \to 0. \tag{6.14}$$

表面境界条件への補足：上記で仮定したような，物体表面からの放射（散乱）が角度によらず一様になる面を**ランベルト表面**（Lambertian surface）と呼ぶ[*3]．白紙や月面などは近似的にランベルト表面になっている．星のようなガス体の表面では輻射場が非等方になるため，厳密にはランベルト表面になっていないが，輻射輸送方程式を解く際の第 0 近似としては，ランベルト表面を仮定することが多い．

ランベルト表面より，もう少し精度のよい境界条件としては，表面付近での輻射場の非等方性を考慮すると，係数を $\sqrt{3}$ とし，

$$J_\nu(0) = \sqrt{3}H_\nu(0) \tag{6.15}$$

と置くと，灰色大気の厳密解に一致する．この境界条件は**エディントン–クルーク境界条件**（Eddington-Krook boundary condition）と呼ばれる．

また 1 次のモーメント式（6.11）とエディントン近似から，

$$H_\nu(0) = \frac{1}{3}\left(\frac{\partial J_\nu}{\partial \tau_\nu}\right)_0 \tag{6.16}$$

が成り立つので，これも表面での境界条件として使える．

6.2 輻射輸送方程式の形式解と近似解法

ミルン–エディントン近似に進む前に，まず，半無限平行平板大気の場合について，輻射輸送方程式の一般的な特徴や形式解を示しておこう．また合わせて，簡単な近似解法も紹介する．

[*3] 輻射強度が一様でも視線方向に垂直な面を通る輻射流束は $\cos\theta$ の依存性をもつ．

6.2.1 輻射輸送方程式の形式解

源泉関数を用いた輻射輸送方程式（6.9）を形式的に解いてみよう．添え字が煩雑になるのを避けるために振動数依存性を落として，

$$\mu \frac{dI}{d\tau} = I(\tau, \nu) - S(\tau) \tag{6.17}$$

で考えるが，振動数依存性を入れた単色（monocromatic）の場合も同じになる．

輻射強度 $I(\tau, \mu)$ に対して，

$$I(\tau, \mu) = I^*(\tau, \mu) e^{\tau/\mu} \tag{6.18}$$

という変換をすると，(6.17) を

$$\frac{dI^*}{d\tau} = -\frac{1}{\mu} S(\tau) e^{-\tau/\mu} \tag{6.19}$$

という形にまとめることができる．この式の両辺を τ_0 から τ まで "形式的" に積分すれば，

$$I^*(\tau, \mu) = I^*(\tau_0, \mu) - \int_{\tau_0}^{\tau} S(t) e^{-t/\mu} \frac{dt}{\mu} \tag{6.20}$$

となる．さらに，$I^* = I e^{-\tau/\mu}$ で変数を戻して両辺に $e^{\tau/\mu}$ を掛ければ，

$$I(\tau, \mu) = I(\tau_0, \mu) e^{(\tau - \tau_0)/\mu} - \int_{\tau_0}^{\tau} S(t) e^{-(t-\tau)/\mu} \frac{dt}{\mu} \tag{6.21}$$

が得られる．これが輻射輸送方程式の**形式解**（formal solution）である．形式解と言われる理由は，この段階では源泉関数が未知なことが多いからである．

形式解としては（6.21）で必要十分なのだが，下向き輻射と上向き輻射それぞれで形式解を表すことも（伝統的には）多い[*4]．半無限の平行平板大気の場合，外部からの照射などがなければ，境界条件（6.6）と（6.7）は，

$$\tau = 0 \quad \text{で} \quad I(0, \mu) = 0 \quad (\mu < 0), \tag{6.22}$$

$$\tau \to \infty \quad \text{で} \quad I(\tau_\nu, \mu) e^{-\tau/\mu} \to 0 \quad (\mu > 0) \tag{6.23}$$

となる．このとき，下向き（$\mu < 0$）と上向き（$\mu > 0$）それぞれで，形式解は以

[*4] 実際に解く上では，上向き輻射と下向き輻射とで積分を 2 回する必要はなく，1 回だけ不定積分をして，境界条件（積分範囲）を変えればいい．

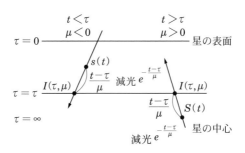

図 **6.3**　下向き輻射と上向き輻射の源泉関数の積分.

下のようになる：

$$I^-(\tau, \mu < 0) = -\int_0^\tau S(t) e^{-(t-\tau)/\mu} \frac{dt}{\mu} = \int_0^\tau S(t) e^{(t-\tau)/(-\mu)} \frac{dt}{(-\mu)}, \quad (6.24)$$

$$I^+(\tau, \mu > 0) = \int_\tau^\infty S(t) e^{-(t-\tau)/\mu} \frac{dt}{\mu}. \quad (6.25)$$

これらそれぞれで，源泉関数の積分の物理的な意味を説明しよう（図 6.3）．われわれが欲しいものは，ある光学的深さ τ で，ある方向 μ を向いた，輻射強度 $I(\tau, \mu)$ の値である．まず下向きの場合には，$\tau = 0$（たとえば星の表面）から τ まで，斜めの経路に沿って源泉関数を積分するわけだが，$0 < t < \tau$ における源泉関数 $S(t)$ は，その後の斜めの $|(\tau - t)/\mu|$ の光学的距離分だけ減光され，τ の深さでは $S(t) e^{-(t-\tau)/\mu}$ に落ちてしまう（$\tau > t$ だが $\mu < 0$ なので指数の肩はマイナス）．減光される源泉関数を $0 < t < \tau$ の範囲で積分すれば（足し合わせれば），下向きの輻射強度が得られるというのが（6.24）の意味である．同様にして，上向きの場合には，$\tau = \infty$（たとえば星の深部）から τ まで源泉関数を積分するわけだが，$t > \tau$ における源泉関数 $S(t)$ は $(t - \tau)/\mu$ の光学的距離分だけ減光され，τ の深さでは $S(t) e^{-(t-\tau)/\mu}$ に落ちてしまう．これを $\tau < t < \infty$ の範囲で積分すれば，上向き輻射強度が得られるというのが（6.25）の意味である．

観測的に重要なのは，表面（$\tau = 0$）から放射される輻射強度，すなわち**出射強度（表面輝度）**（emergent intensity）である[*5]．これは上向き輻射の（6.25）で

[*5] emergent intensity は媒質の内部から外へ放射される輻射強度のことだが，定訳はないようだ．ここでは小暮智一『輝線星概論』ごとう書房（2002 年）で用いられている出射光に準じた．放出強度や射出強度でもいいかもしれない．

$\tau = 0$ と置いて得られる：

$$I(0,\mu) = \int_0^\infty S(t) e^{-\frac{t}{\mu}} \frac{dt}{\mu}. \tag{6.26}$$

LTE で，かつ散乱がなければ，$S = B(T)$ なので，その場合は，

$$I(0,\theta) = \int_0^\infty B[T(\tau)] e^{-\tau \sec\theta} d\tau \sec\theta \tag{6.27}$$

のように表すこともできる．

例題 6.1 源泉関数が一定の場合，形式解を積分してみよ．また表面での出射強度を求めよ．

解答 源泉関数を S とし形式解を積分すると，$Se^{-(t-\tau)/\mu}$ という不定積分が得られる．したがって下向き輻射と上向き輻射の解は以下のようになる：

$$I(\tau, \mu < 0) = S(1 - e^{\tau/\mu}), \tag{6.28}$$

$$I(\tau, \mu > 0) = S. \tag{6.29}$$

また表面での出射強度は S になる． ∎

6.2.2 形式解と源泉関数と周縁減光効果

源泉関数の形が未知のままでも，形式解からいろいろな性質を導くことができる．いわゆる周縁減光効果について検討してみよう（図 6.4, 図 6.5）．

源泉関数 $S(t)$ を光学的深さ t_0 のまわりで，

$$S(t) = S(t_0) + (t - t_0) \left.\frac{dS}{dt}\right|_{t_0} + \frac{1}{2}(t-t_0)^2 \left.\frac{d^2 S}{dt^2}\right|_{t_0} + \cdots \tag{6.30}$$

のようにテイラー展開し，出射強度 (6.26) へ代入すると，

$$I(0,\mu) = S(t_0) + (\mu - t_0) \left.\frac{dS}{dt}\right|_{t_0} + \frac{1}{2}[(\mu - t_0)^2 + \mu^2] \left.\frac{d^2 S}{dt^2}\right|_{t_0} + \cdots \tag{6.31}$$

のように積分できる．この結果から即座に，線形近似の範囲内では，

$$I(0,\mu) = S \ (t_0 = \mu) \tag{6.32}$$

であることがわかる．<u>μ 方向の輻射強度は $\tau = \mu$ の深さの源泉関数に等しい</u>のである．したがって，一般的な恒星大気のように，源泉関数が光学的深さの増加関

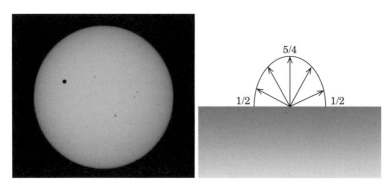

図 **6.4** 太陽の周縁減光効果.（左）正面から撮像した太陽像は中央部より周縁の方が暗くみえる（2012 年 6 月 6 日に起こった金星太陽面通過時の太陽像.左方に黒く写っているのが金星）.（右）太陽表面における輻射強度の非等方性（後述するミルン–エディントンモデルの場合）.

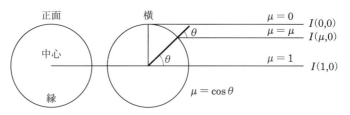

図 **6.5** （右）太陽正面からみた図と横からみた図.

数になっていれば，周縁減光が必ず生じることがわかる（図 6.6）.たとえば，恒星円盤の中央（$\mu = 1$）では $I(1,0) = S\ (\tau = \mu = 1)$ だが，恒星円盤の周縁（$\mu = 0$）では $I(0,0) = S\ (\tau = \mu = 0)$ となり，周縁の方が暗くなる.

また線形近似の範囲で，表面での輻射流束 $F(0)$ を求めてみると，

$$\begin{aligned}
F(0) &= 4\pi H(0) = 2\pi \int_0^1 I(0,\mu)\mu d\mu \\
&= 2\pi \int_0^1 \left[S(t_0)\mu + \left.\frac{dS}{dt}\right|_{t_0}(\mu - t_0)\mu \right] d\mu \\
&= \pi S(t_0) + 2\pi \left.\frac{dS}{dt}\right|_{t_0} \left(\frac{1}{3} - \frac{1}{2}t_0\right)
\end{aligned} \tag{6.33}$$

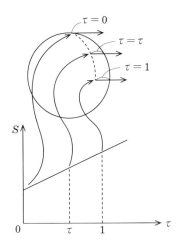

図 **6.6** 太陽の断面における観測者方向の光学的深さの実位置と源泉関数の関係.

のように積分できる．第 2 項は $t_0 = 2/3$ と置けば消えるので，結局，

$$F(0) = \pi S \, (\tau = 2/3) \tag{6.34}$$

となり，輻射流束は $\tau = 2/3$ の深さの源泉関数で決まることもわかる[*6]．この関係を**エディントン–バービエ関係**（Eddington–Barbier relation）と呼ぶ．

連続スペクトルの形成や線スペクトルの生成には，$\tau = 2/3$ 付近での源泉関数が重要な役割を果たすことになる．

周縁減光効果については，6.3 節でもう一度詳しく説明する．

例題 6.2 源泉関数が線形の場合，表面での J と K も求めてみよ．

解答 源泉関数の微分を $dS/dt|_{t_0} = S'_0$ と略記すると，$S(t) = S(t_0) + S'_0(t - t_0)$ のとき，$I(0, \mu) = S(t_0) + S'_0(\mu - t_0)$ になる．モーメント量の定義に入れると，

$$J(0) = \frac{1}{2} \int_{-1}^{1} I d\mu = S(t_0) - S'_0 t_0,$$

$$K(0) = \frac{1}{2} \int_{-1}^{1} I \mu^2 d\mu = \frac{1}{3} S(t_0) - \frac{1}{3} S'_0 t_0$$

のようになる．したがって，$K = J/3$ が成り立っている． ∎

[*6] $S \, (\tau = 2/3)$ は $I \, (0, \mu = 2/3)$ に等しいので，$\theta = 54°44'$ 方向の輻射強度に等しい．

6.2.3 直線流近似と 2 流近似

輻射輸送方程式を近似的に解く方法として，古典的な手法ではあるが，輻射輸送というものの特徴をよく捉えた解析的方法を 2 つほど紹介しよう[*7]。

灰色近似で LTE の場合，平行平板大気の輻射輸送方程式は以下のようになる：

$$\mu \frac{dI}{d\tau} = I - S, \tag{6.35}$$

$$J = \frac{1}{2}\int_{-1}^{1} I d\mu, \tag{6.36}$$

$$S = \varepsilon B + (1-\varepsilon)J. \tag{6.37}$$

ここで，輻射強度 $I(\tau,\mu)$ は角度依存性を持つが，それ以外の $J(\tau)$, $S(\tau)$, $B(\tau)$ は光学的厚み τ だけの関数である．また ε も一般には τ の関数だが，ここでは簡単のために一定だと仮定しよう．半無限平面の場合，境界条件は，$I(0,\mu) = 0$ $(\mu < 0)$ と $I(\tau,\mu)e^{-\tau/\mu} \to 0$ $(\mu > 0, \tau \to \infty)$ であった．

(1) 直線流近似

さて本来は，ある τ において無数の角度方向に無数の光線が存在するが，極端な場合として，真上向きの光線 $I^+(\tau)$ $(\mu = +1 ; \theta = 0)$ と真下向きの光線 $I^-(\tau)$ $(\mu = -1 ; \theta = \pi)$ の 2 本だけで代表させてみよう．これを**直線流近似**（linear flow approximation）という（Schuster 1905）．

角度は決まっているので，輻射強度も τ だけの関数であり，

$$\frac{dI^+}{d\tau} = I^+ - S, \tag{6.38}$$

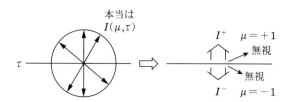

図 6.7 直線流近似．いろいろな方向の光線を，真上向きと真下向きの 2 本で代表させる．

[*7] 古典的な手法だが，最近でも系外惑星の大気などで使われている（Heng *et al.* 2014）．

$$\frac{dI^-}{d\tau} = -I^- + S, \tag{6.39}$$

$$S = \varepsilon B + (1-\varepsilon)\frac{1}{2}(I^+ + I^-) \tag{6.40}$$

という方程式系を満たすことがすぐわかる.

ここで簡単のために,散乱だけ ($\varepsilon = 0$) としよう.その場合は,$S = J = (I^+ + I^-)/2$ となり,(6.38) と (6.39) は,

$$\frac{dI^+}{d\tau} = \frac{1}{2}(I^+ - I^-), \tag{6.41}$$

$$\frac{dI^-}{d\tau} = \frac{1}{2}(I^+ - I^-) \tag{6.42}$$

と変形でき,それぞれの辺々を足したり引いたりして,以下の式が得られる:

$$\frac{d}{d\tau}(I^+ + I^-) = I^+ - I^-, \tag{6.43}$$

$$\frac{d}{d\tau}(I^+ - I^-) = 0. \tag{6.44}$$

そして,定義より,$H(\tau) = (I^+ - I^-)/2$ なので,(6.44) は $dH/d\tau = 0$ を意味しており,即座に,

$$H(\tau) = H_0 \text{ (一定)} \tag{6.45}$$

と積分できる.一方,平均強度の方は,$J(\tau) = (I^+ + I^-)/2$ なので,(6.43) は $dJ/d\tau = H$ を意味しており,以下のように積分できる:

$$J(\tau) = H_0\tau + b \text{ (一定)}. \tag{6.46}$$

ここで,$\tau = 0$ での境界条件 $I^-(0) = 0$ を適用すると,$J(0) = I^+(0)/2 = b$ と $H(0) = I^+(0)/2 = H_0$ となるので,比較すると $b = H_0$ であり,結局,

$$J(\tau) = H_0(\tau + 1) \tag{6.47}$$

という解が得られることになる.さらに定義式から逆にたどると,

$$I^+(\tau) = H_0(\tau + 2), \tag{6.48}$$

$$I^-(\tau) = H_0\tau \tag{6.49}$$

のように輻射強度の解も定まる(図 6.8).

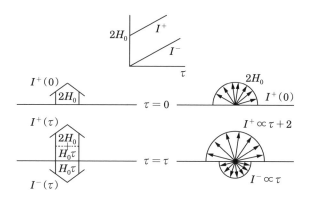

図 **6.8** 直線流近似の解．直線近似（左）に方向性を戻すと右のような状況になっている．

例題 6.3 源泉関数が黒体輻射の場合，直線流近似での温度分布を求めよ．

解答 黒体輻射の場合は $S = J = B = \sigma_{\mathrm{SB}} T^4 / \pi$ なので，

$$J(\tau) = H_0(\tau + 1) = B = \frac{1}{\pi} \sigma_{\mathrm{SB}} T^4(\tau)$$

である．一方，表面（$\tau = 0$）の有効温度を T_{eff} とすると，表面の境界条件から，

$$\sigma_{\mathrm{SB}} T_{\mathrm{eff}}^4 = F(0) = 4\pi H_0$$

なので，$H_0 = \sigma_{\mathrm{SB}} T_{\mathrm{eff}}^4 / 4\pi$ となり，温度分布として，

$$T^4(\tau) = \frac{1}{4} T_{\mathrm{eff}}^4 (\tau + 1) \tag{6.50}$$

が得られる．この場合，$\tau = 0$ で $T_0 = T(\tau = 0) = T_{\mathrm{eff}}/\sqrt{2}$ であり，$\tau = 3$ で $T_3 = T(\tau = 3) = T_{\mathrm{eff}}$ となる．■

一般の場合（$\varepsilon \neq 0$）も，複雑になるが，解析的に求められる（章末問題）．

(2) 2 流近似

直線流近似では無数の光線を上下方向の光線で代表させたが，任意の方向を考えると，ある特定の方向の光線 $I^+(\tau)$（$\mu = \mu^+$）と $I^-(\tau)$（$\mu = \mu^-$）で代表させる方が，もう少し近似の精度がよいだろう（後述するように $\mu^{\pm} = 1/\sqrt{3}$ ぐらいがいいとされている）．それが **2 流近似** TSA（two stream approximation）だ．

特定の斜め方向に対する輻射輸送方程式は，

$$\bar{\mu}^+ \frac{dI^+}{d\tau} = I^+ - \frac{1-\varepsilon}{2}I^+ - \frac{1-\varepsilon}{2}I^- - \varepsilon B, \quad (6.51)$$

$$\bar{\mu}^- \frac{dI^-}{d\tau} = -I^- + \frac{1-\varepsilon}{2}I^+ + \frac{1-\varepsilon}{2}I^- + \varepsilon B \quad (6.52)$$

のようになる.ただしここで,

$$\bar{\mu}^{\pm} \equiv \frac{\int_0^1 \mu I^{\pm}(\tau,\mu)d\mu}{\int_0^1 I^{\pm}(\tau,\mu)d\mu} \quad (6.53)$$

の意味である.また,モーメント量はそれぞれ以下のようになる:

$$J(\tau) = \frac{1}{2}(I^+ + I^-), \quad (6.54)$$

$$H(\tau) = \frac{1}{2}(\bar{\mu}^+ I^+ - \bar{\mu}^- I^-), \quad (6.55)$$

$$K(\tau) = \frac{1}{2}(\bar{\mu}^{2+} I^+ + \bar{\mu}^{2-} I^-). \quad (6.56)$$

さらに,$\bar{\mu}^+ = \bar{\mu}^- = \bar{\mu}$ を仮定すれば,$K/J = \bar{\mu}^2$ になるので,$\bar{\mu} = 1/\sqrt{3}$ であればエディントン近似と両立する.

ここでふたたび散乱だけ($\varepsilon = 0$)とすると,

$$\bar{\mu}\frac{dI^+}{d\tau} = \frac{1}{2}(I^+ - I^-), \quad \bar{\mu}\frac{dI^-}{d\tau} = \frac{1}{2}(I^+ - I^-) \quad (6.57)$$

と変形できる($\bar{\mu} = 1$ と置けば直線流近似と同じ).そして,

$$H(\tau) = \frac{\bar{\mu}}{2}(I^+ - I^-) = H_0(\text{一定}), \quad (6.58)$$

$$J(\tau) = \frac{I^+ + I^-}{2} = \frac{H_0}{\bar{\mu}^2}(\tau + \bar{\mu}) \quad (6.59)$$

が得られる.もし $\bar{\mu} = 1/\sqrt{3}$ ならば,後述するミルン–エディントン近似に比較的近いことがわかる.さらに定義式から,輻射強度の解も求まる:

$$I^+(\tau) = \frac{H_0}{\bar{\mu}^2}(\tau + 2\bar{\mu}), \quad I^-(\tau) = \frac{H_0}{\bar{\mu}^2}\tau. \quad (6.60)$$

こちらも後述するミルン–エディントン近似に比較的近い[*8].

[*8] 数学的には,2流近似はミルン–エディントン近似と等価な方法である(Dullmond 2015).

6.3 ミルン–エディントン近似での解析解

輻射場の角度依存性があまり強くないという仮定で，輻射場を角度方向に展開してモーメント量で考えていくのが，モーメント定式化であった．輻射輸送方程式を解析的・近似的に解く方法で代表的なものが，エディントン近似のもとでモーメント式を解き，さらに輻射輸送方程式を解いていく**ミルン–エディントン近似**（Milne–Eddington approximation）である．ここで，やはり半無限平行平板大気の場合について，ミルン–エディントン近似を用いた解析的な解き方を説明する．

6.3.1 ミルン–エディントン近似

平行平板大気の場合，振動数で積分した形（灰色近似）で，輻射輸送方程式，0次のモーメント式，1次のモーメント式，そしてエディントン近似は，それぞれ，

$$\mu \frac{dI}{d\tau} = I - S, \tag{6.61}$$

$$\frac{dH}{d\tau} = J - S, \tag{6.62}$$

$$\frac{dK}{d\tau} = H, \tag{6.63}$$

$$K = \frac{1}{3}J \tag{6.64}$$

である．ここで S は源泉関数で，LTE を仮定すると，

$$S = \varepsilon B + (1-\varepsilon)J \tag{6.65}$$

である．光子破壊確率 $\varepsilon(\tau)$ と黒体輻射 $B(T)$ を既知とするなら，5つの変数 (I, J, H, K, S) に対して，(6.61)–(6.65) が5つの方程式系を構成する．

半無限平行平板大気の境界条件は，輻射強度に対しては，表面と無限深さで，

$$\tau = 0 \quad \text{で} \quad I(0, \mu) = 0 \quad (\mu < 0), \tag{6.66}$$

$$\tau \to \infty \quad \text{で} \quad I(\tau, \mu) e^{-\tau/\mu} \to 0 \quad (\mu > 0) \tag{6.67}$$

となる（状況によって境界条件は変わる）．またモーメント量に対しては，表面で上向きの輻射強度が等方的（$I = I^+$）というランベルト表面を仮定すると，$J(0) = \frac{1}{2}\int_0^1 I^+ d\mu = \frac{1}{2}I^+$ および $H(0) = \frac{1}{2}\int_0^1 I^+ \mu d\mu = \frac{1}{4}I^+$ から，

$$J(0) = 2H(0) \tag{6.68}$$

が境界条件になる．また光学的に厚い内部へ向かっては，以下となる：

$$\tau \to \infty \quad \text{で} \quad Je^{-\tau} \to 0. \tag{6.69}$$

なお，(6.65) と (6.64) を用いて，モーメント式から S と K を消去すると，

$$\frac{dH}{d\tau} = \varepsilon(J - B), \tag{6.70}$$

$$\frac{1}{3}\frac{dJ}{d\tau} = H \tag{6.71}$$

となり，さらに H を消去すると，灰色近似での輻射拡散方程式が得られる：

$$\frac{1}{3}\frac{d^2 J}{d\tau^2} = \varepsilon(J - B). \tag{6.72}$$

また，**有効光学的厚み**（effective optical depth），

$$d\tau_* \equiv \sqrt{3\varepsilon}\, d\tau \tag{6.73}$$

を導入して（3.3節），輻射拡散方程式を以下の形にまとめることができる：

$$\frac{d^2 J}{d\tau_*^2} = J - B. \tag{6.74}$$

6.3.2　ミルン–エディントン大気（輻射平衡/散乱のみ）

まず，簡単のために，輻射平衡 RE（$S = J = B$）の場合を考えよう[*9]．

このときは，(6.70) から即座に $H = H_0$（一定）が得られ，(6.71) からは $J/3 = H_0\tau + b$ となり，境界条件 (6.68) から $b = 2H_0/3$ になる．したがって，最終的に，以下の解が得られる（図 6.9）：

$$J(\tau) = 3H_0\left(\tau + \frac{2}{3}\right), \tag{6.75}$$

$$H(\tau) = H_0, \tag{6.76}$$

$$K(\tau) = H_0\left(\tau + \frac{2}{3}\right). \tag{6.77}$$

[*9] 散乱のみ（$S_\nu = J_\nu, \varepsilon = 0$）の場合も以下は同じになる．ただし厳密には，振動数依存性がある場合は輻射平衡は $\int \kappa_\nu J_\nu d\nu = \int \kappa_\nu S_\nu d\nu$ なので，$J_\nu = S_\nu$ とは限らない．すなわち，本文の話が成立するのは，振動数で積分した灰色近似の場合（$S = J = B = \sigma_{\rm SB} T^4/\pi$）のみである．一方，散乱のみの場合は振動数依存性があっても本文の話は成り立つ．

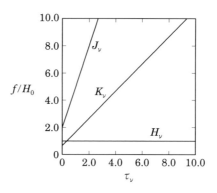

図 **6.9** ミルン–エディントン解(輻射平衡/散乱のみ)のモーメント量.

源泉関数が黒体輻射(LTE)の場合,$S = J = B = \sigma_{\rm SB}T^4/\pi$ なので,
$$S(\tau) = J(\tau) = 3H_0\left(\tau + \frac{2}{3}\right) = \frac{1}{\pi}\sigma_{\rm SB}T^4(\tau) \tag{6.78}$$
である.一方,表面の有効温度を $T_{\rm eff}$ とすると,表面の境界条件から,
$$H_0 = \frac{1}{4\pi}F(0) = \frac{1}{4\pi}\sigma_{\rm SB}T_{\rm eff}^4 \tag{6.79}$$
なので,温度分布として,
$$T^4(\tau) = \frac{3}{4}T_{\rm eff}^4\left(\tau + \frac{2}{3}\right) \tag{6.80}$$
が得られる.このミルン–エディントン大気では,
$$T(\tau = 2/3) = T_{\rm eff}, \tag{6.81}$$
$$T(0) = \frac{1}{2^{1/4}}T_{\rm eff} \sim 0.841 T_{\rm eff} \tag{6.82}$$
となる.すなわち,<u>光学的厚みが 2/3 の場所の温度が有効温度に等しく</u>,表面温度は有効温度より少し低い[*10].

輻射輸送方程式(6.61)で $S = J$ と置いた
$$\mu\frac{dI}{d\tau} = I - J \tag{6.83}$$

[*10] 厳密解では,$T(0)/T_{\rm eff} = (\sqrt{3}/4)^{1/4} \sim 0.811$ となる.

へモーメント式の解 (6.75) を代入すると,

$$\mu\frac{dI}{d\tau} = I - 3H_0\left(\tau + \frac{2}{3}\right) \tag{6.84}$$

となる. 右辺の I を左辺に移して,

$$\mu\frac{d}{d\tau}\left(Ie^{-\tau/\mu}\right) = -3H_0\left(\tau + \frac{2}{3}\right)e^{-\tau/\mu} \tag{6.85}$$

という形にまとめ直して, 丁寧に部分積分していくと,

$$\begin{aligned}Ie^{-\tau/\mu} &= -\frac{1}{\mu}\int^\tau 3H_0\left(t + \frac{2}{3}\right)e^{-t/\mu}dt \\ &= -\frac{3H_0}{\mu}\left[-\mu t e^{-t/\mu} - \left(\mu + \frac{2}{3}\right)\mu e^{-t/\mu}\right]\Big|^\tau \\ &= 3H_0\left[te^{-t/\mu} + \left(\mu + \frac{2}{3}\right)e^{-t/\mu}\right]\Big|^\tau\end{aligned} \tag{6.86}$$

のように不定積分できて,

$$I(t,\mu)|^\tau = 3H_0\left[te^{-(t-\tau)/\mu} + \left(\mu + \frac{2}{3}\right)e^{-(t-\tau)/\mu}\right]\Big|^\tau \tag{6.87}$$

となる. 下向き輻射強度の積分範囲は 0 から, 上向きは ∞ からとすると,

$$I(\tau, \mu < 0) = [\cdots]|_0^\tau = 3H_0\left[\tau + \mu + \frac{2}{3} - \left(\mu + \frac{2}{3}\right)e^{\tau/\mu}\right], \tag{6.88}$$

$$I(\tau, \mu > 0) = [\cdots]|_\infty^\tau = 3H_0\left(\tau + \mu + \frac{2}{3}\right) \tag{6.89}$$

が得られる (図 6.10, 図 6.11).

さらに, 表面から放射される出射強度は, 以下のようになる (図 6.12):

$$I(0,\mu) = 3H_0\left(\mu + \frac{2}{3}\right). \tag{6.90}$$

図 6.12 をみると, 表面の出射強度は等方的ではなく, 真上方向 ($\mu=1$) が最大で縁 ($\mu=0$) に向かうにつれ弱くなる. これは大気内部ほど温度が高く, 真上からは温度の高い深い領域が見えるが, 斜め方向からは温度の低い浅い領域を見るため暗くなるためで, いわゆる**周縁減光効果**(limb-darkening effect)である[*11].

[*11] 方程式が同じ形をしているので, 散乱のみを考えたときも, 同じ結果が得られる (振動数依存性まで入れて). ただし, 散乱のみの場合に, 真上方向よりも斜め方向で強度が減少する理由は, 斜め方向は光路が長くなり, 途中で光が散乱されて減少するためである. 輻射平衡の場合と散乱のみの場合とでは, 数学的な扱いは同じだが, 物理的な意味合いは異なる.

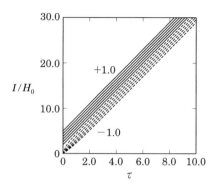

図 6.10　ミルン–エディントン解（輻射平衡/散乱のみ）の輻射強度 $I(\tau,\mu)$. 深さ τ における輻射強度で，μ の値は上から，1, 0.8, 0.6, 0.4, 0.2, 0（実線），-0.2, -0.4, -0.6, -0.8, -1（破線）の順.

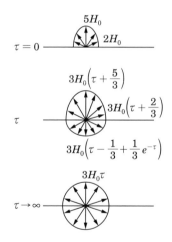

図 6.11　ミルン–エディントン解のいろいろな深さにおける輻射強度の角度分布.

6.3.3　ミルン–エディントンモデルと太陽周縁減光

この出射強度（6.90）を使って，太陽の周縁減光を評価してみよう（図 6.13）.

遠方からみた太陽円盤中央（$\mu=1$）の値は $I(0,1)=5H_0$ なので，太陽円盤中央と各場所の比は，

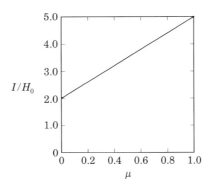

図 **6.12** ミルン–エディントン解(輻射平衡/散乱のみ)の出射強度 $I(0,\mu)$. 出射強度は等方的ではなく,真上が強く,縁にいくほど減少する(周縁減光効果).

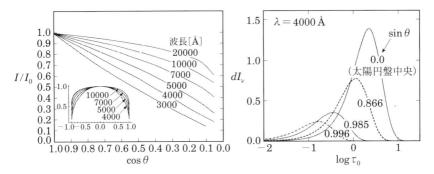

図 **6.13** 太陽の周縁減光効果(Gray 2005).実際には周縁減光効果は波長にかなり依存する.右図は減光が起こる深さ.

$$\frac{I(0,\mu)}{I(0,1)} = \frac{2}{5} + \frac{3}{5}\mu \tag{6.91}$$

となる[*12].この値と太陽での観測値を比較したのが表 6.1 である.太陽円盤の縁に近づくと観測値とのズレは少し出てくるが,それでも 0.5% 程度の誤差であり,ミルン–エディントン近似はかなりいいことがわかる.

以上が基本的な**ミルン–エディントン解**(Milne–Eddington solution)である.

表 6.1 ミルン–エディントン大気の周縁減光.

$\mu = \cos\theta$	1.0	0.8	0.6	0.4	0.3	0.2	0.1
$\sin\theta$						0.980	0.995
$I(0,\mu)/I(0,1)|_{\mathrm{obs}}$	1.00	0.898	0.787	0.669	0.607	0.525	0.448
$2/5 + 3\mu/5$	1.00	0.88	0.76	0.64	0.58	0.52	0.46

6.3.4 ミルン–エディントン大気（一般）

つぎに，一般（$\varepsilon \neq 0$）の場合を考えてみよう．簡単のために，黒体輻射が光学的厚みの線形関数で，$B(0)$ と b を定数係数として，

$$B(\tau) = B(0) + b\tau \tag{6.92}$$

のように表されるとしよう．このとき輻射拡散方程式 (6.72) は，

$$\frac{1}{3}\frac{d^2}{d\tau^2}(J - B) = \varepsilon(J - B) \tag{6.93}$$

のように書き直せる．もし ε が光学的厚みによらなければ，(6.93) は $J - B$ に関する線形微分方程式なので，C_1 と C_2 を定数係数として，

$$J - B = C_1 e^{-\sqrt{3\varepsilon}\,\tau} + C_2 e^{\sqrt{3\varepsilon}\,\tau} \tag{6.94}$$

[*12] (135 ページ) この式は太陽表面の 1 点における方向余弦 $\mu = \cos\theta$ で表したものだが，観測的には太陽面の関数にした方がわかりやすい．すなわち，太陽半径を a，観測される太陽像の面中心からの距離を r とすると，$\sin\theta = r/a$ なので，(6.91) から，

$$\frac{I(r)}{I(0)} = \frac{2}{5} + \frac{3}{5}\sqrt{1 - \frac{r^2}{a^2}} = 1 - \frac{3}{5}\left(1 - \sqrt{1 - \frac{r^2}{z^2}}\right)$$

が得られる．また本文ではエディントン近似は比較的よいと書いたが，実際には光学的深さは波長に依存し，したがって周縁減光の度合いも波長に依存する．そこでしばしば使われるのが，

$$\frac{I(r)}{I(0)} == 1 - u\left(1 - \sqrt{1 - \frac{r^2}{z^2}}\right)$$

という経験式である．ここで，

$$u = \frac{I(r=0) - I(r=a)}{I(r=0)}$$

は，太陽面中央の輝度に対して周縁部での減光度合いを表すパラメータで，**周縁減光係数**と呼ばれる．基本的なミルン–エディントン解は，$u = 3/5$ の場合に相当している．経験的には，波長 $\lambda = 600\,\mathrm{nm}$ で $u = 0.56$，$\lambda = 320\,\mathrm{nm}$ で $u = 0.95$ ぐらいとされている．

という一般解をもつ．したがって，モーメント式の一般解は以下となる[*13]：

$$J(\tau) = B(0) + b\tau + C_1 e^{-\sqrt{3\varepsilon}\tau} + C_2 e^{\sqrt{3\varepsilon}\tau}, \tag{6.95}$$

$$H(\tau) = \frac{1}{3}\frac{dJ}{d\tau} = \frac{1}{3}b - \frac{1}{3}\sqrt{3\varepsilon}C_1 e^{-\sqrt{3\varepsilon}\tau} + \frac{1}{3}\sqrt{3\varepsilon}C_2 e^{\sqrt{3\varepsilon}\tau}. \tag{6.96}$$

さらに，表面での境界条件 $[J(0) = 2H(0)]$ と，光学的厚みが大きいところで発散しないという境界条件を課すと，

$$C_1 = -\frac{B(0) - \frac{2}{3}b}{1 + \frac{2}{3}\sqrt{3\varepsilon}}, \qquad C_2 = 0 \tag{6.97}$$

のように係数が決まる．その結果，半無限平行平板のミルン–エディントン大気における，一般の場合のモーメント量と源泉関数として，

$$J(\tau) = B(0) + b\tau - \frac{B(0) - \frac{2}{3}b}{1 + \frac{2}{3}\sqrt{3\varepsilon}} e^{-\sqrt{3\varepsilon}\tau}, \tag{6.98}$$

$$H(\tau) = \frac{1}{3}b + \frac{1}{3}\sqrt{3\varepsilon}\frac{B(0) - \frac{2}{3}b}{1 + \frac{2}{3}\sqrt{3\varepsilon}} e^{-\sqrt{3\varepsilon}\tau}, \tag{6.99}$$

$$S(\tau) = B(0) + b\tau - (1 - \varepsilon)\frac{B(0) - \frac{2}{3}b}{1 + \frac{2}{3}\sqrt{3\varepsilon}} e^{-\sqrt{3\varepsilon}\tau} \tag{6.100}$$

などが最終的に得られることになる（図 6.14）．

鉛直方向に等温の場合と温度勾配がある場合にわけて，これらの解の性質を丁寧に見てみよう（Fukue 2011）．

まず温度勾配がなくて等温の場合（$b = 0$）が図 6.14（左）である．図の横軸は光学的深さ τ で，縦軸は表面の黒体強度 $B(0)$ で規格化した量になっている．平均強度 J は破線，輻射流束 H は一点鎖線，源泉関数 S は実線で表してある．

[*13] 基本的なミルン–エディントン解では解は τ の1次関数だが，こちらは指数関数になっている．もともとのモーメント方程式が線形微分方程式なので，指数関数の方が自然な形であって，1次関数の形は特殊解になっている．輻射輸送方程式が線形方程式であるのは，もとをたどれば，電磁場が重ね合わせのできる線形的な量であり，マクスウェル方程式が線形方程式であることと密接に関連している．

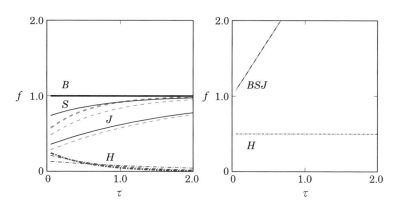

図 **6.14** ミルン–エディントン解（一般）のモーメント量．（左）等温大気の場合 $[b/B(0) = 0]$，（右）温度勾配がある場合 $[b/B(0) = 3/2]$．等温の場合，破線は平均強度 J で上から $\varepsilon = 1, 0.5, 0.1$．一点鎖線は輻射流束 H で左側での上から $\varepsilon = 1, 0.5, 0.1$．実線は源泉関数 S でやはり上から $\varepsilon = 1, 0.5, 0.1$．

散乱がなくて吸収だけなら（$\varepsilon = 1$），等温の場合は，黒体強度も源泉関数も光学的深さによらず一定になる（LTE を仮定している）．しかし平均強度（一番上の太い破線）は深部（$\tau = 2$）から表面（$\tau = 0$）に向かって減少し，表面（$\tau = 0$）では深部（$\tau = 2$）の値の $1/2$ に落ちる．あらゆる方向からの輻射強度を平均したものが平均強度なので，外部からの輻射がない表面では内部側だけの積分になって $1/2$ に落ちるのである．輻射流束（太い一点鎖線）は表面に向かって増加し，表面で平均強度の半分になっている（境界条件）．

散乱があると（$\varepsilon < 1$），平均強度は散乱のないときよりも全体に減少する．これは散乱によって光子の一部が LTE へ寄与せず深部などへ逃げ去るためである．等温の場合は散乱があっても黒体強度は一定だが，平均強度が減少することを受けて源泉関数も全体に減少する．散乱によって光子分布が均されてしまうので，輻射流束は散乱がないときより平坦なものになる．そして，ε が 0 に近づくと，平均強度も輻射流束も散乱のみの場合（図 6.9）に漸近する．

上記の特徴は，解（6.98）で $b = 0$ と置いてもわかる．すなわち，解（6.98）で $b = 0$ と置けば，表面での値は，

$$J(0) = B(0) - \frac{B(0)}{1+\frac{2}{3}\sqrt{3\varepsilon}} = \frac{\frac{2}{3}\sqrt{3\varepsilon}}{1+\frac{2}{3}\sqrt{3\varepsilon}} B(0) \sim \sqrt{3\varepsilon} B(0) \quad (6.101)$$

となり,オーダーとして,黒体強度より $\sqrt{3\varepsilon}$ も落ちてしまう[*14].また散乱の影響は深部まで及び,$\sqrt{3\varepsilon}\tau \sim 1$ ぐらいでようやく指数項が小さくなり,$J(\tau) \sim B(\tau)$ となる.言い換えれば,単純に光学的に厚い深さ $\tau \sim 1$ ではなく,より大きな熱化深度 $\tau \sim \Lambda = 1/\sqrt{3\varepsilon}$ ぐらいで,ようやく輻射強度は黒体強度に近づく.

内部に向かって温度勾配がある場合($b>0$)が図 6.14(右)である.図からわかるように,等温大気の場合と異なり,外部からの入射がない表面近傍で平均強度が減少したり,さらに散乱によって平均強度が全体的に減少したりすることはない.図 6.14(右)では,とくに違いが出ない場合 $[b/B(0)=3/2]$ を示しているが,他の値でも似たようなもので,源泉関数と平均強度は少しずれたりするが,いずれにせよ等温大気の振る舞いとは大きく違う.

こうなる理由は,まず平均強度は温度勾配のある黒体強度を強く反映しているためで,また温度勾配のために輻射流束も大きくなり,指数的に減少する項の影響があまりなくなるからだ.

以上の結果,温度勾配があると表面での放射は黒体輻射とさほど変わらないものになる.この点は注意しないといけない[*15].

例題 6.4 温度勾配があって,$b/B(0)=3/2$ の場合の解は,輻射平衡(RE)/散乱のみの解と同じになることを確認せよ.

解答 $b/B(0)=3/2$ のとき,(6.98)–(6.100) は,それぞれ,

$$J(\tau) = B(0) + b\tau = \frac{3}{2}B(0)\left(\tau + \frac{2}{3}\right), \quad (6.102)$$

$$H(\tau) = \frac{1}{3}b = \frac{1}{2}B(0), \quad (6.103)$$

$$S(\tau) = B(0) + b\tau = \frac{3}{2}B(0)\left(\tau + \frac{2}{3}\right) \quad (6.104)$$

[*14] 太陽大気などでは $\sqrt{\varepsilon}$ 則($\sqrt{\varepsilon_\nu}$-law)として古くから知られているものだ.

[*15] Rybicki and Lightman(1979)の影響が強く,散乱が強い降着円盤大気などでは,等温の場合の法則で散乱の効果を計算している例が少なくない.内部に向かって温度勾配があると等温大気とは違ったものになる.Rybicki and Lightman(1979)でも等温の場合だときちんと断っている.

となる．また，$S = J = B = \sigma_{\rm SB}T^4/\pi$ と境界条件 $H(0) = \sigma_{\rm SB}T_{\rm eff}^4/(4\pi)$ から，散乱のみの場合と同じ温度分布が得られる：

$$T^4(\tau) = \frac{3}{4}T_{\rm eff}^4\left(\tau + \frac{2}{3}\right). \tag{6.105}$$

■

上記の解を輻射輸送方程式（6.61）へ代入し，丁寧に積分していくと，

$$I(\tau,\mu) = B(0) + b\mu + b\tau - \frac{1-\varepsilon}{1+\mu\sqrt{3\varepsilon}}\frac{B(0) - \dfrac{2}{3}b}{1+\dfrac{2}{3}\sqrt{3\varepsilon}}e^{-\sqrt{3\varepsilon}\tau} \tag{6.106}$$

のように輻射強度が得られる．また表面から放射される出射強度は，

$$I(0,\mu) = \int_0^\infty S(t)e^{-t/\mu}\frac{dt}{\mu} = B(0) + b\mu - \frac{1-\varepsilon}{1+\mu\sqrt{3\varepsilon}}\frac{B(0) - \dfrac{2}{3}b}{1+\dfrac{2}{3}\sqrt{3\varepsilon}} \tag{6.107}$$

のようになる．

この出射強度（6.107）の右辺は，以下のような意味をもっている．第 1 項と第 2 項は黒体輻射（熱的成分）に起因する項で，温度勾配があるときの表面からの熱放射成分である．そして，いまの場合は黒体輻射が光学的厚みの 1 次関数だと仮定しているので，内部ほど温度が高くなっていて，通常の周縁減光効果を表している．第 3 項は，熱放射の散乱成分である（$\varepsilon = 1$ だと消える）．熱放射のうちの一定成分［第 3 項分子の $B(0)$］は散乱によって減少するが，勾配からくる部分（$-2b/3$）は b が正であれば増加に働くことを表している．

ふたたび，鉛直方向に等温の場合と温度勾配がある場合にわけて，出射強度の振る舞いを丁寧に見てみよう（図 6.15）．

まず温度勾配がなくて等温の場合［$b/B(0) = 0$］が図 6.15（左）である．図の横軸は方向余弦 μ で（$\mu = 1$ が真上方向），縦軸は表面の黒体強度 $B(0)$ で規格化した出射強度 $I(0,\mu)$ である．吸収だけなら（$\varepsilon = 1$），出射強度は方向によらず常に表面の黒体強度に等しい．しかし散乱があると（$\varepsilon < 1$），平均強度が減少することを受けて，出射強度も全体に減少する．また μ が小さい方が減少の割合は大きい．これは μ が小さい方向には光路が長くなり，より散乱の効果を受けるためだ．見かけ上は周縁減光効果に似ているが，等温大気では深さによる温度変化はないの

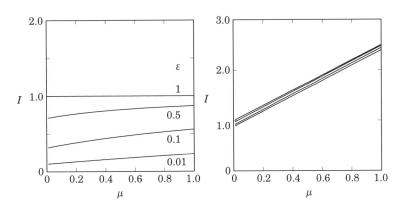

図 **6.15** ミルン–エディントン解（一般）の出射強度 $I(0,\mu)$.（左）等温大気の場合 $[b/B(0)=0]$,（右）温度勾配がある場合 $[b/B(0)=3/2]$. どちらも，上から $\varepsilon = 1, 0.5, 0.1, 0.01$.

で，周縁減光効果ではなく散乱の効果である．

内部に向かって温度勾配がある場合 $[b/B(0)=3/2]$ が図 6.15（右）である．こちらはまさに本来の**周縁減光効果**（limb-darkening effect）が強く現れていて，出射強度は μ に比例して増加している．散乱があると若干は減少するが，散乱の効果はさほど目立っていない．

例題 6.5 吸収のみの場合（$\varepsilon = 1$），輻射強度はどうなるか．

解答 吸収のみの場合，指数項が消えて，輻射強度（6.106）と出射強度（6.107）は，

$$I(\tau,\mu) = B(0) + b\mu + b\tau = b\left[\frac{B(0)}{b} + \mu + \tau\right], \tag{6.108}$$

$$I(0,\mu) = B(0) + b\mu = b\left[\frac{B(0)}{b} + \mu\right] \tag{6.109}$$

となる．さらに $b/B(0)=3/2$ のときは散乱のみの解と同じ形になる．■

最後に，輻射場の表面近傍での振る舞いについて，触れておこう．ここでは簡単のために，輻射場は等方的でエディントン近似が成り立ち，表面でも等方的に放射される（ランベルト境界）と仮定した．しかし，内部に向かって温度勾配がある場合に周縁減光効果が生じるということは，表面近傍で輻射場の等方性が成り立っていないことを意味している．

基本的なミルン–エディントン解では，$J(\tau) = 3H_0(\tau + 2/3)$ となるが，表面近傍では輻射場は少し非等方になりエディントン近似は少し悪くなるので，その補正を考慮すれば，正しい解は，

$$J(\tau) = 3H_0[\tau + q(\tau)] \tag{6.110}$$

のような形に表すことができるだろう．ここで導入した $q(\tau)$ が**ホップ関数**（Hopf function）である（5.2.2 節，7.1.2 節）．

6.4　球対称大気の輻射輸送

拡がった恒星大気や球対称風などでは平行平板近似は使えなくなり，方程式には曲率に起因する項が現れてくる．ここでは，球対称大気の場合について，簡単な解法を紹介しよう（Kosirev 1934, Chandrasekhar 1934, Chapman 1966）．

6.4.1　球対称大気の輻射輸送方程式とモーメント式と境界条件

球対称大気の輻射輸送方程式は，半径を r，方向余弦を μ とすると，

$$\mu \frac{\partial I_\nu}{\partial r} + \frac{1-\mu^2}{r} \frac{\partial I_\nu}{\partial \mu} = -(\kappa_\nu \rho + \sigma_\nu \rho)(I_\nu - S_\nu) \tag{6.111}$$

と表せた．境界条件は，球対称大気の外側半径を R（十分大きくてもよい）とし，コアの半径を a（十分小さくてもよい）とすると，表面と深部とで，

$$r = R \quad \text{で} \quad I_\nu(R, \mu) = 0 \quad (\mu < 0), \tag{6.112}$$

$$r \to 0 \quad \text{で} \quad I_\nu(0, \mu) e^{-\tau_\nu/\mu} \to 0 \quad (\mu > 0), \tag{6.113}$$

$$r = a \quad \text{で} \quad I_\nu(a, \mu) = I_a \quad (\mu > 0) \tag{6.114}$$

などのようになる（問題によって境界条件は変わる）．

また，0 次のモーメント式と 1 次のモーメント式は下記のようになった：

$$\frac{\partial H_\nu}{\partial r} + \frac{2}{r} H_\nu = -(\kappa_\nu \rho + \sigma_\nu \rho)(J_\nu - S_\nu), \tag{6.115}$$

$$\frac{\partial K_\nu}{\partial r} + \frac{3K_\nu - J_\nu}{r} = -(\kappa_\nu \rho + \sigma_\nu \rho) H_\nu. \tag{6.116}$$

境界条件は，$J(R) = 2H(R)$ と $H(a) = H_a = a^2 H_0$ などになる[*16]．

[*16] 外層が薄く拡がっている場合には，ランベルト表面の境界条件 [$J(R) = 2H(R)$] よりはむしろ，自由流近似の条件 [$J(R) = H(R)$] の方がより適切である．

6.4.2 球対称直線流近似

平行平板大気の場合と同じく，球対称な場合の輻射輸送方程式を近似的に解く方法で，もっとも単純なものが直線流近似である．

灰色近似で LTE の場合，球対称大気の輻射輸送方程式は以下のようになる：

$$\mu \frac{\partial I}{\partial r} + \frac{1-\mu^2}{r}\frac{\partial I}{\partial \mu} = -(\kappa\rho + \sigma\rho)(I-S) = -k\rho(I-S), \tag{6.117}$$

$$J = \frac{1}{2}\int_{-1}^{1} I d\mu, \quad S = \varepsilon B + (1-\varepsilon)J. \tag{6.118}$$

ここで，輻射強度 $I(\tau,\mu)$ は角度依存性を持つが，それ以外の $J(\tau)$, $S(\tau)$, $B(\tau)$ は光学的厚み τ だけの関数である．また ε も一般には τ の関数だが，ここでは簡単のために一定だと仮定しよう．境界条件は，$I(R,\mu)=0$ $(\mu<0)$ と $I(a,\mu)=I_a$ $(\mu>0)$ であった．

平行平板大気の場合と同様に，真上向きの光線 $I^+(r)$ $(\mu>0)$ と真下向きの光線 $I^-(r)$ $(\mu<0)$ の2本だけで近似してみよう．輻射輸送方程式 (6.117) を，上向き光線は $[0,1]$ の範囲で下向きは $[-1,0]$ で角度積分をすると，

$$\frac{1}{2}\frac{dI^+}{dr} + \frac{1}{r}I^+ = -k\rho(I^+ - S), \tag{6.119}$$

$$\frac{1}{2}\frac{dI^-}{dr} + \frac{1}{r}I^- = k\rho(I^- - S) \tag{6.120}$$

という2本の方程式になる．境界条件は，$I^-(R)=0$ と $I^+(a)=I_a$ などになる．
またモーメント量や源泉関数は，定義から，

$$J = \frac{1}{2}\int_{-1}^{1} I d\mu = \frac{1}{2}\int_{0}^{1} I^+ d\mu + \frac{1}{2}\int_{-1}^{0} I^- d\mu = \frac{1}{2}(I^+ + I^-), \tag{6.121}$$

$$H = \frac{1}{2}\int_{-1}^{1} I\mu d\mu = \frac{1}{2}\int_{0}^{1} I^+ \mu d\mu + \frac{1}{2}\int_{-1}^{0} I^- \mu d\mu = \frac{1}{4}(I^+ - I^-), \tag{6.122}$$

$$K = \frac{1}{2}\int_{-1}^{1} I\mu^2 d\mu = \frac{1}{2}\int_{0}^{1} I^+ \mu^2 d\mu + \frac{1}{2}\int_{-1}^{0} I^- \mu^2 d\mu = \frac{1}{6}(I^+ + I^-) = \frac{1}{3}J, \tag{6.123}$$

$$S = \varepsilon B + (1-\varepsilon)\frac{1}{2}(I^+ + I^-) \tag{6.124}$$

のように表せる．境界条件は，$H(R) = J(R)/2$ [あるいは $H(R) = J(R)$] と

$H(a) = H_a = a^2 H_0$ などになる.

ここで (6.119) と (6.120) の辺々を，それぞれ加えて，上の定義を考えると，

$$\frac{1}{r^2}\frac{d}{dr}(r^2 J) = \frac{dJ}{dr} + \frac{2}{r}J = -k\rho(4H) \tag{6.125}$$

が得られ，逆に辺々を引いて，やはり定義から整理すると以下の式になる：

$$\frac{1}{r^2}\frac{d}{dr}(r^2 H) = -k\rho(J - S). \tag{6.126}$$

簡単のために散乱のみと仮定すると，$S = J$ なので, (6.126) は積分できて，

$$H(r) = \frac{a^2}{r^2}H_0 \tag{6.127}$$

となる ($r = a$ で $H = H_0$ とした). この (6.127) を (6.125) へ代入して積分を実行し，境界条件 ($r = R$ で $H = J/2$ とする) を考慮すると，

$$J(r) = \frac{4a^2 H_0}{r^2}\left[\int_r^R k\rho dr + \frac{1}{2}\right] \tag{6.128}$$

が得られる．これらが上下流近似でのモーメント量の解析解である．

また, (6.121) と (6.122) から, $I^+ = J + 2H$ および $I^- = J - 2H$ なので，輻射強度の解析解は最終的に以下のようになる：

$$I^+(r) = \frac{4a^2 H_0}{r^2}\left[\int_r^R k\rho dr + 1\right], \quad I^-(r) = \frac{4a^2 H_0}{r^2}\int_r^R k\rho dr. \tag{6.129}$$

6.4.3 球対称ミルン–エディントン近似

つぎに，球対称な場合のミルン–エディントン近似を考えよう (Kosirev 1934).

球対称大気の場合，灰色近似のもとで，輻射輸送方程式，0 次のモーメント式，1 次のモーメント式，そしてエディントン近似は，それぞれ，

$$\mu\frac{\partial I}{\partial r} + \frac{1-\mu^2}{r}\frac{\partial I}{\partial \mu} = -(\kappa\rho + \sigma\rho)(I - S) = -k\rho(I - S), \tag{6.130}$$

$$\frac{dH}{dr} + \frac{2}{r}H = -k\rho(J - S), \tag{6.131}$$

$$\frac{dK}{dr} + \frac{3K - J}{r} = -k\rho H, \tag{6.132}$$

$$K = \frac{1}{3}J \tag{6.133}$$

である．ここで，源泉関数 S は，LTE を仮定すると以下であった：

$$S = \varepsilon B + (1-\varepsilon)J. \tag{6.134}$$

簡単のために，輻射平衡（$J=S$）または散乱のみ（$\varepsilon = 0 ; S = J$）としよう．このときは，(6.131) から即座に，

$$H(r) = \frac{a^2}{r^2} H_0 \tag{6.135}$$

が得られる（$r=a$ で $H=H_0$ とした）．この解とエディントン近似を (6.132) へ代入して積分を実行し，境界条件（$r=R$ で $H=J/2$）を課すと，

$$J(r) = 3a^2 H_0 \left[\int_r^R \frac{k\rho}{r^2} dr + \frac{2}{3R^2} \right] \tag{6.136}$$

が得られる．これらがミルン–エディントン近似の解析解の例である[*17].

例題 6.6 球対称風中の輻射輸送を非常に簡単なモデルで考えてみよう．半径を r，ガス密度を ρ，流速を v，一定の質量流出率を $\dot{M}$ とすると，$4\pi r^2 \rho v = \dot{M}$ という関係が成り立つ（定常球対称風の連続の式）．したがって，速度が一定ならば，$\rho \propto 1/r^2$ となる．また吸収係数に対して，自由自由吸収に近い $k \propto \rho T^{-4} \propto \rho/B$ という形を仮定すると，光学的厚みと半径の関係は，$d\tau = -k\rho dr \propto \rho^2 B dr \propto dr/Br^4$ のようになる．このモデルに先の解を適用してみよ．

解答 先の解：$B = 3a^2 H_0 \int \frac{d\tau}{r^2}$ より，

$$\frac{dB}{dr} = \frac{dB}{d\tau}\frac{d\tau}{dr} \propto \frac{1}{r^2}\frac{1}{Br^4} = \frac{1}{Br^6} \tag{6.137}$$

なので，積分して以下の解が得られる（先の例で $n=4$ に相当する）：

$$B \propto r^{-5/2}, \quad \text{あるいは，} B \propto \tau^5, \tag{6.138}$$

$$\tau \propto r^{-1/2}, \quad \text{あるいは，} T \propto \tau^{5/4}. \tag{6.139}$$

∎

[*17] Chandrasekhar (1934) が最初に求めた．また，4 次までのモーメント量を使った解析解が，Unno (1989) で求められている．

Chapter ⑥ の章末問題

問題 6.1 源泉関数が光学的厚みの線形関数 $(a+b\tau)$ の場合,形式解を積分してみよ.また表面での出射強度を求めよ.

問題 6.2 散乱だけでなく吸収もある場合 $(\varepsilon \neq 0)$ には,直線流近似は,

$$\frac{dI^+}{d\tau} = \left(1 - \frac{1-\varepsilon}{2}\right) I^+ - \frac{1-\varepsilon}{2} I^- - \varepsilon B,$$

$$\frac{dI^-}{d\tau} = -\left(1 - \frac{1-\varepsilon}{2}\right) I^- + \frac{1-\varepsilon}{2} I^+ + \varepsilon B$$

のようになる.これらの式を解析的に解いてみよ.

問題 6.3 散乱のみ $(\varepsilon = 0)$ の場合,振動数依存性を入れた形でミルン–エディントン近似の解を確認せよ.

問題 6.4 モーメント解(6.98)で $b/B(0) = 3/2$ と置いてみよ.

問題 6.5 解(6.98)などで,いろいろな b のグラフを描いてみよ.

問題 6.6 輻射強度(6.106)や出射強度(6.107)で $b=0$ と置いたらどうなるか.また $b/B(0) = 3/2$ と置いたらどうなるか.

問題 6.7 解(6.106)や(6.107)で,いろいろな b のグラフを描いてみよ.

問題 6.8 輻射拡散方程式(6.93)を解く際に,本文では単純なランベルト境界を与えた.より精度のよいエディントン–クルーク条件 $[J_\nu(0) = \sqrt{3} H_\nu(0)]$ で解いてみよ.あるいは,一般に,$J_\nu(0) = c_\nu H_\nu(0)$ の場合で解いてみよ.

問題 6.9 光学的厚みを $d\tau \equiv -k\rho dr$ で定義すると,(6.136)はどう表されるか.また平行平板大気との関連についても考えてみよ.

問題 6.10 母星(あるいは中心核)の周辺に拡がった球対称大気(あるいは球対称風)がある場合の,いわゆるシャスター–シュバルツシルト問題(Schuster–Schwarzschild problems)を解いてみよ(Chandrasekhar 1934).

Chapter 7
輻射輸送方程式の数値的な解き方

輻射輸送方程式は線形ではあるものの偏微分積分方程式であるため,非常に単純な仮定を置いた場合しか解析解は見つかっていない.3次元大気はもちろん,球対称大気や平行平板大気の場合でさえ,多くの場合は数値的に解かないといけない.本章では基本的な数値解法について,簡単に紹介しておきたい[*1].

7.1 平行平板大気の数値解法

前章では,モーメント定式化とエディントン近似を用いた,平行平板大気の解析解を紹介した.一方で,輻射輸送方程式そのものを直接的・数値的に解くための方法も,さまざまな手法が開発されている[*2].またモーメント式を用いた数値解法もある[*3].まず基本問題である平行平板大気の数値解法について,古典的なものから実用的な手法まで,概要を紹介しておく.

[*1] 詳しくは,Thomas and Stamnes (1999),Peraiah (2002),Castor (2004),Wendish and Yang (2012),Dullemond (2015),および第5巻などを参照してほしい.

[*2] たとえば,輻射強度の角度依存性を球面調和関数の級数に置き換える**球面調和関数法**(spherical harmonics method),同じく角度依存性を有限個の光線で表す**離散化法**(discretization method),近似解を輻射輸送方程式に繰り返し戻して精度を上げていく**逐次近似法/反復解法**(iteration method),多数の光子のランダムな行程で輻射輸送を近似する**モンテカルロ法**(Monte Carlo method)などが代表的なものだ.

[*3] たとえば,逐次近似法の一種で,**変動エディントン因子法**(variable Eddington factor method)など.

7.1.1 積分指数関数

輻射輸送方程式は，輻射強度 I に関する微分積分方程式だが，源泉関数 S に関する積分方程式とみなして，関数で逐次近似していく考え方がある．

まず下記のような指数項を含む積分を定義しよう（図 7.1）：

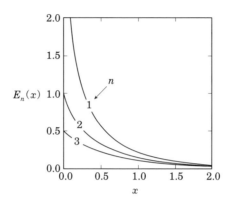

図 **7.1** 指数積分.

$$E_n(x) \equiv \int_0^1 \frac{e^{-x/y}}{y^{2-n}} dy = \int_1^\infty \frac{e^{-xz}}{z^n} dz. \tag{7.1}$$

これを n 次の**積分指数関数** (exponential integral of the nth order) という．

この積分の $x=0$ での値は簡単に積分できて，

$$E_n(0) = \int_1^\infty \frac{dz}{z^n} = \frac{1}{n-1} \quad (n \geqq 2) \tag{7.2}$$

が得られる．また，この指数積分間には，

$$\frac{dE_n(x)}{dx} = -\int_1^\infty \frac{e^{-xz}}{z^{n-1}} dz = -E_{n-1}(x), \tag{7.3}$$

$$nE_{n+1}(x) = e^{-x} - xE_n(x) \tag{7.4}$$

のような関係式や漸化式が成り立つ．これらの関係を使うと，E_1 から E_2，E_2 から E_3 と，指数積分を順に生成していくことができる[*4]．

[*4] 積分指数関数 $E_1(x)$ は初等関数で表せない．近似式は，森口他『数学公式集 I』岩波書店，Abramowicz and Stegun (1964) "Handbook of Mathematical Function" p227 などを参照．

これらの指数積分を使うと，モーメント量を源泉関数の積分で表現することができる．たとえば，0次のモーメント量である平均強度 $J(\tau)$ は，その定義式の輻射強度 $I(\tau,\mu)$ の部分へ形式解を代入すると，下記のように表すことができる：

$$\begin{aligned}J(\tau) = \frac{1}{2}\int_{-1}^{1} I d\mu &= \frac{1}{2}\int_{\tau}^{\infty} dt \int_0^1 S(t) e^{-(t-\tau)/\mu} \frac{d\mu}{\mu} \\ &\quad - \frac{1}{2}\int_0^{\tau} dt \int_{-1}^{0} S(t) e^{-(t-\tau)/\mu} \frac{d\mu}{\mu} \\ &= \frac{1}{2}\int_{\tau}^{\infty} dt S(t) E_1(t-\tau) + \frac{1}{2}\int_0^{\tau} dt S(t) E_1(\tau - t) \\ &= \frac{1}{2}\int_0^{\infty} dt S(t) E_1(|\tau - t|) \\ &\equiv \Lambda_{\tau}\{S(t)\}. \end{aligned} \quad (7.5)$$

1次と2次のモーメントについても，それぞれ，以下のように表すことができる：

$$H(\tau) \equiv \frac{1}{2}\int_{-1}^{1} I\mu d\mu = \Phi_{\tau}\{S(t)\}, \quad (7.6)$$

$$K(\tau) \equiv \frac{1}{2}\int_{-1}^{1} I\mu^2 d\mu = \Xi_{\tau}\{S(t)\}. \quad (7.7)$$

ただし，$\Lambda_{\tau}, \Phi_{\tau}, \Xi_{\tau}$ は以下のように定義される**積分オペレータ**である：

$$\Lambda_{\tau} \equiv \frac{1}{2}\int_0^{\infty} dt E_1(|\tau - t|), \quad (7.8)$$

$$\Phi_{\tau} \equiv \frac{1}{2}\int_{\tau}^{\infty} dt E_2(t - \tau) - \frac{1}{2}\int_0^{\tau} dt E_2(\tau - t), \quad (7.9)$$

$$\begin{aligned}\Xi_{\tau} &\equiv \frac{1}{2}\int_{\tau}^{\infty} dt E_3(t - \tau) + \frac{1}{2}\int_0^{\tau} dt E_3(\tau - t) \\ &= \frac{1}{2}\int_0^{\infty} dt E_3(|\tau - t|). \end{aligned} \quad (7.10)$$

例題 7.1 (7.5) で，$t = \tau \pm x$ と変数変換すると，

$$\begin{aligned}J(\tau) &= \frac{1}{2}\int_{\tau}^{\infty} dt S(t) E_1(t-\tau) + \frac{1}{2}\int_0^{\tau} dt S(t) E_1(\tau - t) \\ &= \frac{1}{2}\int_0^{\infty} dx S(\tau + x) E_1(x) + \frac{1}{2}\int_0^{\tau} dx S(\tau - x) E_1(x) \end{aligned} \quad (7.11)$$

のように変形できる．源泉関数をテイラー展開して代入するとどうなるか．また他

のモーメント量はどのようになるか.

解答 それぞれ，以下のようになる：

$$S(\tau \pm x) = S(\tau) \pm x\frac{dS}{d\tau} + \frac{1}{2}x^2\frac{d^2S}{d\tau^2}, \tag{7.12}$$

$$J(\tau) = S(\tau) + \frac{1}{3}S''(\tau) + \frac{1}{5}S^{(4)}(\tau) + \cdots - \frac{1}{2}\int_\tau^\infty dx' S(\tau - x')E_1(x'),$$

$$H(\tau) = \frac{1}{3}S'(\tau) + \frac{1}{5}S'''(\tau) + \cdots - \frac{1}{2}\int_\tau^\infty dx' S(\tau - x')E_2(x'),$$

$$K(\tau) = \frac{1}{3}S(\tau) + \frac{1}{5}S''(\tau) + \cdots - \frac{1}{2}\int_\tau^\infty dx' S(\tau - x')E_3(x').$$

これから，展開項の収束が速ければ，$K(\tau)/J(\tau) \sim 1/3$ であることがわかる． ■

7.1.2 関数近似法

さて，何度も述べたように，輻射輸送方程式と源泉関数のセット：

$$\mu\frac{dI}{d\tau} = I - S, \tag{7.13}$$

$$S = \varepsilon B + (1-\varepsilon)J \tag{7.14}$$

は，J が I の積分なので<u>微分積分方程式</u>だが，これを

$$S = \varepsilon B + (1-\varepsilon)J, \tag{7.15}$$

$$J = \Lambda_\tau\{S(t)\} \tag{7.16}$$

と表せば，このセットは S に関する<u>積分方程式</u>となっている．数学的には同等だが，微分がなくなり積分だけになった点で少し易しくなった気がする．

さて，積分オペレータを使うと，源泉関数 (7.15) は，

$$S(\tau) = (1-\varpi)B(\tau) + \varpi J(\tau) = (1-\varpi)B(\tau) + \varpi\Lambda_\tau\{S(t)\} \tag{7.17}$$

という積分方程式で表せた［ここでは単散乱アルベド ϖ ($=1-\varepsilon$) を使う］．これを関数で逐次近似していく方法を考えてみよう．

まず $\varpi = 0$（散乱なし）のときは，源泉関数は黒体輻射になる：

$$S(\tau) = B(\tau). \tag{7.18}$$

つぎに $0 < \varpi < 1$ では，(7.17) は，

$$f(x) = g(x) + \varpi \Lambda_\tau \{f(t)\} \tag{7.19}$$

という形になっているので，初期値として $g(x)$ へ $(1-\varpi)B(\tau)$ を入れ，

$$S_0(\tau) = (1 - \varpi)B(\tau)$$
$$S_1(\tau) = \varpi \Lambda_\tau \{S_0(t)\}$$
$$S_2(\tau) = \varpi \Lambda_\tau \{S_1(t)\}$$
$$\cdots$$
$$S_n(\tau) = \varpi \Lambda_\tau \{S_{n-1}(t)\} \tag{7.20}$$

と順に代入していった極限として，

$$S(\tau) = \sum_{i=0}^{\infty} S_i(\tau) = (1-\varpi)B(\tau) + \sum_{i=0}^{\infty} \varpi \Lambda_\tau \{S_i(t)\} = \sum_{i=0}^{\infty} \varpi^i \Lambda_\tau^i \{S_0(t)\} \tag{7.21}$$

と表すことができる．この逐次近似法は，黒体輻射からのズレがあまり大きくない場合，すなわち $\varpi \ll 1$ なら収束が速い（逆に言えば，一般的には収束はゆっくりしている）．この方法はまた，積分オペレータ Λ_τ を使うので，**ラムダ反復解法**（lambda iteration）とも呼ばれる．

例題 7.2 RE と LTE を仮定し，関数近似法を用いて，エディントン近似からのズレを補正するホップ関数（5.2.2 節）を求めてみよ．

解答 ホップ関数の厳密解を求める方法はいろいろ提案されているが，関数近似法を使うと以下のようになる．RE（$S = J$）の場合，(7.17) は，$J = \Lambda_\tau\{S(t)\}$ となるが，さらに LTE（$S = J = B$）だと，

$$B(\tau) = \Lambda_\tau \{B(t)\} \tag{7.22}$$

のように B のみの積分方程式になる．この積分方程式へホップ関数の式 $[J = B = 3H_0(\tau + q(\tau))]$ を入れると，

$$q(\tau) = \Lambda_\tau \{q(t)\} + \frac{1}{2}E_3(\tau) = \frac{1}{2}\sum_{n=1}^{\infty} \Lambda_\tau^n \{E_3(t)\} + \frac{1}{2}E_3(\tau) \tag{7.23}$$

と表すことができる．これは指数積分 E_3 を使ったホップ関数の厳密解である． ■

7.1.3　チャンドラセカールの求積法

輻射強度は方向依存性をもち，本来はいろいろな方向に無数の光線がある．方向依存性をもった輻射強度を有限個の光線で表現する方法が，チャンドラセカール（Chandrasekhar）[*5]が開発した**求積法**（quadrature method）だ[*6]．チャンドラセカールの解（Chandrasekhar's solution）ともいう．

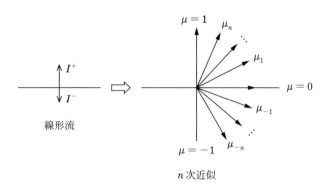

図 **7.2**　有限個の方向の光線．$\mu = \pm 1$ と $\mu = 0$ は使わない．

数学的には輻射強度の積分を離散和に置き換える操作で，平均強度 J を

$$J(\tau) \equiv \frac{1}{2}\int_{-1}^{1} I(\tau,\mu)d\mu = \frac{1}{2}\sum_{j=-n}^{j=n} w_j I(\tau,\mu_j) \tag{7.24}$$

のように有限個（$2n$ 本）の光線の和として表す（図 7.2）．ここで μ_j（$j = \pm 1, \cdots, \pm n$）は方向についての $2n$ 個の分点で，w_j はその方向への重み（weight）である．そしてこの有限個の方向でのみ輻射輸送方程式を考えるのだ．

そうすると，角度に関してもともとは連続的だった輻射輸送方程式，

$$\mu\frac{dI(\tau,\mu)}{d\tau} = I(\tau,\mu) - \frac{\varpi}{2}\int_{-1}^{1} I(\tau,\mu')d\mu' - (1-\varpi)B(\tau) \tag{7.25}$$

は（LTE を仮定），$I(\tau,\mu_i) = I_i$ と略記すると，

[*5] チャンドラセカール（Subrahmanyan Chandrasekhar；1910〜1995）は，星の内部構造論，恒星系力学，輻射輸送，磁気流体力学的不安定性，自己重力系の平衡形状，そしてブラックホールの数学的理論など，天体物理学の多くの分野で重要な足跡を残した．

[*6] Chadrasekhar（1944，1960）など．

$$\mu_i \frac{dI_i}{d\tau} = I_i - \frac{\varpi}{2}\sum_j w_j I_j - (1-\varpi)B \tag{7.26}$$

という添え字 $i\ (=\pm 1,\cdots,\pm n)$ に関して $2n$ 本の連立線形方程式になる[*7]．方程式の境界条件は，たとえば，表面と無限深さとで以下のようになる：

$$\tau = 0 \quad \text{で} \quad I(0,\mu_i) = I_i = 0 \quad (i=-1,-2,\cdots,-n), \tag{7.27}$$

$$\tau \to \infty \quad \text{で} \quad I(\tau,\mu_i)e^{-\tau/\mu_i} \to 0 \quad (i=+1,+2,\cdots,+n). \tag{7.28}$$

分点の方向や重みの取り方はいろいろな方法があるが，$2n$ 次ルジャンドル多項式（Legendre Polynomials of order $2n$）[*8] $P_{2n}(\mu)$ のゼロ点（根）とすると，(7.24) が精度よく成り立つ（Gaussian quadrature）．このとき重み w_j は，

$$w_j = \frac{1}{P'_m(\mu_j)}\int_{-1}^{1}\frac{P_m(\mu)}{\mu-\mu_j}d\mu \tag{7.29}$$

と計算される．また，$\mu_j = -\mu_{-j},\ w_j = w_{-j},\ \sum_{1}^{n}w_j = 1$ など，となる．

さて (7.26) は線形微分方程式なので，試行的に，

$$I_i(\tau,\mu_i) = f(\mu_i)e^{-k\tau} = f_i e^{-k\tau} \quad (i=\pm 1,\pm 2,\cdots,\pm n) \tag{7.30}$$

という解を仮定しよう（これを**チャンドラセカールの解**という）．ここで f_i と k は以下で決まっていく $2n+2$ 個の定数である．

この解 (7.30) を (7.26) へ代入すると，

$$f_i(1+\mu_i k) = \frac{\varpi}{2}\sum w_j f_j + (1-\varpi)Be^{k\tau} \tag{7.31}$$

という関係が得られるので，

[*7] 方向は離散的にするが光学的厚みについては連続的だという点がミソである．光学的厚みまで離散的にすると輻射輸送シミュレーションになる．

[*8] ルジャンドルの多項式は，

$$P_n(x) = \frac{1}{2^n n!}\frac{d^n}{dx^n}(x^2-1)^n \quad \text{より} \quad P_{2n}(\mu) = \frac{1}{2^{2n}(2n)!}\frac{d^{2n}}{d\mu^{2n}}(\mu^2-1)^{2n}$$

のようになる．具体的には，

$$P_0(x)=1,\quad P_1(x)=x,\quad P_2(x)=-\frac{1}{2}+\frac{3}{2}x^2,\quad P_3(x)=-\frac{3}{2}x+\frac{5}{2}x^3,$$
$$P_4(x)=\frac{3}{8}-\frac{30}{8}x^2+\frac{35}{8}x^4,\quad \cdots .$$

と置けば（ここで C は i には無関係な定数になっている），f_i に対して，

$$f_i = \frac{C}{1+\mu_i k} + \frac{1}{1+\mu_i k}(1-\varpi)Be^{k\tau} \tag{7.33}$$

が得られる．この f_i を (7.30) へ戻すと，試行解は，

$$C \equiv \frac{\varpi}{2}\sum w_j f_j \tag{7.32}$$

$$I_i(\tau,\mu_i) = \frac{C}{1+\mu_i k}e^{-k\tau} + \frac{1-\varpi}{1+\mu_i k}B \quad (i = \pm 1, \pm 2, \cdots, \pm n) \tag{7.34}$$

と書き直せるので，未定係数 f_i が表面上は消える．

そこでふたたび，この解 (7.34) を (7.26) へ代入し，B は任意であることを使うと，定数部分の比較から，

$$\frac{\varpi}{2}\sum_{j=-n}^{j=n}\frac{w_j}{1+\mu_j k} = 1 \tag{7.35}$$

という関係式が得られる．この (7.35) は k に対する固有値方程式（eigenvalue equation）になっており，**特性方程式**（characteristic equation）として知られている．さらに，$\mu_{-j} = -\mu_j$ と $w_{-j} = w_j$ を使うと，(7.35) は，

$$\varpi\sum_{j=1}^{j=n}\frac{w_j}{1-\mu_j^2 k^2} = 1 \tag{7.36}$$

という n 次の代数方程式に帰着することがわかる．

（1）散乱のみ（$\varpi = 1$）の場合

散乱のみ（$\varpi = 1$）の場合，輻射輸送方程式 (7.26)，チャンドラセカールの解 (7.34)，固有値方程式 (7.36) は，それぞれ，以下のようになる：

$$\mu_i\frac{dI_i}{d\tau} = I_i - \frac{1}{2}\sum_{j=-n}^{j=n}w_j I_j, \tag{7.37}$$

$$I_i(\tau,\mu_i) = \frac{C}{1+\mu_i k}e^{-k\tau} \quad (i = \pm 1, \pm 2, \cdots, \pm n), \tag{7.38}$$

$$1 = \sum_{j=1}^{j=n}\frac{w_j}{1-\mu_j^2 k^2}. \tag{7.39}$$

最後の固有値方程式 (7.39) は，重み w_j に対する規格化条件 $\sum_{1}^{n}w_j = 1$ と合

わせると，$k^2 = 0$ が自明な解（2つ）であり，残り $2n - 2$ 個の解も

$$\pm k_\alpha \quad (\alpha = 1, 2, \cdots, n-1)$$

という対の形になっている．

これらの（0 でない）固有値 k_α に対して，(7.37) は $2n - 2$ 個の独立な解をもつはずで，その一般解は (7.38) の定数を適当に書き換えて，

$$I_i(\tau, \mu_i) = \sum_{\alpha=1}^{n-1} \frac{L_\alpha}{1 + \mu_i k_\alpha} e^{-k_\alpha \tau} + \sum_{\alpha=1}^{n-1} \frac{L_{-\alpha}}{1 - \mu_i k_\alpha} e^{k_\alpha \tau} \tag{7.40}$$

と表すことができる．ここで $L_{\pm\alpha}$ は $2n - 2$ 個の定数である．

一方で，自明な解（$k^2 = 0$）に対する特解を

$$I_i(\tau, \mu_i) = b(\tau + q_i) \quad (i = \pm 1, \pm 2, \cdots, \pm n) \tag{7.41}$$

と置いて（b などは定数），(7.37) へ代入すると，

$$q_i = \mu_i + \frac{1}{2} \sum_{-n}^{n} w_j q_j = \mu_i + Q \tag{7.42}$$

となる．ここで Q は定数で，重みに方向余弦を掛けた和（積分）が 0 になること（$\sum w_j \mu_j = 0$）を使った．したがって，特解は b と Q を定数として，

$$I_i(\tau, \mu_i) = b(\tau + Q + \mu_i) \quad (i = \pm 1, \pm 2, \cdots, \pm n) \tag{7.43}$$

と表すことができる．

以上から，最終的に，一般解と特解を合わせた完全解は，

$$I_i(\tau, \mu_i) = b \left[\sum_{\alpha=1}^{n-1} \frac{L_\alpha}{1 + \mu_i k_\alpha} e^{-k_\alpha \tau} + \sum_{\alpha=1}^{n-1} \frac{L_{-\alpha}}{1 - \mu_i k_\alpha} e^{k_\alpha \tau} + \tau + Q + \mu_i \right]$$
$$(i = \pm 1, \pm 2, \cdots, \pm n) \tag{7.44}$$

と完全に解析的に表すことができた．この完全解には $2n$ 個の未定定数（$L_{\pm\alpha}, Q, b$）が含まれているが，これらの未定定数は境界条件で定められる．

たとえば，半無限平面の場合は，$\tau \to \infty$ で I_i が発散しないという条件から，$L_{-\alpha} = 0$ ($\alpha = 1, 2, \cdots, n-1$) となる．また表面（$\tau = 0$）で $I_{-i}(0) = 0$ という条件から，

$$I_{-i}(0) = I(0, -\mu_i) = b \left[\sum_{\alpha=1}^{n-1} \frac{L_\alpha}{1 - \mu_i k_\alpha} + Q - \mu_i \right] = 0 \tag{7.45}$$

という関係式が得られ，L_α と Q の n 個が決まり，残るは b だけとなる．

以上より，半無限平面の場合の完全解と出射強度は，以下で与えられる．

$$I_i(\tau) = b\left[\tau + Q + \mu_i + \sum_{\alpha=1}^{n-1} \frac{L_\alpha}{1+\mu_i k_\alpha} e^{-k_\alpha \tau}\right] \quad (i = \pm 1, \pm 2, \cdots, \pm n), \tag{7.46}$$

$$I_i(0) = b\left[Q + \mu_i + \sum_{\alpha=1}^{n-1} \frac{L_\alpha}{1+\mu_i k_\alpha}\right] \quad (i = \pm 1, \pm 2, \cdots, \pm n). \tag{7.47}$$

この完全解（7.46）を角度方向に積分すなわち重みを掛けた和を取ると，モーメント量が求まる．規格化条件や固有値方程式などを考慮し，モーメント量は，

$$J(\tau) = \frac{1}{2}\sum_{j=-n}^{n} w_j I_j = b\left[\tau + Q + \sum_{\alpha=1}^{n-1} L_\alpha e^{-k_\alpha \tau}\right] = b\left[\tau + q(\tau)\right], \tag{7.48}$$

$$H(\tau) = \frac{1}{3}b, \tag{7.49}$$

$$K(\tau) = \frac{1}{3}b(\tau + Q) = \frac{1}{3}b[\tau + q(\infty)] \tag{7.50}$$

などとなる．最後の等号は，以下のようにホップ関数（5.2.2 節）を定義した：

$$q(\tau) = Q + \sum_{\alpha=1}^{n-1} L_\alpha e^{-k_\alpha \tau}, \tag{7.51}$$

$$q(\infty) = Q. \tag{7.52}$$

最後に，表面での輻射流束の値を $H_0 = F/4 = \sigma T^4/4$ と置けば，$b/3 = H_0 = F/4$ なので，上記の解を再度まとめると，以下のようになる：

$$I_i(\tau) = \frac{3}{4}F\left[\tau + q(\infty) + \mu_i + \sum_{\alpha=1}^{n-1} \frac{L_\alpha}{1+\mu_i k_\alpha} e^{-k_\alpha \tau}\right], \tag{7.53}$$

$$J(\tau) = \frac{3}{4}F\left[\tau + q(\tau)\right], \tag{7.54}$$

$$H(\tau) = \frac{1}{4}F, \tag{7.55}$$

$$K(\tau) = \frac{1}{4}F[\tau + q(\infty)]. \tag{7.56}$$

第一近似（$n=1$）

具体的にいくつかの完全解を調べてみよう．光線の本数が一番少ない**第一近似**（first approximation）では，$n=1$ で，

$$w_1 = w_{-1} = 1 \quad \text{および} \quad \mu_1 = -\mu_{-1} = \frac{1}{\sqrt{3}} \tag{7.57}$$

になる．このとき

$$Q = \mu_1 = \frac{1}{\sqrt{3}}, \tag{7.58}$$

$$q(\tau) = \frac{1}{\sqrt{3}} \tag{7.59}$$

のように決まり，モーメント量などは以下のようになる：

$$J(\tau) = \frac{3}{4} F \left(\tau + \frac{1}{\sqrt{3}} \right), \tag{7.60}$$

$$H(\tau) = \frac{1}{4} F, \tag{7.61}$$

$$K(\tau) = \frac{1}{4} F \left(\tau + \frac{1}{\sqrt{3}} \right), \tag{7.62}$$

$$I(0, \mu) = \frac{3}{4} F \left(\mu + \frac{1}{\sqrt{3}} \right). \tag{7.63}$$

第二近似（$n=2$）

つぎの第二近似（second approximation）では，$n=2$ で，

$$w_1 = w_{-1} = 0.652145 \quad \text{および} \quad \mu_1 = -\mu_{-1} = 0.339981,$$
$$w_2 = w_{-2} = 0.347855 \quad \text{および} \quad \mu_2 = -\mu_{-2} = 0.861136 \tag{7.64}$$

である．また固有値方程式から，

$$k = 0, \quad \mu_1^2 \mu_2^2 k^2 = w_1 \mu_1^2 + w_2 \mu_2^2 = \frac{1}{3}, \tag{7.65}$$

$$k_1 = \frac{1}{\sqrt{3} \mu_1 \mu_2} = 1.972027 \tag{7.66}$$

となるので，以下のように決まる：

$$Q = 0.694025, \tag{7.67}$$

$$L = -0.116675, \tag{7.68}$$

$$q(\tau) = 0.694025 - 0.116675 e^{-1.97203\tau}. \tag{7.69}$$

このとき，出射強度は以下のようになる：

$$I(0,\mu) = \frac{3}{4}F\left(\mu + 0.694025 - \frac{0.1166751}{1+1.972027\mu}\right). \qquad (7.70)$$

その他,重要な関係式やいろいろな条件での解などについては,ミハラス(Mihalas 1970)やペライア(Peraiah 2002)に詳しい.

7.1.4 ラムダ反復解法:LI と ALI

以上,古典的な解法で輻射輸送方程式の振る舞いを眺めたが,数値計算するための実用的な方法についても概観しておこう[*9].

(1) ラムダ反復解法 LI

さて,関数近似法のところで,積分方程式だとか,積分指数関数だとか,いろいろ書いたが,ラムダ反復解法の本筋は非常にシンプルなものである.すなわち,数値計算的には,以下の 4 ステップを実行することになる.

step 1:源泉関数 $S(\tau)$ [散乱のみなら平均強度 $J(\tau)$] の試行関数を与える[*10].
step 2:多くの方向 μ で形式解を積分(足し算)し,輻射強度 $I(\tau,\mu)$ を求める.
step 3:輻射強度を方向積分(足し算)し,$S(\tau)$ や $J(\tau)$ を計算する.
step 4:新しい S や J を使い,解が収束するまで,step 2 と step 3 を繰り返す.

これはアルゴリズム的にはだれもが考える単純な方法だが,天体物理学の分野では最初に積分オペレータ Λ を使ったため,**ラムダ反復解法 LI**(lambda iteration)という大層な名前が付いた.

ただし,この LI には,収束が遅いという重大な問題がある.上記の逐次近似の 1 回のループはちょうど 1 回の散乱に対応するので,数値解が収束するためのループ回数 N_{iter} は,光学的厚みを τ,光子破壊確率を ε として,

$$N_{\text{iter}} > \min\left(\tau^2, 1/\varepsilon\right) \qquad (7.71)$$

ぐらいは必要になる.そのため,光学的厚みが大きくて散乱が優勢な大気では,収束がきわめて遅くなってしまい,光学的厚みが非常に大きくなる恒星大気などでは実用に耐えない[*11].さらに,見かけ上は収束したかにみえる**偽収束**(false

---

[*9] インターネット上の e-book だが,Dullemond(2015)が非常にわかりやすい.
[*10] 近似的な解析解だと収束が速い.
[*11] 逆に言えば,光学的厚みが 10 程度なら,LI でもいろいろな計算ができる(7.1.7 節参照).

convergence）と呼ばれる現象も引き起こす[*12].

(2) 加速ラムダ反復解法 ALI

さて，もともと (7.5) で表された式：

$$J(\tau) = \Lambda_\tau \{S(t)\} \tag{7.72}$$

は，光学的厚み t にある源泉関数 $S(t)$ の，光学的厚み τ にある平均強度 $J(\tau)$ への寄与を意味する．数値計算の場合，光学的厚みを離散化 $(1, \cdots, i, \cdots, N)$ すると，たとえば散乱に関しては，光学的厚み τ_j にある源泉関数 S_j から，光学的厚み τ_i にある平均強度 J_i への散乱を表していることになる．

このことは，Λ_τ を離散化したものを行列 Λ_{ij} として，

$$J_i(\tau_i) = \sum_{j=1}^{N} \Lambda_{ij} S_j(\tau_j) \tag{7.73}$$

のように表すことができる．行列 Λ_{ij} は j から i への散乱を表し，$j \sim i$ は近傍への散乱を，$j = i$ は同じ光学的厚みへの散乱を表す．遠方への散乱確率は指数的に下がるので，同じ場所（$j = i$）での散乱が計算で大きな割合を占める．また行列の計算は，対角行列（diagonal matrix）だと極端に速くなる．そこで，<u>近似的な積分オペレータ</u>として，対角行列かそれに近い行列 Λ_{ij}^* を用意し，

$$\Lambda_{ij} = \Lambda_{ij}^* + (\Lambda_{ij} - \Lambda_{ij}^*) \tag{7.74}$$

と分離して，対角部分を<u>加速する</u>方法が，**加速ラムダ反復解法 ALI**（approximated/accelerated Lambda iteration）の考え方である．

7.1.5 フォートリエ法

反対方向の光線を組み合わせて，2 つの境界条件を合体させる，**フォートリエ法**（Feautrier's method）と呼ばれる手法もある（Feautrier 1964）．

2 つの反対方向（$\pm \mu : \mu > 0$）の輻射輸送方程式から始めよう：

$$+\mu \frac{dI_\nu(z, +\mu)}{dz} = \chi_\nu [S_\nu - I_\nu(z, +\mu)], \tag{7.75}$$

[*12] たとえば，光学的厚みが $\tau = 100$ だと 10^4 回は繰り返しが必要だが，見かけ上は，100 回ぐらいで解が収束したように見える．

$$-\mu\frac{dI_\nu(z,-\mu)}{dz} = \chi_\nu[S_\nu - I_\nu(z,-\mu)]. \tag{7.76}$$

ただしここで，$\chi_\nu = (\kappa_\nu + \sigma_\nu)\rho$ である．

反対方向の光線の和と差で以下のようなフォートリエ変数を導入する：

$$j_\nu(z,\mu) \equiv \frac{1}{2}\left[I_\nu(z,\mu) + I_\nu(z,-\mu)\right], \tag{7.77}$$

$$h_\nu(z,\mu) \equiv \frac{1}{2}\left[I_\nu(z,\mu) - I_\nu(z,-\mu)\right]. \tag{7.78}$$

j_ν は平均強度的な変数で，h_ν はエディントン流束のような変数になっている．

（7.76）と（7.75）を足したものと引いたものから，

$$\mu\frac{dh_\nu(z,\mu)}{dz} = \chi_\nu[S_\nu - j_\nu(z,\mu)], \tag{7.79}$$

$$\mu\frac{dj_\nu(z,\mu)}{dz} = -\chi_\nu h_\nu(z,\mu) \tag{7.80}$$

が得られる．これらの式もモーメント式に類似している．しかしモーメント式と異なり，方程式系は閉じており，角度依存性も残っている．さらに, (7.80) を (7.79) に代入して h_ν を消去すると,

$$\frac{\mu^2}{\chi_\nu}\frac{d}{dz}\left(\frac{1}{\chi_\nu}\frac{dj_\nu}{dz}\right) = j_\nu - S_\nu \tag{7.81}$$

となる．あるいは，$d\tau_\nu \equiv -\chi_\nu dz$ を導入すると，拡散型の方程式が得られる：

$$\mu^2\frac{d^2 j_\nu}{d\tau_\nu^2} = j_\nu - S_\nu. \tag{7.82}$$

この（7.82）は，一般に，$\tau_\nu = 0$ と $\tau_\nu = \tau_\nu^{\max}$ における，2 点境界値問題となっている．たとえば，表面（$\tau_\nu = 0$）で照射がない $[I_\nu(0,-\mu) = 0]$ とすると，$h_\nu(0,\mu) = j_\nu(0,\mu)$ になるから，(7.80) から表面の境界条件は以下となる：

$$\mu\frac{dj_\nu(\tau,\mu)}{d\tau_\nu}\bigg|_0 = j_\nu(0,\mu). \tag{7.83}$$

一方，光学的に深いところで，$I_\nu(\tau_\nu^{\max},\mu) = I_\nu^{\max}$ とすると，$h_\nu(\tau_\nu^{\max},\mu) = I_\nu^{\max} - j_\nu(\tau_\nu^{\max},\mu)$ なので，深部での境界条件は以下となる：

$$\mu\frac{dj_\nu(\tau,\mu)}{d\tau_\nu}\bigg|_{\tau_\nu^{\max}} = I_\nu^{\max} - j_\nu(\tau_\nu^{\max},\mu). \tag{7.84}$$

深部で拡散近似が精度よく成り立っていれば，以下となる：

$$I_\nu^{\max} = B_\nu(\tau_\nu^{\max}) + \mu \frac{dB_\nu}{d\tau_\nu}\bigg|_{\tau_\nu^{\max}}. \tag{7.85}$$

（7.82）は拡散方程式に似た形をしているので，恒星内部のような拡散近似が成り立つ領域では振る舞いがよい．しかも，輻射拡散方程式は角度依存性が失われているが，(7.82) には角度依存性が完全に残っている．また数値計算的にも，精度がよく安定した結果が得られやすい．

7.1.6　変動エディントン因子法：VEF

逐次近似でモーメント式を解く数値解法もある．

光学的厚み τ に依存するエディントン因子 $f(\tau)$ を使うと，$K = fJ$ として，モーメント式は，

$$\frac{dH}{d\tau} = J - S = \varepsilon(J - B), \tag{7.86}$$

$$\frac{d(fJ)}{d\tau} = H \tag{7.87}$$

となり，輻射拡散方程式は以下となる：

$$\frac{d^2}{d\tau^2}(fJ) = \varepsilon(J - B). \tag{7.88}$$

LI と同様，数値計算的には，以下の 4 ステップを実行する．
step 1：試行的にエディントン近似（$f = 1/3$）とする．
step 2：輻射拡散方程式を解いて，$J(\tau)$ や $S(\tau)$ を求める．
step 3：形式解を積分して，$I(\tau, \mu)$ を求め，モーメント量や $f(\tau)$ を計算する．
step 4：新しい f を使い，解が収束するまで，step 2 と step 3 を繰り返す．

この方法は，エディントン因子を変化させるので，**変動エディントン因子法 VEF**（variable Eddington factor method）[*13]と呼ばれる．この VEF 法は非常に速く収束する．その理由は，輻射拡散方程式で散乱係数が光学的厚みに取り込まれ，表に顔を出していないためだ．

[*13] エディントンテンソル f_{ij} を使って 3 次元に拡張すると，**変動エディントンテンソル法 VET**（variable Eddington tensor method）となる．

7.1.7 反復解法による数値計算例

光学的厚みが有限であまり大きくなければ，単純な LI 反復近似による数値計算も収束が比較的速い．具体的な数値計算例を示してみよう．

光学的厚みが有限な降着円盤（10 章）で，加熱源（光源）が円盤の赤道面に集中しており，円盤大気内ではエネルギー源はないとする（光学的厚みを τ_b，赤道面での一様で等方的な輻射強度を I^* とする）．さらに簡単のために散乱のみとする（一般の場合は源泉関数で置き換えればよい）．

まず最初の試行関数となる解析的な解を求めておこう．エディントン近似のもとで，基礎方程式は，何度も出たように，以下のようになる：

$$\mu \frac{dI}{d\tau} = I - S = I - J, \tag{7.89}$$

$$\frac{dH}{d\tau} = J - S = 0, \tag{7.90}$$

$$\frac{dK}{d\tau} = \frac{1}{3}\frac{dJ}{d\tau} = H. \tag{7.91}$$

円盤表面（ランベルト面）と赤道での境界条件から，解析解は以下となる：

$$J(\tau) = \frac{2+3\tau}{4}I^*, \tag{7.92}$$

$$H(\tau) = \frac{1}{4}I^*. \tag{7.93}$$

数値解を求める方法は以下のような手順になる．まず光学的厚みと方向余弦を離散化する．具体的には，光学的厚み 1 を 100 分割し，方向余弦を -1 から 1 まで 200 分割して，それらに対応する配列変数を用意する．そして形式解の光学的厚みによる積分や，輻射強度からモーメント量を求める方位角方向の積分を，それぞれ微小量の足し算と考える（精度を上げるならシンプソン法などを使う）．

最初のステップでは，解析解を試行関数として，散乱のみなら平均強度（一般なら源泉関数）を使い，分割した各方向余弦方向に形式解を足し算して各方向の輻射強度を求める．分割した各光学的厚みで，各方向の輻射強度を定義に従って足し算し，モーメント量や源泉関数を求める．次からのステップでは，新しい平均強度（あるいは源泉関数）を使い，解が収束するまで上記の計算を繰り返す．

図 7.3 に数値計算例を示す．エディントン近似の解析解（一点鎖線）と比べ，一様光源の分布する赤道面（$\tau = 10$）近傍で，平均強度 J も輻射流束 H も少し大き

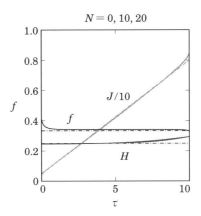

図 **7.3** 逐次近似による数値計算例. モーメント量の J と H とエディントン因子 f. 一点鎖線は解析解 ($N=0$) で, 実線が 10 回後および 20 回後の数値解. 光学的厚みは 10.

くなっている. また表面 ($\tau = 0$) に近づくと輻射場が非等方になるためエディントン因子が 1/3 より大きくなり 0.4 ぐらいになっている (5.2.2 節).

7.2 球対称大気の数値解法

半径方向 1 次元の球対称大気あるいは非相対論的な球対称風に特化した数値解法もある.

7.2.1 インパクトパラメータ法

球対称大気でよく使われる方法が, ハンマー (D.G. Hummer) とライビッキ (G.B. Rybicki) の開発した**インパクトパラメータ法** (impact parameter method) である (Hummer and Rybicki 1971)[*14].

球対称な場合の輻射輸送方程式は以下のようだった (3.7.2 節):

$$\cos\theta \frac{\partial I_\nu(r,\theta)}{\partial r} - \frac{\sin\theta}{r} \frac{\partial I_\nu(r,\theta)}{\partial \theta} = -(\kappa_\nu \rho + \sigma_\nu \rho)[I_\nu(r,\theta) - S_\nu(r)], \tag{7.94}$$

[*14] 角度 μ_r を変数とした方法もある (Unno and Kondo 1976, 1977).

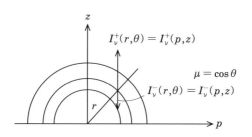

図 7.4 鉛直座標 z とインパクトパラメータ p の関数として，上向き輻射強度 I_ν^+ と下向き輻射強度 I_ν^- を考える．

$$\mu \frac{\partial I_\nu(r,\mu)}{\partial r} + \frac{1-\mu^2}{r}\frac{\partial I_\nu(r,\mu)}{\partial \mu} = -(\kappa_\nu\rho + \sigma_\nu\rho)[I_\nu(r,\mu) - S_\nu(r)]. \tag{7.95}$$

これらの式では輻射強度は球座標 (r,θ) あるいは (r,μ) の関数だが，

$$r = \sqrt{p^2+z^2}, \quad \mu = \cos\theta = \frac{z}{r} = \frac{z}{\sqrt{p^2+z^2}}, \tag{7.96}$$

$$p = r\sin\theta = r\sqrt{1-\mu^2}, \quad z = \sqrt{r^2-p^2} \tag{7.97}$$

で与えられるインパクト空間 (p,z) を使い，輻射強度をインパクトパラメータ p と鉛直座標 z の関数と考える（図 7.4）．そして鉛直方向上向きの輻射強度 $I_\nu^+(p,z)$ と下向きの輻射強度 $I_\nu^-(p,z)$ を用いて，輻射輸送方程式を

$$+\frac{\partial I_\nu^+(p,z)}{\partial z} = -(\kappa_\nu\rho + \sigma_\nu\rho)[I_\nu^+(p,z) - S_\nu(p,z)], \tag{7.98}$$

$$-\frac{\partial I_\nu^-(p,z)}{\partial z} = -(\kappa_\nu\rho + \sigma_\nu\rho)[I_\nu^-(p,z) - S_\nu(p,z)] \tag{7.99}$$

のように表す[*15]．球座標だと r も θ も変化するが（図 3.20 参照），インパクト空間を使えば p を固定できるので，角度を固定できる平行平板のように取り扱いが容易になる．

さらに $z=0$ 面に対する対称性を考慮すると，(7.98) と (7.99) の形式解は，

$$I_\nu^+(p,z) = I_\nu^-(p,0)e^{-\tau(p,z,0)} + \int_0^z (\kappa_\nu\rho + \sigma_\nu\rho)S_\nu(\xi)e^{-\tau(p,z,\zeta)}d\zeta,$$

[*15] $\partial/\partial z = \mu\partial/\partial r + [(1-\mu^2)/r]\partial/\partial \mu$ である．

$$(7.100)$$

$$I_\nu^-(p,z) = + \int_z^{\sqrt{R_{\max}^2 - p^2}} (\kappa_\nu \rho + \sigma_\nu \rho) S_\nu(\xi) e^{-\tau(p,\zeta,z)} d\zeta \qquad (7.101)$$

のようになる．ただし，ξ と τ は以下とする：

$$\xi^2 \equiv p^2 + \zeta^2, \qquad (7.102)$$

$$\tau(p,a,b) \equiv \int_a^b (\kappa_\nu \rho + \sigma_\nu \rho) d\zeta. \qquad (7.103)$$

また境界条件は，たとえば以下のようにすればよい[*16]：

$$I^+(p,z) = I^-(p,z), \quad z = 0, \qquad (7.104)$$

$$I^-(p,z) = 0, \quad z = z_{\max}(p) = \sqrt{R_{\max}^2 - p^2}. \qquad (7.105)$$

このインパクト法では，数値計算的には，以下の4ステップを実行する．

step 1：試行的に源泉関数 $S_\nu(\xi)$ を与える．
step 2：形式解を数値的に解いて，$I_\nu^+(p,z)$ と $I_\nu^-(p,z)$ を求める．
step 3：モーメント量 J_ν や S_ν を計算する．
step 4：新しい源泉関数を使い，解が収束するまで，step 2 と step 3 を繰り返す．

モーメント量の計算では，ある半径で，さまざまな p を半径とする円に接する光線を足し合わせる（tangent ray method）．半径が小さいところでは角度分解能が粗くなるので，座標 p を等間隔にせずに対数的に取ると精度がよくなる．またフォートリエ法を適用して，上向き輻射強度と下向き輻射強度の和および差を変数として，拡散型の方程式に変形することもできる（Peraiah 2002）．

7.3　3次元空間での数値解法

星・惑星系形成にせよ，降着流とアウトフローにせよ，初期宇宙の銀河形成にせよ，現代の宇宙物理学では，多くの場面で3次元の数値シミュレーションそして輻射輸送計算が必要になっている．ラムダ反復解法 LI/ALI も変動エディントン因子法 VEF/VET も，3次元計算へ拡張することができるが，もともと多次元向きの数値解法もある．

[*16] 中心部（$r = R_*$）に光源がある場合は，$p \leqq R_*$ での境界条件を変える．

7.3.1 モンテカルロ法

散乱過程における光子の動きは，そもそもが，任意の方向のデタラメに進み，平均自由行程ぐらい進んだところで，ある割合でつぎの散乱を起こす確率過程である（3.3.4 節）．この光子の動きを忠実に追いかける手法が**モンテカルロ法**（Monte Carlo method）である[*17]．

数値計算的には，以下のステップを実行する．
step 1：光子の進む方向と距離（光学的厚み）を乱数で選ぶ．
step 2：光子が系から逃げるまで散乱（や相互作用）を続ける．
step 3：できるだけ多くの光子を用意して，step 1 と step 2 を繰り返す．

光子の動きをシミュレートするモンテカルロ法は理解しやすく，また散乱（衝突）時にいろいろな相互作用を取り入れやすい．一方で，意味のある結果（たとえば滑らかなスペクトル曲線）を得るためには，非常に多くの光子を用意しないといけないので一般に計算量がかかる（計算が重くなる）．

7.3.2 メッシュ法

天体数値シミュレーションの手法は，個々の粒子や流体素片の運動を追跡する**粒子法**（particle method）と，空間を細かい**格子/メッシュ**（mesh）[*18]に切って各格子点での物理量の変化を計算する**メッシュ法**（mesh method）にわかれる．メッシュ法で輻射輸送を計算する方法を簡単に紹介しておこう．

（1）長特性線法 LC

光線の性質に合わせて，各格子点を通るすべての光線に沿って計算する方法が，**長特性線法 LC**（long characteristics method）[*19]である（図 7.5（左））．

LC 法では，メッシュの一辺の格子点数を N としたとき，方向を一つ決めて，境界から格子点を通り反対の境界まで計算する際に，N 個の線分に形式解を適用する必要がある．さらに 3 次元の格子点数 N^3 と方向数 N^2 を入れると，全計算量は $\mathcal{O}(N^6)$ となる．

[*17] カジノ（賭博場）で有名な都市モンテカルロにちなむ．

[*18] グリッド（grid）ともいう．

[*19] **光線追跡法**（ray tracing method）ともいう．

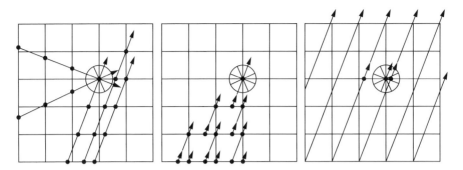

図 7.5 長特性線法 LC の概念図（左）．短特性線法 SC の概念図（中央）．真性輻射輸送法 ART の概念図（右）．

LC 法は，計算は正確だが，計算量が多く計算時間が長くなるので，大規模計算には向かない．

(2) 短特性線法 SC

隣のセルに達する光線のみに沿って計算するのが，**短特性線法 SC**（short characteristics method）である（図 7.5（中））．

SC 法では，各セル境界での値は周囲の値から補間によって求める．すなわち，一つの方向について各格子で境界の値を内挿補間して，形式解を 1 回だけ使うので，全計算量は $\mathcal{O}(N^5)$ となる．

SC 法は，計算量は LC より 1 次元分軽いが，補間操作を行うので数値拡散が発生して精度が悪くなる．

(3) 真性輻射輸送法 ART

LC 法と SC 法の長所を兼ね備えた手法が，**真性輻射輸送法 ART**（authentic radiative transfer method）である（図 7.5（右））．

ART 法では，流体用の格子とは別に，長い直線で構成する**輻射用格子**を張り，その上で輻射輸送を計算する．そして流体格子上での値は，近傍の輻射格子上での値から補間して求める．全計算量は $\mathcal{O}(N^5)$ となる．

ART 法では，計算量は SC 法と同等にしつつ，数値拡散を抑えて LC 法に近い精度を得ることができる．

Chapter 7 の章末問題

問題 7.1 積分指数関数を用いて，$\Lambda_\tau\{a+bt\}$, $\Phi_\tau\{a+bt\}$, $\Xi_\tau\{a+bt\}$ を表してみよ．

問題 7.2 源泉関数が $S(\tau) = (1-\varpi)B(\tau) + \varpi J(\tau)$ の場合，$J(\tau) = \Lambda_\tau\{S(t)\}$ はどうなるか．

問題 7.3 完全解から得られた平均強度（7.54）を用いて，(方向について離散的でない) 方向余弦の連続関数として輻射強度を表してみよ．また周縁減光効果を表してみよ．

問題 7.4 散乱のみでない一般の場合（$\varpi \neq 1$）について，チャンドラセカールの求積法を適用してみよ．

問題 7.5 インパクトパラメータ法にフォートリエ法を適用して，モーメント量や拡散型の方程式を求めてみよ．

Chapter 8
スペクトル線と輻射輸送

　高温プラズマや縮退ガスなどを除き，多くの天体現象ではスペクトル線が生じる．たとえば，恒星大気や降着円盤風ではしばしば吸収線が形成され，輝線星や降着円盤や星雲では輝線が形成される．星間雲や原始惑星系星雲では分子線が観測される．これらのスペクトル線の形状 ── **線輪郭**（line profile）と呼ばれる ── を解析することによって，天体大気の温度や密度などの物理状態を知ることができる．スペクトル線の偏移（shift）や幅（width）からは，天体の運動状態や大気自体の運動状態を知ることができる．一方で，スペクトル線の吸収や放射は天体ガスの加熱冷却に影響し，さらには天体ガスの加速に働くこともある．本章では，スペクトル線の発生機構，線プロファイルの性質，そしてスペクトル線の輻射輸送について紹介したい．

8.1　スペクトル線の概要

　2章ですでに出てきたが，原子の離散的なエネルギー準位（energy level）の中で，もっともエネルギーの低い状態が基底状態（ground state）で，それ以外が励起状態（excited state）である．基底状態や励起状態，電離状態の間を移り変わる遷移（transition）のうち，束縛状態間の束縛–束縛遷移（bound–bound transition）では特定の波長の光子が吸収・放出される[*1].

(1) リュードベリの公式

束縛–束縛遷移で吸収あるいは放出される光子の波長 λ（あるいは振動数 ν）は，リュードベリの公式（Rydberg formula）で与えられる：

$$\frac{1}{\lambda} = \frac{\nu}{c} = Z^2 Ry \left(\frac{1}{n^2} - \frac{1}{n'^2}\right). \tag{8.1}$$

ここで Z は原子番号で，また n と n' はエネルギー準位を指定する主量子数である（$n < n'$）．さらに Ry はリュードベリ定数で，

$$Ry = \frac{1}{1+m/M} \frac{2\pi^2 m e^4}{ch^3} = 1.09737 \times 10^5 \,\mathrm{cm}^{-1} \tag{8.2}$$

と表される．ただし M と m はそれぞれ原子核および電子の質量（m/M は通常無視できる），e は電子の素電荷，c は光速，h はプランク定数である．

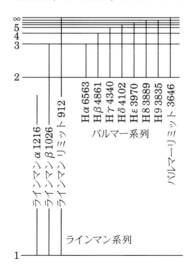

図 **8.1** 水素のスペクトル系列．

スペクトル系列として，$n=1$ と $n'(>n)$ の状態間の遷移に対応する線スペク

[*1] 束縛–自由遷移（bound–free transition）や自由–自由遷移（free–free transition）では任意の波長の光子が吸収・放出される．

トルを**ライマン系列**（Lyman series），$n=2$ と $n'(>n)$ の間を**バルマー系列**（Balmer series），$n=3$ と $n'(>n)$ の間を**パッシェン系列**（Paschen series）と呼ぶ（図 8.1；図 1.6 も参照）．水素原子の場合，ライマン系列は紫外域，バルマー系列は主として可視域，パッシェン系列は赤外域にくる．波長の長い方から，ライマン系列は Lyα, Lyβ, Lyγ，バルマー系列は Hα, Hβ, Hγ，そしてパッシェン系列は Paα, Paβ, Paγ 等と呼ぶ．

主に水素原子の電子遷移について述べたが，分子には内部構造があるので，それに応じたエネルギー状態と状態遷移がある．具体的には，分子の結合軸に関わる**振動遷移**（vibrational transition），重心のまわりの回転に伴う**回転遷移**（rotational transition），原子と同様の**電子遷移**（electronic transition）などだ（図 2.11）．電子エネルギー準位が主量子数 n で指定されるように，振動状態は振動量子数 v で指定され，回転状態は回転量子数 J で指定される（詳しくは第 4 巻参照）．

(2) 線プロファイルと等価幅

スペクトル線強度の指標となる等価幅について，簡単にまとめておく．

一般的に吸収線（輝線）は連続スペクトルに重なって出現する．連続スペクトルの強度を F_c，線スペクトルの強度を F_ν としよう（図 8.2（左上））[*2]．このとき，

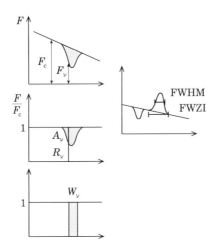

図 **8.2** 等価幅の考え方（左）と FWHM（右）．

吸収の深さ（absorption depth）A_ν と残差強度（residual intensity）R_ν が，

$$A_\nu \equiv 1 - \frac{F_\nu}{F_c}, \quad R_\nu \equiv \frac{F_\nu}{F_c} = 1 - A_\nu \tag{8.3}$$

のように定義され，線の**等価幅**（equivalent width）W_ν は以下で定義される：

$$W_\nu \equiv \int_0^\infty A_\nu d\nu, \quad W_\lambda \equiv \int_0^\infty A_\lambda d\lambda. \tag{8.4}$$

スペクトル線の強さを表す指標としては，連続成分に対する線中心の強度や，線のピーク値の半分値における線の全幅である**半値幅 FWHM**（full width at half maximum）も使われる（図 8.2（右））[*3]．

(3) 輝線と吸収線

線スペクトルが，どういう状況で輝線になるか，あるいは吸収線になるかについて，輻射輸送の観点から整理しておこう．簡単のために，一様な媒質中における線輻射輸送を考える．連続光の入射強度を $I_\nu(0)$（$\geqq 0$），出射強度を I_ν とする．源泉関数が場所によらなければ，以下のようになる：

$$I_\nu(\tau_\nu) = I_\nu(0)e^{-\tau_\nu} + S_\nu(1 - e^{-\tau_\nu}). \tag{8.5}$$

まず連続光源がない場合を考えよう（図 8.3）．媒質が光学的に薄ければ，

$$I_\nu(\tau_\nu) = S_\nu(1 - e^{-\tau_\nu}) \sim \tau_\nu S_\nu \sim \kappa_\nu \rho s S_\nu \propto \kappa_\nu \tag{8.6}$$

であり，出射スペクトルは輝線となり，そのプロファイルは吸収係数の形に似る．一方，光学的に厚い場合は，$I_\nu \sim S_\nu$ であり，線スペクトルは現れず，出射スペクトルは媒質の源泉関数スペクトル（黒体輻射など）となる．

つぎに連続光源がある場合を考えよう（図 8.4）．媒質が光学的に薄ければ，

$$I_\nu(\tau_\nu) \sim I_\nu(0)(1 - \tau_\nu) + S_\nu \tau_\nu = I_\nu(0) + \tau_\nu[S_\nu - I_\nu(0)] \tag{8.7}$$

となる．したがって，もし連続光が強く $I_\nu(0) > S_\nu$ だと，媒質による吸収が生じて出射スペクトルは吸収線となり，そのプロファイルは吸収係数の形を逆転したも

[*2] （171 ページ）通常の星の場合は，星全体の輻射流束を測定するので F で定義するが，太陽のように表面が分解できる天体の場合は，各点ごとの輝度 I で定義できる．

[*3] 線の裾における全幅である零値幅 FWZI（full width at zero intensity）もあるが，測定しづらいためあまり使われない．

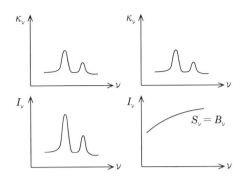

図 8.3 連続光源がない場合の吸収係数とスペクトル．光学的に薄い場合（左）と光学的に厚い場合（右）．

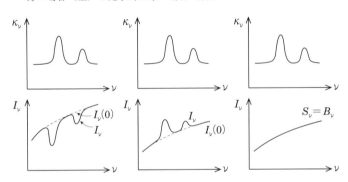

図 8.4 連続光源がある場合の吸収係数とスペクトル．光学的に薄く連続光が強い場合（左），光学的に薄く連続光が弱い場合（中），光学的に厚い場合（右）．

のに似る．逆に，連続光が弱くて $I_\nu(0) < S_\nu$ であれば，輝線となる．一方，光学的に厚い場合は，$I_\nu \sim S_\nu$ であり，線スペクトルは現れない．

8.2 線プロファイルの性質

束縛–束縛遷移で生じるスペクトル線は，本来は幅のない単色線のはずだが，いろいろな機構で線の幅が拡がり**線輪郭**（line profile）を形作ることになる．主な機構としては，(i) 自然拡幅/放射減衰，(ii) 熱運動，(iii) 衝突過程，(iv) 大気の乱流，(v) 回転，などである．

スペクトル線が線中心の振動数 ν_0 のまわりに広がりをもち，その依存性が $\phi(\nu)$

で与えられるとき，スペクトル線の全断面積を a_L [cm^2] とすると，ある振動数での断面積 a_ν [cm^2] は，

$$a_\nu = a_L \phi(\nu), \quad \int_{\nu_0-\infty}^{\nu_0+\infty} \phi(\nu) d\nu = 1 \tag{8.8}$$

で表される．ここで，規格化された関数 $\phi(\nu)$ を**プロファイル関数**（profile function）と呼ぶ．プロファイル関数を使うと，先に導入した吸収係数 α_ν [cm^{-1}] は，粒子数密度を n [cm^{-3}] として，以下のように表される：

$$\alpha_\nu = \kappa_\nu \rho = n a_\nu = n a_L \phi(\nu) = \alpha_L \phi(\nu). \tag{8.9}$$

8.2.1 ローレンツ・プロファイル（量子効果による広がり）

エネルギー差が $h\nu_0$ の2準位間で自然放射が起きたときの線スペクトルを考えてみよう（図 8.5）．エネルギー差が厳密に定まっていれば，$h\nu_0 = E_j - E_i$ も確定し，線スペクトルはデルタ関数的になる（図 8.5（左））．しかし実際には不確定性原理が働いて，上位の準位の寿命を Δt とすると，上位の準位のエネルギーには $\Delta E \gtrsim h/\Delta t$ 程度の幅が生じる（図 8.5（右））．その結果，線スペクトルも ν_0 のまわりに多少の幅をもったものとなる．この広がりを**自然広がり**（natural broadening）とか**放射性減衰**（radiation damping）と呼ぶ[*4]．

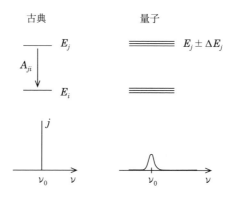

図 8.5 自然放射における不確定性原理．

[*4] ここで"自然"という意味は他の粒子などと関係なく生じるためで，"減衰"というのは以下でみるように古典的な減衰振動の解になっているためだ．

このような線スペクトルのプロファイルを，励起状態から基底状態への振動子遷移として古典的に扱ってみよう．

角振動数を ω_0（$= 2\pi\nu_0$）と置くと，下向き遷移による輻射に伴う系の振動子（oscillator）に対する運動方程式は，以下の式で表される：

$$\ddot{x} = -\omega_0^2 x + \frac{2e^2}{3m_e c^3}\dddot{x}. \tag{8.10}$$

右辺第 2 項が小さいという近似で上式を時間微分し，$\dddot{x}$ を上式右辺の第 2 項へ入れると，以下の形にできる：

$$\ddot{x} = -\omega_0^2 x - \Gamma \dot{x}, \tag{8.11}$$

$$\Gamma \equiv \frac{2e^2\omega_0^2}{3m_e c^3} = \frac{8\pi^2 e^2 \nu_0^2}{3m_e c^3} = 2.47 \times 10^{-22}\nu_0^2 \quad \text{s}^{-1}. \tag{8.12}$$

ここで，減衰定数 Γ（$\ll \omega_0$）は下向き遷移確率（アインシュタイン係数 A_{ul}）とみることができる．

方程式の解として，$x = x_0 e^{\lambda t}$ を仮定すると，

$$\lambda^2 + \Gamma\lambda + \omega_0^2 = 0 \tag{8.13}$$

が得られ，$\Gamma \ll \omega_0$ から，$\lambda = -\Gamma/2 \pm i\omega_0$ となり，結局，以下が得られる：

$$x = x_0 e^{-\Gamma t/2 \pm i\omega_0 t}. \tag{8.14}$$

これは古典的な減衰振動の解に他ならない．

電磁波の振幅は $\ddot{x}$ に比例するので，電場はこの解と同じ時間依存性をもつ：

$$E(t) = E_0 e^{-\Gamma t/2 \pm i\omega_0 t}. \tag{8.15}$$

この電場をフーリエ分解することによって，

$$E(\omega)d\omega = \frac{d\omega}{2\pi}\int_0^\infty E(t)e^{i\omega t}dt = \frac{E_0 d\omega}{2\pi}\int_0^\infty e^{-\Gamma t/2 + i(\omega \pm \omega_0)t}dt$$

$$= \frac{E_0}{2\pi}\frac{1}{-i(\omega \pm \omega_0) + \Gamma/2}d\omega, \tag{8.16}$$

あるいは以下の表現を得る（$\nu \sim \nu_0$ とする）：

$$E(\nu)d\nu = \frac{E_0}{2\pi}\frac{1}{-i(\nu - \nu_0) + \Gamma/(4\pi)}d\nu. \tag{8.17}$$

これからスペクトル線強度 $I(\nu) \equiv |E(\nu)|^2$ と全強度 I_0 は，それぞれ，

$$I(\nu) \equiv |E(\nu)|^2 = \frac{E_0^2}{(2\pi)^2} \frac{1}{(\nu - \nu_0)^2 + (\Gamma/4\pi)^2}, \tag{8.18}$$

$$I_0 \equiv \int_{-\infty}^{\infty} I(\nu) d\nu = \frac{E_0^2}{(2\pi)^2} \int_{-\infty}^{\infty} \frac{1}{(\nu - \nu_0)^2 + (\Gamma/4\pi)^2} d\nu,$$

$$= \frac{E_0^2}{(2\pi)^2} \left[\frac{1}{\Gamma/4\pi} \arctan\left(\frac{\nu}{\Gamma/4\pi}\right) \right]_{-\infty}^{\infty} = \frac{E_0^2}{\Gamma} \tag{8.19}$$

のようになる.あるいは,スペクトル線強度を全強度で規格化して,

$$I(\nu) = I_0 \phi(\nu), \quad \phi(\nu) \equiv \frac{\Gamma/(4\pi^2)}{(\nu - \nu_0)^2 + (\Gamma/4\pi)^2} \tag{8.20}$$

と表すことができる.ここで $\phi(\nu)$ は,自然放射の線輪郭を表す規格化された関数で,**ローレンツ・プロファイル**(Lorentz profile)と呼ばれる.また Γ の項は**輻射減衰**(radiative damping)と呼ばれ,中心振動数から離れるにつれ ν^{-2} で拡がる裾野は**減衰翼**(damping wing)と呼ばれる(図 8.6)[*5,*6].

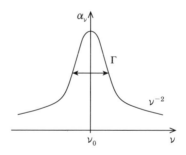

図 8.6 ローレンツ・プロファイル/減衰翼の形状.

自然放射のプロファイルに対応して,粒子 1 個当りの吸収断面積 a_ν^{ij} は,

$$a_\nu^{ij} = \frac{\pi e^2}{m_e c} f_{ij} \frac{\Gamma/(4\pi^2)}{(\nu - \nu_0)^2 + (\Gamma/4\pi)^2} \tag{8.21}$$

と表すことができる $\left(\int_0^\infty a_\nu^{ij} d\nu = \pi e^2 f_{ij}/m_e c \right)$.ここで f_{ij} は量子力学的な取

[*5] もし,$x = (\nu - \nu_0)/[\Gamma/(4\pi)]$ と置けば,$\phi(x) = 1/[\pi(1+x^2)]$ と表せる.

[*6] ローレンツ・プロファイル $\phi(\nu)$ は,$\nu = \nu_0$ のときに最大値 $\phi_0 = 4/\Gamma$ を取る.また最大値の半値 $2/\Gamma$ になるのは,$\nu_{1/2} = \nu_0 \pm \Gamma/(4\pi)$ のときなので,ローレンツ・プロファイルの半値幅は $\Delta\nu_{1/2} = \Gamma/(2\pi)$ となる.典型的な遷移では,10^{-5} nm 程度である.

り扱いをしたときに現れる量で，**振動子強度**（oscillator strength）あるいは **f 値**（f value）と呼ばれる（2 章）．それぞれの原子準位で f 値は異なっており，多くの場合は実験によって求められる[*7]．

なお，アインシュタイン係数との関係は，f_{ij} を考慮すると以下となる：

$$A_{ij} = \frac{8\pi\nu^2}{c^2}\frac{\pi e^2}{m_e c} f_{ij}. \tag{8.22}$$

不確定性関係によれば，時間を $\Delta t \sim \Gamma^{-1}$，エネルギーを $h\Delta\nu$ として，$\Gamma^{-1}h\Delta\nu \sim \hbar$ である．したがって，$\Delta\nu = \Gamma/(2\pi)$ となる．このことは，スペクトル線の幅は不確定性関係によるものであることを表している．ローレンツ・プロファイルは量子力学で決まっているため，ある振動数で吸収された光は同じ振動数で再放射される（後述）．

光を放射あるいは吸収している原子と他の粒子（イオン，電子，同種の原子）の衝突が起こると，当該のスペクトル線に関連する原子準位が乱されてエネルギーが変化する．その結果，スペクトル線の広がりが生じるが，これは**衝突広がり**（collisional broadening）とか**圧力広がり**（pressure broadening）と呼ばれる．衝突が瞬時に起こるような場合には，圧力広がりによるプロファイルは自然減衰のプロファイルと同じ形になるので，放射性減衰の減衰定数 $\Gamma_{\rm rad}$ と衝突減衰の減衰定数 $\Gamma_{\rm coll}$ を単純に足した $\Gamma_{\rm rad} + \Gamma_{\rm coll}$ を全減衰定数と置き換えればよい．衝突減衰の減衰定数 $\Gamma_{\rm coll}$ は，単位時間当りの平均衝突回数で決まる[*8]．

高温度の主系列星（たとえばベガ）の水素吸収線は，圧力広がりの影響を強く受けて，非常に裾野の広がったプロファイルを示す（図 8.7）．

8.2.2　ドップラー・プロファイル（熱運動による広がり）

輝線の放射体が（視線方向に）速度 v で運動しているとき，ドップラー効果によって，観測される振動数 ν と静止系（実験室系）での遷移線の振動数 ν_0 の間には，次の関係式が成り立つ：

$$\nu - \nu_0 = \frac{v}{c}\nu_0. \tag{8.23}$$

[*7] Hα では $f = 0.6407$，Hβ では $f = 0.1193$，Hγ では $f = 0.0447$ など．
[*8] 詳細はたとえば Lybicki and Lightman (1979) など．

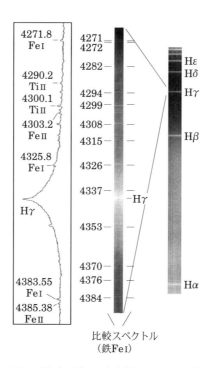

図 8.7 こと座 α 星(ベガ)の高分散スペクトル(岡山天体物理観測所+粟野諭美他『宇宙スペクトル博物館』).高温度で大気密度が高いため圧力広がりの影響が強く出ている.

とくに媒質の粒子が熱運動している場合には,各粒子はさまざまな方向に熱運動しているため,視線速度のバラツキによって遷移線に幅が生じる.これを**ドップラー広がり**(Doppler broadening)という.そのプロファイル $\phi(\nu)$ を導こう.

媒質が温度 T の熱平衡になっていれば,粒子の速度分布 $f(v)$ は(視線方向)1次元マクスウェル分布になる(付録):

$$f(v)dv = \left(\frac{m}{2\pi k_\mathrm{B} T}\right)^{1/2} e^{-v^2/v_\mathrm{th}^2} dv, \quad v_\mathrm{th} \equiv \sqrt{\frac{2k_\mathrm{B} T}{m}}. \tag{8.24}$$

ここで v_th は粒子の熱速度(マクスウェル分布の最大確率速度とする)である.

スペクトル線の広がり(ドップラー幅)$\Delta\nu_\mathrm{D}$ を,

$$\Delta\nu_\mathrm{D} \equiv \frac{v_\mathrm{th}}{c}\nu_0 = \frac{\nu_0}{c}\sqrt{\frac{2k_\mathrm{B} T}{m}} \tag{8.25}$$

のように定義しよう $(v \ll c, \Delta\nu_\mathrm{D} \ll \nu_0)$. そうすると, $v = c(\nu - \nu_0)/\nu_0$, $dv = cd\nu/\nu_0$ などから, マクスウェル分布による振動数の広がりは,

$$\phi(\nu)d\nu \propto \exp\left[-\frac{(\nu-\nu_0)^2}{(\Delta\nu_\mathrm{D})^2}\right]d\nu \tag{8.26}$$

となることがわかる. 規格化して遷移線のプロファイルは, 以下となる:

$$\phi(\nu) = \frac{1}{\Delta\nu_D\sqrt{\pi}}\exp\left[-\frac{(\nu-\nu_0)^2}{(\Delta\nu_\mathrm{D})^2}\right]. \tag{8.27}$$

これが**ドップラー・プロファイル**(Doppler profile)である[*9].

このプロファイルでは, ある振動数で吸収された光は, 原子の熱運動によるドップラー効果によって, プロファイル内の別の振動数で再放射される. これを振動数の完全再分配という(後述).

なお, もし熱運動以外に乱流速度場 ξ が存在し, その速度場もガウス分布に従う場合, 実効的なドップラー幅は以下のように表せる:

$$\Delta\nu_D \equiv \frac{\nu_0}{c}\sqrt{\frac{2k_\mathrm{B}T}{m}+\xi^2}. \tag{8.28}$$

図 8.8 に分子の輝線スペクトルの例を示す. 分子雲の場所による線幅の違いから, 星間分子雲における乱流速度の影響が見て取れる.

8.2.3 フォークト・プロファイル(合成線輪郭)

実際に観測される線プロファイルは, ローレンツ・プロファイルをもった個々の線が, さらに熱運動で拡がったものとなる(図 8.9). 具体的には, ローレンツ・プロファイルの中心振動数 ν_0 が, 観測される振動数としては $\nu = \nu_0 + (v/c)\nu_0 = \nu_0(1+v/c)$ となることを考慮して, ローレンツ・プロファイルをマクスウェル分布で以下のように**畳み込み**(convolution)積分すればよい:

$$\begin{aligned}\alpha_\nu &= \int_{-\infty}^{\infty}\alpha_\nu^{ij}(\nu_0\to\nu_0(1+v/c))f(v)dv \\ &= \frac{\pi e^2}{mc}f_{ij}\frac{1}{\sqrt{\pi}}\int_{-\infty}^{\infty}\frac{\Gamma/(4\pi^2)e^{-v^2/v_\mathrm{th}^2}}{(\nu-\nu_0-\nu_0 v/c)^2+(\Gamma/4\pi)^2}\frac{dv}{v}\end{aligned}$$

[*9] もし, $x = (\nu-\nu_0)/\Delta\nu_\mathrm{D}$ と置けば, $\phi(x) = (1/\sqrt{\pi})\exp(-x^2)$ と表せる.

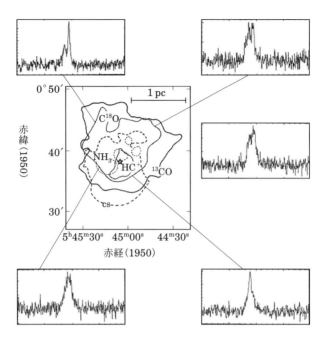

図 **8.8** 分子輝線の線幅の観測により星間ガスにおける乱流速度が測定される（第 1 巻 9.4 節）（Caselli & Myers 1995）．

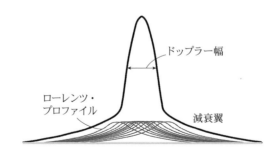

図 **8.9** フォークト・プロファイル．

$$= \frac{\pi e^2}{mc} f_{ij} \frac{1}{\Delta\nu_D} \sqrt{\pi} H(a, x). \tag{8.29}$$

ここで最後の行に $H(a, x)$ とまとめられたものは**フォークト関数**（Voigt function）として知られている関数で，

で減衰定数や無次元量を定義すると，以下のように表される（図 8.10）[*10]：

$$a \equiv \frac{\Gamma}{4\pi}\frac{1}{\Delta\nu_{\rm D}}, \quad x \equiv \frac{\nu - \nu_0}{\Delta\nu_{\rm D}}, \quad y \equiv \frac{\Delta\nu}{\Delta\nu_{\rm D}} \tag{8.30}$$

$$H(a,x) \equiv \frac{a}{\pi}\int_{-\infty}^{\infty}\frac{e^{-y^2}}{(x-y)^2 + a^2}dy. \tag{8.31}$$

フォークト関数は粗い近似では，

$$H(a,x) \sim e^{-x^2} + \frac{a^2}{\sqrt{\pi}x^2} \tag{8.32}$$

と表せる[*11]．すなわち，図 8.10（左）にも示すように，フォークト関数は熱運動による広がりを表す中心部の**ドップラー核**（Doppler core）と，自然減衰などによる**減衰翼**（damping wing）からなっている．そして減衰定数 a が大きいと減衰翼が卓越し，小さいとドップラー核が目立つようになる．実際の吸収線のプロファイルは図 8.10（右）のようになる．

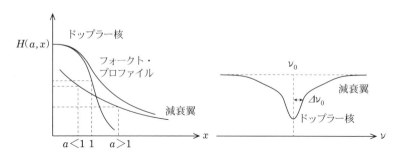

図 **8.10** フォークト関数の振る舞いと実際の吸収線の形．

以上のように合成した線輪郭が**フォークト・プロファイル**（Voigt profile）である．フォークト・プロファイルで，線中心と減衰翼では，しばしば 5 桁の差があ

[*10] フォークト関数の積分は，$\int_{-\infty}^{\infty}H(a,x)dx = \sqrt{\pi}$ となることから，規格化フォークト関数を

$$U(a,x) \equiv \frac{1}{\sqrt{\pi}}H(a,x)$$

で定義することもある $\left(\int U(a,x)dx = 1\right)$．

[*11] 第 2 項目は，a が 1 より大きい場合には a^2 に比例するが，$a \ll 1$ では a に比例する．

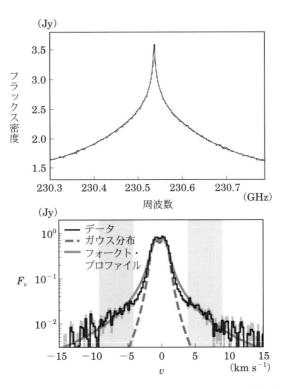

図 **8.11** アルマ電波望遠鏡で検出されたタイタン大気(上,Serigano *et al.* 2016)と原始惑星系円盤(下,Yoshida *et al.* 2022)における CO 輝線プロファイル.下図で,破線はガウス分布,滑らかな実線はフォークト・プロファイル.圧力広がりが見られる.

る.そのため,線中心が光学的に非常に厚くて $\tau \sim 10^5$ でも,減衰翼では $\tau \sim 1$ 程度になる.光学的厚さが大きい媒質の中では,線中心から出た光は強い散乱を受けることになり,なかなか脱出できないが,実際には熱運動によって振動数を変えながら散乱を繰り返すため,次第に減衰翼の波長に移っていき,光学的厚さが小さくなって逃げ出すことができる.

図 8.11 に衛星大気と原始惑星系円盤で観測されたフォークト・プロファイルの例を示す.減衰翼は,恒星や惑星大気のような密度の濃い領域で観測されてきたが,アルマ望遠鏡により,原始惑星系円盤内縁の高密度領域でも検出された.

8.3 線輻射輸送方程式と解析的モデル

恒星大気を念頭に置いて,スペクトル線の輻射輸送の概要を述べ,古典的だが簡単なモデルを考えてみよう.

8.3.1 線輻射輸送方程式

平行平板大気では,スペクトル線を含んだ輻射輸送方程式は,

$$\mu \frac{dI_\nu}{dz} = -(\kappa + \sigma + \ell_\nu)\rho I_\nu + \epsilon_\nu \rho \tag{8.33}$$

のように表すことができる.ここで κ と σ は,それぞれ,連続光の質量吸収係数と質量散乱係数で,ともに,スペクトル線の領域では一定とする.一方,ℓ_ν は線吸収係数で振動数依存性がある.さらに ϵ_ν は連続成分と線成分を合わせた質量放射係数である.

まず線吸収係数の方だが,各レベルにある原子の個数密度を N_i(統計的重み g_i)とすると,先に述べた粒子1個当りの吸収断面積 a_ν を使って,

$$\ell_\nu \rho = N_i a_\nu \left(1 - \frac{g_i}{g_j}\frac{N_j}{N_i}\right) = N_i a_\nu (1 - e^{-h\nu/k_\mathrm{B}T}) \tag{8.34}$$

と表すことができる.あるいは,(8.29) を代入して,

$$\ell_\nu \rho = \ell_0 H(a,x), \quad \ell_0 = \frac{\ell_{ij}}{\sqrt{\pi}\Delta\nu_\mathrm{D}} = \frac{\pi e^2}{mc} f_{ij} N_i (1 - e^{-h\nu/k_\mathrm{B}T}) \frac{1}{\sqrt{\pi}\Delta\nu_\mathrm{D}} \tag{8.35}$$

のように書き直せる(ℓ_{ij} は線不透明度).

つぎに放射係数の方だが,連続成分に対しては,$\epsilon_\nu \rho = \kappa B_\nu + \sigma J_\nu$ であった.一方,線吸収の成分については,線吸収された光子のうち,ε(光子破壊確率)の割合で光子は原子内の熱エネルギーに変換され,熱放射として放出されるとしよう.そして残りの $(1-\varepsilon)$ の割合の光子は同じ波長で再放出される(等方散乱)とする.それぞれ以下のようになる:

$$\epsilon_\nu^{\mathrm{thermal}} = \varepsilon \ell_\nu B_\nu, \tag{8.36}$$

$$\epsilon_\nu^{\mathrm{scatter}} = (1-\varepsilon)\ell_\nu J_\nu. \tag{8.37}$$

これらを入れて,線輻射輸送方程式(8.33)は以下のようになる:

$$\mu\frac{dI_\nu}{dz} = -(\kappa + \sigma + \ell_\nu)\rho I_\nu + \kappa B_\nu + \sigma J_\nu + \varepsilon\ell_\nu B_\nu + (1-\varepsilon)\ell_\nu J_\nu. \quad (8.38)$$

あるいは,線吸収を含む光学的厚みを $d\tau_\nu = -(\kappa + \sigma + \ell_\nu)dz$ で定義すると,

$$\begin{aligned}\mu\frac{dI_\nu}{d\tau} &= I_\nu - \frac{\kappa + \varepsilon\ell_\nu}{\kappa + \sigma + \ell_\nu}B_\nu - \frac{\sigma + (1-\varepsilon)\ell_\nu}{\kappa + \sigma + \ell_\nu}J_\nu \\ &= I_\nu - \frac{(1-\varpi) + \varepsilon\eta_\nu}{1+\eta_\nu}B_\nu - \frac{\varpi + (1-\varepsilon)\eta_\nu}{1+\eta_\nu}J_\nu.\end{aligned} \quad (8.39)$$

と書き直すことができる.ただし, ϖ と η_ν は下記のように定義した:

$$\varpi \equiv \frac{\sigma}{\kappa + \sigma}, \quad \eta_\nu \equiv \frac{\ell_\nu}{\kappa + \sigma}. \quad (8.40)$$

さらに,

$$\lambda_\nu \equiv \frac{(1-\varpi) + \varepsilon\eta_\nu}{1+\eta_\nu} \quad (8.41)$$

と置けば,連続光の輻射輸送方程式と同じ形に整理できる:

$$\mu\frac{dI_\nu}{d\tau} = I_\nu - \lambda_\nu B_\nu - (1-\lambda_\nu)J_\nu = I_\nu - S_\nu. \quad (8.42)$$

ここで $S_\nu\,[=\lambda_\nu B_\nu + (1-\lambda_\nu)J_\nu]$ は線吸収を含んだ源泉関数である.この線輻射輸送方程式は**ミルン–エディントン方程式**と呼ばれている.

このとき,表面での出射強度や輻射流束は以下となる:

$$I_\nu(0,\mu) = \int_0^\infty e^{-\tau_\nu/\mu}S_\nu(\tau_\nu)\frac{d\tau_\nu}{\mu}, \quad (8.43)$$

$$H_\nu(0) = \int_0^\infty E_2(\tau_\nu)S_\nu(\tau_\nu)d\tau_\nu. \quad (8.44)$$

8.3.2 簡単な解析的モデル

係数 $(\varepsilon, \varpi, \eta_\nu, \lambda_\nu)$ は光学的厚みによらないとし,熱放射は光学的厚みに比例すると仮定して,エディントン近似のもとで (8.42) を解いてみよう[*12].

線輻射輸送方程式,0 次のモーメント式,1 次のモーメント式,熱的成分は,形の上では連続スペクトルと同じで,それぞれ,

$$\mu\frac{dI_\nu}{d\tau} = I_\nu - \lambda_\nu B_\nu - (1-\lambda_\nu)J_\nu, \quad (8.45)$$

[*12] 吸収だけの場合は章末問題 8.4 参照,厳密な解については Chandrasekhar(1947).

$$\frac{dH_\nu}{d\tau_\nu} = \lambda_\nu (J_\nu - B_\nu), \tag{8.46}$$

$$\frac{dK_\nu}{d\tau_\nu} = H_\nu, \tag{8.47}$$

$$K_\nu = \frac{1}{3} J_\nu, \tag{8.48}$$

$$B_\nu(\tau_\nu) = a + b\tau = a + b\frac{\tau_\nu}{1+\eta_\nu} \tag{8.49}$$

のようになる.熱的成分 B_ν は光学的厚みに比例すると仮定し,また $\tau \propto \kappa + \sigma$ と $\tau_\nu \propto \kappa + \sigma + \ell_\nu$ から,$\tau = \tau_\nu/(1+\eta_\nu)$ を使った.

エディントン近似 ($K_\nu = J_\nu/3$) を使い,さらに H_ν を消去すると,

$$\frac{1}{3}\frac{d^2}{d\tau_\nu^2}(J_\nu - B_\nu) = \lambda_\nu(J_\nu - B_\nu) \tag{8.50}$$

という微分方程式にまとまり,無限半平面を仮定すると,$\tau_\nu \to \infty$ で発散しない境界条件から,以下の解が選択される(C_ν は積分定数):

$$J_\nu - B_\nu = C_\nu e^{-\sqrt{3\lambda_\nu}\tau_\nu}. \tag{8.51}$$

このとき,H_ν は $H_\nu = dK_\nu/d\tau_\nu = (1/3)dJ_\nu/d\tau_\nu$ から決まる.

さらに表面での境界条件として,

$$H_\nu(0) = \frac{1}{2}J_\nu(0) \tag{8.52}$$

を課すと,積分定数は,

$$C_\nu = \frac{\dfrac{2}{3}\dfrac{b}{1+\eta_\nu} - a}{1 + \dfrac{2}{3}\sqrt{3\lambda_\nu}} \tag{8.53}$$

となり,解は最終的に以下のように表される:

$$J_\nu(\tau_\nu) = a + \frac{b}{1+\eta_\nu}\tau_\nu + \frac{\dfrac{2}{3}\dfrac{b}{1+\eta_\nu} - a}{1 + \dfrac{2}{3}\sqrt{3\lambda_\nu}} e^{-\sqrt{3\lambda_\nu}\tau_\nu}, \tag{8.54}$$

$$H_\nu(\tau_\nu) = \frac{1}{3}\left(\frac{b}{1+\eta_\nu} - \frac{\dfrac{2}{3}\dfrac{b}{1+\eta_\nu} - a}{1 + \dfrac{2}{3}\sqrt{3\lambda_\nu}}\sqrt{3\lambda_\nu}e^{-\sqrt{3\lambda_\nu}\tau_\nu}\right). \tag{8.55}$$

この解から，表面での輻射流束として，

$$H_\nu(0) = \frac{1}{3}\frac{\dfrac{b}{1+\eta_\nu} + a\sqrt{3\lambda_\nu}}{1+\dfrac{2}{3}\sqrt{3\lambda_\nu}} \tag{8.56}$$

が得られる．また連続成分は，$\eta_\nu = 0$, $\lambda_\nu = 1 - \varpi$ として，以下のようになる：

$$H_c(0) = \frac{1}{3}\frac{b + a\sqrt{3\lambda_\nu}}{1+\dfrac{2}{3}\sqrt{3\lambda_\nu}} = \frac{b + a\sqrt{3(1-\varpi)}}{1+\dfrac{2}{3}\sqrt{3(1-\varpi)}}. \tag{8.57}$$

残差強度は $R_\nu = H_\nu(0)/H_c(0)$ である．

例題 8.1 連続成分は吸収のみだが，スペクトル線は散乱のみの場合はどうなるか．またスペクトル線も吸収のみならばどうか．

解答 まず連続成分が吸収のみ（$\varpi = 0$）で線成分が散乱のみ（$\varepsilon = 0$）の場合，$\lambda_\nu = 1/(1+\eta_\nu)$ となり，上記の解析解および残差強度は以下のようになる：

$$H_\nu(0) = \frac{1}{3}\frac{b/(1+\eta_\nu) + a\sqrt{3/(1+\eta_\nu)}}{1+(2/3)\sqrt{3/(1+\eta_\nu)}}$$

$$H_c(0) = \frac{1}{3}\frac{b + a\sqrt{3}}{1+(2/3)\sqrt{3}},$$

$$R_\nu = \frac{[1+(2/3)\sqrt{3}][b/(1+\eta_\nu) + a\sqrt{3/(1+\eta_\nu)}]}{(b+a\sqrt{3})[1+(2/3)\sqrt{3/(1+\eta_\nu)}]}.$$

このとき，線成分のコアが非常に強い場合（$\eta_\nu \to \infty$），$R_\nu \to 0$ となる．

つぎに 線成分も吸収のみ（$\varepsilon = 1$）の場合（LTE），残差強度は以下となる：

$$R_\nu = 1 - \frac{b/3}{a/2 + b/3}\frac{\eta_\nu}{1+\eta_\nu}.$$

このときは，線成分が非常に強い場合（$\eta_\nu \to \infty$），$R_\nu = a/(a+b/\sqrt{3})$ となって線中心でも有意な値が残る．

上記の違いの物理的意味は以下のようなことである．線吸収の割合 η_ν が大きいのは表面近傍を見ていることに相当する．スペクトル線光子が散乱のみで深部から輸送されてきている場合，表面近傍で破壊された線光子は吸収されるのみで再放出されないため，線光子の放射はなく $R_\nu \sim 0$ となる．一方，スペクトル線光子も吸収・放射を繰り返しながら輸送されている場合，表面近傍でも線光子が放射され，

表面近傍のプランク放射に相当する有意な強度が残る．さらにもし温度勾配がなければ（$b=0$），$R_\nu=1$ となり，スペクトル線は生じない．　■

8.4　スペクトル線の成長曲線

ここでスペクトル線の強さを表す等価幅の**成長曲線**（curve of growth）について簡単にまとめておこう（詳細は，Hubeny and Mihalas 2014 などを参照）．

前節までの議論や導出から，連続成分が吸収のみ（$\varpi=0$）で，線成分も吸収のみ（$\varepsilon=1$）であり，黒体輻射が光学的厚みに比例する（$B=a+b\tau$）場合，吸収の深さ A_ν は，(8.3) より以下となる：

$$A_\nu = 1 - R_\nu = \frac{b/3}{a/2+b/3}\frac{\eta_\nu}{1+\eta_\nu}. \tag{8.58}$$

ここで η_ν は以下のような形に置ける：

$$\eta_\nu = \frac{\ell_\nu}{\kappa+\sigma} = \frac{\ell_0}{\kappa+\sigma}H(a,x). \tag{8.59}$$

これらの表現を等価幅 (8.4) へ代入し整理すると，

$$\frac{W}{2A_0\Delta\nu_\mathrm{D}} = \int_0^\infty \frac{\eta_0 H(a,x)}{1+\eta_0 H(a,x)}dx \tag{8.60}$$

という形にまとめ直すことができる．ただしここで，$A_0 \equiv (b/3)/(a/2+b/3)$ は大気構造に関連した係数部分で括り出したので，全体の詳細には関与しない．またドップラー幅 $\Delta\nu_\mathrm{D}$ も括り出してある．一方，$\eta_0 \equiv \ell_0/(\kappa+\sigma)$ は連続成分に対する線成分の強さを表す因子で，この大きさがスペクトル線の強度を決めることになる．このような形にまとめ直すと，右辺の量が，η_0 をパラメータとして，スペクトル線（等価幅）の強度を決めるユニバーサルな関数になる．この関数を改めて**換算等価幅**（reduced equivalent width）と定義しよう：

$$\Phi(\eta_0) \equiv \int_0^\infty \frac{\eta_0 H(a,x)}{1+\eta_0 H(a,x)}dx. \tag{8.61}$$

以下，パラメータ η_0 の変化とともに，吸収線の形状や換算等価幅の値がどのように変化するのかみていこう（図 8.12，図 8.13）．

まず，吸収原子数が少なく η_0 が小さい間は，ドップラー核が成長し，換算等価

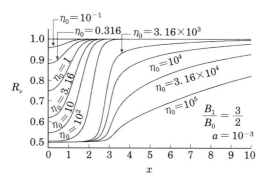

図 **8.12** 線輪郭の変化（Mihalas 1970）．$B = B_0 + B_1\tau$ と置いてある．

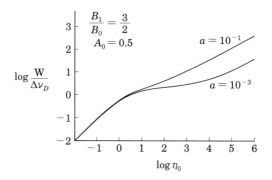

図 **8.13** 成長曲線（Mihalas 1970）．

幅はほぼ η_0 に比例して増加する．具体的には，$\eta_0 \ll 1$ では以下となる：

$$\Phi(\eta_0) \sim \int_0^\infty \frac{\eta_0 e^{-x^2}}{1 + \eta_0 e^{-x^2}} dx \sim \frac{\sqrt{\pi}}{2}\eta_0. \tag{8.62}$$

つぎに，吸収原子数の増加とともに（η_0 中程度），吸収線は限界深度に達して飽和し，増加はしばらく抑制される（章末問題 8.6 参照）：

$$\Phi(\eta_0) \propto \sqrt{\log \eta_0}. \tag{8.63}$$

最後に，吸収原子数が十分に増えて η_0 が十分大きくなると，減衰翼が成長して，換算等価幅は再び大きくなる（章末問題 8.6 参照）：

$$\Phi(\eta_0) \propto \sqrt{\eta_0}. \tag{8.64}$$

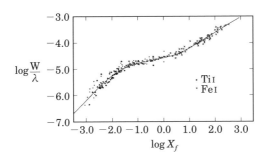

図 **8.14** 太陽の元素で得られた経験的な成長曲線(Wright 1948).

以上の振る舞いの結果,図 8.13 のような成長曲線が得られる.実際に得られた経験的な成長曲線を図 8.14 に示しておく.詳細は参考文献に譲るが,標準星(たとえば太陽)の物理量を設定して得られたモデル成長曲線と,目的星の観測から得られる成長曲線は,横軸方向にも縦軸方向にもずれている.それらのズレから目的星の元素組成などを見積もることができる.

8.5 完全再分配と部分再分配

原子による光子の吸収・放出・散乱では,2.6 節でまとめたように,自然放射,光子の吸収による励起,誘導放射,衝突励起および脱励起など,さまざまな過程と組み合わせがある[*13].スペクトル線内の光子は,このような過程を通じて吸収・放射されているが,その際,ガスの熱運動や衝突効果そして量子力学的効果などで,振動数が多少変化する.

熱運動や衝突効果による振動数変化の場合,ランダムなプロセスによるものなので,吸収された光子の振動数と再放射された光子の振動数の間に相関はなく,吸収された光子はドップラー核($2\Delta\nu_\mathrm{D}$)のどこかの振動数に再分配される(図 8.15 (左)).これを**完全再分配**(complete redistribution;CRD)と呼ぶ.原子の共動系では散乱の振動数は変わらなくても,原子の熱運動によってドップラー核へ再

[*13] たとえば,Lyα 光子の吸収と再放射では,励起状態における自然放射のアインシュタイン係数が,$A = 6.26 \times 10^8\,\mathrm{s}^{-1}$ と大きいため,励起状態での滞在時間は非常に短く,吸収したらすぐに再放射が起こる.したがって,この一連の過程はある種の散乱とみなすことができ,**共鳴散乱**(resonant scattering)と呼ばれる.

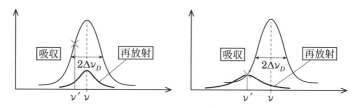

図 8.15 完全再分配（左）と部分再分配（右）．完全再分配では線中心の振動数のまわりで再分配するが，部分再分配では吸収したときの振動数のまわりで再分配する．

分配される．完全再分配では，自然放射および誘導放射のプロファイル関数は吸収プロファイル関数と同じになる．

一方，ローレンツ・プロファイルの減衰翼で吸収された光子は，放射減衰が衝突減衰を上回っていれば，量子力学的効果によって吸収されたときの振動数で再放射され（**コヒーレント散乱**と呼ぶ），衝突作用によってその振動数周辺に再分配される（図 8.15（右））．熱運動による振動数偏移が起きたとしても，ドップラー・コアに戻ることはなく，熱運動の分だけ広がるだけである．したがって，フォークト・プロファイルの場合は，ドップラー核では完全再分配されるが，減衰翼では熱的広がりをもつコヒーレント散乱されることになる．これを**部分再分配**（partial redistribution；PRD）と呼ぶ[*14,*15]．

しかし，ガスの密度が低くて，吸収・再放射の間に原子が熱的に緩和する時間がない場合には，吸収した原子が速度を変えることなく再放射が起きる．この場合，ある振動数の光を吸収した原子が，光の入射と平行な速度 $v_\parallel$ をもつ確率分布は，フォークト・プロファイルの図からも分かるように，

$$f(v_\parallel) = \frac{a}{\pi} \frac{e^{-u_\parallel^2}}{a^2 + (x - u_\parallel)^2} H(a,x)^{-1}, \quad u_\parallel \equiv v_\parallel \left(\frac{2k_\mathrm{B} T}{m}\right)^{-1/2} \quad (8.65)$$

[*14] コヒーレント散乱だと源泉関数は $S_\nu = \int J_\nu \delta(\nu - \nu_0) d\nu = J_\nu$ となるが，完全再分配だと $S_\nu = \int J_\nu \phi(\nu) d\nu$ となる．

[*15] 恒星大気の場合，密度の高い大気深部では通常は衝突減衰が放射減衰よりはるかに大きい．このことは，減光の小さい減衰翼の外翼部は大気深部で形成されることを意味する．したがって，一般的には，スペクトル線の核部はドップラー効果で再分配され，内翼部はコヒーレント散乱され，外翼部は衝突によって再分配されることになる．

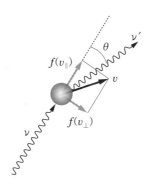

図 **8.16** 光の再放射方向と速度成分.

で与えられる．一方，垂直な方向の速度 $v_\perp$ をもつ確率分布は，マックスウェル分布：

$$f(v_\perp) = \left(\frac{m}{2\pi k_B T}\right)^{1/2} e^{-mv_\perp^2/2k_B T} \tag{8.66}$$

である．よって，図 8.16 のように θ 方向に再放射されるとき，入射光に平行な速度成分は（8.65），垂直な速度成分は（8.66）で決まる分布関数によって全速度が決まり，この全速度によるドップラー効果によって振動数偏移が起きる．

振動数 ν' で方向 $\bm{n}'$ から来た光が，振動数 ν で方向 $\bm{n}$ に散乱される確率：

$$R(\nu, \bm{n}; \nu', \bm{n}')d\nu d\bm{n} d\nu' d\bm{n}' \tag{8.67}$$

を**再分配関数**（redistribution function）といい，規格化条件を満たす：

$$\int d\nu \int d\bm{n} \int d\nu' \int d\bm{n}' R(\nu, \bm{n}; \nu', \bm{n}') = 1. \tag{8.68}$$

角度方向に平均化された再分配関数は，

$$R(\nu; \nu')d\nu d\nu' \tag{8.69}$$

で表され，プロファイル関数とは以下の関係に対応する：

$$\int R(\nu; \nu')d\nu' = \phi(\nu). \tag{8.70}$$

このとき，散乱による源泉関数は，

$$S_\nu = \frac{1}{4\pi\phi(\nu)} \int R(\nu; \nu') I_{\nu'} d\nu' d\Omega' = \frac{1}{\phi(\nu)} \int R(\nu; \nu') J_{\nu'} d\nu' \tag{8.71}$$

となり,熱成分を合わせると以下のようになる：

$$S_\nu = \varepsilon_\nu B_\nu + (1-\varepsilon_\nu)\frac{1}{\phi(\nu)}\int R(\nu;\nu')J_{\nu'}d\nu'. \tag{8.72}$$

なお,ハンマー (Hummer 1962) は,部分再分配が起こる場合を次の4種類に分類した.

R_I：自然幅はなく,原子静止系で散乱前後の振動数変化は起きず,熱運動によるドップラー効果で振動数が再分配される場合

R_II：輻射減衰による自然幅があり,原子静止系で散乱前後の振動数変化は起きず,熱運動によるドップラー効果で振動数が再分配される場合

R_III：輻射減衰と衝突減衰の両方による自然幅があり,原子静止系で散乱前後に衝突減衰による振動数の完全再分配が起り,これに熱運動によるドップラー効果が加わる場合

R_IV：散乱の前と後でともに輻射減衰による自然幅をもって再分配される場合

また,等方散乱の場合は A を付けて $R_\mathrm{I-A}$ のように,双極型散乱の場合は B を付けて $R_\mathrm{I-B}$ のように表す.これにしたがうと,上述のフォークト・プロファイルによる (8.65), (8.66) の等方的再分配は,$R_\mathrm{II-A}$ で表される.

8.6 ガスの運動と線輻射輸送

恒星大気を診断するツールとしてスペクトル線の解析は重要だが,動的な大気においてもスペクトル線は重要な役割を果たす.

8.6.1 ソボレフ近似

輝線・吸収線光子の再分配が起きるときの輻射輸送は,厳密にはライン・プロファイルを振動数分解して解く必要がある.ただし,そのための計算コストは非常に大きくなり,また散乱問題を含むので収束性の問題も発生する[16].ここでは,輻射輸送の問題を脱出確率の計算に置き換える**ソボレフ近似**(Sobolev approximation)を説明しよう (Sobolev 1947,1957,1960)[17].

ウォルフ-ライエ星などの恒星風や新星や超新星そして降着円盤風など,散乱体

---

[16] 現在はコンピュータ性能の向上によって,モンテカルロ法で直接に計算する方法も使われる.

[17] 一般化など詳細は,Peraiah (2002), Castor (2004), Hubeny and Mihalas (2014).

内部に熱運動以外の速度構造がある場合，ドップラー効果によって吸収振動数が変わるため，吸収率が下がって光学的厚みが小さくなる．すなわち，大きな速度勾配があれば，光子の脱出確率は非常に増加する．そのような状況に対して開発されたのがソボレフ近似だが，大きな速度勾配を前提としていることから，**大速度勾配近似** LVG（large velocity gradient theory）とも呼ばれる．

(1) 脱出確率

光子の**脱出確率**（escape probability）は，媒質内のある場所で放射された光子が，吸収も散乱も受けずに，媒質外へと脱出できる確率である．ソボレフ近似による具体的な計算は後で行うが，光子の進行方向 $\bm{l}$ への光学的厚みを $\tau_\nu(\bm{l})$ とすると，脱出確率 $\beta_\nu(\bm{l})$ は，以下で定義される：

$$\beta_\nu(\bm{l}) = e^{-|\tau_\nu(\bm{l})|}. \tag{8.73}$$

また，ある方向への脱出確率（angle-dependence escape probability）と，平均脱出確率（average escape probability）は，それぞれ以下で定義される：

$$\beta(\bm{l}) = \int_0^\infty \phi(\nu)\beta_\nu(\bm{l})d\nu, \quad \beta = \frac{1}{4\pi}\oint d\Omega \int_0^\infty \phi(\nu)\beta_\nu(\bm{l})d\nu. \tag{8.74}$$

(2) ソボレフ長とソボレフ近似の条件

最初に述べたように，ソボレフ近似では媒質の速度勾配が重要になる．そこでまず，ソボレフ近似の特徴的なスケールである**ソボレフ長**（Sobolev length）という量を評価しておこう．ソボレフ長 L_S は，運動している媒質中でソボレフ長だけ離れた場所での速度差によるドップラー偏移が，ちょうどプロファイル関数の幅に等しくなる長さとして定義される．

スペクトル線の線中心の振動数を ν_0 とし，媒質の運動に伴う振動数の偏移を $\nu - \nu_0 = \Delta\nu$ とすると，ドップラー効果から以下の関係が成り立つ：

$$\frac{\nu - \nu_0}{\nu_0} = \frac{\Delta\nu}{\nu_0} = \frac{v}{c} = \frac{1}{c}|\bm{\nabla v}|s. \tag{8.75}$$

ここで $\bm{\nabla v}$ は媒質の速度勾配で，s は速度勾配方向の距離である．一方，ライン・プロファイルのドップラー幅は，熱運動速度を v_th として，

$$\Delta\nu_\mathrm{D} = \nu_0 \frac{v_\mathrm{th}}{c} \tag{8.76}$$

で定義された．これらを等しいと置き，s をソボレフ長 L_S とすれば，

$$L_\mathrm{S} = \frac{c}{\nu_0} \frac{\Delta\nu_\mathrm{D}}{|\boldsymbol{\nabla v}|} = \frac{v_\mathrm{th}}{|\boldsymbol{\nabla v}|} \tag{8.77}$$

が得られる．ソボレフ長は，媒質の温度や元素組成そして速度勾配のみで決まり，振動数に依存しない点に注意してほしい．その結果，ソボレフ長はあらゆるスペクトル線で同じになる．

媒質の典型的なスケールを L とすると，ソボレフ近似が成り立つ条件は，

$$L_\mathrm{S} \ll L \tag{8.78}$$

である．あるいは，媒質の典型的な速度を V とし，$|\boldsymbol{\nabla v}| \sim V/L$ と置くと，近似が妥当な条件として，

$$v_\mathrm{th} \ll V \tag{8.79}$$

が得られる．熱運動速度は音速程度なので，ソボレフ近似は超音速領域で成り立つ近似だといえる[*18]．

媒質中で放射された光子は，媒質の運動に伴ってソボレフ長だけ進むと，媒質の速度勾配によって線幅分だけドップラー偏移し，吸収や散乱を受けることがなくなって，光子が生まれた領域から容易に脱出できるようになる．では，その脱出確率を具体的に導出してみよう．

(3) 脱出確率の計算

脱出確率を β_ν，プロファイル関数を $\phi(\nu)$ とすると，放射係数と散乱係数は，それぞれ以下のように表せる：

$$\eta_\nu = nh\nu A_{ji}\beta_\nu, \tag{8.80}$$
$$\alpha_\nu = \frac{nh\nu B_{ij}}{c}\phi(\nu)\left(1 - \frac{n_j g_i}{n_i g_j}\right). \tag{8.81}$$

また振動数積分した散乱係数を $\alpha_\mathrm{L}\,[\mathrm{cm}^{-1}]$ と置く：

$$\alpha_\mathrm{L} = \int \alpha_\nu d\nu. \tag{8.82}$$

[*18] ウォルフ–ライエ星などの恒星風では，$v_\mathrm{th} \sim 30\,\mathrm{km\,s^{-1}}$ に対し，$V \sim 3000\,\mathrm{km\,s^{-1}}$ もある．

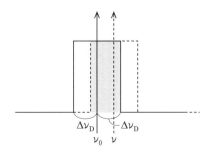

図 **8.17** 矩形プロファイルのドップラー偏移.

ここで簡単のために，プロファイル関数をドップラー幅 $\Delta\nu_{\rm D}$ $(=v_{\rm th}\nu_0/c)$ をもった矩形分布で近似しよう（図 8.17）：

$$\phi(\nu)=\frac{1}{2\Delta\nu_{\rm D}}, \quad \nu_0-\Delta\nu_{\rm D}\leqq\nu\leqq\nu_0+\Delta\nu_{\rm D}. \tag{8.83}$$

このとき，振動数のずれ $\nu-\nu_0=\Delta\nu$ がプロファイル関数の幅より大きくなると脱出するので，全吸収係数は以下のように計算される：

$$\begin{aligned}\alpha &= \int_0^\infty e^{-\alpha_{\rm L}s}(1-\beta)\alpha_{\rm L}ds = \int_0^\infty e^{-\alpha_{\rm L}s}\left(1-\frac{\nu-\nu_0}{2\Delta\nu_{\rm D}}\right)\alpha_{\rm L}ds \\ &= \int_0^\infty e^{-\alpha_{\rm L}s}\left(1-\frac{|\boldsymbol{\nabla v}|s}{2v_{\rm th}}\right)\alpha_{\rm L}ds = 1-\frac{|\boldsymbol{\nabla v}|}{2v_{\rm th}\alpha_{\rm L}}.\end{aligned} \tag{8.84}$$

よって，全脱出確率 β は以下のように表せる：

$$\beta=\frac{|\boldsymbol{\nabla v}|}{2v_{\rm th}\alpha_{\rm L}}=\frac{1}{\tau_{\rm S}}. \tag{8.85}$$

ただしここで，

$$\tau_{\rm S}\equiv\frac{2v_{\rm th}\alpha_{\rm L}}{|\boldsymbol{\nabla v}|}=2L_{\rm S}\alpha_{\rm L} \tag{8.86}$$

は速度勾配から定義した局所的光学的厚みで，**ソボレフ光学的厚み**（Sobolev optical depth）と呼ばれる．このソボレフ光学的厚みは，通常の光学的厚みとは異なり，各場所の局所的な物理量から決まる局所的パラメータである．

さらに一般化された脱出確率（Castor 1970）は以下のようになる：

$$\beta=\frac{1-e^{-\tau_{\rm S}}}{\tau_{\rm S}}, \quad \tau_{\rm S}\equiv\frac{2v_{\rm th}\alpha_{\rm L}}{|\boldsymbol{\nabla v}|}. \tag{8.87}$$

（4）源泉関数の計算

脱出確率 β を使うと，平均強度 $\bar{J}_\nu(\tau)$ は，源泉関数 $S_\nu(\tau)$ から，

$$\bar{J}_\nu(\tau) = (1-\beta)S_\nu(\tau) \tag{8.88}$$

で与えられる[19]．一方，源泉関数は，$S_\nu = \varepsilon B_\nu + (1-\varepsilon)\bar{J}_\nu$ なので，$\bar{J}_\nu$ を消去し，連立して，源泉関数および平均強度は以下となる：

$$S_\nu(\tau) = \frac{\varepsilon B_\nu(\tau)}{(1-\varepsilon)\beta + \varepsilon}, \quad \bar{J}_\nu(\tau) = \frac{(1-\beta)\varepsilon B_\nu(\tau)}{(1-\varepsilon)\beta + \varepsilon}. \tag{8.89}$$

ソボレフ光学的厚みが局所量なので，脱出確率も局所的に定まり，散乱の入った輻射輸送方程式を解かなくても，源泉関数や平均強度が得られるのだ．これがソボレフ近似の大きな利点である．

8.6.2 完全再分配による1次脱出確率

厚さ s_0 の無限平行平板を仮定して[20]，ソボレフ近似における線輻射輸送を考えてみよう．簡単のために完全再分配とする．

吸収係数 α_ν は（8.9）より，線中心の振動数を ν_0 として，

$$\alpha_\nu = na_\nu = na_L\phi(\nu) = \alpha_L\phi(x) \tag{8.90}$$

と置けた．ただし，$x = (\nu - \nu_0)/\Delta\nu_D$ である．また，線中心での平行平板全体の光学的厚み τ_0 と，座標 s までの光学的厚み τ は，それぞれ，以下となる：

$$\tau_0 = \int_0^{s_0} \alpha_{\nu_0}(s)ds, \quad \tau = \int_0^{s} \alpha_{\nu_0}(s)ds. \tag{8.91}$$

完全再分配の場合はライン・プロファイル $\phi(x)$ は変わらないので，1次元の放射係数 $\eta(\tau,x)d\tau dx$ は，源泉関数を $S_\nu(\tau)$ として，

$$\eta(\tau,x) = \phi(x)S_\nu(\tau) \tag{8.92}$$

と書ける．無次元化した振動数の変化は，

$$dx = \frac{d\nu}{\Delta\nu_D} = \frac{\nu_0}{\Delta\nu_D}\frac{dv}{c} \tag{8.93}$$

---

[19] 中心光源がある場合や，内部に光源がある場合などにも一般化できる．
[20] 球対称の場合は，たとえば，Castor（1970），Peraiah（2002）など参照．

の形で速度変化と対応する．したがって，$dv/d\tau = $ 一定で，$dv/d\tau \geqq 0$ のとき，

$$dx = x' - x = -\frac{\nu_0}{\Delta\nu_\mathrm{D} c}\frac{dv}{d\tau}|\tau' - \tau| = -\gamma|\tau' - \tau| \qquad (8.94)$$

と表せる．ただしここで，ドップラー幅 $\Delta\nu_\mathrm{D}$ から，以下と置いた：

$$\gamma \equiv \frac{\nu_0}{\Delta\nu_\mathrm{D} c}\frac{dv}{d\tau} = \frac{1}{v_\mathrm{th}}\frac{dv}{d\tau}. \qquad (8.95)$$

以上のもとで，上向き輻射強度 $I_1(\tau, x)$ と下向き輻射強度 $I_2(\tau, x)$ は，それぞれ，以下のように表すことができる：

$$\begin{aligned}
I_1(\tau, x) &= \int_0^\tau S_\nu(\tau')\phi[x + \gamma(\tau - \tau')]\exp\left(-\int_0^{s-s'}\alpha_\nu(s'')ds''\right)d\tau' \\
&= \int_0^\tau S_\nu(\tau')\phi[x + \gamma(\tau - \tau')]\exp\left(-\int_0^{\tau-\tau'}\phi(x + \gamma\tau'')d\tau''\right)d\tau',
\end{aligned} \qquad (8.96)$$

$$I_2(\tau, x) = \int_\tau^{\tau_0} S_\nu(\tau')\phi[x + \gamma(\tau' - \tau)]\exp\left(-\int_0^{\tau'-\tau}\phi(x + \gamma\tau'')d\tau''\right)d\tau'. \qquad (8.97)$$

一方，媒質内の再結合や衝突性励起に伴う内部光源からの直接放射を

$$\eta_*(\tau, x) = \phi(x)S_*(\tau) \qquad (8.98)$$

とし，吸収がないとして上下方向の散乱を考えると，源泉関数は以下となる：

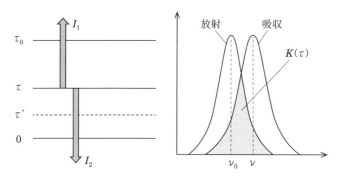

図 **8.18** 平行平板における輻射輸送．

$$S_\nu(\tau) = \frac{A}{2}\int_{-\infty}^{\infty}\left[I_1(\tau,x)+I_2(\tau,x)\right]\phi(x)dx + S_*(\tau), \quad A\int_{-\infty}^{\infty}\phi(x)dx = 1. \tag{8.99}$$

この式に（8.96）と（8.97）を代入して，最終的に以下の式が得られる：

$$S_\nu(\tau) = \frac{1}{2}\int_0^{\tau_0} S_\nu(\tau')K(|\tau'-\tau|)d\tau' + S_*(\tau), \tag{8.100}$$

$$K(\tau) = A\int_{-\infty}^{\infty}\phi(x+\gamma\tau)\exp\left(-\int_0^\tau \phi(x+\gamma\tau')d\tau'\right)\phi(x)dx. \tag{8.101}$$

（1）τ_0 が非常に大きい場合の近似解

媒質の光学的厚み τ_0 が非常に大きい場合，中心部では $S_\nu(\tau)$ は一定と考えて，$S_\nu(\tau') = S_\nu(\tau)$ と近似すると，(8.100) は，

$$S_\nu(\tau) = \frac{1}{2}S_\nu(\tau)\int_0^{\tau_0} K(|\tau'-\tau|)d\tau' + S_*(\tau) \tag{8.102}$$

となる．積分区間を $[0,\tau]$ と $[\tau,\tau_0-\tau]$ にわけると，以下のように書き直せる：

$$S_\nu(\tau)\left[1 - \frac{1}{2}\int_0^\tau K(\tau')d\tau' - \frac{1}{2}\int_0^{\tau_0-\tau} K(\tau')d\tau'\right] = S_*(\tau). \tag{8.103}$$

この (8.103) は，単位時間当りの脱出光子数（左辺）と光源光子数（右辺）が釣り合った定常状態を表している（いまは散乱のみ）．すなわち，(8.101) から，

$$\int_0^\tau K(\tau')d\tau' = 1 - \beta(\tau,\gamma), \tag{8.104}$$

$$\beta(\tau,\gamma) = A\int_{-\infty}^{\infty}\phi(x)\exp\left(-\int_0^\tau \phi(x+\gamma\tau'')d\tau''\right)dx$$

$$= A\int_{-\infty}^{\infty}\phi(x)\exp\left(-\frac{1}{\gamma}\int_x^{x+\gamma\tau}\phi(t)dt\right)dx \tag{8.105}$$

と書き直せば，(8.103) は以下のように表すことができる：

$$\frac{1}{2}\left[\beta(\tau,\gamma)+\beta(\tau_0-\tau,\gamma)\right]S_\nu(\tau) = S_*(\tau). \tag{8.106}$$

（2）$\tau_0 \gg 1$ かつ $\gamma\tau_0 \gg 1$ の場合の脱出確率

光学的厚みが大きく，かつ速度勾配も大きい（$\gamma\tau_0 \gg 1$）場合，光子はドップ

ラー効果を通してのみ脱出できる．このとき (8.105) は，

$$\beta(\infty,\gamma) = A\gamma \left[1 - \exp\left(-\frac{1}{A\gamma}\right)\right] \tag{8.107}$$

と近似でき，

$$\frac{1}{A\gamma} = \alpha_{\nu_0} \int_{-\infty}^{\infty} \phi(x)dx \frac{v_{\rm th}}{dv/ds} = \alpha_{\rm L} \frac{v_{\rm th}}{dv/ds} = \tau_{\rm S} \tag{8.108}$$

であることを用いると，以下となる：

$$\beta(\infty,\gamma) = \frac{1 - e^{-\tau_{\rm S}}}{\tau_{\rm S}}. \tag{8.109}$$

脱出確率はライン・プロファイルによらず，速度勾配のみで決まる．

(3) $\tau_0 \gg 1$ かつ $\gamma\tau_0 \ll 1$（$\gamma \ll 1$）の場合の脱出確率

光学的厚みが大きいが速度勾配は小さい（$\gamma\tau_0 \ll 1$）場合，光子は翼部によって脱出する．このとき (8.105) で $\gamma = 0$ とすると，

$$\beta(\tau_0, 0) = A \int_{-\infty}^{\infty} \phi(x) e^{-\tau_0 \phi(x)} dx \tag{8.110}$$

と近似できるが，これは $\phi(x)$ と τ に強く依存する．この脱出確率は，媒質によって 1 度も散乱されずに脱出する光子の割合であり，**1 次脱出確率**とみなせる．

たとえば，ドップラー・プロファイル（$\phi = e^{-x^2}/\sqrt{\pi}$）の場合は，

$$\beta(\tau_0, 0) = \frac{1}{\sqrt{\pi}} \int_{-\infty}^{\infty} \exp(-x^2 - \tau_0 e^{-x^2}) dx = \frac{1}{\sqrt{\pi}} \frac{1}{\tau_0 \sqrt{\ln \tau_0}} \tag{8.111}$$

となる．ただし，2 番目の等号では $\tau_0 \gg 1$ とした．一方，ローレンツ・プロファイル（$\phi = 1/[\pi(1+x^2)]$）の場合は，

$$\beta(\tau_0, 0) = \sqrt{\frac{1}{\tau_0}} \tag{8.112}$$

となる．最後にフォークト・プロファイルの場合は，$a/\tau_0 \gg 1$ で，以下となる：

$$\beta(\tau_0, 0) = \sqrt{\frac{a}{\tau_0}}. \tag{8.113}$$

平板の中を 3 次元等方散乱して脱出する場合は，図 8.19 のように，角度 θ の方

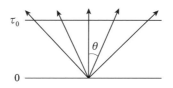

図 **8.19** 平行平板内の 3 次元等方散乱脱出.

向には光学的厚みが $\tau_0/\cos\theta = \tau_0/\mu$ になるので，1 次脱出確率は，

$$\beta_{3D}(\tau_0, 0) = \int_0^1 \beta(\tau_0/\mu, 0) d\mu \tag{8.114}$$

のように与えられる．これをそれぞれのプロファイルで計算すると以下となる：

$$\beta_{3D}(\tau_0, 0) = \begin{cases} \dfrac{1}{2\sqrt{\pi}} \dfrac{1}{\tau_0 \sqrt{\ln \tau_0}} & \cdots \text{ドップラー・プロファイル} \\ \dfrac{2}{3\sqrt{\tau_0}} & \cdots \text{ローレンツ・プロファイル} \\ \dfrac{2}{3}\sqrt{\dfrac{a}{\tau_0}} & \cdots \text{フォークト・プロファイル}. \end{cases} \tag{8.115}$$

8.6.3 輻射拡散による脱出

本章の最後に，ライン拡散方程式と，その解析解を紹介する．

(1) 一般的な輻射拡散方程式

5 章で導いた輻射拡散方程式（5.2 節）や拡散近似（5.3 節）では定常を仮定したが，ここではより一般的に時間を含めた形の式を導いておこう．

まずある振動数の輻射拡散を考えると，5.6.3 節の（5.70）などから，

$$\boldsymbol{F}_\nu = -\frac{c}{3\chi_\nu} \boldsymbol{\nabla} E_\nu \tag{8.116}$$

が得られる．ここで $\chi_\nu = \rho(\kappa_\nu + \sigma_\nu)$ は減光係数である．

一方，5.6 節の一般的な方程式から，輻射輸送方程式と 0 次のモーメント式は，

$$\frac{1}{c}\frac{\partial I_\nu}{\partial t} + (\boldsymbol{l} \cdot \boldsymbol{\nabla}) I_\nu = \chi_\nu (S_\nu - I_\nu), \tag{8.117}$$

$$\frac{\partial E_\nu}{\partial t} + \boldsymbol{\nabla} \cdot \boldsymbol{F}_\nu = \oint \chi_\nu (S_\nu - I_\nu) d\Omega \tag{8.118}$$

のように,より一般的に表すことができる.

(8.118) に (8.116) を代入して $\boldsymbol{F}_\nu$ を消去すると,

$$\frac{\partial E_\nu}{\partial t} - \frac{c}{3\chi_\nu}\Delta E_\nu = \oint \chi_\nu (S_\nu - I_\nu)\, d\Omega \tag{8.119}$$

が得られる.これが**一般的な輻射拡散方程式**である.

(2) 一般的なライン拡散方程式

ここで,ある振動数での線光子の輻射拡散を考える.

定常を仮定し,$J_\nu = cE_\nu/(4\pi)$ を用いると,輻射拡散方程式 (8.119) は

$$\frac{1}{3\alpha_\nu}\Delta J_\nu = \frac{1}{4\pi} \oint \alpha_\nu (I_\nu - S_\nu)\, d\Omega \tag{8.120}$$

と表される.(8.9) の $\alpha_\nu = \alpha_\mathrm{L}\phi(\nu)$ を代入すると,以下のようになる:

$$\frac{1}{3\alpha_\mathrm{L}\phi(\nu)}\Delta J_\nu = \frac{1}{4\pi} \oint \alpha_\mathrm{L}\phi(\nu)(I_\nu - S_\nu)\, d\Omega. \tag{8.121}$$

ここで,$d\tau \equiv \alpha_\mathrm{L} ds$ でライン全体の光学的厚み τ を定義すると,

$$\frac{1}{3\phi(\nu)^2}\frac{\partial^2 J_\nu}{\partial \tau^2} = \frac{1}{4\pi} \oint (I_\nu - S_\nu)\, d\Omega \tag{8.122}$$

のように変形できて,源泉関数 S_ν が等方的ならば,

$$\frac{1}{3\phi(\nu)^2}\frac{\partial^2 J_\nu}{\partial \tau^2} = J_\nu - S_\nu \tag{8.123}$$

となり,源泉関数に (8.72) を代入すると,

$$\frac{1}{3\phi(\nu)^2}\frac{\partial^2 J_\nu}{\partial \tau^2} = J_\nu - \varepsilon_\nu B_\nu - (1-\varepsilon_\nu)\frac{1}{\phi(\nu)}\int R(\nu;\nu')J_{\nu'}d\nu' \tag{8.124}$$

が得られる.最後に,振動数を $x = (\nu - \nu_0)/\Delta\nu_\mathrm{D}$ で無次元化すれば,

$$\frac{1}{3\phi(x)^2}\frac{\partial^2 J(x)}{\partial \tau^2} = J(x) - \varepsilon B(x) - (1-\varepsilon)\frac{1}{\phi(x)}\int R(x;x')J(x')dx' \tag{8.125}$$

となる.これが,一般的な場合の**ライン拡散方程式**になる.

(3) ハリントンのライン拡散方程式と解析解

さて,ハリントン (Harrington 1973) は,フォークト・プロファイルによる等

方的再分配 $R_{\mathrm{II-A}}$ の場合について，(8.125) を解析的に解いた．

まず $R_{\mathrm{II-A}}$ を，誤差関数 erfc および誤差関数積分 ierfc を用いて，

$$R_{\mathrm{II-A}}(x;x') \sim \frac{1}{2}\mathrm{erfc}\left(\left|\frac{x-x'}{2}\right| + \left|\frac{x+x'}{2}\right|\right) + \frac{a}{\pi}\left(\frac{2}{x+x'}\right)^2 \mathrm{ierfc}\left(\left|\frac{x-x'}{2}\right|\right) \tag{8.126}$$

のように近似的に表した．つぎに，x が十分に大きなところでは，減衰翼が卓越して $\phi(x) \sim a/(\pi x^2)$ となることから，$|(x-x')/x| \ll 1$ の近似で，

$$\frac{1}{\phi(x)}R_{\mathrm{II-A}}(x;x') \sim \mathrm{ierfc}\left(\left|\frac{x-x'}{2}\right|\right) \tag{8.127}$$

のように近似できる．ここで $J(x')$ をテイラー展開して，この近似式を使うと，

$$\frac{1}{\phi(x)}\int R_{\mathrm{II-A}}(x;x')J(x')dx' \sim J(x) - \frac{1}{x}\frac{dJ(x)}{dx} + \frac{1}{2}\frac{d^2J(x)}{dx^2} \tag{8.128}$$

と表せるので，(8.125) は以下のように近似的に表すことができる：

$$\frac{\partial^2 J}{\partial \tau^2} + (1-\varepsilon)\frac{3}{2}\phi^2\left(\frac{d^2J}{dx^2} - \frac{2}{x}\frac{dJ}{dx}\right) = 3\phi^2\varepsilon(J-B). \tag{8.129}$$

ここで，$\phi(x)$ に関して，新たな変数 $\varphi(x)$ を

$$\varphi(x) \equiv \left(\frac{2}{3}\right)^{1/2}\int_0^x \frac{1}{\phi(x)}dx \tag{8.130}$$

で定義すると，

$$\frac{dx}{d\varphi} = \left(\frac{3}{2}\right)^{1/2}\phi(x) \tag{8.131}$$

なので，(8.129) の左辺第 2 項は以下のように表せる：

$$\frac{3}{2}\phi^2\left(\frac{d^2J}{dx^2} - \frac{2}{x}\frac{dJ}{dx}\right) = \frac{\partial^2 J}{\partial \varphi^2} - \left(\frac{1}{\phi}\frac{\partial \phi}{\partial \varphi} + \frac{\sqrt{6}}{x}\phi\right)\frac{\partial J}{\partial \varphi}. \tag{8.132}$$

また，$\phi(x) \sim a/(\pi x^2)$ のときは，$\varphi(x) \sim (2/3)^{1/2}(\pi/a)(x^3/3)$ なので，

$$\frac{1}{\phi}\frac{\partial \phi}{\partial \varphi} + \frac{\sqrt{6}}{x}\phi \sim -\frac{\sqrt{6}}{\pi}\frac{a}{x^3} + \sqrt{6}\frac{\phi}{x} = 0 \tag{8.133}$$

となる．以上より，$(1-\varepsilon) \sim 1$ の場合には，(8.129) は結局，

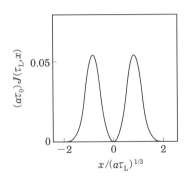

図 **8.20** ハリントン–ノイフェルド解.

$$\frac{\partial^2 J}{\partial \tau^2} + \frac{\partial^2 J}{\partial \varphi^2} = 3\phi^2 \varepsilon (J - B) \tag{8.134}$$

のようにシンプルになる．これがハリントンの求めた**ライン拡散方程式**である．

ハリントン（Harrington 1973）とノイフェルド（Neufeld 1990）は，平行平板雲の場合について（8.134）の解を調べ，(8.134)の右辺（光源）が φ の δ 関数で表される場合の解析解を導出した．光源が中心面にある場合は，

$$J(x) = \frac{\sqrt{6}}{24 a \tau_{\rm L}} \frac{x^2}{\cosh[\sqrt{\pi^4/54}(|x^3|/a\tau_{\rm L})]} \tag{8.135}$$

のような解となり，これを**ハリントン–ノイフェルド解**という（図 8.20）．ここで $\tau_{\rm L}$ はライン全体の光学的厚みで，ライン中心の光学的厚み τ_0 とは，$\tau_{\rm L} = \sqrt{\pi}\tau_0$ の関係にある．

また，ダイキストラら（Dijkstra et al. 2006）は，球対称雲の場合について調べ，中心に光源がある場合の解を導出した：

$$J(x) = \frac{\sqrt{\pi}}{\sqrt{24} a \tau_{\rm L}} \frac{x^2}{1 + \cosh[\sqrt{2\pi^4/27}(|x^3|/a\tau_{\rm L})]}. \tag{8.136}$$

これらの解は，ラインの中心振動数で放射された光が，熱速度によるドップラー効果によって振動数偏移をしながら拡散し，光学的厚みが小さくなる翼部の振動数に遷移して放射されることを表している．

Chapter 8 の章末問題

問題 8.1 自然放出するアインシュタイン A 係数の値が, $A \sim 10^8 \, \text{s}^{-1}$ のとき, 上位の状態での滞在時間はどれくらいか. また放射性減衰定数 Γ はどれくらいか. さらに不確定性原理から, 波長が $\lambda = 400 \, \text{nm}$ の光に対して, スペクトル線の自然幅 $\Delta \lambda$ を求めよ.

問題 8.2 温度が 1 万 K の水素原子の熱速度はどれぐらいか. また水素原子のバルマー線 Hα のドップラー幅はどれぐらいか.

問題 8.3 半値幅 $\delta \lambda$ の定義: $I(\delta \lambda) = I(0)/2$ から, $\delta \lambda = (v_{\text{th}}/c) \lambda_0 \sqrt{\ln 2}$ となることを導け. さらに, $\delta \lambda / \lambda_0 = 3.59 \times 10^{-6} \sqrt{T/\mu}$ を導け. また温度 1 万 K の水素の場合, $\delta \lambda / \lambda_0$ および $\delta \lambda$ はどれくらいか.

問題 8.4 連続成分も線成分も吸収のみとして, (8.42) を解いてみよ.

問題 8.5 線成分が吸収のみの場合, エディントンモデルに対して, 残差強度を見積もってみよ.

問題 8.6 成長曲線の変化を概算してみよ.

Chapter 9
輻射流体力学の基礎方程式

　ここまでの章では，輻射が物質（ガスや塵）に与える影響を無視して，物質中での輻射輸送を考えてきた．実際には，輻射と物質の間での運動量やエネルギーの授受の結果，輻射は物質に動的にも熱的にも影響を与える．その結果，物質の運動状態や熱的状態が変化し，輻射場も影響を受けるだろう[*1]．輻射場と物質の分布や運動を同時に扱う手法が，**輻射流体力学**（radiation hydrodynamics）である．特殊相対論的な輻射流体力学は 13 章で，一般相対論的輻射流体力学は第 6 巻で扱い，本章では主に非相対論的な範囲の基礎方程式をまとめておく．

9.1　ボルツマン方程式と輻射輸送方程式

　流体の基礎方程式については，本シリーズ第 1 巻の付録で導出してあるが，ここでは輻射場の基礎方程式と対比させながら，概要を復習しておきたい．
　流体も輻射も，無数の粒子からなっているという点では扱いは似ており，大きな違いは，流体を構成する粒子は質量をもち光速以下で運動するのに対し，輻射を構

[*1] 散乱の効果を入れると輻射場自体を解くのが格段に難しくなる．それに加えて，輻射と物質間の相互作用を考慮すると，輻射場と物質場を<u>全領域で</u>同時に解かないといけないので，さらに問題の難易度があがる．数値計算的には，たとえば，(step 1) 試行的に速度場を与える．(step 2) その速度場における物質分布を使い，輻射場を逐次近似で解いて，輻射強度や輻射力を求める．(step 3) 得られた輻射力などで速度分布などを再計算する．(step 4) 以上の (step 2) と (step 3) を全体が収束するまで繰り返す．といった 2 重の逐次近似などを実行しないといけない．

成する光子は質量をもたず光速で運動することである．

無数の粒子の振る舞いを記述するために，座標空間と速度空間を合わせた 6 次元の**位相空間**（phase space）を考える．ある位置 r と速度 v をもった粒子の位相空間密度 $f(r, v, t)$ は，**分布関数**（distribution function）と呼ばれるが，以下の**ボルツマン方程式**（Boltzmann equation）に従う：

$$\frac{\partial f}{\partial t} + v \cdot \frac{\partial f}{\partial r} + a \cdot \frac{\partial f}{\partial v} = \left(\frac{df}{dt}\right)_c. \tag{9.1}$$

ここで，a は加速度である．分布関数 f が t 以外に r と v の関数であるため，その時間変化 df/dt は $d/dt = \partial/\partial t + (\partial r/\partial t)\partial/\partial r + (\partial v/\partial t)\partial/\partial v$ となる．また右辺は，粒子間の衝突による変化率を表している．

輻射場に対する輻射輸送方程式は，流体系に対するボルツマン方程式（9.1）と基本的には同じものだ．ただし，光子は光速で動くので，ボルツマン方程式左辺の第 2 項の速度 v が輻射輸送方程式では方向余弦 l となり，光子には質量がないためにボルツマン方程式左辺の第 3 項に相当する項が輻射輸送方程式にはない．

また輻射場の方向モーメント量が，輻射エネルギー密度，輻射流束ベクトル，輻射応力テンソルと定義されたように，粒子の分布関数の速度空間でのモーメント量から，個数密度（質量密度），運動量流束ベクトル（流体のマクロな流速），応力テンソル（通常は圧力のみ）などが定義される．さらに輻射輸送方程式からモーメント式を導いたように，速度空間でボルツマン方程式のモーメントを取ることにより，質量保存の式（連続の式），運動方程式，エネルギー式などが導かれる．なお，輻射場の場合は，光子の平均自由行程が比較的長くて，しばしば輻射強度が等方的でなくなり，モーメント式を閉じるクロージャー関係が問題になった．しかし流体の場合は，平均自由行程が系のスケールに比べて通常は非常に短く，ミクロなランダム速度はほぼ等方的で，モーメント方程式系を低次数で閉じることができる（Chapman–Enskog 近似[*2]）．

[*2] 粒子の衝突時間が短いとして微小摂動量にして展開する方法は，1917 年，当時スウェーデンのウプサラ大学にいたエンスコグ（David Enskog：1884～1947）が学位論文で提出した方法で，違う方法で同じ結果を得たチャップマン（Sydney Chapman：1988～1970）と合わせ，**チャップマン–エンスコグ近似**（Chapman–Enskog closure）と呼ばれる．

9.2 輻射と物質の基礎方程式；$\mathcal{O}(v/c)^0$

輻射と物質の間に相互作用がある場合，流体の基礎方程式の右辺にある作用は，輻射のモーメント式の右辺では反作用となる．そのことを考慮して，非相対論的な範囲での輻射流体力学の方程式を導いておこう．

振動数で積分し平均化した輻射輸送方程式とモーメント式は，エネルギー密度などを使うと以下のようになった（5.6 節）：

$$\frac{1}{c}\frac{\partial I}{\partial t} + (\boldsymbol{l}\cdot\boldsymbol{\nabla})I = \rho\left[\frac{j}{4\pi} - (\kappa_I + \sigma_I)I + \sigma_E\frac{cE}{4\pi}\right], \tag{9.2}$$

$$\frac{\partial E}{\partial t} + \boldsymbol{\nabla}\cdot\boldsymbol{F} = \rho\left(j - c\kappa_E E\right), \tag{9.3}$$

$$\frac{1}{c^2}\frac{\partial \boldsymbol{F}}{\partial t} + \frac{\partial P^{ik}}{\partial x^k} = -\rho\frac{\kappa_F + \sigma_F}{c}\boldsymbol{F}. \tag{9.4}$$

ただし，不透明度は，それぞれ，添え字の物理量で平均化した不透明度である．モーメント式の (9.4) より，単位質量当りの輻射力は，

$$-\frac{1}{\rho}\left(\frac{1}{c^2}\frac{\partial \boldsymbol{F}}{\partial t} + \frac{\partial P^{ik}}{\partial x^k}\right) = \frac{\kappa_F + \sigma_F}{c}\boldsymbol{F} \tag{9.5}$$

となり，一方，(9.3) より，単位質量当りの加熱冷却の総量は以下となる：

$$-\frac{1}{\rho}\left(\frac{\partial E}{\partial t} + \boldsymbol{\nabla}\cdot\boldsymbol{F}\right) = -j + c\kappa_E E. \tag{9.6}$$

(1) 連続の式

まず，物質に対する連続の式は，ρ を質量密度，$\boldsymbol{v}$ を速度として，

$$\frac{\partial \rho}{\partial t} + \boldsymbol{\nabla}(\rho\boldsymbol{v}) = \frac{d\rho}{dt} + \rho\boldsymbol{\nabla}\boldsymbol{v} = 0 \tag{9.7}$$

と表される．ただし，$d/dt = \partial/\partial t + (\boldsymbol{v}\cdot\boldsymbol{\nabla})$ はラグランジュ微分である．輻射は質量をもたないので，輻射に関わる項は現れない．

(2) 運動方程式

つぎに，輻射力 (9.5) を加味すると，物質の運動方程式は以下となる：

$$\frac{\partial \boldsymbol{v}}{\partial t} + (\boldsymbol{v}\cdot\boldsymbol{\nabla})\boldsymbol{v} = -\boldsymbol{\nabla}\psi - \frac{1}{\rho}\boldsymbol{\nabla}p + \frac{\kappa_F + \sigma_F}{c}\boldsymbol{F}. \tag{9.8}$$

ただしここで，ψ は重力ポテンシャル，p はガス圧である（理想気体の場合は，気体定数を $\mathcal{R}$，温度を T，平均分子量を $\bar{\mu}$ として，$p = \mathcal{R}\rho T/\bar{\mu}$)．右辺の第 1 項は重力，第 2 項は圧力勾配力で，最後の項が輻射力となる．物質は，輻射の吸収および散乱の両方の作用で運動量を得る．

輻射場が定常で等方的な場合には，(9.5) から輻射圧に戻して，

$$\frac{\partial \boldsymbol{v}}{\partial t} + (\boldsymbol{v}\cdot\boldsymbol{\nabla})\boldsymbol{v} = -\boldsymbol{\nabla}\psi - \frac{1}{\rho}\boldsymbol{\nabla}p - \frac{1}{\rho}\boldsymbol{\nabla}P \tag{9.9}$$

と表すこともできる（P は輻射圧）．

(3) エネルギー式

輻射場による加熱と冷却を加味すると，エネルギー式は以下となる：

$$\left(\frac{\partial}{\partial t} + \boldsymbol{v}\cdot\boldsymbol{\nabla}\right)U + \frac{p}{\rho}\boldsymbol{\nabla}\boldsymbol{v} = \frac{1}{\rho}q^+ - (j - c\kappa_E E). \tag{9.10}$$

ただしここで，U は単位質量当りの内部エネルギー，q^+ は単位体積当りの（粘性や核反応による）エネルギー発生率である．右辺の第 2 項が輻射場とのエネルギー授受の項で，$-\rho j$ が輻射を放出することによる単位体積当りの冷却率，$\rho c\kappa_E E$ が輻射を吸収することによる加熱率となる[*3]．

項を少し組み替えると，以下のような形に表すこともできる：

$$\rho\frac{dU}{dt} - \frac{p}{\rho}\frac{d\rho}{dt} = q^+ - \rho(j - c\kappa_E E). \tag{9.11}$$

あるいは，以下のような保存系の形に表すこともできる：

$$\frac{\partial}{\partial t}(\rho U) + \boldsymbol{\nabla}(\rho U \boldsymbol{v}) + p\boldsymbol{\nabla}\boldsymbol{v} = q^+ - \rho(j - c\kappa_E E). \tag{9.12}$$

さらに，連続の式や運動方程式を組み合わせて，全エネルギー保存の形に表すことができる（第 1 巻付録参照：輻射圧は等方とした）[*4]：

$$\frac{\partial}{\partial t}\left[\rho\left(\frac{\boldsymbol{v}^2}{2} + U + \psi\right) + E\right] + \boldsymbol{\nabla}\left[\rho\boldsymbol{v}\left(\frac{\boldsymbol{v}^2}{2} + U + \frac{p}{\rho} + \frac{E}{\rho} + \frac{P}{\rho} + \psi\right) + \boldsymbol{F}\right]$$
$$= q^+. \tag{9.13}$$

[*3] いろいろな素過程による加熱や冷却の具体的な式については，付録や第 4 巻を参照してほしい．

[*4] 物質と輻射を合わせた，単位体積当りの内部エネルギーは，$\rho U + E$ となることがわかる．

なお，理想気体の内部エネルギーは，γ を比熱比として[*5]，$U = [1/(\gamma-1)](p/\rho)$ となるので，(9.11) は以下のように表せる[*6]：

$$\frac{1}{\gamma-1}\left(\frac{dp}{dt} - \gamma\frac{p}{\rho}\frac{d\rho}{dt}\right) = q^+ - \rho(j - c\kappa_E E). \tag{9.14}$$

輻射場が定常な場合には，(9.3) を代入して，

$$\frac{1}{\gamma-1}\left(\frac{dp}{dt} - \gamma\frac{p}{\rho}\frac{d\rho}{dt}\right) = q^+ - \boldsymbol{\nabla} \cdot \boldsymbol{F} \tag{9.15}$$

のように輻射流束を使って表現できる．さらに，拡散近似と LTE が成り立ち，輻射温度がガス温度と等しい場合には，(9.4) から輻射流束ベクトルに対して，

$$\boldsymbol{F} = -\frac{c}{3\bar{\kappa}_\mathrm{R}\rho}\boldsymbol{\nabla}E = -\frac{4acT^3}{3\bar{\kappa}_\mathrm{R}\rho}\boldsymbol{\nabla}T \tag{9.16}$$

のように表すことができる（5.3 節）．輻射場を考慮した天体の諸問題で，(9.15) と (9.16) はよく使われるが，以上の導出からもわかるように，あくまでも拡散近似と LTE が精度よく成り立ち，$P = E/3 = aT^4/3$ と表せることが前提である．

恒星内部のように物質がほぼ静止していて光学的厚みが大きな領域では問題ないが，光学的厚みが小さな領域や，恒星風や降着円盤風など物質が運動している状況，そして時間変動が激しい現象などでは，拡散近似を使うのはためらわれる．

9.3　輻射と物質の基礎方程式；$\mathcal{O}(v/c)^1$

特殊相対論の範囲まで含めた相対論的輻射流体力学の方程式は 13 章で導出するが，相対論的な導出はやさしいとはいえない．一方で，輻射圧駆動天体風では，流れの速度が $0.1\,c$ 前後で，相対論的な影響はあるものの，それほど相対論的な効果が強くない現象も多い（11 章）．また輻射流体波動でも同様である（12 章）．そこでここでは，流れの速度が $\mathcal{O}(v/c)^1$ まで使える亜相対論的（subrelativistic）な

[*5] ローレンツ因子 γ と混在するときは，比熱比を Γ と置く．

[*6] 運動がなければ，(9.11) の左辺は 0 なので，

$$0 = q^+ - \rho(j - c\kappa_E E)$$

となる．逆に，内部加熱（$q^+ = 0$）がなく輻射平衡（$j = c\kappa_E E$）なら，右辺が 0 になるので，断熱状態となり，$p/\rho^\gamma = $ 一定，が成り立つ．

範囲で，輻射流体力学の方程式をまとめておこう[*7]．

まず，(v/c) について2次以上の項を落とす近似では，ローレンツ因子は1となるので，連続の式は（9.7）と同じになる．

相対論的な効果について，$\mathcal{O}(v/c)^1$ まで考慮した運動方程式は以下となる：

$$\frac{\partial \boldsymbol{v}}{\partial t} + (\boldsymbol{v} \cdot \boldsymbol{\nabla}) \boldsymbol{v} = -\boldsymbol{\nabla}\psi - \frac{1}{\rho}\boldsymbol{\nabla}p + \frac{\kappa_F + \sigma_F}{c}\left(\boldsymbol{F} - E\boldsymbol{v} - v_k P^{ik}\right). \quad (9.17)$$

この（9.17）の右辺で，第3項の $\boldsymbol{F}$ は輻射力だが，E と P^{ik} の項が**輻射抵抗**（radiation drag）になる（1章，9.4節）．輻射抵抗の大きさは速度に比例する．

エネルギー保存式は以下のように書き表せる：

$$\frac{\partial}{\partial t}(\rho U) + \boldsymbol{\nabla}(\rho U \boldsymbol{v}) + p\boldsymbol{\nabla}\boldsymbol{v} = q^+ - \rho \left(j - c\kappa_E E + \kappa_E \frac{2\boldsymbol{v} \cdot \boldsymbol{F}}{c}\right). \quad (9.18)$$

エネルギー式の右辺にも $\mathcal{O}(v/c)^1$ の補正項が現れる．この補正項は輻射流束が流体にした仕事を表している．

輻射輸送方程式とモーメント式は，以下のようになる：

$$\frac{1}{c}\frac{\partial I}{\partial t} + (\boldsymbol{l} \cdot \boldsymbol{\nabla}) I = \rho \left[\frac{j}{4\pi} - (\kappa_I + \sigma_I)I + \frac{\sigma_E}{4\pi}\left(cE - \frac{2\boldsymbol{v}\cdot\boldsymbol{F}}{c}\right)\right]$$
$$+ \rho \frac{\boldsymbol{v}\cdot\boldsymbol{l}}{c}\left[3\frac{j}{4\pi} + (\kappa_I + \sigma_I)I + 3\frac{\sigma_E}{4\pi}cE\right], \quad (9.19)$$

$$\frac{\partial E}{\partial t} + \boldsymbol{\nabla} \cdot \boldsymbol{F} = \rho \left[j - c\kappa_E E + (2\kappa_E - \kappa_F - \sigma_F)\frac{\boldsymbol{v}\cdot\boldsymbol{F}}{c}\right], \quad (9.20)$$

$$\frac{1}{c^2}\frac{\partial \boldsymbol{F}}{\partial t} + \frac{\partial P^{ik}}{\partial x^k} = -\rho\frac{\kappa_F + \sigma_F}{c}\left(\boldsymbol{F} - E\boldsymbol{v} - v_k P^{ik}\right)$$
$$+ \frac{\rho}{c}(j - c\kappa_E E)\frac{\boldsymbol{v}}{c}. \quad (9.21)$$

9.4 輻射抵抗と輻射粘性

速度や速度勾配について高次の項だが，物質と輻射場の重要な相互作用に関連して，似て非なる，輻射抵抗と輻射粘性について，ここで触れておく．温度勾配に関連する輻射熱伝導についても整理しておく．

[*7] 方程式の完結性など詳細な話は，Kato and Fukue (2020) を参照してほしい．

9.4.1 輻射抵抗

輻射抵抗の概念については，すでに 1 章でも触れたとおりだ．

たとえば，定常 1 次元流で，速度について $\mathcal{O}(v/c)^1$ までのオーダーでは，共動系での輻射流束を F_{co} とし，静止系のモーメント量を添え字なしとして，(9.17)から，輻射力 f_{rad} は以下のように表せる：

$$f_{\mathrm{rad}} = \frac{\kappa_F + \sigma_F}{c} F_{\mathrm{co}} = \frac{\kappa_F + \sigma_F}{c}[F - (E+P)v]. \tag{9.22}$$

まず，静止系で考えると，光源周辺にはガス粒子を加速する輻射流束 F 以外にも，同時に輻射エネルギー E（や輻射応力テンソル P）が存在する．エネルギーは質量と等価で慣性をもつので，運動する粒子は，速度ベクトルと反対方向に，速度の大きさに比例する抵抗を受けることになる．

あるいは静止系から共動系に座標を移して考えてみると，光行差のために，静止系の輻射エネルギーなどは，共動系で静止した粒子にとっては前方から飛来する光子として感じられる．やはり 1 次元流の場合，共動系で光子が飛来する方向余弦を μ_0 とし，静止系での方向余弦を μ とすると，光行差として，

$$\mu_0 = \frac{\mu - \beta}{1 - \beta\mu} \tag{9.23}$$

という関係が成り立つ（13 章）．たとえば静止系で真横方向（$\mu = 0$）に進む光子は，共動系では前方の $\mu_0 = -\beta = -v/c$ 方向から飛来するように観測される（角度は進行方向を 0 とする）．その結果，粒子は後方に押しやられる．これはもとの静止系でみれば，運動が減速されることに等しい．

このような作用が**輻射抵抗**（radiation drag）だ．光学的に薄い場合には，広範囲からの影響を受けるので，輻射抵抗は大きな問題になる（Phinney 1987）．宇宙背景放射のエネルギー密度が高い初期宇宙[*8]，強力な放射源であるブラックホール降着円盤周辺，亜光速の宇宙ジェット，赤色巨星周辺や原始惑星系円盤における塵粒子など，さまざまな場面で輻射抵抗が重要になる（1 章，11.3 節，13 章）．

[*8] たとえば，宇宙背景放射の輻射抵抗を受けたボンヂ降着（Umemura and Fukue 1994, Ricotti 2007），クェーサー形成（Loeb 1993, Umemura et al. 1997），円盤降着（Fukue and Umemura 1994）などがある．

9.4.2 輻射粘性

流体中では応力テンソルの非等方成分として,速度勾配に比例する粘性が生じる.輻射場においても類似の効果が現れ,**輻射粘性**(radiative viscosity)と呼ばれる[*9].輻射粘性の導出については,さまざまな導き方が知られているが,たいていは静止系と共動系の間での相対論的な変換を伴うので,ここではいくつかの方法の概要を述べるに留めたい.

まず物理的な考察から,輻射粘性のオーダーを評価してみよう(Jeans 1926).通常の流体における粘性係数 η は,ガスの密度を ρ,微小速度を v(音速 c_s 程度),粒子の平均自由行程を ℓ として,

$$\eta \sim \frac{1}{3}\rho v \ell \tag{9.24}$$

程度となる.輻射流体の場合は,輻射エネルギー密度を $E\ (=aT^4)$,不透明度を κ として,$\rho \to E/c^2,\ v \to c,\ \ell \to 1/(\kappa\rho)$ という置き換えを行い,

$$\eta_\mathrm{rad} \sim \frac{1}{3}\frac{aT^4}{c\kappa\rho} \tag{9.25}$$

ぐらいになると考えられる.通常の粘性との比率は以下ぐらいになる:

$$\frac{\eta_\mathrm{rad}}{\eta} = \frac{aT^4}{\rho c_\mathrm{s}^2}\frac{c_\mathrm{s}}{c}\frac{1}{\kappa\rho\ell}. \tag{9.26}$$

カスター(Castor 2004)は共動系に変換した輻射輸送方程式を展開して,輻射粘性を導出する方法を用いた.非相対論で拡散近似をする場合(5.3 節など),

$$(\boldsymbol{l}\cdot\boldsymbol{\nabla})I_\nu = -\rho(\kappa_\nu+\sigma_\nu)(I_\nu-S_\nu) \tag{9.27}$$

という輻射輸送方程式で,左辺が非常に小さいと考えて,方程式を

$$I_\nu = S_\nu - \frac{1}{\rho(\kappa_\nu+\sigma_\nu)}(\boldsymbol{l}\cdot\boldsymbol{\nabla})I_\nu \tag{9.28}$$

と書き換えて,右辺の量を 0 次解(たとえば B_ν)で近似した.方程式を共動系で表すと,(9.27)の左辺および(9.28)の右辺第 2 項に速度勾配の項が現れる(13.4 節参照).そして共動系で(9.28)相当の式の 1 次モーメントを取ると,輻射圧へ

[*9] 初期には,Jeans(1926),Milne(1929),Thomas(1930)など.トムソン散乱を入れた Masaki(1971),Hsieh and Spiegel(1976),コンプトン散乱にした Fukue et al.(1985)もある.

の補正項として，輻射粘性の項が得られる．

シェとシュピーゲル（Hsieh and Spiegel 1976）は，静止系で輻射輸送方程式の定式化を行った後（13章の方法），やはり共動系への変換を行った．その際，予め，共動系での輻射ストレステンソル P_0^{ij} が，共動系での輻射エネルギー密度 E_0 を含む対角成分（輻射圧パート）と，非対角成分 τ_0^{ij}（輻射粘性パート）の和として，

$$P_0^{ij} = \frac{1}{3}E_0\delta^{ij} + \tau_0^{ij} \tag{9.29}$$

のように表されると置いて，輻射粘性を導出した．

これらの研究より，$\mathcal{O}(v/c)^1$ までのオーダーで，輻射粘性テンソル τ_{ij} は，

$$\tau_{ij} = -\eta_\mathrm{rad}\left(\frac{\partial v_i}{\partial x_j} + \frac{\partial v_j}{\partial x_i} - \frac{2}{3}\boldsymbol{\nabla}\cdot\boldsymbol{v}\delta_{ij}\right) \tag{9.30}$$

のように表される．ここで**輻射粘性係数**（radiative viscous coefficient）η_rad は，吸収の不透明度を κ，散乱の不透明度を σ として，以下となる：

$$\eta_\mathrm{rad} = \frac{8aT^4}{3\rho(10\kappa + 9\sigma)c}. \tag{9.31}$$

9.4.3 輻射熱伝導

媒質中に温度勾配があると，熱伝導によって，高温部から低温部へ熱が輸送される．単位時間・単位面積当りの熱の輸送量は温度勾配に比例するが，その比例定数が，いわゆる熱伝導率（熱伝導係数）である．熱伝導係数 K は，媒質の単位体積当りの熱容量を ρC_v，微小速度を v，平均自由行程を ℓ として，

$$K \sim \frac{1}{3}\rho C_\mathrm{v} v\ell \tag{9.32}$$

ぐらいとなる．輻射流体の場合は，$\rho C_\mathrm{v} = dE/dT = 4aT^3$，$v \to c$，$\ell \to 1/(\kappa\rho)$ と置いて，**輻射熱伝導係数**（radiative heat conduction coefficient）[*10]は，

$$K_\mathrm{rad} = \frac{4acT^3}{3\kappa\rho} \tag{9.33}$$

ぐらいになると考えられる（単位は，$\mathrm{erg\,s^{-1}\,cm^{-1}\,K^{-1}}$）．たしかに，ロスランド近似（5章および（9.16）参照）で導かれたものになっている．

[*10] 手短には，輻射熱伝導率（radiative conductivity）とも呼ぶ．

Chapter ❾ の章末問題

問題 9.1 $\mathcal{O}(v/c)^1$ まで考慮した (9.17) にもとづき，一様な平面光源によって粒子が加速される際の終末速度を求めてみよ．

問題 9.2 $\mathcal{O}(v/c)^1$ まで考慮した (9.17) にもとづき，1章で紹介したポインティング–ロバートソン効果を再検討してみよ．

問題 9.3 輻射場の 0 次モーメント式と 1 次モーメント式を直角座標で成分表示してみよ．

問題 9.4 輻射場の 0 次モーメント式と 1 次モーメント式を円筒座標で成分表示してみよ．

問題 9.5 輻射場の 0 次モーメント式と 1 次モーメント式を球座標で成分表示してみよ．

Chapter 10
天体大気の構造と輻射

　輻射は天体大気の構造や進化において，しばしば非常に重要な役割を果たす．1章でも述べたように，天体内部の加熱と天体表面からのエネルギー放射による冷却が釣り合うことで，天体の熱的な平衡が保たれる．また輻射が非常に強い場合には，ガス圧よりも輻射圧が天体の大気を支える働きをする．さらには天体から放射されるスペクトルを詳細に調べようとすれば，天体大気での輻射輸送を解かなければならない．ここでは，いくつかの代表的な天体を取り上げ，静的あるいは定常的な構造をしている天体における輻射場の役割を考えてみたい．

10.1　恒星大気における輻射の働き

　中心部における水素の核融合反応でエネルギーを発生している主系列星では，観測的に，質量 M と光度 L の間に，おおざっぱに $L \propto M^4$ 程度の関係があって，**質量光度関係**（mass-luminosity relation）と呼ばれる[*1]．核融合反応は温度に非常に敏感なため，質量が増加すればエネルギー発生率が急激に上昇し，その結果，星全体の光度も非常に大きくなるためだ．光度が上昇するとともに輻射圧も大きくなり，やがて星の光度がその星の質量に相当するエディントン光度に近づいて，輻射圧のために星の構造を支えきれなくなる（1 章参照）．エディントン光度による

[*1] 小質量の主系列星では $L \propto M^5$ 程度で，大質量星では $L \propto M^3$ ぐらいに近い．

頭打ちのために，主系列星の質量には上限があり，太陽組成の星だと 100 太陽質量ぐらいになる．ここでは，輻射圧で支えられた星の構造を考えてみよう．

10.1.1 ウォルフ–ライエ星

星のスペクトル型は，高温度星から低温度星へ，OBAFGKMLTY と分類されるが，HR 図（ヘルツシュプルング・ラッセル図）上の左上付近の B 型星や O 型星になると，星の構造で輻射圧が無視できなくなる．そして HR 図上でもっとも左上の領域を占めるのが，**ウォルフ–ライエ星**（WR 星；Wolf–Rayet star）だ[*2]．

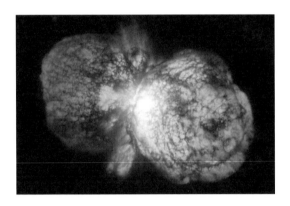

図 10.1 りゅうこつ座エータ星（η Carinae）（NASA）．WR 星の前段階に相当すると考えられている LBV（luminous blue variables）星の一つ．1840 年から 1860 年の大放出で，約 $10 M_\odot$ にものぼる大量のガスと塵が放出されている．

ウォルフ–ライエ星は観測的にはヘリウムや炭素などの幅広い輝線をもつが，高温で大質量の星が進化したものだと考えられている．誕生時の星の質量が 25 太陽質量程度を超えると，超巨星へ進化した後に，$10^{-5} M_\odot \mathrm{yr}^{-1}$ 以上ぐらいの大きな質量流出率をもつ強い恒星風で，水素の外層大気を失っていき，高温のヘリウム燃焼内部層が見えてきているものが WR 星だと考えられている．WR 星の段階では星の質量は約 $5 M_\odot$ から数 $10 M_\odot$ にまで落ちている．

強い恒星風がなくとも，輻射圧で支えられた星の大気は，有効的な重力が弱くなり，非常にぶよぶよで不安定に近い状態だと考えられる．

[*2] ウォルフ（C.J.E. Wolf）とライエ（G. Rayet）が，1867 年に発見したことにちなむ．

10.1.2 輻射圧優勢エディントンモデル

非常におおざっぱな仮定のもとで,ほぼ輻射圧で支えられた星の構造を眺めてみよう.星は力学平衡と輻射平衡が成り立っているガス球であり,その力学平衡（静水圧平衡）とエネルギー輸送を表す式は,以下の 2 本となる[*3]:

$$\frac{dP}{dr} = -\frac{GM_r\rho}{r^2}, \tag{10.1}$$

$$\frac{dT}{dr} = -\frac{3\kappa\rho}{4acT^3}\frac{L_r}{4\pi r^2}. \tag{10.2}$$

ここで,r が中心からの距離で,ρ が密度,P は輻射圧とガス圧を合わせた全圧力,M_r は r 内に含まれる質量,T は温度,L_r は r における光度（$L_r/4\pi r^2$ が輻射流束）,κ は不透明度である.核反応などの話はいまは置いておく.なお,(10.2) は拡散近似をした第 1 モーメント式（5.34）に他ならない.

(10.2) を (10.1) で辺々割ると,半径 r が消えて,以下のようになる:

$$\frac{dT}{dP} = \frac{3\kappa L_r}{16\pi acGT^3 M_r}. \tag{10.3}$$

右辺には未知量 $\kappa L_r/M_r$ があるが,ここで思い切った仮定として,

$$\frac{\kappa L_r}{M_r} = \frac{\kappa L}{M} = \text{一定} \tag{10.4}$$

としよう.この仮定は,物理的には,もし κ が一定ならば L_r/M_r が一定ということになり,エネルギー源が一様に分布している状態を表している.このモデルを**エディントンモデル**（Eddington model）と呼ぶ.

この (10.4) を (10.3) に代入すると,

$$\frac{dT}{dP} = \frac{3}{16\pi acGT^3}\frac{\kappa L}{M} \tag{10.5}$$

となり,表面の境界条件（$P=0$ で $T=0$）を使って積分し,整理すると,

$$L = \frac{4\pi acGT^4 M}{3\kappa P} \tag{10.6}$$

が得られる.これがエディントン星の物理量の間に成り立つ関係である.

上の (10.6) をもう少し変形してみよう.まずガス圧と輻射圧を合わせたものが

[*3] 一般的な導出については参考文献を参照してほしい.

全圧力 P であることから，ガス圧と全圧の比を β と置けば（定義より β は 1 より小），輻射圧は，

$$\frac{1}{3}aT^4 = (1-\beta)P \tag{10.7}$$

と表せる．輻射圧が優勢な星では，1 に比べて β は十分小さい．

この (10.7) を (10.6) に代入すると，エディントン星の光度 L は，

$$L = (1-\beta)L_{\rm E} \tag{10.8}$$

のように表せる．ただしここで，

$$L_{\rm E} \equiv \frac{4\pi cGM}{\kappa} \tag{10.9}$$

は，**エディントン光度**（Eddington luminosity）である（1 章参照）[*4]．

輻射圧の全圧に対する割合 $(1-\beta)$ は当然 1 よりは小さいので，明らかに，

$$L \leqq L_{\rm E} \tag{10.10}$$

が成り立つ（等号は $\beta = 0$ のとき）．すなわち，輻射圧で支えられたエディントン星の光度には，エディントン光度という上限が存在する．

10.1.3　恒星のモデル大気

輻射輸送は恒星大気の研究で発達した学問分野で，多くの教科書でも恒星大気の詳細な観測と理論に紙数が割かれている．本書では，多くの天体現象を説明するため恒星大気の詳細には立ち入らないが，モデル大気の概要は紹介しておきたい．

恒星の**モデル大気**（model atmosphere）とは，表面の有効温度 $T_{\rm eff}$ と表面重力加速度 g を与え（微小乱流速度 $v_{\rm turb}$ も与えることが多い），光学的厚み τ の関数として，恒星表層の温度 T，ガス圧 $\log p$，輻射圧 $\log P$ などの大気構造を求めたものである（表 10.1）．その結果，恒星大気の連続スペクトルや表面輻射流束などがわかり，観測との比較が可能になる[*5]．

モデル構築に取り入れる要素としては，幾何学的な構造（平行平板大気か球対称大気か），動的な構造（静水圧平衡か球対称風か），エネルギー輸送の方式（輻射か

[*4] 少し着眼点の異なる議論が Maeder et al. (2012)，Fukue (2015) などにある．

[*5] あくまでも恒星大気の問題で，星の内部構造とは直接は関係がない．

表 **10.1** 主系列星の物理量の例.

スペクトル型	有効温度 $T_{\rm eff}$ [K]	ガス圧 p [$\rm dyn\,cm^{-2}$]	輻射圧 P [$\rm dyn\,cm^{-3}$]	$v_{\rm turb}$ [$\rm km\,s^{-1}$]
K5V	4000	1×10^5	0.6	7.5
A6V	8000	1×10^4	10	10.6
B0V	20000	5×10^3	403	16.7

対流か),輻射の状況(LTE/NLTE)や不透明度(灰色/非灰色)などがある.以下では,もっとも単純な平行平板大気で,灰色 LTE 近似の場合を考えてみよう.

(1) 静水圧平衡

輻射を考慮した運動方程式とエネルギー式は以下である(9 章):

$$\frac{\partial \boldsymbol{v}}{\partial t} + (\boldsymbol{v}\cdot\boldsymbol{\nabla})\boldsymbol{v} = -\boldsymbol{\nabla}\psi - \frac{1}{\rho}\boldsymbol{\nabla}p + \frac{\kappa_F + \sigma_F}{c}\boldsymbol{F}, \tag{10.11}$$

$$\frac{1}{\gamma-1}\left(\frac{dp}{dt} - \gamma\frac{p}{\rho}\frac{d\rho}{dt}\right) = q^+ - \rho(j - c\kappa_E E). \tag{10.12}$$

定常で熱源のない場合,前者が静水圧平衡,後者が輻射平衡を表す.

表面重力加速度を $g\ (=d\psi/dz)$ と置くと,静水圧平衡の式から,

$$\frac{dp}{dz} = -\rho g + \rho\frac{\kappa_F + \sigma_F}{c}F \tag{10.13}$$

となり,光学的厚みを $d\tau \equiv -\kappa_{\rm R}\rho dz$ で定義すると($\kappa_{\rm R}$ はロスランド平均不透明度),静水圧平衡の式は以下のように変形できる:

$$\frac{dp}{d\tau} = \frac{g}{\kappa_{\rm R}} - \frac{\kappa_F + \sigma_F}{c\kappa_{\rm R}}F = \frac{g}{\kappa_{\rm R}} - \frac{dP}{d\tau}. \tag{10.14}$$

後ろの等号では,モーメント式を用い,$\kappa_F + \sigma_F = \kappa_{\rm R}$ とした.

輻射圧は $P = aT^4/3$ なので,温度分布がわかれば,ガス圧の分布は解ける.最初の推測値としては,灰色大気の温度分布:$T^4 = (3/4)T_{\rm eff}^4[\tau + q(\tau)]$ を使うのが妥当だろう.

例題 10.1 $\kappa_{\rm R} =$ 一定 なら,ガス圧の分布はどうなるか.

解答 $T^4 = (3/4)T_{\rm eff}^4(\tau + 2/3)$ を入れて積分すると,$p = (g/\kappa_{\rm R} - aT_{\rm eff}^4/4)\tau$ ($\tau = 0$ で $p = 0$)となる.光学的厚みとともにガス圧は増大する. ∎

実際には不透明度 κ_R も光学的厚み（温度）の関数なので，温度や不透明度を与えて，静水圧平衡の式を数値的に解くことになる（章末問題 10.1）．

その際の初期条件として，高温度星では水素はほぼ完全に電離していて，電子散乱が卓越しており（$\kappa \ll \kappa_{\rm es}$），$\kappa_R \sim \kappa_{\rm es}$（一定）としてよいので，十分に小さな $\tau = \tau_0 \ll 1$ で，以下のように置けばよいだろう：

$$p(\tau_0) = \tau_0 \left(\frac{g}{\kappa_{\rm es}} - \frac{dP}{d\tau}\Big|_{\tau_0} \right) = \tau_0 \left[\frac{g}{\kappa_{\rm es}} - \frac{4\pi H(\tau_0)}{c} \right]. \tag{10.15}$$

翻って，低温度星では，金属元素から遊離した電子によって水素負イオンが多いため，水素負イオンが不透明度に大きく寄与することになる．またそもそも輻射圧は非常に小さいため，静水圧平衡の式で輻射の項は落としてもよい．

（2）輻射輸送方程式

輻射場のモーメント式は以下となる：

$$\frac{1}{(\kappa_\nu + \sigma_\nu)\rho} \frac{dH_\nu}{dz} = -J_\nu + S_\nu, \tag{10.16}$$

$$\frac{1}{(\kappa_\nu + \sigma_\nu)\rho} \frac{dK_\nu}{dz} = -H_\nu. \tag{10.17}$$

また LTE（$j_\nu/4\pi\kappa_\nu = B_\nu$）と輻射平衡 RE $\left(\int \kappa_\nu J_\nu d\nu = \int \kappa_\nu B_\nu d\nu; dH/d\tau = 0 \right)$ が成り立っているとする．

κ_ν や σ_ν がわかれば，モーメント式を解いて H_ν を求めることができる．しかし，一般的に，求めた H_ν は輻射平衡の条件を満たさない（$dH/d\tau \neq 0$）．

（3）温度補正

ある初期温度分布 $T_0(\tau)$ をもったモデルを計算して，輻射場 $J_\nu(\tau)$ が得られたとき，一般には，輻射平衡 RE の条件が満たされない：

$$\int_0^\infty \kappa_\nu B_\nu(T_0) d\nu \neq \int_0^\infty \kappa_\nu J_\nu d\nu. \tag{10.18}$$

そこで温度を少し補正して，

$$T_1(\tau) = T_0(\tau) + \Delta T(\tau) \tag{10.19}$$

が輻射平衡 RE を満たすようにする：

$$\int_0^\infty \kappa_\nu B_\nu(T_0 + \Delta T) d\nu = \int_0^\infty \kappa_\nu J_\nu d\nu. \tag{10.20}$$

ここで，

$$B_\nu(T_0 + \Delta T) \sim B_\nu(T_0) + \left.\frac{\partial B_\nu}{\partial T}\right|_{T_0} \Delta T \tag{10.21}$$

$$J_\nu = \Lambda_\tau \{S(t)\} = \Lambda_\tau \{B_\nu(T_0)\} \tag{10.22}$$

なので，これらを上式に代入して，補正量を得る：

$$\Delta T(\tau) = \frac{\displaystyle\int_0^\infty \kappa_\nu \left[\Lambda_\tau \{B_\nu(T_0)\} - B_\nu(T_0)\right] d\nu}{\displaystyle\int_0^\infty \kappa_\nu \frac{dB_\nu}{dT} d\nu}. \tag{10.23}$$

以上のラムダ反復を繰り返すことで，輻射平衡を満たす温度分布が最終的に求められる．

10.2 星間物質における輻射効果

星間ガスに対しては放射源からの紫外線光子によるガスの光電離や光加熱，また星間塵による冷却効果や星間減光など，重要な輻射効果が存在する．星間物質と輻射の相互作用について，ここで触れておきたい．

10.2.1 星間ガスと電離水素領域

基底状態にある水素が電離するための**電離エネルギー**（ionization energy）E は，$13.6\,\mathrm{eV}$ である．光子の波長 λ に換算すると，

$$E = h\nu = hc/\lambda = 13.6\,\mathrm{eV}, \quad \lambda = 91.2\,\mathrm{nm} \tag{10.24}$$

の波長になり，紫外線の光子に相当する．

水素は $13.6\,\mathrm{eV}$ 以上のエネルギーを受けると電離するので，たとえば，紫外線の強い高温度星周辺の水素ガスは，高温度星の放射する紫外線によって電離する．これは**光電離**（photo ionization）と呼ばれる[*6]．

[*6] 一方，超新星爆発によって強い衝撃波が発生すると，粒子同士の衝突によって衝撃波が通過した後のガスは電離してしまう．こちらは**衝突電離**（collisional ionization）と呼ばれる．

星間ガス（あるいは銀河間ガス）の中に電離源（たとえば強い紫外線を放射する高温度星や初期宇宙で誕生した最初の星やクェーサー）が存在していたとして，周辺のガスを無限の遠方まで電離することはできない．電離源から毎秒放射される電離光子の数と電離ガスが再結合で中性化する原子の数が釣り合ったところで電離領域も終わる．この電離可能領域を，最初に調べたストレームグレン[*7]にちなんで，**ストレームグレン球**（Strömgren sphere）と呼ぶ．

10.2.2 ストレームグレン球の大きさ

まずおおざっぱに，ストレームグレン球の大きさを見積もってみよう．十分に広い範囲で一様に拡がった密度一定（個数密度を n とする）の中性水素ガスの中に，毎秒 $\dot{\mathcal{N}}_{\rm UV}$ 個の紫外線光子を放射する電離源が一つだけあるとする（図10.2）．電離源周辺で水素ガスが電離している領域（対称性から球になる）の半径を $R_{\rm S}$，電離領域における電離水素の個数密度を $n_{\rm p}$，電子密度を $n_{\rm e}$ とする（完全電離なら，$n_{\rm p} = n_{\rm e} = n$）．

毎秒注入される電離光子の数 $\dot{\mathcal{N}}_{\rm UV}$（個 s^{-1}）と，ストレームグレン球内で再結合する原子の個数 $\dot{\mathcal{N}}_{\rm rec}$（個 s^{-1}）は，それぞれ以下のように見積もられる：

$$\dot{\mathcal{N}}_{\rm UV} = \int \frac{L_\nu}{h\nu} d\nu \sim \frac{L_{\rm UV}}{h\nu_{\rm UV}}, \tag{10.25}$$

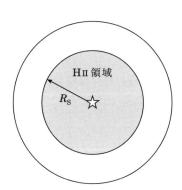

図 **10.2** 一様に拡がった水素ガス中にある，電離光源を取り巻く電離水素領域（H II 領域）．

[*7] ベンクト・ストレームグレン（Bengt Georg Daniel Strömgren, 1908～1987）はデンマークの天体物理学者．

$$\dot{\mathcal{N}}_{\rm rec} = \frac{4\pi}{3}R_{\rm S}^3 n_{\rm e} n_{\rm p} \alpha \sim \frac{4\pi}{3}R_{\rm S}^3 n_{\rm e}^2 \alpha. \tag{10.26}$$

ここで α は単位時間当りの再結合率である（詳しくは後述）．(10.25) と (10.26) を等しいと置いて，ストレームグレン球の半径が得られる：

$$R_{\rm S} = \left(\frac{3\dot{\mathcal{N}}_{\rm UV}}{4\pi\alpha}\right)^{1/3} n_{\rm e}^{-2/3}. \tag{10.27}$$

例題 10.2 ストレームグレン球の具体的な数値の見積もりをしてみよう．

解答 まず単位時間当りの電離光子の数だが，中心星が O6 から O7 辺りで，簡単のため，表面温度 $T = 40000\,{\rm K}$，半径 $R = 10R_\odot$ とすると，（紫外域）光度は，$L_{\rm UV} = 4\pi R^2 \sigma T^4 = 9 \times 10^{38}\,{\rm erg\,s^{-1}}$ となる．これを電離エネルギー $h\nu_{\rm UV} = 13.6\,{\rm eV} = 2.2 \times 10^{-11}\,{\rm erg}$ で割ると，電離光子数は以下ぐらいになる：

$$\dot{\mathcal{N}}_{\rm UV} = L_{\rm UV}/h\nu_{\rm UV} = 4 \times 10^{49}\quad \text{個}\,{\rm s^{-1}}. \tag{10.28}$$

一方，再結合原子数の方だが，電子数密度として，典型的には，$n_{\rm e} = 10 \sim 1000\,{\rm cm^{-3}}$ としよう（星間空間は 1 ぐらい，銀河間はもっと少ない）．再結合率 α は，電子ガスの温度 $T_{\rm e}$ に依存するが，ここでは，$\alpha = 2 \times 10^{-11}/T_{\rm e}^{1/2}\,{\rm cm^3\,s^{-1}}$ としよう．なお，電子ガスの温度は，$T_{\rm e} = 10000\,{\rm K}$ ぐらいである．以上の数値を (10.27) 式に入れると，ストレームグレン球の半径として，具体的に，$R_{\rm S} = 25\,{\rm pc}$ ($n_{\rm e} = 10\,{\rm cm^{-3}}$)，$R_{\rm S} = 1\,{\rm pc}$ ($n_{\rm e} = 1000\,{\rm cm^{-3}}$) などが得られる．これらの具体的数値を基準として，(10.27) を以下のように表現しておく：

$$R_{\rm S} = 25\,{\rm pc}\left(\frac{\dot{\mathcal{N}}_{\rm UV}}{4\times 10^{49}\,{\rm s^{-1}}}\right)^{1/3}\left(\frac{T_{\rm e}}{10^4\,{\rm K}}\right)^{1/6}\left(\frac{n_{\rm e}}{10\,{\rm cm^{-3}}}\right)^{-2/3}. \tag{10.29}$$

以上ではおおざっぱな見積もりだったが，もう少し厳密にストレームグレン球の大きさを計算してみよう．

電離光源周辺の電離領域では，定常を仮定すると電離平衡が成り立っている：

$$\Gamma_\gamma n_{\rm H\,I} = n_{\rm e} n_{\rm p} \alpha_{\rm A}. \tag{10.30}$$

左辺の Γ_γ は光電離率で，電離源からの紫外線輻射強度を I_ν とすると，

$$\Gamma_\gamma = \int_{\nu_{\rm L}}^\infty d\nu \int_0^{4\pi} \frac{I_\nu}{h\nu} a_\nu d\Omega = \int_{\nu_{\rm L}}^\infty d\nu \frac{cE_\nu}{h\nu} a_\nu \tag{10.31}$$

で与えられる．ここで，ν_L ($= 3.29 \times 10^{15}\,\mathrm{Hz}$) はライマン端の振動数で，$a_\nu$ ($\sim 6 \times 10^{-18}\,\mathrm{cm}^2$) は電離の断面積である（後述）．右辺の α_A ($\sim 4 \times 10^{-13}\,\mathrm{cm}^3\,\mathrm{s}^{-1}$) はすべての準位への再結合率で，準位 n への再結合率を α_n とすれば以下となる：

$$\alpha_\mathrm{A} = \sum_{n=1}^{\infty} \alpha_n. \tag{10.32}$$

光電離の光学的厚さを

$$d\tau_\nu = n_\mathrm{HI} a_\nu dr \tag{10.33}$$

とすると，電離光源からの輻射流束の大きさは以下となる：

$$F_\nu^\mathrm{S} = \frac{L_\nu}{4\pi r^2} e^{-\tau_\nu} \equiv c E_\nu^\mathrm{S}. \tag{10.34}$$

一方，定常で球対称な 0 次のモーメント式（5.56）から，次式が成り立つ：

$$\frac{1}{r^2}\frac{d}{dr}(r^2 F_\nu^\mathrm{S}) = \int (-n_\mathrm{HI} a_\nu I_\nu^\mathrm{S}) d\Omega = -n_\mathrm{HI} a_\nu c E_\nu^\mathrm{S}. \tag{10.35}$$

次に，再結合光子による拡散電離輻射強度 I_ν^D および拡散電離輻射流束 F_ν^D を考える．同じく，定常球対称な 0 次モーメント式から，

$$\frac{1}{r^2}\frac{d}{dr}(r^2 F_\nu^\mathrm{D}) = \int (-n_\mathrm{HI} a_\nu I_\nu^\mathrm{D} + j_\nu^\mathrm{D}) d\Omega = -n_\mathrm{HI} a_\nu c E_\nu^\mathrm{D} + 4\pi j_\nu^\mathrm{D} \tag{10.36}$$

が成り立つ．ここで，j_ν^D は再結合によって生じる電離輻射放射率で，電離光子は基底状態への再結合でのみ放射されるので，以下となる：

$$4\pi \int \frac{j_\nu^\mathrm{D}}{h\nu} d\nu = n_\mathrm{e} n_\mathrm{p} \alpha_1. \tag{10.37}$$

(10.35) と (10.36) を足し合わせると，

$$\frac{1}{r^2}\frac{d}{dr}[r^2(F_\nu^\mathrm{S} + F_\nu^\mathrm{D})] = -n_\mathrm{HI} a_\nu c (E_\nu^\mathrm{S} + E_\nu^\mathrm{D}) + 4\pi j_\nu^\mathrm{D} \tag{10.38}$$

となるが，右辺の第 1 項に (10.30) を代入すると，

$$\frac{1}{r^2}\frac{d}{dr}[r^2(F_\nu^\mathrm{S} + F_\nu^\mathrm{D})] = -\frac{1}{\Gamma_\gamma} n_\mathrm{e} n_\mathrm{p} \alpha_\mathrm{A} a_\nu c (E_\nu^\mathrm{S} + E_\nu^\mathrm{D}) + 4\pi j_\nu^\mathrm{D} \tag{10.39}$$

となる．さらに，$h\nu$ で割って振動数積分し，(10.31) と (10.37) を使うと，

$$\int \frac{1}{r^2}\frac{d}{dr}[r^2(F_\nu^\mathrm{S} + F_\nu^\mathrm{D})] \frac{d\nu}{h\nu} = -n_\mathrm{e} n_\mathrm{p} \alpha_\mathrm{A} + n_\mathrm{e} n_\mathrm{p} \alpha_1 = -n_\mathrm{e} n_\mathrm{p} \alpha_\mathrm{B} \tag{10.40}$$

が得られる．ここで，$\alpha_B \equiv \alpha_A - \alpha_1$ はすべての励起状態への結合率であり，おおよそ以下で与えられる：

$$\alpha_B \sim \alpha_A \exp[-0.487(T/10^4\,\mathrm{K})^{0.2}]. \tag{10.41}$$

最後に，(10.40) の両辺に $4\pi r^2$ を掛けると，

$$\frac{d}{dr}\left(4\pi r^2 \int \frac{F_\nu^S + F_\nu^D}{h\nu} d\nu\right) = -4\pi r^2 n_e n_p \alpha_B \tag{10.42}$$

のようになる．ここで左辺は，単位時間に半径 r を通過する電離光子の総数 $\dot{N}_\gamma(r)$ なので，以下のように書き換えることができる：

$$\frac{d\dot{N}_\gamma}{dr} = -4\pi r^2 n_e n_p \alpha_B. \tag{10.43}$$

電離源から放射される単位時間当りの光子数を $\dot{N}_S$ とすると，密度が一定の場合には，上式を積分して，以下の関係が得られる：

$$\dot{N}_S = \frac{4\pi}{3} R_S^3 n_e n_p \alpha_B. \tag{10.44}$$

この式は，$\dot{N}_S$ が半径 R_S 内の励起状態への結合率の和に等しいという関係である．すなわち，基底状態への再結合は電離光子を生み出すので正味の電離光子の減少にはならず，励起状態への再結合によって電離光子が失われることを意味している．励起状態への再結合は，最終的にはライマンアルファ光子を生み出す．

(10.44) から，**ストレームグレン半径**（Strömgren radius）が得られる：

$$R_S = \left(\frac{3\dot{N}_S}{4\pi n_e n_p \alpha_B}\right)^{1/3}. \tag{10.45}$$

なお，基底状態への再結合による拡散光子を陽に扱わずに，それらはその場所ですぐに吸収されるという近似をする場合がある（on-the-spot 近似あるいは Case B と呼ぶ）．この場合は，(10.30) で，α_A の代わりに α_B を用いる．拡散光子の平均自由行程が系の大きさより短いときには，よい近似になっている．

10.2.3 光電離と自己掩蔽

電離源からの紫外線輻射強度を I_ν とすると，紫外線による電離率は，(10.31) で与えられる．電離の断面積 a_ν は，水素様原子では，a_F を平均した a_ν として，

$$a_\nu = \frac{128\pi\sigma_{\rm T}}{a_{\rm F}} \left(\frac{\nu}{\nu_{\rm L}}\right)^{-4} \frac{\exp(-4\eta\cot^{-1}\eta)}{1-\exp(-2\pi\eta)}, \quad \eta \equiv \frac{\nu_{\rm L}}{\nu-\nu_{\rm L}} \tag{10.46}$$

で与えられ，$\nu_{\rm L} \leqq \nu \ll m_{\rm e}c^2/h$ の振動数範囲では，

$$a_\nu = a_{\nu_{\rm L}}(\nu/\nu_{\rm L})^{-3} = 6.3\times 10^{-18}\,{\rm cm}^2(\nu/\nu_{\rm L})^{-3} \tag{10.47}$$

と近似できる．さらに，スペクトルが，

$$I_\nu = I_{\nu_{\rm L}}(\nu/\nu_{\rm L})^{-\alpha} \tag{10.48}$$

のようなべき乗型の場合には，紫外線電離率は，

$$\Gamma_\gamma = 4\pi(\alpha+3)^{-1}I_{\nu_{\rm L}}a_{\nu_{\rm L}}/h = 1.18\times 10^{-11}(\alpha+3)^{-1}I_{21} \tag{10.49}$$

となる．ただしここで，$I_{21} = I_{\nu_{\rm L}}/(10^{-21}\,{\rm erg\,s^{-1}\,cm^{-2}\,Hz^{-1}\,sr^{-1}})$ である．

ガスの電離度は電離平衡の式によって決められる[*8]．衝突性電離が無視できる場合は，電離平衡の式は，$\Gamma_\gamma n_{\rm HI} = n_{\rm e}n_{\rm p}\alpha_{\rm A}$ であり，電離度が高い場合には，中性水素の割合は以下となる：

$$x_{\rm HI} = \frac{n\alpha_{\rm A}}{\Gamma_\gamma}. \tag{10.50}$$

ところで，実際の系で，紫外線はガス雲を完全に透過するとは限らない．電子が基底状態に再結合された場合には，電離エネルギーより高いエネルギーの光子を放出するため，この光子はふたたび電離を引き起こすことができる．しかし励起状態に再結合された場合には，放出された光子のエネルギーは電離エネルギーよりも低く，もはや電離には使われずに系外へ逃げていくことになる．したがって，電離を維持できるのは，電離光子の入射率が励起状態への再結合率に釣り合ったところまでとなる．その結果，場合によっては中心部に中性領域が残されることになる．これを**自己遮蔽効果**（self-shielding effect）と呼ぶ．

単位時間に入射する光子数を $\dot{N}_{\rm UV}$ とすれば，電離が可能な体積 V は，

$$\dot{N}_{\rm UV} = \int_V n_{\rm e}n_{\rm HII}\alpha_{\rm B}dV \tag{10.51}$$

によって決まる．具体的に球状のガス雲で考えてみよう（図 10.3）．

球状ガス雲の半径を R，自己遮蔽によって残された中性領域の半径を $R_{\rm HI}$ とす

[*8] 衝突性電離があると，$\Gamma_\gamma n_{\rm HI} + \alpha^{\rm ci}n_{\rm e}n_{\rm HI} = \alpha_{\rm A}n_{\rm e}n_{\rm HII}$ となる．

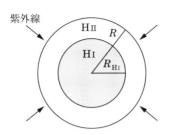

図 **10.3** 自己掩蔽効果.

れば，電離可能な体積から，

$$\dot{N}_{\rm UV} = \frac{4\pi}{3}(R^3 - R_{\rm HI}^3)n_e n_{\rm HII}\alpha_{\rm B} \tag{10.52}$$

となる．一方，$I_\nu = I_{\nu_{\rm L}}(\nu/\nu_{\rm L})^{-\alpha}$ というべき乗スペクトルを仮定すると，

$$\dot{N}_{\rm UV} = 4\pi R^2 \int d\Omega \int_{\nu_{\rm L}}^{\infty} \frac{I_\nu}{h\nu} d\nu = \frac{4\pi^2 R^2}{h\alpha} I_{\nu_{\rm L}} \tag{10.53}$$

である．(10.52) と (10.53) を連立させて解くと，以下の解が求まる：

$$R_{\rm HI} = \left[R^3 - \frac{3\pi R^2 I_{\nu_{\rm L}}}{h\alpha n^2(1-x_{\rm HI})^2 \alpha_{\rm B}}\right]^{1/3}. \tag{10.54}$$

この解で，$R_{\rm HI} \sim 0$ となると，ガス雲は中心まで電離されることになるが，そのときの半径を**臨界半径** $R_{\rm crit}$ (critical radius) と呼ぶ．中性水素の割合が小さく，$1-x_{\rm HI} \sim 1$ の場合には，ガス雲の質量を $M = (4\pi/3)R^3 n m_{\rm p}$ として，臨界半径は以下のようになる：

$$R_{\rm crit} = \left(\frac{3\alpha_{\rm B} h}{16\pi^3 m_{\rm p}^2}\right)^{1/5} M^{2/5} \left(\frac{I_{\nu_{\rm L}}}{\alpha}\right)^{-1/5}. \tag{10.55}$$

ガスの温度が，10^4 K の場合，臨界半径は以下のようになる：

$$R_{\rm crit} = 3.50 \left(\frac{M}{10^8 M_\odot}\right)^{2/5} \left(\frac{I_{21}}{\alpha}\right)^{-1/5} \text{kpc}. \tag{10.56}$$

例題 10.3 臨界半径に対応する**臨界数密度**を求めてみよ．

解答 臨界数密度は，

$$n_{\rm crit} = \frac{3}{4\pi m_{\rm p}} \left(\frac{16\pi^3 m_{\rm p}^2}{3\alpha_{\rm B} h}\right)^{3/5} M^{-1/5} \left(\frac{I_{\nu_{\rm L}}}{\alpha}\right)^{3/5} \tag{10.57}$$

となる．ガスの温度が 10^4 K であれば，

$$n_{\rm crit} = 2.3 \times 10^{-2} \left(\frac{M}{10^8\, M_\odot}\right)^{-1/5} \left(\frac{I_{21}}{\alpha}\right)^{3/5} {\rm cm}^{-3}. \tag{10.58}$$

さらに，臨界的なガス雲の光学的厚みを，

$$\tau_{\rm crit} \equiv n_{\rm HI} a_{\nu_{\rm L}} R_{\rm crit} \tag{10.59}$$

で定義すれば，(10.50) と (10.55) を用いることにより，

$$\tau_{\rm crit} = \frac{3}{4}\frac{\alpha+3}{\alpha}\frac{\alpha_{\rm A}}{\alpha_{\rm B}} \tag{10.60}$$

となる．10^4 K のガスの場合は，$\tau_{\rm crit} = 1.2(\alpha+3)/\alpha$ である．

10.2.4 紫外線による光加熱

紫外線によって光電離が起きると，中性の水素やヘリウムが減少するため，輝線放射による冷却が極端に弱くなり，再結合と制動放射による冷却が主となる．一方，紫外線による電離に伴い，ガスが加熱され，冷却と加熱が釣り合う平衡温度以下には冷却することができなくなる．このような状況は，たとえば，原始銀河の熱的進化に甚大な影響をおよぼす．図 10.4 に，冷却関数 Λ と加熱関数 Γ および平衡温度（図 10.4 の▲の温度）を示す．

(10.47) でもわかるように，電離光子は波長が長いほど透過率が高いため，加熱率を求める際には，電離断面積の波長依存性を考慮する必要がある．このことを考えると加熱率は下のようになる：

$$\Gamma_{\rm UV} = n_{\rm HI} \int_{\nu_{\rm L}}^{\infty} d\nu \int_0^{4\pi} \frac{I_\nu(\tau)}{h\nu} a_\nu (h\nu - h\nu_{\rm L}) d\Omega, \tag{10.61}$$

$$I_\nu(\tau) = I_\nu \exp[-\tau_{\nu_{\rm L}}(\nu/\nu_{\rm L})^{-3}]. \tag{10.62}$$

さらに，スペクトルが (10.48) のべき乗型の場合は，

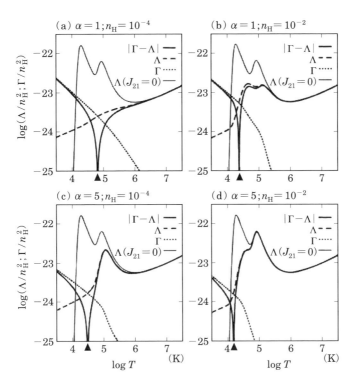

図 **10.4** 紫外線輻射場中の冷却関数 Λ と加熱関数 Γ（Thoul and Weinberg 1996）．細い実線は紫外線がない場合の冷却関数 $\Lambda(J_{21}=0)$．

$$\Gamma_{\rm UV} = \frac{n_{\rm H\,I} I_{\nu_{\rm L}} a_{\nu_{\rm L}} \nu_{\rm L}}{3}$$
$$\times \int_0^{4\pi} \left[\tau_{\nu_{\rm L}}^{-(\alpha+2)/3} \gamma\left(\frac{\alpha+2}{3}, \tau_{\nu_{\rm L}}\right) - \tau_{\nu_{\rm L}}^{-(\alpha+3)/3} \gamma\left(\frac{\alpha+3}{3}, \tau_{\nu_{\rm L}}\right) \right] d\Omega \tag{10.63}$$

となる．ただしここで，γ は不完全ガンマ関数である．$\tau_{\nu_{\rm L}} \gg 1$ では，

$$\Gamma_{\rm UV} = \frac{n_{\rm H\,I} I_{\nu_{\rm L}} a_{\nu_{\rm L}} \nu_{\rm L}}{3} \int_0^{4\pi} \tau_{\nu_{\rm L}}^{-(\alpha+2)/3} d\Omega \tag{10.64}$$

のように近似できる．

例題 10.4 鉛直方向の光学的厚みが $\tau_{\nu_L,0}$ である平行平板層の場合について，光加熱率を求めてみよ．

解答 （10.64）の積分を実行すると以下となる：

$$\Gamma_{\mathrm{UV}} = \frac{n_{\mathrm{HI}} I_{\nu_L} a_{\nu_L} \nu_L}{3} \int_0^{2\pi} \int_0^{\pi/2} (\tau_{\nu_L,0}/\cos\theta)^{-(\alpha+2)/3} \sin\theta d\theta d\varphi$$

$$= \frac{n_{\mathrm{HI}} I_{\nu_L} a_{\nu_L} \nu_L}{3} 2\pi \tau_{\nu_L,0}^{-(\alpha+2)/3} \frac{1}{1+(\alpha+2)/3}[-\cos\theta]_0^{\pi/2}$$

$$= \frac{2\pi}{\alpha+5} n_{\mathrm{HI}} I_{\nu_L} a_{\nu_L} \nu_L \tau_{\nu_L,0}^{-(\alpha+2)/3}. \tag{10.65}$$

10.2.5 星間塵の輻射輸送

暗黒星雲に代表されるように，星間空間には微小な**塵粒子**（dust grain）が存在していて，**星間塵**（interstellar dust）と呼ばれている．星間塵の主成分は，炭素化合物（carbonaceous）[*9]やケイ素化合物（silicates）そして水や一酸化炭素の氷（ice）などである．典型的なサイズは 0.1μm 程度であり，不透明度は 1μm 付近にこぶをもつものの，おおざっぱには，

$$\kappa_{\nu,\mathrm{dust}} = 0.1\,\mathrm{cm}^2\,\mathrm{g}^{-1} \left(\frac{\nu}{10^3\,\mathrm{GHz}}\right)^\beta, \quad \beta = 1\text{–}2 \tag{10.66}$$

で表される（図 3.7）．また，サイズの小さなダストはレイリー散乱を，サイズの大きなダストは非等方なミー散乱の性質を示す（図 3.8）．

このような星間塵は，遠方の星の光を吸収したり（**星間減光**；interstellar extinction），赤くしたり（**星間赤化**；interstellar reddening），偏光を引き起こしたりする．一方で，ミリ波からサブミリ波そして遠赤外線当りで熱放射をして星間雲の冷却に働いたり，近傍に星などの光源があれば光源の光を散乱することもある．

星間塵（を含む星間ガス）中の輻射輸送について，3 章でも触れたが，もう少し詳しくみてみよう．

星間雲（光学的厚み τ_ν）の背後から，強度 $I_\nu(0)$ の光線が入射して，手前側で観測している状況を考える．このとき，輻射輸送方程式と形式解は，それぞれ，

[*9] 不定形炭素（graphite），多環芳香族炭化水素 PAH（polycyclic aromatic hydrocarbons），有機物（organics）などがある．

$$\frac{dI_\nu}{d\tau_\nu} = -I_\nu + S_\nu, \tag{10.67}$$

$$I_\nu(\tau_\nu) = I_\nu(0)e^{-\tau_\nu} + \int_0^{\tau_\nu} S_\nu e^{-(\tau_\nu - t_\nu)} dt_\nu \tag{10.68}$$

となる．星間雲が一様で源泉関数 S_ν が一定だと仮定すると，

$$I_\nu(\tau_\nu) = I_\nu(0)e^{-\tau_\nu} + S_\nu(1 - e^{-\tau_\nu}) \tag{10.69}$$

のように積分が実行できる．したがって，光学的に薄ければ，$I_\nu \sim I_\nu(0) + S_\nu \tau_\nu$ となり，背後の光源と星間塵の放射が同時に観測されるが，光学的に厚くなると，$I_\nu \sim S_\nu$ となり背後の光源は見えなくなる．

レイリー–ジーンズ則 $(I_\nu = 2\nu^2 k_\mathrm{B} T / c^2)$ が適用できる領域では，輝度温度を T_b，星間塵の温度を T として，

$$T_\mathrm{b} = T_\mathrm{b}(0)e^{-\tau_\nu} + T(1 - e^{-\tau_\nu}) \tag{10.70}$$

と表せる（$\tau_\nu \to 0$ で $T_\mathrm{b} = T_\mathrm{b}(0)$；$\tau_\nu \to \infty$ で $T_\mathrm{b} \to T$）．

以上は減光の仕方だが，今度は星間塵の熱放射を考えてみよう．星間塵が温度 T の熱放射をしていて，レイリー–ジーンズ則が適用できる領域で，さらに光学的に薄いと仮定すると，輻射強度 I_ν は，

$$I_\nu = S_\nu(1 - e^{-\tau_\nu}) \sim \frac{2k\nu^2}{c^2} k_\mathrm{B} T \tau_\nu \tag{10.71}$$

となり，星間雲の見かけの広がり（立体角）を Ω とすると，星間雲全体からの輻射流束は，以下となる（$\cos\theta \sim 1$）：

$$F_\nu \sim I_\nu \Omega = \frac{2k\nu^2}{c^2} k_\mathrm{B} T \tau_\nu \Omega. \tag{10.72}$$

星間雲までの距離を d，実面積を S，奥行きを ℓ，密度を ρ としたとき，星間雲の光学的厚みが $\tau_\nu = \kappa_\nu \rho \ell$ で，見かけの広がりが $\Omega = S/d^2$ となり，一方，星間雲の質量 M はだいたい $M \sim S\ell\rho$ なので，最終的に，

$$F_\nu = \frac{2k\nu^2}{c^2} k_\mathrm{B} T \frac{\kappa_\nu M}{d^2} \tag{10.73}$$

が得られる．(10.66) を入れて，典型的な値を入れて整理すると，

$$M = 1.6 \times 10^{-6} M_\odot \left(\frac{\nu}{10^3\,\mathrm{GHz}}\right)^{-(2+\beta)} \left(\frac{T}{\mathrm{K}}\right)^{-1} \left(\frac{F_\nu}{\mathrm{Jy}}\right) \left(\frac{d}{\mathrm{pc}}\right)^2 \tag{10.74}$$

のようになる．ただしここで Jy（ジャンスキー）は電波天文学でよく使われる輻射強度の単位であり，以下のように定義される：

$$1\,\mathrm{Jy} = 10^{-23}\,\mathrm{erg\,s^{-1}cm^{-2}\,Hz^{-1}}. \tag{10.75}$$

10.3 降着円盤と輻射輸送

星と並んで重要な天体が，原始星・白色矮星・中性子星・ブラックホールなど，重力をおよぼす天体の周りを回転しながら光り輝いている**降着円盤**（accretion disk）である（第1巻参照）．標準的な描像では，ガスの角運動量は少しずつ中心から周辺へ輸送され，その結果，回転に比べれば比較的ゆっくりとではあるが，ガスは中心に向かって落下している．そして中心天体の重力井戸の中をガスが落下する際に解放される重力エネルギーで降着円盤は光り輝く．

降着円盤においても，輻射は重要な役割を果たしている．まずコンパクト星周辺の降着円盤などでガスの温度が高くなると，ガス圧や磁気圧よりも輻射圧が卓越して，輻射圧が降着円盤の構造を支えることになる．中心天体が明るい場合には，中心天体からの輻射による照射加熱が働く．そして，降着円盤から放射される連続スペクトルや線スペクトルの性質を調べるためには，降着円盤内部の輻射輸送をきちんと解く必要がある．本書では，降着円盤の輻射に関係した問題を取り上げたい．

10.3.1 降着円盤の表面温度分布

標準降着円盤モデル（standard accretion disk model）[*10]では，降着円盤は**幾何学的に薄く**（geometrically thin），かつ，**光学的に厚い**（optically thick）．中心天体の質量を M，円盤内を降着していく質量降着率を $\dot{M}$，中心からの距離を r として，粘性加熱による加熱率 Q_{vis}^{+} は，

$$Q_{\mathrm{vis}}^{+} = \frac{3GM\dot{M}}{4\pi r^3}\left(1 - \sqrt{\frac{r_{\mathrm{in}}}{r}}\right) \tag{10.76}$$

のようになる．なお，降着円盤には内縁 r_{in} があり（シュバルツシルト・ブラックホールの場合，シュバルツシルト半径 $r_{\mathrm{S}} = 2GM/c^2$ の3倍；$r_{\mathrm{in}} = 3r_{\mathrm{S}}$），右辺の括弧は内縁 r_{in} での境界条件を反映したものだ．

[*10] Shakura and Sunyaev 1973, Kato *et al.* 2008, 福江（2007）や第1巻参照．

一方，降着円盤の表面は黒体輻射で光っているとすれば，その有効温度を T_eff として，円盤表面での単位面積当たりの放射冷却率 Q_rad^- は，

$$Q_\text{rad}^- = 2\sigma_\text{SB} T_\text{eff}^4 \tag{10.77}$$

となる．係数の 2 は円盤に上下の面があることを考慮した．

定常的な降着円盤では，各半径で $Q_\text{vis}^+ = Q_\text{rad}^-$ が成り立っているので，T_eff は，

$$T_\text{eff} = \left[\frac{3GM\dot{M}}{8\pi\sigma_\text{SB} r^3} \left(1 - \sqrt{\frac{r_\text{in}}{r}}\right) \right]^{1/4} \tag{10.78}$$

と表される[*11]．境界条件の影響がない遠方では，$T_\text{eff} \propto r^{-3/4}$ のように変化する．

例題 10.5 この黒体輻射を円盤表面全体で積分し，円盤光度を求めてみよ．

解答 円盤光度 L_d は，

$$L_\text{d} = \int_{r_\text{in}}^r 2\sigma T_\text{eff}^4 2\pi r dr = \int_{r_\text{in}}^r \frac{3GM\dot{M}}{2r^2} \left(1 - \sqrt{\frac{r_\text{in}}{r}}\right) dr = \frac{GM\dot{M}}{2r_\text{in}} \tag{10.79}$$

となる．物理的な意味は，円盤の最内縁半径までにガスが落下する間に解放する重力エネルギーのちょうど半分が円盤光度として放射されている勘定だ．残りの半分は，最内縁半径でガスが回転運動しているエネルギーの分である．■

また黒体輻射を仮定した場合，降着円盤全体のスペクトルはさまざまな温度の黒体輻射の足し合わせになって，黒体輻射を引き延ばしたようなものになる――**円盤黒体輻射**（disk blackbody）と呼ばれる（第 1 巻参照）[*12]．

10.3.2 降着円盤の輻射輸送

輻射圧の効果は標準モデル（Shakura and Sunyaev 1973）で調べられていたが，降着円盤内の輻射輸送の研究がはじまったのは 1980 年代に入ってからだ．恒星大気の輻射輸送理論を援用して，拡散近似を用いたり[*13]，数値的に計算したり[*14]，

[*11] 表面温度 T_s は有効温度 T_eff の $1/2^{1/4}$ 倍になる（6.3 節）．

[*12] 円盤表面の温度分布が $T_\text{eff} \propto r^{-p}$ というべき乗分布になっている場合，引き延ばされた部分のスペクトル強度は $S_\nu \propto \nu^{3-2/p}$ になる．標準円盤では $p = 3/4$ なので，$S_\nu \propto \nu^{1/3}$ となる．

[*13] Meyer and Meyer-Hofmeister (1982), Cannizzo and Wheeler (1984) など．

[*14] Křiž and Hubeny (1986), Shaviv and Wehrse (1986), Adam et al. (1988), Mineshige and Wood (1990), Ross et al. (1992), Shimura and Takahara (1993), Hubeny and Hubeny (1997, 1998), Hubeny et al. (2000, 2001), Davis et al. (2005), Hui et al. (2005) など．

解析的に調べられたりしてきている*15. とくに 1990 年ごろから, 恒星大気の研究をしていたヒュベニー (Ivan Hubeny) らのグループが精力的に研究した.

一方, 降着円盤大気と恒星大気にはさまざまな相違もある. たとえば, (i) 恒星大気には一般にエネルギー源はないが, 粘性加熱によって降着円盤内にはエネルギー源がある. (ii) 恒星大気表層では重力場はほぼ一定とみなせるが, 降着円盤の鉛直方向の重力場は一定ではない. (iii) 恒星大気は半無限平面の取り扱いができるが, 降着円盤の場合は円盤の光学的厚みは有限である. (iv) さらに散乱などの効果もより顕著になる. これらを考慮すると, まだまだ調べるべきことは多い.

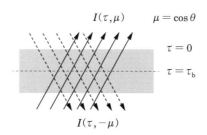

図 **10.5** 有限な光学的厚みをもった降着円盤内の輻射輸送.

以下では, 有限の光学的厚みをもった平行平板層 (降着円盤) で, 内部に一様な加熱源が存在する場合について, 灰色近似とエディントン近似のもとで輻射輸送問題を解いてみよう (図 10.5).

鉛直方向 z 1 次元の輻射輸送方程式, 0 次のモーメント式, 1 次のモーメント式は, それぞれ以下のようになる (5.1 節):

$$\mu \frac{dI}{dz} = \rho \left[\frac{j}{4\pi} - (\kappa + \sigma) I + \sigma \frac{c}{4\pi} E \right], \tag{10.80}$$

$$\frac{dF}{dz} = \rho (j - c\kappa E), \tag{10.81}$$

$$\frac{dP}{dz} = -\frac{\rho(\kappa + \sigma)}{c} F. \tag{10.82}$$

円盤のガスに対しては, 静水圧平衡と, エネルギー平衡 (内部加熱とガスによる放射や吸収の釣り合い) を仮定する:

---

*15 Hubeny (1990), Artemova *et al.* (1996), Fukue and Akizuki (2006), Fukue (2011, 2012a, b) など.

$$0 = -\frac{d\psi}{dz} - \frac{1}{\rho}\frac{dp}{dz} + \frac{\kappa + \sigma}{c}F, \tag{10.83}$$

$$0 = q_{\mathrm{vis}}^{+} - \rho(j - c\kappa E). \tag{10.84}$$

ここで，ψ は中心天体の重力ポテンシャル，p はガス圧，ρ は密度，q_{vis}^{+} は粘性加熱率である．なお，静水圧平衡の式（10.83）まで解けば円盤内部でのガス圧や密度が得られるが（たとえば，Fukue 2020），ここでは省略する．

エネルギー平衡（10.84）を使って放射率 j を消去し，さらに光学的厚み，

$$d\tau \equiv -\rho(\kappa + \sigma)dz \tag{10.85}$$

を導入すると，(10.80) から（10.82）は以下のようになる：

$$\mu\frac{dI}{d\tau} = I - \frac{c}{4\pi}E - \frac{1}{4\pi}\frac{1}{\kappa+\sigma}\frac{q_{\mathrm{vis}}^{+}}{\rho}, \tag{10.86}$$

$$\frac{dF}{d\tau} = -\frac{1}{\kappa+\sigma}\frac{q_{\mathrm{vis}}^{+}}{\rho}, \tag{10.87}$$

$$c\frac{dP}{d\tau} = \frac{c}{3}\frac{dE}{d\tau} = F. \tag{10.88}$$

以下では，単位質量当りの加熱率 $q_{\mathrm{vis}}^{+}/[(\kappa+\sigma)\rho]$ が一定だと仮定するが，不透明度が振動数に依存しなければ，それほど悪い近似ではない．

また円盤の赤道面までの光学的厚みを以下のように定義し，

$$\tau_{\mathrm{b}} = -\int_{H}^{0}\rho(\kappa+\sigma)dz, \tag{10.89}$$

円盤赤道面と表面（ランベルト表面を仮定）とで，以下の境界条件を課す：

$$\tau = \tau_{\mathrm{b}} \quad \text{で} \quad F = 0, \tag{10.90}$$

$$\tau = 0 \quad \text{で} \quad F = F_{\mathrm{s}}, \quad cP = \frac{1}{3}cE = \frac{2}{3}F_{\mathrm{s}}. \tag{10.91}$$

以上の条件で（10.87）と（10.88）を積分すると，モーメント量は以下となる：

$$F = F_{\mathrm{s}}\left(1 - \frac{\tau}{\tau_{\mathrm{b}}}\right), \tag{10.92}$$

$$3cP = cE = 3F_{\mathrm{s}}\left(\frac{2}{3} + \tau - \frac{\tau^{2}}{2\tau_{\mathrm{b}}}\right). \tag{10.93}$$

これらを用いて輻射輸送方程式（10.86）を積分すると，外向き輻射強度 $I(\tau,\mu)$（$\mu > 0$）と内向き輻射強度 $I(\tau,-\mu)$ はそれぞれ，

$$I(\tau,\mu) = \frac{3F_{\rm s}}{4\pi}\left[\frac{2}{3}+\tau+\mu+\frac{1}{\tau_{\rm b}}\left(\frac{1}{3}-\frac{\tau^2}{2}-\mu\tau-\mu^2\right)\right.$$
$$\left.-\left(\frac{2}{3}+\frac{\tau_{\rm b}}{2}+\frac{1}{3\tau_{\rm b}}-\frac{\mu^2}{\tau_{\rm b}}\right)e^{(\tau-\tau_{\rm b})/\mu}\right]$$
$$+I(\tau_{\rm b},\mu)e^{(\tau-\tau_{\rm b})/\mu}, \tag{10.94}$$

$$I(\tau,-\mu) = \frac{3F_{\rm s}}{4\pi}\left[\frac{2}{3}+\tau-\mu+\frac{1}{\tau_{\rm b}}\left(\frac{1}{3}-\frac{\tau^2}{2}+\mu\tau-\mu^2\right)\right.$$
$$\left.-\left(\frac{2}{3}-\mu+\frac{1}{3\tau_{\rm b}}-\frac{\mu^2}{\tau_{\rm b}}\right)e^{-\tau/\mu}\right], \tag{10.95}$$

のようになる.ただし,$I(\tau_{\rm b},\mu)$ は円盤赤道面での境界値である.

赤道面での境界条件として,外向き輻射強度は下から来たものであること:

$$I(\tau_{\rm b},\mu) = I(\tau_{\rm b},-\mu) \tag{10.96}$$

を用いると,外向き輻射強度は最終的に以下のようになる[*16]:

$$I(\tau,\mu) = \frac{3F_{\rm s}}{4\pi}\left[\frac{2}{3}+\tau+\mu+\frac{1}{\tau_{\rm b}}\left(\frac{1}{3}-\frac{\tau^2}{2}-\mu\tau-\mu^2\right)\right.$$
$$\left.-\left(\frac{2}{3}-\mu+\frac{1}{3\tau_{\rm b}}-\frac{\mu^2}{\tau_{\rm b}}\right)e^{(\tau-2\tau_{\rm b})/\mu}\right]. \tag{10.97}$$

さらに円盤表面からの出射強度は以下となる:

$$I(0,\mu) = \frac{3F_{\rm s}}{4\pi}\left[\frac{2}{3}+\mu+\frac{1}{\tau_{\rm b}}\left(\frac{1}{3}-\mu^2\right)\right.$$
$$\left.-\left(\frac{2}{3}-\mu+\frac{1}{3\tau_{\rm b}}-\frac{\mu^2}{\tau_{\rm b}}\right)e^{-2\tau_{\rm b}/\mu}\right]. \tag{10.98}$$

図 10.6 に,等方的な値 $\bar{I}\,(=F_{\rm s}/\pi)$ で規格化した出射強度 $I(0,\mu)$ を示しておく.図からわかるように,円盤全体の光学的厚み $\tau_{\rm b}$ が十分に大きければ,出射強度は通常の周縁減光効果を示す(破線は半無限平行平板での通常のミルン–エディントン解).しかしながら円盤全体の光学的厚みが小さくなると,逆に,μ が小さい方が輝度が大きくなる**周縁増光効果**が生じている.これは円盤全体の光学的厚みが小さい場合,μ が小さい方が円盤を見通す距離が長くなり,源泉関数の足し合わせによって輝度が大きくなるためである.

[*16] 円盤の光学的厚み $\tau_{\rm b}$ が十分に大きければ,この解は半無限平面の通常のミルン–エディントン解:$I=(3F_{\rm s}/4\pi)(2/3+\tau+\mu)$ に帰着する.

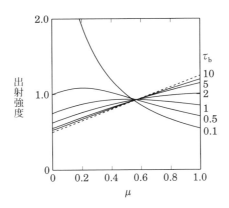

図 10.6 光学的厚みが有限で一様な内部加熱をもつ平行平板層における，規格化した出射強度．横軸は μ で縦軸は等方的な値 $\bar{I}$（$= F_s/\pi$）で規格化した出射強度 $I(0,\mu)$．破線は半無限平行平板層での通常の周縁減光効果．

10.3.3　散乱や照射の効果

　恒星大気に比べ降着円盤の大気は，一般に希薄で高温なため，散乱効果が重要になってくる．また降着円盤では中心星からの照射が働くこともある．ここでは振動数依存性まで含め，散乱や照射の効果を検討してみよう．

(1) 散乱の影響

　太陽光はふつうは眩しすぎて直視できないが，薄雲を通せば太陽の輪郭を見分けることができる．これは雲内の散乱で光量が激減したためだ．6.3 節で述べたように，恒星大気においても，上層に薄い散乱層があれば，深部からくる光線は散乱され，表面から放射される出射強度は減少する（$\sqrt{\varepsilon_\nu}$ 則と呼ばれている）．降着円盤のスペクトルに対する電子散乱の影響も古くから調べられてきたが[*17]，多くの研究では，電子散乱によって，$I_\nu \sim \sqrt{\varepsilon_\nu} B_\nu$ のように変わると考えられ，**修正黒体輻射スペクトル**（modified blackbody spectrum）と呼ばれてきた（Rybicki and Lightman 1979）．

　ただしこれはあくまでも等温大気の場合で，6.3 節で述べたように，内部に向

[*17] Shakura and Sunyaev (1973), Czerny and Elvis (1987), Wandel and Petrosian (1988), Laor and Netzer (1989), Shimura and Takahara (1993), Wang et al. (1999) など．

かって温度勾配があれば，このような散乱の影響は目立たなくなる．降着円盤でも多くの場合は内部に向かって温度勾配があるので，散乱の影響はあまり目立たずに，表面温度はおおむね有効温度ぐらいだろうと指摘されている[*18]．

以下，6.3 節と同じ流れで，ただし光学的厚みが有限な平行平板大気に関して，振動数依存性も考慮し，散乱のある輻射輸送問題を考えてみよう．

LTE を仮定し，プランク分布 $B_\nu(\tau_\nu)$ が，光学的厚み τ_ν について，

$$B_\nu = B_\nu(0) + b_\nu \tau_\nu, \qquad (10.99)$$

のように線形関数だとすると，輻射拡散方程式は以下のようになる：

$$\frac{1}{3}\frac{d^2}{d\tau_\nu^2}(J_\nu - B_\nu) = \varepsilon_\nu(J_\nu - B_\nu). \qquad (10.100)$$

ここで，深部での境界条件（$J_\nu \sim B_\nu$）と表面での境界条件［$J_\nu(0) = c_\nu H_\nu(0)$，ランベルト境界条件を少し緩めてある］を課すと，6.3 節と同様に以下の解が得られる（内部熱源は考慮しない）：

$$J_\nu = B_\nu(0) + b_\nu \tau_\nu - \frac{B_\nu(0) - b_\nu c_\nu/3}{1 + (c_\nu/3)\sqrt{3\varepsilon_\nu}}e^{-\sqrt{3\varepsilon_\nu}\tau_\nu}, \qquad (10.101)$$

$$H_\nu = \frac{1}{3}b_\nu + \sqrt{\frac{\varepsilon_\nu}{3}}\frac{B_\nu(0) - b_\nu c_\nu/3}{1 + (c_\nu/3)\sqrt{3\varepsilon_\nu}}e^{-\sqrt{3\varepsilon_\nu}\tau_\nu}, \qquad (10.102)$$

$$S_\nu = B_\nu(0) + b_\nu \tau_\nu - (1-\varepsilon_\nu)\frac{B_\nu(0) - b_\nu c_\nu/3}{1 + (c_\nu/3)\sqrt{3\varepsilon_\nu}}e^{-\sqrt{3\varepsilon_\nu}\tau_\nu}. \qquad (10.103)$$

この解のグラフは基本的には図 6.15 と同じものになり，等温（$b_\nu = 0$）では散乱の効果が目立つが，温度勾配があれば（$b_\nu \neq 0$）目立たなくなる．

また円盤の赤道面での境界条件として，

$$I_\nu(\tau_{\nu_\mathrm{b}}, \mu) = I_\nu^* + I_\nu(\tau_{\nu_\mathrm{b}}, -\mu) \qquad (10.104)$$

を課し（τ_{ν_b} は円盤の光学的厚み，I_ν^* は赤道面での一様輝度），輻射輸送方程式を解くと，表面からの出射強度は以下のようになる（図 10.7）：

$$I_\nu(0, \mu) = I_\nu^* e^{-\tau_{\nu_\mathrm{b}}/\mu} + B_\nu(0) + b_\nu \mu$$
$$- 2b_\nu \mu e^{-\tau_{\nu_\mathrm{b}}/\mu} - [B_\nu(0) - b_\nu \mu]e^{-2\tau_{\nu_\mathrm{b}}/\mu}$$

[*18] Laor and Netzer（1989），Wang *et al.*（1999），Fukue（2011）など．

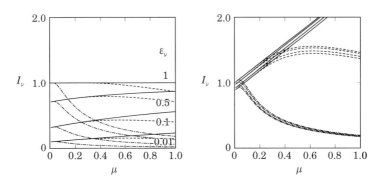

図 10.7　有限の光学的厚みと散乱の効果を入れたときの出射強度 (Fukue 2011). (左) 等温大気の場合 $[b_\nu/B_\nu(0) = 0]$, (右) 温度勾配がある場合 $[b_\nu/B_\nu(0) = 1.5]$. どちらも, 光学的厚み τ_{ν_b} は 10 (実線), 1 (破線), 0.1 (一点鎖線) で, 上から $\varepsilon_\nu = 1, 0.5, 0.1$.

$$
\begin{aligned}
&- \frac{1-\varepsilon_\nu}{1+\mu\sqrt{3\varepsilon_\nu}} \frac{B_\nu(0) - b_\nu c_\nu/3}{1+(c_\nu/3)\sqrt{3\varepsilon_\nu}} \left[1 - e^{-(1+\mu\sqrt{3\varepsilon_\nu})\tau_{\nu_\mathrm{b}}/\mu} \right] \\
&- \frac{1-\varepsilon_\nu}{1-\mu\sqrt{3\varepsilon_\nu}} \frac{B_\nu(0) - b_\nu c_\nu/3}{1+(c_\nu/3)\sqrt{3\varepsilon_\nu}} \left[e^{-(1+\mu\sqrt{3\varepsilon_\nu})\tau_{\nu_\mathrm{b}}/\mu} - e^{-2\tau_{\nu_\mathrm{b}}/\mu} \right].
\end{aligned}
\tag{10.105}
$$

この (10.105) の右辺で, 第 1 項は赤道面輻射が減光された項である. 第 2 項と第 3 項は 6.3 節と同じく黒体輻射に起因する項である. 第 4 項と第 5 項が有限の光学的厚みによって新しく現れた項だ (裏側からの黒体輻射成分など). 最後に, 第 6 項と第 7 項は, 赤道面よりこちら側と向こう側からの散乱成分になる.

(2) 照射の効果

外部からの照射があると, 照射加熱によって降着円盤の構造が変わるだけでなく, 降着円盤の輻射輸送やスペクトルも影響を受ける. 半径が R_* で表面温度が T_* の中心星 (たとえば中性子星) を取り巻く幾何学的に薄い降着円盤を想定して, 照射の影響を考えてみる.

光源から離れるにしたがい輻射は希釈される (4 章). そこでまず準備として, 中心星から円盤表面を入射する輻射に対する希釈因子を導こう (図 10.8).

半径 R_* の中心星表面から, 一様で等方的な輻射強度 I_* ($= \sigma_\mathrm{SB} T_*^4/\pi$) が, 中

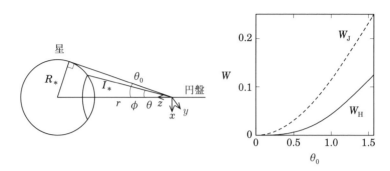

図 10.8 円盤面での希釈因子.(左)座標と変数,(右)希釈因子 $W_{\rm J}$ と $W_{\rm H}$.

心から距離 r の円盤面に入射しているとする(図 10.8(左)).星全体を見込む角度を θ_0 とすると,$\sin\theta_0 = R_*/r$ が成り立つ.この θ_0 を積分範囲として,平均強度に対する希釈因子 $W_{\rm J}$ は以下のように計算される:

$$W_{\rm J} = \frac{1}{4\pi}\int d\Omega = \frac{1}{4\pi}\int_0^{\theta_0}\int_{-\pi/2}^{\pi/2}\sin\theta d\theta d\varphi = \frac{1}{4}\left(1-\cos\theta_0\right). \quad (10.106)$$

同様にして,エディントン流束 H に対する希釈因子 $W_{\rm H}$ は,

$$W_{\rm H} = \frac{1}{4\pi}\int \sin\theta\cos\varphi d\Omega = \frac{1}{4\pi}\int_0^{\theta_0}\int_{-\pi/2}^{\pi/2}\sin^2\theta\cos\varphi d\theta d\varphi$$
$$= \frac{1}{4\pi}\left(\theta_0 - \sin\theta_0\cos\theta_0\right) \quad (10.107)$$

のようになる.これら希釈因子の θ_0 依存性を図 10.8(右)に示しておく.

さて,中心星からの照射で加熱された円盤は鉛直方向に等温になっているとしよう.LTE を仮定すれば,A を反射能として,

$$\sigma_{\rm SB}T_{\rm eff}^4 = (1-A)W_{\rm H}\pi I_* = (1-A)W_{\rm H}\sigma_{\rm SB}T_*^4 \quad (10.108)$$

で決まる温度 $T_{\rm eff}$ をもったプランク分布になっている:

$$B_\nu = B_\nu(0). \quad (10.109)$$

このとき,輻射拡散方程式は(10.100)のようになり,C_1, C_2 を積分定数として,

$$J_\nu - B_\nu = C_1 e^{-\sqrt{3\varepsilon_\nu}\tau_\nu} + C_2 e^{\sqrt{3\varepsilon_\nu}\tau_\nu} \quad (10.110)$$

のような一般解をもつ．また H_ν は $H_\nu = (1/3)dJ_\nu/d\tau_\nu$ で得られる．

つぎに照射がある場合の境界条件だが，円盤表面で等方的な輻射強度 I_ν^+ があると仮定すると（ランベルト表面），A_ν を単色の反射能*19として，表面における平均強度 $J_\nu(0)$ と流束 $H_\nu(0)$ に対し，

$$J_\nu(0) = \frac{1}{2}I_\nu^+ + (1-A_\nu)W_{\rm J}I_\nu^*, \tag{10.111}$$

$$H_\nu(0) = \frac{1}{4}I_\nu^+ - (1-A_\nu)W_{\rm H}I_\nu^* \tag{10.112}$$

が成り立つ．したがって，円盤表面での境界条件は以下のようになる：

$$J_\nu(0) - 2H_\nu(0) = (1-A_\nu)(W_{\rm J}+W_{\rm H})I_\nu^* = (1-A_\nu)WI_\nu^*. \tag{10.113}$$

また円盤の赤道面（$\tau_\nu = \tau_{\nu_{\rm b}}$）では，流束が 0 というのが境界条件になる：

$$H_\nu(\tau_{\nu_{\rm b}}) = 0. \tag{10.114}$$

これらの境界条件（10.113）と（10.114）を用いると，

$$C_\nu \equiv \frac{B_\nu(0) - (1-A_\nu)WI_\nu^*}{1 + \frac{2}{3}\sqrt{3\varepsilon_\nu} + \left(1-\frac{2}{3}\sqrt{3\varepsilon_\nu}\right)e^{-2\sqrt{3\varepsilon_\nu}\tau_{\nu_{\rm b}}}} \tag{10.115}$$

として，積分定数 C_1 と C_2 が以下のように決まる：

$$C_1 = -C_\nu, \tag{10.116}$$

$$C_2 = -C_\nu e^{-2\sqrt{3\varepsilon_\nu}\tau_{\nu_{\rm b}}}. \tag{10.117}$$

したがって以下のようなモーメント量の解析解が得られる（図 10.9）：

$$J_\nu = B_\nu(0) - C_\nu\left(e^{-\sqrt{3\varepsilon_\nu}\tau_\nu} + e^{\sqrt{3\varepsilon_\nu}\tau_\nu - 2\sqrt{3\varepsilon_\nu}\tau_{\nu_{\rm b}}}\right), \tag{10.118}$$

$$H_\nu = \frac{\sqrt{3\varepsilon_\nu}}{3}C_\nu\left(e^{-\sqrt{3\varepsilon_\nu}\tau_\nu} - e^{\sqrt{3\varepsilon_\nu}\tau_\nu - 2\sqrt{3\varepsilon_\nu}\tau_{\nu_{\rm b}}}\right). \tag{10.119}$$

照射の効果が弱ければ（図 10.9（左）），通常のミルン–エディントン解（6.3 節）とさほど変わらない．たとえば吸収だけ（$\varepsilon_\nu = 1$）でも表面で J_ν は減少するが，散乱によってさらに減少する．しかし照射の効果が大きければ（図 10.9（右）），ミルン–エディントン解とは逆のセンスになる．たとえば吸収だけ（$\varepsilon_\nu = 1$）の場

---

*19 ここでは簡単のために，アルベドをパラメータで残しているが，輻射輸送方程式を解けば，アルベドを求めることもできる（例題 10.6 参照）．

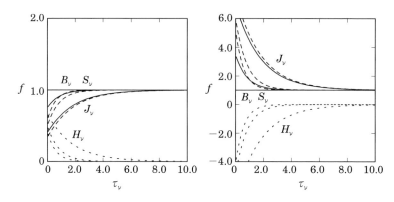

図 10.9　プランク分布 $B_\nu(0)$ で規格化したモーメント量（Fukue 2012a）．円盤の光学的厚み τ_{ν_b} が十分に大きな場合を例示した．(左) 照射が弱い振動数領域 $[(1-A_\nu)WI_\nu^*/B_\nu(0) = 0.1]$．(右) 照射が強い振動数領域 $[(1-A_\nu)WI_\nu^*/B_\nu(0) = 10]$．破線は平均強度 J_ν，点線は流束 H_ν，実線は源泉関数 S_ν を表す．パラメータ ε_ν の値は，左では J_ν と S_ν に対しては上から下に（H_ν はその逆順に）1, 0.5, 0.1 で，右では J_ν と S_ν に対しては下から上に（H_ν はその逆順に）1, 0.5, 0.1.

合，源泉関数は一定でプランク分布に等しいが，外部からの照射光子によって J_ν は表面近傍で上昇している．そして散乱があればさらに増加する．また照射光子が内部に貫入するため H_ν は負になっている．

これらの解析解を輻射輸送方程式に代入すると，外向き輻射 I_ν^+ と内向き輻射 I_ν^- を解析的に求めることができる（Fukue 2012a）．

ここで得られたような解析解を用いると，スペクトルやイメージの計算をすることもできる．たとえば，白色矮星周辺の照射円盤のイメージを図 10.10 に示す．吸収だけの場合（図左側）に比べて，散乱が効いてくると（図右側），全体に輝度が落ちてくる．また円盤の光学的厚みが大きい場合（図上側）に比べて，光学的厚みが小さいと（図下側），裏側から貫入してきた中心星の成分がみえてくる．

例題 10.6　無限に拡がる輻射強度 I^* の一様光源上空に存在する，光学的厚み τ_c の層雲中の輻射輸送を解いて，層雲のアルベドを求めよ．散乱のみとする．

解答　散乱のみの場合，ミルン–エディントンモデルの一般解は，$J(\tau) = 3H_0\tau + C$，$H = H_0$ だった（C と H_0 は積分定数）．照射のない雲の上面での境界条件を

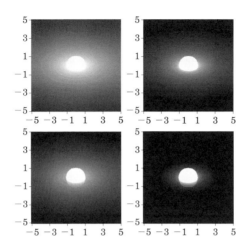

図 10.10 白色矮星周辺の照射円盤のイメージ（Fukue 2012a）. パラメータは, $T_* = 10^5$ K, $\nu = 10^{15}$ Hz, $A_\nu = 0$ で, 上左が $\tau_{\nu_\mathrm{b}} = \infty$ と $\varepsilon_\nu = 1$, 上右が $\tau_{\nu_\mathrm{b}} = \infty$ と $\varepsilon_\nu = 0.01$, 下左が $\tau_{\nu_\mathrm{b}} = 0.1$ と $\varepsilon_\nu = 1$, 下右が $\tau_{\nu_\mathrm{b}} = 0.1$ と $\varepsilon_\nu = 0.01$. 明るさは対数スケールになっている.

$J(0) - 2H(0) = 0$ とすると, $C = 2H_0$ となる. 一方, 照射のある雲の下面での境界条件は, $J(\tau_\mathrm{c}) + 2H(\tau_\mathrm{c}) = I^*$ となるので, 以下の解が得られる：

$$H = H_0 = \frac{1}{4+3\tau_\mathrm{c}} I^*.$$

光源全体から雲の下面に入射する輻射流束 F^+ は, $F^+ = \pi I^*$ なので, 入射光に対する反射光の比率として, 層雲の**アルベド・反射能**（albedo）A^+ が以下のように評価できる：

$$A^+ \equiv \frac{F^+ - 4\pi H}{F^+} = 1 - \frac{4}{4+3\tau_\mathrm{c}} = \frac{3\tau_\mathrm{c}}{4+3\tau_\mathrm{c}}. \tag{10.120}$$

紙数の関係で降着円盤の線スペクトルの研究は省略する[20].

---

[20] 放射率分布を仮定しての輝線プロファイルを計算した例は多いが, 輻射輸送の観点からの線スペクトルの形成については, アダムスが最初に本格的に取り組んだ（Adams 1990）. 相対論的な計算としては, Fuerst *et al.*（2004）がある.

10.4 惑星大気と輻射輸送

恒星大気と並んで地球大気の分野でも輻射輸送の研究は発展してきたが，1995年以降，数多くの**系外惑星**（exoplanet）が発見されて，系外惑星大気へも輻射輸送の応用が進みつつある．恒星や降着円盤のような内部熱源ではなく，母星からの照射を受けた惑星大気の輻射輸送を少し考えてみよう．

10.4.1 空の輝度の単散乱モデル

空の明るさ（青空）は太陽からの入射光が空気分子によって散乱され生じる．多重散乱は複雑になるが，反射星雲の表面輝度で仮定したように，1回だけ散乱されるとして扱ってみよう（単散乱モデル）．すなわち，天頂から測った方向余弦 μ_*（$= \cos\theta_*$）の方向から入射した太陽光 I_ν^* が，方向余弦 μ（$= \cos\theta$）の方向に散乱されたとする（図10.11）．なお散乱の振動数依存性は無視する．

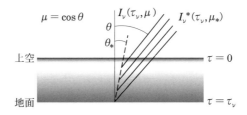

図 10.11 惑星大気での視線方向と入射光の散乱．

まず鉛直方向の密度を，スケールハイトを h として，

$$\rho(z) = \rho_0 e^{-z/h} \tag{10.121}$$

と置くと（等温大気），光学的厚み（$\tau_\nu \ll 1$）は以下のようになる：

$$\tau_\nu = -\int_\infty^z \kappa_\nu \rho dz = \kappa_\nu \rho_0 h e^{-z/h}. \tag{10.122}$$

1回だけ散乱される場合は，入射光の輝度がそのまま平均強度となり，さらに源泉関数となるので，源泉関数は以下のようになる：

$$S_\nu = J_\nu = I_\nu^* e^{-\tau_\nu/\mu_*}. \tag{10.123}$$

この源泉関数を視線にそって積分すると，空の輝度が得られる：

$$I_\nu = \int_0^{\tau_\nu} S_\nu(t_\nu) e^{-t_\nu/\mu} \frac{dt_\nu}{\mu} = \frac{I_\nu^*}{\mu} \int_0^{\tau_\nu} e^{-(1/\mu_* + 1/\mu)t_\nu} dt_\nu$$
$$= \frac{I_\nu^*}{\mu} \frac{1}{1/\mu_* + 1/\mu}[1 - e^{-(1/\mu_* + 1/\mu)\tau_\nu}] = I_\nu^* \frac{\tau_\nu}{\mu}. \qquad (10.124)$$

空の輝度は太陽の輝度と同じオーダーになることがわかる（レイリー散乱を入れるともっと高くなる：3.3.3 節）．にもかかわらず，空が太陽のように明るくないのは，光線の本数が 10 万分の 1 ぐらいに希釈されているためである．

10.4.2 温室効果の一層モデル

主に可視光からなる太陽光によって照射されて地面は暖まり，主に赤外線を放射して冷却する．赤外線は大気によって吸収され，再放射される．この温室効果のプロセスを単純な一層モデルで考えてみよう（図 10.12）．

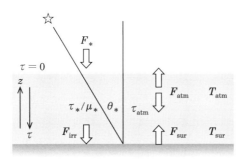

図 10.12 太陽からの照射，地面からの放射，および大気放射.

簡単のために大気の不透明度 κ_ν は 2 値灰色近似とする．すなわち，電磁波の波長が $\lambda \leqq 2\,\mu m$ で $\kappa_\nu = \kappa_{\rm opt}$（一定）とし，$\lambda > 2\,\mu m$ で $\kappa_\nu = \kappa_{\rm IR}$（一定）とする．このとき大気の光学的厚みは，大気の面密度を Σ として，可視光領域（太陽光）に対しては $\tau_* = \kappa_{\rm opt}\Sigma$ となり，赤外線領域では $\tau_{\rm atm} = \kappa_{\rm IR}\Sigma$ となる．

太陽光の輻射流束の垂直成分を F_* とすると，地表まで届いて地面を照射する輻射流束 $F_{\rm irr}$ は，太陽の方向余弦を $\mu_* = \cos\theta_*$ として，以下のように減光される：

$$F_{\rm irr} = F_* e^{-\tau_*/\mu_*}. \qquad (10.125)$$

そして減光された分は大気に吸収されたとしよう（反射などは考えない）：

$$Q_* = F_* - F_{\mathrm{irr}} = F_*(1 - e^{\tau_*/\mu_*}). \tag{10.126}$$

一方,地表はこの照射をすべて吸収し(アルベドは 0),地表温度 T_{sur} で熱放射すると仮定すると,地表からの輻射流束 F_{sur} は以下で決まる:

$$F_{\mathrm{sur}} = \sigma_{\mathrm{SB}} T_{\mathrm{sur}}^4. \tag{10.127}$$

そして上と同様に大気圏外に放射される前に大気で吸収される:

$$Q_{\mathrm{sur}} = F_{\mathrm{sur}}(1 - e^{-\tau_{\mathrm{atm}}}). \tag{10.128}$$

太陽放射と地面放射を吸収した大気は,やはり暖められて,大気温度 T_{atm} で熱放射するが,上向きと下向きの 2 方向と大気による再吸収を考慮すると,大気の輻射流束 F_{atm} は以下の量となる:

$$2F_{\mathrm{atm}} = 2\sigma_{\mathrm{SB}} T_{\mathrm{atm}}^4 (1 - e^{-\tau_{\mathrm{atm}}}). \tag{10.129}$$

さて,大気における熱平衡($Q_* + Q_{\mathrm{sur}} = 2F_{\mathrm{atm}}$)から,

$$F_*(1 - e^{\tau_*/\mu_*}) + F_{\mathrm{sur}}(1 - e^{-\tau_{\mathrm{atm}}}) = 2F_{\mathrm{atm}} \tag{10.130}$$

が成り立ち,地表での熱平衡から,

$$F_* e^{-\tau_*/\mu_*} + F_{\mathrm{atm}} = F_{\mathrm{sur}} \tag{10.131}$$

が成り立つ.これらを連立させて解いて,地表と大気の放射が得られる:

$$F_{\mathrm{sur}} = F_* \frac{1 + e^{-\tau_*/\mu_*}}{1 + e^{-\tau_{\mathrm{atm}}}}, \tag{10.132}$$

$$F_{\mathrm{atm}} = F_* \frac{1 - e^{-(\tau_*/\mu_* + \tau_{\mathrm{atm}})}}{1 + e^{-\tau_{\mathrm{atm}}}}. \tag{10.133}$$

また,地表温度と大気温度はそれぞれ以下となる:

$$T_{\mathrm{sur}} = \left(\frac{F_{\mathrm{sur}}}{\sigma_{\mathrm{SB}}}\right)^{1/4} = \left(\frac{F_*}{\sigma_{\mathrm{SB}}} \frac{1 + e^{-\tau_*/\mu_*}}{1 + e^{-\tau_{\mathrm{atm}}}}\right)^{1/4}, \tag{10.134}$$

$$T_{\mathrm{atm}} = \left(\frac{F_{\mathrm{atm}}}{\sigma_{\mathrm{SB}}} \frac{1}{1 - e^{-\tau_{\mathrm{atm}}}}\right)^{1/4} = \left[\frac{F_*}{\sigma_{\mathrm{SB}}} \frac{1 - e^{-(\tau_*/\mu_* + \tau_{\mathrm{atm}})}}{1 - e^{-2\tau_{\mathrm{atm}}}}\right]^{1/4}. \tag{10.135}$$

地球大気の場合,可視光の光学的厚みは小さく,赤外線領域では大きい.$\tau_* \sim 0$ で $\tau_{\mathrm{atm}} \gg 1$ の場合,極限を取ると,$F_{\mathrm{sur}} \sim 2F_*$, $F_{\mathrm{atm}} \sim F_*$ となる.

10.4.3 惑星大気の基本的輻射輸送

惑星大気における輻射輸送は，前節で触れた母星からの照射，地表からの放射，大気放射に加え，大気内における（多重）散乱や雲による反射や散乱など，多くの過程が関わっている．この節では，惑星大気における輻射輸送の基本形をいくつか考えてみよう[*21]．輻射は単色光で振動数依存性はあるが，簡単のために振動数の添え字は省略する．平行平板大気で鉛直方向の光学的厚みを τ_* とし，惑星大気の慣例で単散乱アルベド ϖ（一定と仮定）を用いる．

このとき，2流近似のもとで輻射輸送方程式は，

$$\bar{\mu}^+ \frac{dI^+}{d\tau} = I^+ - \frac{\varpi}{2}I^+ - \frac{\varpi}{2}I^- - (1-\varpi)B, \tag{10.136}$$

$$\bar{\mu}^- \frac{dI^-}{d\tau} = -I^- + \frac{\varpi}{2}I^+ + \frac{\varpi}{2}I^- + (1-\varpi)B \tag{10.137}$$

のようになる[*22]．ただし，$\bar{\mu}^\pm$ は平均方向余弦であった（$\bar{\mu}^+ = \bar{\mu}^- = \bar{\mu}$ とする）．また，6.2.3 節と異なり，ここでは輻射輸送方程式を直接に解いてみよう．

(1) 一様な照射源

母星からの距離が遠ければ母星は点光源として扱えるが，ホットジュピター[*23] のように母星近傍の惑星では拡がった光源になる．その極端なケースとして，大気上方から一様で等方な照射が入射しているとしよう（図 10.13）．

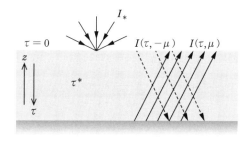

図 **10.13** 惑星大気の基本問題：一様等方な照射があるとき．

[*21] 詳細については，Thomas and Stamnes (2002) を参照．
[*22] エディントン近似の具体例は，たとえば，Guillot (2010) を参照．
[*23] 母星から 0.1 au 以内に位置し，木星級の大きさをもつガス惑星．

ここでは簡単のために，大気の熱放射を無視しよう（$B = 0$）．そして，(10.136) と (10.137) の差と和を作ると以下となる：

$$\bar{\mu}\frac{d(I^+ - I^-)}{d\tau} = (1 - \varpi)(I^+ + I^-), \tag{10.138}$$

$$\bar{\mu}\frac{d(I^+ + I^-)}{d\tau} = I^+ - I^-. \tag{10.139}$$

両式から $I^+ - I^-$ または $I^+ + I^-$ を消去すると，

$$\frac{d^2(I^+ + I^-)}{d\tau^2} = \frac{1 - \varpi}{\bar{\mu}^2}(I^+ + I^-), \tag{10.140}$$

$$\frac{d^2(I^+ - I^-)}{d\tau^2} = \frac{1 - \varpi}{\bar{\mu}^2}(I^+ - I^-) \tag{10.141}$$

という同型の斉次 2 階微分方程式が得られる．

どちらの方程式でも一般解は以下のものとなる：

$$I^+ + I^- = A'e^{\Gamma\tau} + B'e^{-\Gamma\tau}, \quad \Gamma = \sqrt{1 - \varpi}/\bar{\mu}, \tag{10.142}$$

$$I^+ - I^- = C'e^{\Gamma\tau} + D'e^{-\Gamma\tau}, \quad \Gamma = \sqrt{1 - \varpi}/\bar{\mu}. \tag{10.143}$$

これらは線形結合なので，それぞれの一般解も同じ形になる：

$$I^+(\tau) = Ae^{\Gamma\tau} + Be^{-\Gamma\tau}, \quad \Gamma = \sqrt{1 - \varpi}/\bar{\mu}, \tag{10.144}$$

$$I^-(\tau) = Ce^{\Gamma\tau} + De^{-\Gamma\tau}, \quad \Gamma = \sqrt{1 - \varpi}/\bar{\mu}. \tag{10.145}$$

ここで，$ABCD$ は境界条件などから決まる定数だが，もともとの微分方程式は 2 階なので，独立なものは 2 つだけである．すなわち，(10.144) と (10.145) を (10.136) と (10.137) に入れて，係数を整理すると，以下の関係が得られる：

$$\frac{C}{A} = \frac{B}{D} = \frac{1 - \sqrt{1 - \varpi}}{1 + \sqrt{1 - \varpi}} \equiv \Delta. \tag{10.146}$$

したがって，一般解は以下のように整理される：

$$I^+(\tau) = Ae^{\Gamma\tau} + \Delta De^{-\Gamma\tau}, \tag{10.147}$$

$$I^-(\tau) = \Delta Ae^{\Gamma\tau} + De^{-\Gamma\tau}. \tag{10.148}$$

さて，境界条件として，上方からの一様照射と地表からの照射なしを置こう：

$$I^-(\tau = 0) = I_*, \tag{10.149}$$

$$I^+(\tau = \tau_*) = 0. \tag{10.150}$$

これらから残った係数 AD を決めると，輻射強度が得られる：

$$I^+(\tau) = \frac{I_*\Delta}{\mathcal{D}}\left[e^{\Gamma(\tau_*-\tau)} - e^{-\Gamma(\tau_*-\tau)}\right], \tag{10.151}$$

$$I^-(\tau) = \frac{I_*}{\mathcal{D}}\left[e^{\Gamma(\tau_*-\tau)} - \Delta^2 e^{-\Gamma(\tau_*-\tau)}\right]. \tag{10.152}$$

ただし，分母の $\mathcal{D}$ は以下である：

$$\mathcal{D} \equiv e^{\Gamma\tau_*} - \Delta^2 e^{-\Gamma\tau_*}. \tag{10.153}$$

これらの輻射強度から，定義にしたがって，平均強度，源泉関数，輻射流束などを求めることができる（章末問題）．

(2) 一様な大気内放射源

母星からの入射光や地表からの熱放射が惑星大気に吸収または散乱されると，惑星大気からの熱放射や散乱が生じる．その極端なケースとして，惑星大気が一様で等方な熱放射をしているとしよう（図 10.14）．

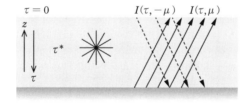

図 **10.14** 惑星大気の基本問題：一様な内部放射源があるとき．

このとき，2 流近似のもとでの輻射輸送方程式（10.136）と（10.137）の解は，$(1-\varpi)B=0$ とした斉次方程式の解（10.147）と（10.148）に，大気放射の特解 B を加えたものになる：

$$I^+(\tau) = Ae^{\Gamma\tau} + \Delta D e^{-\Gamma\tau} + B, \tag{10.154}$$

$$I^-(\tau) = \Delta A e^{\Gamma\tau} + D e^{-\Gamma\tau} + B. \tag{10.155}$$

境界条件を $I^-(0) = I^+(\tau_*) = 0$ として，係数 AD を決め，輻射強度を得る：

$$I^+(\tau) = \frac{B}{\mathcal{D}}\{\Delta^2 e^{-\Gamma\tau} - e^{\Gamma\tau} + \Delta[e^{-\Gamma(\tau_*-\tau)} - e^{\Gamma(\tau_*-\tau)}]\} + B, \tag{10.156}$$

$$I^-(\tau) = \frac{B}{\mathcal{D}}\{\Delta^2 e^{-\Gamma(\tau_*-\tau)} - e^{\Gamma(\tau_*-\tau)} + \Delta[e^{-\Gamma\tau} - \Delta e^{\Gamma\tau}]\} + B. \tag{10.157}$$

これらの輻射強度から,平均強度,源泉関数,輻射流束などが求まる.

(3) 母星による照射

母星からの距離が遠くて母星が点光源として扱えるとき,母星からの光は一条の光線として大気に入射してくる(図 10.15).この入射光線は大気内で散乱されていくことになる.

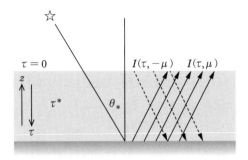

図 **10.15** 惑星大気の基本問題:母星からの照射があるとき.

輻射輸送方程式は線形方程式なので,大気中で拡散されていく輻射強度 $I_\mathrm{d}^\pm$ と入射光線(平均流束を H_* とする)による源泉項はわけて考えた方が便利だ.すなわち,2 流近似のもとで輻射輸送方程式は,

$$\bar{\mu}^+ \frac{dI_\mathrm{d}^+}{d\tau} = I_\mathrm{d}^+ - \frac{\varpi}{2}(I_\mathrm{d}^+ + I_\mathrm{d}^-) - \varpi H_* e^{-\tau/\mu_*}, \tag{10.158}$$

$$\bar{\mu}^- \frac{dI_\mathrm{d}^-}{d\tau} = -I_\mathrm{d}^- + \frac{\varpi}{2}(I_\mathrm{d}^+ + I_\mathrm{d}^-) + \varpi H_* e^{-\tau/\mu_*} \tag{10.159}$$

のようになる.ただし,μ_* は入射光線の方向余弦である.

両式の差や和を取り,$I^+ - I^-$ または $I^+ + I^-$ を消去すると,

$$\bar{\mu}^2 \frac{d^2(I^+ + I^-)}{d\tau^2} = (1-\varpi)(I^+ + I^-) - 2\varpi H_* e^{-\tau/\mu_*}, \tag{10.160}$$

$$\bar{\mu}^2 \frac{d^2(I^+ - I^-)}{d\tau^2} = (1-\varpi)(I^+ - I^-) + 2\varpi \frac{\bar{\mu}}{\mu_*} H_* e^{-\tau/\mu_*} \tag{10.161}$$

という 2 階の非斉次微分方程式が得られる．そして，斉次方程式の一般解と非斉次方程式の特解を合わせて，一般解は以下のように整理される：

$$I_{\mathrm{d}}^{+}(\tau) = Ae^{\Gamma\tau} + \Delta D e^{-\Gamma\tau} + Z^{+}e^{-\tau/\mu_*}, \tag{10.162}$$

$$I_{\mathrm{d}}^{-}(\tau) = \Delta A e^{\Gamma\tau} + D e^{-\Gamma\tau} + Z^{-}e^{-\tau/\mu_*}. \tag{10.163}$$

最後に，もとの方程式に代入して係数 $Z^{\pm}$ が決まり，境界条件 $[I_{\mathrm{d}}^{-}(0) = I_{\mathrm{d}}^{+}(\tau_*) = 0]$ から係数 AD が決まる：

$$Z^{+} = \frac{\varpi H_* \mu_*(\bar{\mu} - \mu_*)}{\bar{\mu}^2(1 - \Gamma^2\mu_*^2)}, \tag{10.164}$$

$$Z^{-} = -\frac{\varpi H_* \mu_*(\bar{\mu} + \mu_*)}{\bar{\mu}^2(1 - \Gamma^2\mu_*^2)}, \tag{10.165}$$

$$A = -\frac{\varpi H_* \mu_*}{\bar{\mu}^2(1 - \Gamma^2\mu_*^2)\mathcal{D}} \left[\Delta(\bar{\mu} + \mu_*)e^{-\Gamma\tau_*} + (\bar{\mu} - \mu_*)e^{-\tau_*/\mu_*}\right], \tag{10.166}$$

$$D = \frac{\varpi H_* \mu_*}{\bar{\mu}^2(1 - \Gamma^2\mu_*^2)\mathcal{D}} \left[(\bar{\mu} + \mu_*)e^{\Gamma\tau_*} + \Delta(\bar{\mu} - \mu_*)e^{-\tau_*/\mu_*}\right]. \tag{10.167}$$

輻射強度から，平均強度，源泉関数，輻射流束などが求まる．

Chapter ⑩ の章末問題

問題 10.1 灰色大気で κ_R を一定とした解について，G0 型星（$T_\mathrm{eff} = 6000\,\mathrm{K}$, $\log g = 4.5$）と B0 型星（$T_\mathrm{eff} = 29000\,\mathrm{K}$, $\log g = 3.8$）の温度分布，ガス圧分布，輻射圧分布，β 分布を τ の関数として描いてみよ．

問題 10.2 光電離率（10.31）の積分をオーダー評価すると，電離平衡（10.30）は，

$$n_\mathrm{HI} a_\nu \frac{L_\nu}{4\pi r^2} = n_\mathrm{e} n_\mathrm{p} \alpha_\mathrm{A}$$

と表せる．中性原子の割合を ξ とし，$n_\mathrm{HI} = \xi n_\mathrm{H}$, $n_\mathrm{p} = n_\mathrm{e} = (1-\xi)n_\mathrm{H}$ と置いて，半径 r の関数として中性原子の割合を求めてみよ．

問題 10.3 点光源周辺に塵が密度 ρ が $\rho(r) \propto r^{-p}$（r は点源からの距離）で分布しているとする．塵の吸収係数の振動数依存性が $\kappa_\nu \propto \nu^n$ で表されると仮定すると，塵温度の半径分布は，光学的に厚い場合は $T \propto r^{-(p+1)/(4-n)}$, 光学的に薄い場合は $T \propto r^{-2/(n+4)}$ と表されることを示せ．LTE と RE は仮定してよい．

問題 10.4 円盤表面が半径 r に依存する温度 $T(r)$ の黒体輻射 $B(T) = B(T(r))$ を放射しているとすると，円盤全体のスペクトルは，

$$S_\nu = \int_{r_\mathrm{in}}^{r_\mathrm{out}} B_\nu(r) 2\pi r dr$$

で計算される．温度分布が，$T_\mathrm{eff} = T_\mathrm{in}(r/r_\mathrm{in})^{-p}$ のように表されるとして，変数変換を使って，べき乗分布を求めてみよ．

問題 10.5 光学的厚みが有限な降着円盤で，加熱源が円盤の赤道面に集中しており（赤道面は一様で等方的に I^* の輻射強度を出している），大気の中ではエネルギー源はない場合について，円盤大気中の輻射輸送問題を解いてみよ．

問題 10.6 降着円盤大気の構造を表す方程式を書き下してみよ．

問題 10.7 一様な内部加熱がある場合，散乱の効果はどうなるか．

問題 10.8 無限に拡がる一様な光源上空にある，光学的厚みが有限の層雲における輻射輸送問題を解いてみよ．光源が球状の場合や層雲が球殻状の場合はどうなるか．

問題 10.9 ガスの角運動量が一定とした輻射圧優勢トーラスの構造を求めてみよ．

問題 10.10 上空から一様な照射がある場合の惑星大気モデルで，平均強度や上向き輻射流束，下向き輻射流束，全輻射流束などを求めてみよ．

Chapter 11
輻射駆動風と輻射優勢降着流

輻射はガスの運動にも強い影響を及ぼし，輻射とガスの相互作用が天体周辺の流れを決めることもある．たとえば電子散乱やダストの吸収あるいは原子の線吸収などで，ガスが輻射から運動量をもらって**輻射力駆動風**（radiative driven wind）として吹き出すことがある．輻射力駆動風の形状は球対称からジェット状まで多様である．逆に，天体へのガス降着においても，エディントン降着率を超える超臨界降着流では輻射圧が優勢になり，**輻射優勢降着流**（radiation dominated accretion flow）が生じる．本章では，輻射流体力学的な天体流の特徴や解析法を紹介したい．

11.1 輻射圧駆動球対称風と球対称降着流

中心天体の重力が周辺のガス物質に作用すると，もっとも単純な状況では，ガス物質は中心天体へ向かって球対称に降り積もっていく．ガスはさまざまな過程で電磁波を放出するし，中心天体自体が光っていることもある．これら輻射と降着ガスの相互作用によって，球対称降着流のダイナミックスは多様な影響を受ける．また一方で，ガスの熱的な圧力や磁気力そして輻射力などにより，中心天体から周囲へ向けてガス物質が吹き出すこともある．ここでは，単純だが基本的な場合として，重力場中の球対称な流れにおける輻射の働きを考えてみよう．

11.1.1 恒星風の観測

星から吹き出す流れ —— **恒星風**（stellar wind）—— は，さまざまな観測によって，その物理量などが調べられている．

たとえば，O 型や B 型さらに A 型あたりまでの高温度星のスペクトルには，しばしば，**はくちょう座 P 型星線輪郭**（P Cyg profile）と呼ばれるものが観測される（図 11.1）．この P Cyg プロファイルは，静止波長に対して，強く青方偏移した吸収線とやや赤方偏移気味の輝線からなる，非常に変わった線プロファイルである．炭素・酸素・窒素・ケイ素などの原子線でしばしば観測される．

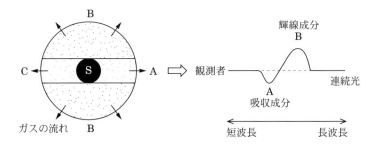

図 11.1 はくちょう座 P 型星の線輪郭と説明図．

この特徴的な P Cyg プロファイルは，恒星風内での吸収・散乱で説明できる．星の表面から出た光子は恒星風のガスによって吸収・放出・散乱される．放出と散乱は任意の方向に生じるので，観測者に対してさまざまな速度をもった恒星風全体からは，ドップラー効果によって広がった輝線が観測される．一方，恒星本体の方向に関しては，背景の恒星光に対して吸収線となるが，この吸収線は観測者に対しては青方偏移したものになる．それらを合成した結果，強く青方偏移した吸収線と赤方側の輝線という P Cyg プロファイルになる．

P Cyg プロファイルは見えなくとも，恒星風が吹いているとドップラー効果のために輝線の幅が広がるので，輝線の幅からおおまかな速度などが見積もられる．

具体的には，高温度星では，恒星風の速度は 600–3500 km s^{-1} ぐらいで，質量放出率は 10^{-8}–$10^{-5} M_\odot$ yr^{-1} ぐらいと見積もられている．青色超巨星やウォルフ–ライエ星などでは，質量放出率はもっと大きい（10.1.1 節）．星の質量が 20–60 $M_\odot$ ぐらいの O 型星では，エディントン比（星の光度とエディントン光度

の比率）は 0.4–0.7 ぐらいだが，恒星風は光学的に薄くて，主として線吸収によって光子の運動量を獲得しているようだ．質量が $100\,M_\odot$ を超える大質量星では，エディントン比が 0.7–0.95 にもなり，恒星風は光学的に厚くなって，連続光によって駆動される．また恒星風の流れは非常に不均質なものになると考えられている．

低温の M 型星，赤色巨星や漸近巨星分枝星でも，分子輝線の観測などから恒星風の存在は確認されている．速度は 数 $10\,\mathrm{km\,s^{-1}}$ ぐらいで，質量放出率が 10^{-6}–$10^{-5}\,M_\odot\,\mathrm{yr^{-1}}$ ぐらいである．低温度星では，恒星大気で分子やダストが形成される．ダストの有効不透明度は電子散乱の 1000 倍ほどあるので，光子の運動量を有効に吸収して，ダスト駆動型の恒星風が吹いていると考えられている．

新星や超新星，X 線バースター，ガンマ線バースターなど，天体表面での爆発や天体全体の大爆発によって，突発的に質量放出が起こる現象もある．非常に短いタイムスケールでは，準定常的に球対称な風が吹いていると見なせる．たとえば，白色矮星表面の**新星**（nova）爆発に伴う質量放出 —— **新星風**（nova wind）—— では，速度は 100–1000 $\mathrm{km\,s^{-1}}$ ぐらいで，質量放出率は 10^{-5}–$10^{-3}\,M_\odot\,\mathrm{yr^{-1}}$ 程度である．新星風では輻射圧が非常に優勢で，輻射圧駆動型の流れになっている（後期は線吸収やダスト吸収が働く）．また中性子星で生じる **X 線バースター**（X-ray burster）に伴う**中性子星風**（neutron star wind）も輻射圧駆動型球対称風になっている．中性子星風の流速は $3\times 10^4\,\mathrm{km\,s^{-1}}$（$\sim 0.1c$）ぐらいもあり，光度はほぼエディントン光度だ．

11.1.2　輻射を考慮した球対称流の基礎方程式

動径 r のみに依存する定常で球対称な流れだとすると，9 章でまとめた輻射流体力学の基礎方程式は以下のようになる．

連続の式（密度 ρ，流速 v，一定の質量流率 $\dot{M}$ [*1]）：

$$\frac{d}{dr}(r^2\rho v) = 0, \qquad 4\pi r^2 \rho v = \dot{M}. \tag{11.1}$$

運動方程式（ガスの圧力 p，中心天体の質量 M，輻射流束 F）：

$$v\frac{dv}{dr} = -\frac{1}{\rho}\frac{dp}{dr} - \frac{GM}{r^2} + \frac{\kappa+\sigma}{c}F. \tag{11.2}$$

[*1] 風の場合は**質量損失率**（mass-loss rate）とか**質量流出率**（mass-flow rate）と呼び，降着の場合は**質量降着率**（mass-accretion rate）と呼ぶことが多い．

エネルギー式(比熱比 γ,放射率 j,輻射エネルギー密度 E)[*2]:
$$\frac{1}{\gamma-1}\left(v\frac{dp}{dr}-\gamma\frac{p}{\rho}v\frac{d\rho}{dr}\right)=-\rho(j-c\kappa E). \tag{11.3}$$

理想気体の状態方程式(温度 T):
$$p=\frac{\mathcal{R}}{\mu}\rho T. \tag{11.4}$$

0次のモーメント式:
$$\frac{1}{r^2}\frac{d}{dr}(r^2 F)=\rho(j-c\kappa E). \tag{11.5}$$

1次のモーメント式(輻射圧 P):
$$\frac{dP}{dr}+\frac{3P-E}{r}=-\rho\frac{\kappa+\sigma}{c}F. \tag{11.6}$$

エディントン近似(エディントン因子 $f=1/3$):
$$P=\frac{1}{3}E\equiv fE. \tag{11.7}$$

LTE を仮定すると放射率に対して(黒体輻射強度 $B=\sigma_{\mathrm{SB}}T^4/\pi$):
$$\frac{j}{4\pi}=\kappa B. \tag{11.8}$$

拡張したベルヌーイの式(一定のエネルギー流率 $\dot{E}$):
$$\dot{M}\left(\frac{1}{2}v^2+\frac{\gamma}{\gamma-1}\frac{p}{\rho}-\frac{GM}{r}\right)+4\pi r^2 F=\dot{E}. \tag{11.9}$$

変数($\rho, v, p, T, E, F, P, j$)に対して方程式の数が1つ多いように見えるが,ベルヌーイの式は,他の式を援用しながら運動方程式を積分して得られるものなので,独立な方程式の数は変数の数と同じである.

なお,以下ではしばしば,断熱音速 c_{s} と等温音速 c_{T} を用いる:
$$c_{\mathrm{s}}^2\equiv\gamma\frac{p}{\rho}=\gamma\frac{\mathcal{R}}{\mu}T, \tag{11.10}$$
$$c_{\mathrm{T}}^2\equiv\frac{p}{\rho}=\frac{\mathcal{R}}{\mu}T. \tag{11.11}$$

[*2] 一般には右辺に加熱率 q^+ があってもよいが,ここでは考えない.

さて，ガスが光学的に十分に薄ければ，輻射場は外場とみなしてよく，ガスと輻射の相互作用としては，輻射圧がガスに与える運動量のみを考えればよい．すなわち，中心星の光度とエディントン光度の比を Γ とすると，有効重力が $1-\Gamma$ だけ減少したのと同じ状態になる．そして，ガス圧で加速される通常の太陽風などと同じく，鞍点型の遷音速点を通って加速されていく（第 1 巻参照）[*3]．輻射拡散など相互作用が無視できる場合（断熱近似），輻射とガスは一体となって振舞うので（一流体近似），やはりガス圧で加速される場合と同じ扱いができる．

以下では，光学的に厚い輻射圧駆動球対称風を考える（Fukue 2014）．

11.1.3 平衡拡散近似での輻射優勢球対称流

（11.2）に理想気体の状態方程式（11.4）を入れてガス圧を消去し，連続の式（11.1）を使って密度を消去すると，以下の微分方程式が得られる：

$$\left(v^2 - \frac{\mathcal{R}}{\mu}T\right)\frac{1}{v}\frac{dv}{dr} = -\frac{d}{dr}\left(\frac{\mathcal{R}}{\mu}T\right) + \frac{\mathcal{R}}{\mu}T\frac{2}{r} - \frac{GM}{r^2} + \frac{\kappa+\sigma}{c}F. \qquad (11.12)$$

この式の温度 T はガス温度で，本来はエネルギー式（11.3）で決まるが，**平衡拡散近似**（equilibrium diffusion approximation）では輻射場の温度で代用する．

すなわち，平衡拡散近似（拡散領域）では，ガスが光学的に十分に厚く，輻射場がほぼ黒体輻射になっていて，ガス温度と輻射温度が等しく，輻射圧 P を

$$P = \frac{1}{3}aT^4 \qquad (11.13)$$

と置けると仮定する．このとき，1 次のモーメント式（11.6）を

$$\frac{4acT^3}{3(\mathcal{R}/\mu)}\frac{d}{dr}\left(\frac{\mathcal{R}}{\mu}T\right) = -\rho\frac{\kappa+\sigma}{c}F \qquad (11.14)$$

と書き換えて，この式を（11.12）の右辺に代入すると，拡散近似のもとでの**風方程式**（wind equation）が得られる[*4]：

[*3] 比熱比 γ とベルヌーイの式の積分定数 E を使うと，遷音速点の半径 r_c とそこでの速度 v_c は，それぞれ，以下のようになる：

$$r_c = \frac{5-3\gamma}{2(\gamma-1)}\frac{GM(1-\Gamma)}{2E}, \quad v_c^2 = \frac{2(\gamma-1)}{5-3\gamma}E.$$

[*4] 文献ではしばしば，F を消去して dT/dr を残しているが，dT/dr を消去するのが本筋だろう．

$$\left(v^2 - \frac{\mathcal{R}}{\mu}T\right)\frac{1}{v}\frac{dv}{dr} = \frac{\mathcal{R}}{\mu}T\frac{2}{r} - \frac{GM}{r^2} + \left[\frac{3(\mathcal{R}/\mu)\rho}{4aT^3} + 1\right]\frac{\kappa+\sigma}{c}F. \qquad (11.15)$$

この (11.15) と (11.14) および連続の式 (11.1) とベルヌーイの式 (11.9) が,独立な方程式になる (変数は, ρ, v, T, F). 以下, これらの式を整理していこう.

まず,温度の代わりに等温音速 c_T (11.11) を導入し, 輻射流束の代わりに光度 L ($\equiv 4\pi r^2 F$) を使い, さらに連続の式 (11.1) から密度を消去すると, (11.15), (11.14), (11.9) は, それぞれ, 以下のように書き換えられる:

$$(v^2 - c_\mathrm{T}^2)\frac{1}{v}\frac{dv}{dr} = c_\mathrm{T}^2\frac{2}{r} - \frac{GM}{r^2} + \left[\frac{3(\mathcal{R}/\mu)^4}{4a}\frac{\dot{M}}{4\pi r^2 v}\frac{1}{c_\mathrm{T}^6} + 1\right]\frac{\kappa+\sigma}{c}\frac{L}{4\pi r^2}, \qquad (11.16)$$

$$\frac{dc_\mathrm{T}^2}{dr} = -\frac{3(\mathcal{R}/\mu)^4}{4a}\frac{\dot{M}}{4\pi r^2 v}\frac{1}{c_\mathrm{T}^6}\frac{\kappa+\sigma}{c}\frac{L}{4\pi r^2}, \qquad (11.17)$$

$$\frac{1}{2}v^2 + \frac{\gamma}{\gamma-1}c_\mathrm{T}^2 - \frac{GM}{r} + \frac{L}{\dot{M}} = \frac{\dot{E}}{\dot{M}}. \qquad (11.18)$$

つぎに方程式の無次元化 (規格化) を行う. ここでは, 中心天体がブラックホールなどのケースも念頭に置いて, 光速 c, 中心天体のシュバルツシルト半径 r_S ($\equiv 2GM/c^2$), エディントン光度 L_E ($\equiv 4\pi cGM/\sigma$), 臨界降着率 $\dot{M}_\mathrm{E}$ ($\equiv L_\mathrm{E}/c^2$) などで無次元化する.

無次元化した変数として,

$$x \equiv \frac{r}{r_\mathrm{S}}, \quad \beta \equiv \frac{v}{c}, \quad \alpha_\mathrm{T} \equiv \frac{c_\mathrm{T}}{c}, \quad \ell \equiv \frac{L}{L_\mathrm{E}} \qquad (11.19)$$

と定義し, 無次元化したパラメータを

$$m \equiv \frac{M}{M_\odot}, \quad \dot{m} \equiv \frac{\dot{M}}{\dot{M}_\mathrm{E}}, \quad \dot{e} \equiv \frac{\dot{E}}{\dot{M}_\mathrm{E}c^2} \qquad (11.20)$$

と置くと, (11.16), (11.17), (11.18) は, それぞれ, 以下のように整理できる:

$$(\beta^2 - \alpha_\mathrm{T}^2)\frac{1}{\beta}\frac{d\beta}{dx} = \frac{2\alpha_\mathrm{T}^2}{x} - \frac{1}{2x^2} + \left[A\frac{\dot{m}}{m}\frac{1}{x^2\beta\alpha_\mathrm{T}^6} + 1\right]\frac{\kappa+\sigma}{\sigma}\frac{\ell}{2x^2}, \qquad (11.21)$$

$$\frac{d\alpha_\mathrm{T}^2}{dx} = -A\frac{\dot{m}}{m}\frac{1}{x^2\beta\alpha_\mathrm{T}^6}\frac{\kappa+\sigma}{\sigma}\frac{\ell}{2x^2}, \qquad (11.22)$$

$$\ell = \dot{e} - \dot{m}\left(\frac{1}{2}\beta^2 + \frac{\gamma}{\gamma-1}\alpha_\mathrm{T}^2 - \frac{1}{2x}\right). \qquad (11.23)$$

ただしここで，A は以下のような無次元の数値定数である（$\mu = 0.5$, $\sigma = \sigma_\mathrm{T} = 0.4\,\mathrm{cm}^2\,\mathrm{g}^{-1}$ と置いた）：

$$A = \frac{3(\mathcal{R}/\mu)^4}{4a}\frac{1}{4\sigma c^4 GM_\odot} = 4.4 \times 10^{-22} \tag{11.24}$$

この値が非常に小さいので，(11.21) の右辺で A を含む項は，たいていの場合は無視することができる．このことは，もとをたどれば，(11.12) の右辺にある温度勾配の項が，平衡拡散近似のもとでは輻射流束の項に対して無視できることを意味している．すなわち，平衡拡散近似が成り立つ領域では，ガス圧の勾配から来る温度勾配の項はほとんど無視できることを意味している．

(1) $A = 0$ で散乱のみの場合

簡単のために A を含む項を落とし，また輻射圧駆動流では電子散乱が卓越することも多いので $(\kappa+\sigma)/\sigma = 1$ と置こう．このとき，風方程式 (11.21) は，以下のように単純になる：

$$\frac{d\beta}{dx} = \frac{\mathcal{N}}{\mathcal{D}}, \tag{11.25}$$

$$\mathcal{D} = \beta^2 - \alpha_\mathrm{T}^2, \tag{11.26}$$

$$\mathcal{N} = \beta\left(\frac{2\alpha_\mathrm{T}^2}{x} - \frac{1}{2x^2} + \frac{\ell}{2x^2}\right). \tag{11.27}$$

流れの流速と音速が等しくなる遷音速点で速度の勾配が有限であるためには，遷音速点で分母 $\mathcal{D}$ と分子 $\mathcal{N}$ が同時に 0 にならなければならない．すなわち，臨界点条件は，

$$\frac{2\beta_\mathrm{c}^2}{x_\mathrm{c}} - \frac{1-\ell_\mathrm{c}}{2x_\mathrm{c}^2} = 0, \tag{11.28}$$

$$1 - \ell_\mathrm{c} = 1 - \dot{e} + \dot{m}\left[\frac{3\gamma-1}{2(\gamma-1)}\beta_\mathrm{c}^2 - \frac{1}{2x_\mathrm{c}}\right], \tag{11.29}$$

あるいは，

$$\beta_\mathrm{c}^2 = \alpha_\mathrm{T}^2 = \frac{2\dfrac{\dot{e}-1}{\dot{m}}x_\mathrm{c} + 1}{\dfrac{3\gamma-1}{\gamma-1}x_\mathrm{c} - \dfrac{8}{\dot{m}}x_\mathrm{c}^2} \tag{11.30}$$

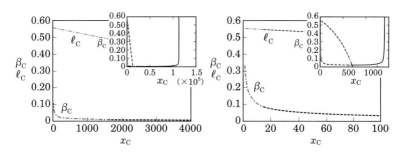

図 11.2 平衡拡散近似で得られた輻射圧駆動流の臨界線．左は新星風（$\dot{m} = 10^5$, $\dot{e} = 5$），右は中性子星風（$\dot{m} = 10^3$, $\dot{e} = 1.1$）に相当する場合．比熱比 $\gamma = 4/3$．太線は β_c を細線は ℓ_c を示す．実線は鞍点型，破線は渦心点型，一点鎖線は結節点型を表す．

のようになる（添え字の c は臨界点の意味）．単純な遷音速点の場合は，与えられたパラメータのもとで，臨界点（critical point）が決まるが，いまの場合は，x_c と β_c（や ℓ_c）の関係として，**臨界線**（critical curve）が得られる．

新星風（$\dot{m} = 10^5, \dot{e} = 5$）[*5]と中性子星風（$\dot{m} = 10^3, \dot{e} = 1.1$）[*6] に相当するパラメータで計算した臨界線を図 11.2 に示す．下の太線は x_c と β_c の間の関係で，上の細線は x_c と ℓ_c の間の関係を表している．

臨界点近傍で方程式を線形解析すれば，臨界点のタイプがわかる（例題 11.1，第 1 巻参照）．具体的に計算してみると，いまの場合，臨界点での光度が正の領域では，常に結節点型か渦心点型であることが証明される[*7]．

[*5] $\beta_\infty \sim 0.001$–0.01 ぐらいで，$\ell_\infty \sim 1$ なので，$\dot{e} = \dot{m}(\beta_\infty^2/2) + \ell_\infty \sim 1.05$–$6$ ぐらいになる．

[*6] $\beta_\infty \sim 0.01$–0.1 ぐらいで，$\ell_\infty \sim 1$ なので，$\dot{e} \sim 1.05$–6 ぐらいになる．

[*7] 具体的な解はここでは求めないが，特異点をもつ方程式の解き方は 2 通りある．一つ目は，特異点の半径を調べて，特異点解析を行って近傍解の傾きを求め，特異点から内向き（および外向き）に微分方程式を数値的に解いて，内部（あるいは外部）の境界条件に合わせる方法だ（第 1 巻参照）．
もう一つは，内部境界（あるいは外部境界）から外向き（あるいは内向き）に微分方程式を数値的に解いて，特異点にぶつかったなら，（必要ならそこで線形解析して）近傍解を延長して特異点を乗り越え，さらに外（あるいは内）へ数値的に解を計算していく方法だ（シューティング法と呼ぶ）．
微分方程式が単純なら前者の方法が望ましいが，微分方程式が複雑だったり連立していたりして，後者のシューティング法でしか解きようがないこともある．とくに，粘性過程や輻射輸送など散逸過程が入っていると，微分方程式の次数が上がったりするので，後者のシューティング法で解かれることも多い．いずれの場合も，鞍点型など単純な特異点なら問題はないが，結節点型の臨界点は解が重なっているため解きにくく，正しい解を得るのはしばしば困難を伴う．

例題 11.1 臨界点の特異点解析をして，臨界点のタイプを調べてみよ．

解答 臨界点のタイプは（11.25）を臨界点の近傍で，

$$\frac{d\beta}{dx} = \frac{\mathcal{N}}{\mathcal{D}} = \frac{\mathcal{N}|_c + \partial \mathcal{N}/\partial x|_c dx + \partial \mathcal{N}/\partial \beta|_c d\beta}{\mathcal{D}|_c + \partial \mathcal{D}/\partial x|_c dx + \partial \mathcal{D}/\partial \beta|_c d\beta} \tag{11.31}$$

のように多変数テイラー展開をし，

$$\lambda_{11} \equiv \left.\frac{\partial \mathcal{D}}{\partial x}\right|_c = 0, \quad \lambda_{12} \equiv \left.\frac{\partial \mathcal{D}}{\partial \beta}\right|_c = 2\beta_c > 0, \tag{11.32}$$

$$\lambda_{21} \equiv \left.\frac{\partial \mathcal{N}}{\partial x}\right|_c = \frac{\dot{m}\beta}{2x_c^2}\left(\frac{4\beta_c^2}{\dot{m}} - \frac{1}{2x_c^2}\right), \quad \lambda_{22} \equiv \left.\frac{\partial \mathcal{N}}{\partial \beta}\right|_c = -\frac{\dot{m}\beta_c^2}{2x_c^2} < 0 \tag{11.33}$$

と置いて，下記の固有値方程式の固有値解析をすればわかる（第 1 巻参照）：

$$\lambda^2 - (\lambda_{11} + \lambda_{22})\lambda + (\lambda_{11}\lambda_{22} - \lambda_{12}\lambda_{21}) = 0. \tag{11.34}$$

大きな x では，λ_{21} の符号は正で，$(\lambda_{11}\lambda_{22} - \lambda_{12}\lambda_{21}) = -\lambda_{12}\lambda_{21} < 0$ なので，固有値は正負の実根となり，臨界点は鞍点型となる．逆に，小さな x では，λ_{21} の符号は負で，$(\lambda_{11}\lambda_{22} - \lambda_{12}\lambda_{21}) = -\lambda_{12}\lambda_{21} > 0$ なので，臨界点は結節点型（同符号の実根）あるいは渦心型・渦状点型（複素数）となる． ∎

流れがあるときに輻射温度とガス温度が等しい平衡拡散近似を使うことには，物理的には未解決な問題がある．というのは，拡散近似は熱伝導の式などと同様に放物型の方程式なので，一般に信号の伝達速度が無限大になるため，因果律を満たさないからだ．そのため，ガスが静止している場合はともかく，ガスの流れや速度勾配がある場合には，共動系でさえ，平衡拡散近似が物理的に正しい保証がない．

11.1.4 非平衡拡散近似での輻射優勢球対称流

物理的に問題のある平衡拡散近似ではなく，エディントン近似と LTE のみで解いてみよう（$P = aT^4/3$ と置かない）．輻射温度がガス温度と等しくないので，ここでは非平衡拡散近似（nonequilibrium diffusion approximation）と呼ぶ．

（11.2）と（11.3）からガス圧の微分を消去し，さらに連続の式（11.1）を使って密度を消去すると，速度に対する風方程式が得られる：

$$(v^2 - c_s^2)\frac{dv}{dr} = v\left(c_s^2 \frac{2}{r} - \frac{GM}{r^2} + \frac{\kappa + \sigma}{c}F\right) + (\gamma - 1)(j - c\kappa E). \tag{11.35}$$

一方，エネルギー式（11.3）に状態方程式（11.4）を入れてガス圧を消去し，連続

の式 (11.1) で密度を消去すると，断熱音速に対する風方程式が得られる：

$$(v^2 - c_{\rm s}^2)\frac{dc_{\rm s}^2}{dr} = -(\gamma - 1)\Big[c_{\rm s}^2\Big(v^2\frac{2}{r} - \frac{GM}{r^2} + \frac{\kappa + \sigma}{c}F\Big)$$
$$+ (\gamma v^2 - c_{\rm s}^2)\frac{1}{v}(j - c\kappa E)\Big]. \qquad (11.36)$$

平衡拡散近似ではガスと輻射の間のエネルギー交換が隠されているが，ここでは LTE (11.8) を仮定して，$j = 4\pi\kappa B$ と置こう（$B = \sigma_{\rm SB}T^4/\pi$）．また輻射エネルギー密度の代わりに平均強度 J（$= cE/4\pi$）を使い，輻射流束の代わりに光度 L（$= 4\pi r^2 F$）を使い，さらに連続の式 (11.1) から密度を消去すると，(11.35)，(11.36)，(11.5)，(11.6)，(11.9) は，それぞれ，以下のように書き換えられる：

$$(v^2 - c_{\rm s}^2)\frac{dv}{dr} = v\Big(c_{\rm s}^2\frac{2}{r} - \frac{GM}{r^2} + \frac{\kappa + \sigma}{c}\frac{L}{4\pi r^2}\Big) + (\gamma - 1)4\pi\kappa(B - J),$$
$$(11.37)$$

$$(v^2 - c_{\rm s}^2)\frac{dc_{\rm s}^2}{dr} = -(\gamma - 1)\Big[c_{\rm s}^2\Big(v^2\frac{2}{r} - \frac{GM}{r^2} + \frac{\kappa + \sigma}{c}\frac{L}{4\pi r^2}\Big)$$
$$+ \frac{\gamma v^2 - c_{\rm s}^2}{v}4\pi\kappa(B - J)\Big], \qquad (11.38)$$

$$\frac{dL}{dr} = \frac{\dot{M}}{v}4\pi\kappa(B - J), \qquad (11.39)$$

$$\frac{d}{dr}\Big(f\frac{4\pi}{c}J\Big) = -\frac{3f - 1}{r}\frac{4\pi}{c}J - \frac{\dot{M}}{4\pi r^2 v}\frac{\kappa + \sigma}{c}\frac{L}{4\pi r^2}, \qquad (11.40)$$

$$\dot{M}\Big(\frac{1}{2}v^2 + \frac{1}{\gamma - 1}c_{\rm s}^2 - \frac{GM}{r}\Big) + L = \dot{E}. \qquad (11.41)$$

平衡拡散近似と比べると，変数と方程式が 2 つずつ増えている．

ここでふたたび変数の無次元化を行う．無次元化した変数として，

$$x \equiv \frac{r}{r_{\rm S}}, \quad \beta \equiv \frac{v}{c}, \quad \alpha_{\rm s} \equiv \frac{c_{\rm s}}{c}, \quad \ell \equiv \frac{L}{L_{\rm E}}, \quad \mathcal{J} \equiv \frac{16\pi^2 r_{\rm g}^2}{L_{\rm E}}J \qquad (11.42)$$

と定義すると，(11.37)–(11.41) は，それぞれ，

$$(\beta^2 - \alpha_{\rm s}^2)\frac{d\beta}{dx} = \beta\Big(\frac{2\alpha_{\rm s}^2}{x} - \frac{1}{2x^2} + \frac{\kappa + \sigma}{\sigma}\frac{\ell}{2x^2}\Big) + (\gamma - 1)\frac{\kappa}{2\sigma}(\mathcal{B} - \mathcal{J}),$$
$$(11.43)$$

$$(\beta^2 - \alpha_s^2)\frac{d\alpha_s^2}{dx} = -(\gamma - 1)\left[\alpha_s^2\left(\frac{2\beta^2}{x} - \frac{1}{2x^2} + \frac{\kappa+\sigma}{\sigma}\frac{\ell}{2x^2}\right)\right.$$
$$\left. + \frac{\gamma\beta^2 - \alpha_s^2}{\beta}\frac{\kappa}{2\sigma}(\mathcal{B} - \mathcal{J})\right], \tag{11.44}$$

$$\frac{d\ell}{dx} = \frac{\dot{m}}{\beta}\frac{\kappa}{2\sigma}(\mathcal{B} - \mathcal{J}), \tag{11.45}$$

$$\frac{d\mathcal{J}}{dx} = -\frac{3f-1}{f}\frac{1}{x}\mathcal{J} - \frac{\dot{m}}{2f}\frac{\kappa+\sigma}{\sigma}\frac{\ell}{x^4\beta}, \tag{11.46}$$

$$\dot{m}\left(\frac{1}{2}\beta^2 + \frac{1}{\gamma-1}\alpha_s^2 - \frac{1}{2x}\right) + \ell = \dot{e} \tag{11.47}$$

のように整理できる．ただしここで，

$$\mathcal{B} \equiv \frac{16\pi^2 r_g^2}{L_E}B = 1.700 \times 10^{21}\frac{m}{\gamma^4}\alpha_s^8 \tag{11.48}$$

は無次元化した黒体輻射強度である．また κ がクラマースの不透明度（$= 0.64 \times 10^{23}\rho T^{-3.5}\,\mathrm{cm}^2\,\mathrm{s}^{-1}$）で，$\sigma$ が電子散乱（$= 0.4\,\mathrm{cm}^2\,\mathrm{s}^{-1}$）とすると，

$$\frac{\kappa}{\sigma} = 1.838 \times 10^{-27}\frac{\dot{m}}{m}\frac{\gamma^{3.5}}{x^2\beta\alpha_s^7} \tag{11.49}$$

のように無次元量で表される．

（1）散乱のみの場合

簡単のために，真の吸収（や放射）はなく，散乱のみとしよう．その場合はガスと輻射の間でエネルギーの交換はないので，光度 L（ℓ）は一定になる．ただし，運動量の交換はあるので，輻射圧で駆動される流れにはなっている．

無次元化した方程式（11.43）と（11.47）は，それぞれ，以下のようになる[*8]：

$$(\beta^2 - \alpha_s^2)\frac{d\beta}{dx} = \beta\left(\frac{2\alpha_s^2}{x} - \frac{1-\ell}{2x^2}\right), \tag{11.50}$$

$$\alpha_s^2 = (\gamma-1)\left[\frac{\dot{e}-\ell}{\dot{m}} - \left(\frac{1}{2}\beta^2 - \frac{1}{2x}\right)\right]. \tag{11.51}$$

これらの式は光度 ℓ が 0 の極限で，ガスのみからなる通常の断熱球対称流に帰着する．すなわち，輻射がある場合のもっとも単純な拡張になっている．

[*8] 光学的に薄い場合とは，運動方程式で有効質量が $1-\ell$ 倍に減じている点は同じだが，ベルヌーイの式ではそうなっていない点が異なる．

臨界点に対する条件は，

$$x_{\rm c} = \frac{1}{2}\left[\frac{\gamma+1}{2(\gamma-1)}\frac{1-\ell}{2} - 1\right]\frac{\dot{m}}{\dot{e}-\ell}, \tag{11.52}$$

$$\beta_{\rm c}^2 = \left[\frac{\gamma+1}{2(\gamma-1)}\frac{1-\ell}{2} - 1\right]^{-1}\frac{1-\ell}{2}\frac{\dot{e}-\ell}{\dot{m}} \tag{11.53}$$

のようになる．この場合は与えられたパラメータ $(\gamma, \dot{m}, \dot{e}, \ell)$ のもとで，**臨界点**（critical point）が決まる．なお，臨界点の半径と速度の間には，

$$\beta_{\rm c}^2 = c_{\rm s,c}^2 = \frac{2\dfrac{\dot{e}-1}{\dot{m}}x_{\rm c} + 1}{\dfrac{\gamma+1}{\gamma-1}x_{\rm c} - \dfrac{8}{\dot{m}}x_{\rm c}^2} \tag{11.54}$$

という関係が成り立っている（ℓ を含まない）．

通常の断熱風（$\ell = 0$）の場合，$\gamma = 5/3$ では臨界点は存在しない（Holzer and Axford 1970）．ℓ が 0 でない場合，臨界点が存在できる条件は以下となる：

$$\gamma < \frac{5-\ell}{3+\ell}, \quad \ell < \frac{5-3\gamma}{\gamma+1}. \tag{11.55}$$

臨界点のタイプは（11.50）を臨界点の近傍で，

$$\frac{d\beta}{dx} = \frac{\mathcal{N}}{\mathcal{D}} = \frac{\mathcal{N}|_{\rm c} + \partial\mathcal{N}/\partial x|_{\rm c}dx + \partial\mathcal{N}/\partial\beta|_{\rm c}d\beta}{\mathcal{D}|_{\rm c} + \partial\mathcal{D}/\partial x|_{\rm c}dx + \partial\mathcal{D}/\partial\beta|_{\rm c}d\beta} \tag{11.56}$$

のように多変数テイラー展開をし，固有値解析をすることで判明する．

新星風（$\dot{m} = 10^5, \dot{e} = 1.1, 5$）と中性子星風（$\dot{m} = 10^3, \dot{e} = 1.1, 5$）に相当するパラメータで計算した臨界点を図 11.3 に示す．太線は $x_{\rm c}$ と $\beta_{\rm c}$ の間の関係で，細線は $x_{\rm c}$ と $\ell_{\rm c}$ の間の関係である．光度 ℓ が 0 になる位置が，通常のガス圧加速球対称流に相当する．光度 ℓ が大きくなるほど，臨界点の半径は小さくなり，臨界点での速度は大きくなっていく．臨界点のタイプはどこも鞍点型になるが，加速解（風）と減速解（降着）の両方をもつ範囲と，減速解しかもたない範囲がある．

臨界点近傍で線形展開した（11.56）から，臨界点近傍の解として，

$$\frac{d\beta}{dx} \sim \frac{-\lambda_{11} + \lambda_{22} \pm \sqrt{(\lambda_{11}-\lambda_{22})^2 + 4\lambda_{12}\lambda_{21}}}{2\lambda_{12}} \tag{11.57}$$

が得られる．この近傍解から内側および外側へ向けて（11.43）を解いていけば，具体的な解が求められる．

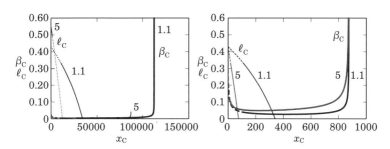

図 **11.3** 非平衡拡散近似（散乱のみ）での輻射圧駆動流の臨界点．左は新星風（$\dot{m}=10^5$, $\dot{e}=1.1, 5$），右は中性子星風（$\dot{m}=10^3$, $\dot{e}=1.1, 5$）に相当する場合．比熱比 $\gamma=4/3$．太線は β_c を細線は ℓ_c を示す．実線は鞍点型で減速解と加速解をもつ範囲，破線も鞍点型だが減速解しかない範囲．

例題 11.2 臨界点の特異点解析をして，臨界点のタイプを調べてみよ．

解答 臨界点近傍で線形化した（11.56）の固有値方程式：$\lambda^2 - (\lambda_{11}+\lambda_{22})\lambda + (\lambda_{11}\lambda_{22}-\lambda_{12}\lambda_{21})=0$ の係数は，非平衡拡散近似で散乱のみの場合は，

$$\lambda_{11} \equiv \left.\frac{\partial \mathcal{D}}{\partial x}\right|_\mathrm{c} = (\gamma-1)\frac{1}{2x_\mathrm{c}}, \quad \lambda_{12} \equiv \left.\frac{\partial \mathcal{D}}{\partial \beta}\right|_\mathrm{c} = (\gamma+1)\beta_\mathrm{c} > 0, \tag{11.58}$$

$$\lambda_{21} \equiv \left.\frac{\partial \mathcal{N}}{\partial x}\right|_\mathrm{c} = \beta\left(\alpha_{\mathrm{s,c}}^2 \frac{2}{x_\mathrm{c}^2} - \frac{\gamma-1}{x_\mathrm{c}^3}\right), \quad \lambda_{22} \equiv \left.\frac{\partial \mathcal{N}}{\partial \beta}\right|_\mathrm{c} = -\frac{2(\gamma-1)}{x_\mathrm{c}}\beta_\mathrm{c}^2 < 0 \tag{11.59}$$

となる．これらを用いると，解析的に，

$$|\Lambda| = \lambda_{11}\lambda_{22} - \lambda_{12}\lambda_{21} = -\frac{\beta_\mathrm{c}^2}{2x_\mathrm{c}^3}[(5-3\gamma)-(\gamma+1)\ell] < 0 \tag{11.60}$$

という条件が導ける．したがって，この場合，固有値は常に正負の実根となるので，臨界点のタイプも常に鞍点型となることが証明できる．∎

光学的に厚い輻射圧駆動型の球対称風に関しては，輻射圧駆動恒星風や新星風[*9]，中性子星風や一般相対論的球対称風[*10]など，いろいろ調べられている．ただし，

[*9] Żytkow (1972), Cassinelli and Hartmann (1975), Meier, D.L. (1982a, b), Quinn and Paczyński (1985) など．Bath and Shaviv (1976), Ruggles and Bath (1979) など．

[*10] Ebisuzaki et al. (1983), Kato (1983) など．Paczyński and Prószyński (1986), Turolla et al. (1986), Paczyński (1990), Nobili et al. (1994), Yamamoto and Fukue (2021) など．

ノビーリたちなど（Nobili et al. 1994, Yamamoto and Fukue 2021）一部を除き，平衡拡散近似が使われており，また多くの研究では，きちんとした特異点解析がされていない．最近でも研究は続いている[*11]．

さらに，一様性の仮定を外し非一様な状況を考えると，**超エディントン風**（super-Eddington wind）が吹き出す可能性がある．実際，1840年から1860年にかけて，りゅうこつ座エータ星（図10.1）で起こった大放出（Great Eruption）では，10年以上にわたって $\Gamma \sim 5$ にもなる超エディントン光度が観測された．このような超エディントン風では，非常に非一様で**多孔質**（porous）になることで，全体としては定常性を保っていると考えられている[*12]．

連続光による輻射圧駆動型恒星風には，**ダスト駆動型恒星風**（dust driven wind）もある．ダスト粒子の単位質量当りの光子捕獲断面積は非常に大きく，ダストの不透明度は電子散乱に比べて数千倍ぐらい大きい．ガスに対してダストの割合は1％ぐらいしかないが，ガスとダストの摩擦でカップリングが起これば——運動量カップリングと呼ぶ——ガスもダストに引きずられて加速される．赤色巨星や漸近巨星分枝星でのダスト駆動風は，最初に提案された後（Gilman 1972），多くの研究がある[*13]．ダスト駆動風は原始惑星系円盤などでも重要だろう．詳細はLamers and Cassinelli（1999）などを参照してほしい．

11.1.5　輻射優勢ガスの球対称降着

輻射優勢球対称降着流の扱いは球対称風の場合とほぼ同じであり，またしばしば相対論的な扱いがなされているので，ここでは研究の概要のみ紹介しよう．

ブラックホールなどへの光学的に厚い球対称降着流については，いくつかの先駆的な研究[*14]を経て，一般相対論的なものへと進んだ．相対論の大御所ソーン（Kip S. Thorne；1940〜）の PSTF（projected symmetric trace-free）形式（Thorne 1981）に基づいて，輻射優勢球対称流の基礎方程式を導き（Thorne et al.

[*11] Puls et al. (2008), Gräfener and Vink (2014), Owocki (2015), Vink (2015), Quataert et al. (2015) など．

[*12] **多孔性風理論**（porosity wind theory）については，Shaviv (1998, 2000), Owocki et al. (2004) など参照．

[*13] 一部を挙げると，Berruyer and Frisch (1983), Tielens (1983), Netzer and Elitzur (1993), Krüger et al. (1994), Liberatore et al. (1994), Fukue (2001) など．

[*14] Tamazawa et al. (1975), Schmidt-Burgk (1978), Burger and Katz (1980) など．

1981)*15. 共動系で平衡拡散近似を置いて解かれた（Flammang 1982）.

　ガスの断熱的な球対称降着流（Bondi 1951）では，物理的に意味のある定常解は，流速と断熱的な音速が等しくなる遷音速点を通過する．一方，光学的に厚い輻射優勢球対称降着流では，平衡拡散近似を仮定すると，流速と等温的な音速が等しくなる遷音速点が現れ，定常解は等温音速点を通過する（Vitello 1978）*16. ただし，この等温音速点は鞍点型ではなく，無数の解が縮退し重なり合っていて，解くのは非常に面倒になっている*17．またガスの断熱的な球対称降着流では臨界"点"が存在するが，輻射の拡散がある球対称降着流では微分方程式が一つ増えるので，臨界"線"になる（図 11.4）．

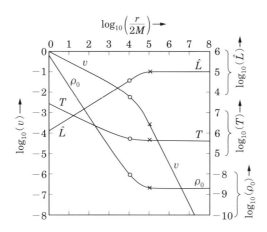

図 11.4 共動系における拡散近似での相対論的輻射圧優勢球対称降着流（Flammang 1982）．速度 v, 密度 ρ_0, 温度 T, 光度 $\hat{L}$. 臨界点は×で亜臨界点は◯で示してある．

　その後も研究は続き（Park 1990, Miller 1990 など），平衡拡散近似を使わない一般相対論的な扱い（Nobili et al. 1991）なども行われている．ただし，何度も触れたように，クロージャー関係など今後の研究が俟たれる．

[*15] 実はこの論文ですでに，拡散近似は因果律を破ることで悪名高く，熱パルスが超光速になって事象の地平面を超えて情報を運ぶ，などと明記してある．

[*16] 断熱的な臨界点（critical point）は拡散した状態になっていて，亜臨界点（subcritical point）と呼んでいる．

[*17] 方程式が硬い（stiff）という状態になっている．

11.1.6 光球半径，熱化半径，光子捕捉半径

ここまでは，流体力学的な観点から輻射優勢球対称流の振る舞いを紹介した．ここで，輻射輸送の観点から，いくつかの重要な特徴的半径をまとめる．なお，本節では球座標 (R, θ, φ) と円筒座標 (r, φ, z) を併用する．

(1) 光球半径と見かけの光球面

赤色巨星や球対称風などでは，半透明な領域が広いため光球はぼやけて曖昧なものになる（図 1.5（右））．そこで，無限遠から測った光学的厚み：

$$\tau(R) = -\int_{\infty}^{R} (\kappa + \sigma)\rho dR \tag{11.61}$$

が 1 になる半径として，**光球半径**（photospheric radius）を定義する[*18]．ここで，κ と σ は吸収不透明度と散乱不透明度で，$\rho(R)$ は密度である．不透明度が一定で，流れの速度も一定ならば（$\rho \propto R^{-2}$），$\tau(R) = (\kappa + \sigma)\rho R$ となる．

あるいは，電子散乱が卓越しており（$\kappa \ll \sigma = \kappa_{\rm es}$），速度が一定で連続の式（$4\pi R^2 \rho v = \dot{M}$）から密度を決めると，光球半径 $R_{\rm ph}$ は以下となる：

$$R_{\rm ph} = \frac{\kappa_{\rm es}\dot{M}}{4\pi v} = \frac{\dot{m}}{2\beta}r_{\rm S}. \tag{11.62}$$

ここで，$\beta(=v/c)$ は光速を単位とした速度，$r_{\rm S}(\equiv 2GM/c^2)$ は中心天体（質量 M）のシュバルツシルト半径，$\dot{m}(\equiv \dot{M}/\dot{M}_{\rm E})$ はエディントン質量降着率 $\dot{M}_{\rm E}$ ($= L_{\rm E}/c^2$) で規格化した質量降着率である．

光球半径より外側（$R > R_{\rm ph}$）では，流れは光学的に薄い．光学的厚みが 1 となる光球半径での光度は，光球の温度を $T_{\rm ph}$ として，$L = 4\pi R_{\rm ph}^2 \sigma_{\rm SB} T_{\rm ph}^4$ となる．そして光球半径より内側（$R < R_{\rm ph}$）では，流れは光学的に厚くなり，

$$L = L_{\rm diff} = -4\pi R^2 \frac{4acT^3}{3\kappa\rho}\frac{dT}{dR} \sim \frac{4\pi R^2 \sigma_{\rm SB} T^4}{\tau(R)} \tag{11.63}$$

が一定になる[*19]．この光度を**拡散光度**（diffusion luminosity）と呼ぶ（13 章）．

遠方の観測者が実際に観測する "表面" は，光球半径をもった球面にはならない

[*18] 1 章でも触れたように，振動数依存性まで考慮すると定義が難しい．

[*19] $T \propto R^{-n}$ と置けば係数も綺麗に決まる．

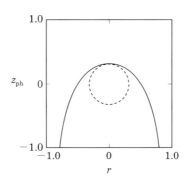

図 11.5 見かけの光球面の形状. 破線は光球半径. 見かけの光球が z の負方向に発散する半径で規格化してある.

ことに注意しておく. 観測者が観測するのは観測者の視線に沿って測った光学的厚みが 1 になる場所である. たとえば, 観測者が z 軸方向の無限遠にいるとき, 観測者の視線に沿って測った光学的厚みは, 電子散乱が卓越し速度一定ならば,

$$\tau(z) = -\int_\infty^z \kappa_{\rm es}\rho dz = -\frac{\kappa_{\rm es}\dot{M}}{4\pi v}\int_\infty^z \frac{dz}{r^2+z^2} = \frac{\dot{m}}{2\beta}\frac{r_{\rm S}}{r}\left(\frac{\pi}{2} - \tan^{-1}\frac{z}{r}\right)$$
(11.64)

と表される. したがって, 光学的厚みが 1 の条件からは,

$$\frac{z_{\rm ph}}{r} = \tan\left(\frac{\pi}{2} - \frac{2\beta}{\dot{m}}\frac{r}{r_{\rm S}}\right)$$
(11.65)

が得られ, この式が表す形状は非球面となる (図 11.5)[20]. これが **見かけの光球面** (apparent photophere)[21] で, 観測者が観測するのは見かけの光球面から最後に放たれた光なので, **最終散乱面** (last scattering surface) でもある.

(2) 熱化半径と見かけの熱化面

散乱が卓越していても, 深部で有効光学的厚みが 1 になれば真の吸収が効いて, ガスと輻射は熱平衡状態になっている. 無限遠から測った有効光学的厚み:

---

[20] 見かけの光球面は, $r=0$ では光球半径に一致するが, r が大きくなると光球半径より広がり, $(r,z) = (\pi\dot{m}/4\beta, 0)$ を通って, $r = \pi\dot{m}/(2\beta)$ で $z = -\infty$ に発散する.

[21] **擬光球** (pseudo-photosphere) と呼ぶこともある.

$$\tau_*(R) = -\int_\infty^R \sqrt{\kappa(\kappa+\sigma)}\rho dR \sim -\int_\infty^R \sqrt{\frac{\kappa_{\rm ff}}{\kappa_{\rm es}}}\kappa_{\rm es}\rho dR \tag{11.66}$$

が 1 になる半径を，**熱化半径**（thermalization radius）と定義する[*22,*23]．

吸収係数がクラマースの不透明度で与えられ（灰色近似），速度一定で密度分布が決まり，温度分布は拡散近似で決まるなら，熱化半径 R_* は以下となる：

$$R_* = 8.3 \times 10^{-5} \frac{m^{-1/18}\dot{e}^{-7/18}\dot{m}^{4/3}}{\beta^{4/3}} r_{\rm S}. \tag{11.67}$$

ここで，$m\,(=M/M_\odot)$ は太陽質量を単位とした中心天体の質量，$\dot{e}\,(=L/L_{\rm E})$ はエディントン光度で規格化した拡散光度である．

熱化半径より内側でも，拡散光度の関係が成り立つが，不透明度はクラマースの不透明度になる（章末問題 11.9）．

(3) 光子捕捉と光子捕捉半径

最後に，光子捕捉という重要な現象を述べておこう．

ガスが光学的に厚い領域では，輻射はガス中を拡散しながら進むので，輻射の実効速度は c/τ ぐらいに落ちてしまう．その結果，R のスケールを進むのに $R/(c/\tau)$ ぐらいの時間（拡散時間）がかかる．ガスが静止していればいくら時間がかかっても問題ないが，ガスが速度 v で運動していると話は別だ．もしガスの力学時間 R/v よりも拡散時間 $R/(c/\tau)$ の方が長いと，あるいは，

$$v > \frac{c}{\tau} \tag{11.68}$$

では，ガスが動いている間に輻射は外部へ逃げ出せない（この条件は容易に満たされる）[*24]．これが**光子捕捉**（photon trapping）だ（Begelman 1978, 1979）．

光子捕捉が起きる半径を**光子捕捉半径**（photon trapping radius）と呼ぶが，$4\pi R^2 \rho v = \dot{M}$ と $\tau = \kappa_{\rm es}\rho R$ より，捕捉半径 $R_{\rm trap}$ は，

[*22] やはり，振動数依存性まで考慮すると定義が難しい．

[*23] なお，見かけの光球面から半径方向に測って有効光学的厚みが 1 になる**熱化面**（thermalization surface）は，散乱の効果が小さいと非球面になるが，散乱が卓越していると球に近い形状になる（Ogura and Fukue 2013, Tomida et al. 2015）．

[*24] **力学的拡散限界**（dynamic diffusion limit）と呼ぶ（Mihalas and Mihalas 1984, p.343）．

$$R_{\text{trap}} = \frac{\kappa_{\text{es}} \dot{M}}{4\pi c} = \frac{\dot{m}}{2} r_{\text{S}} \qquad (11.69)$$

となる．光球半径より β 倍ぐらい小さくなる．

光子捕捉が起きると，輻射はガスと一緒に運ばれるようになり，

$$L = L_{\text{adv}} = 4\pi r^2 (vE + vP) \qquad (11.70)$$

が単位時間当りに運ばれる輻射エネルギーとなる．この光度を**移流光度**（advection luminosity）と呼ぶ（13 章）．捕捉半径で，拡散光度と移流光度は等しくなる．また移流光度が優勢になると，流れはほぼ断熱的となる．

熱化半径も捕捉半径も光球半径よりは小さいが，熱化半径と捕捉半径の大小はパラメータ（β や $\dot{m}$）によって変化する．その結果，内部の温度分布もパラメータによって変わるので，丁寧な解析が必要になる[*25]．

11.2 線駆動風

輻射圧駆動のメカニズムで，連続光による駆動と並び重要なメカニズムが，**線輻射力駆動**（line-force driven mechanism）である．高温度星からの恒星風など多くの天体風で，ラインフォース駆動機構が働いていると考えられている[*26]．

線駆動が効果的になるのはドップラー効果の働きによっている．すなわち，星からの連続光のうちスペクトル線の波長の光を線吸収して，ガス雲が加速されたとする．その結果，その波長の連続光は減少するのだが，ガス雲が加速するとガス雲が受ける星の光は赤方偏移するので，すぐそばの連続光を吸収して加速し続けることが可能になる（図 11.6）[*27]．

以下，ソボレフ近似を用いた CAK 理論と呼ばれる有名な線駆動理論について，順次説明していこう[*28]．

[*25] たとえば，Shen et al.（2015）など．

[*26] 典型的な O 型星の場合，質量が 60 $M_\odot$ だと光度は $10^6 L_\odot$ ぐらいで，エディントン比は $\Gamma = L/L_{\text{E}} \sim 0.4$ ぐらいしかならず，連続光で駆動するには少し足りない．ただし，O3 型から O2 型ぐらいのもっとも大質量な O 型星では $\Gamma \sim 1$ ぐらいになる．さらにまた，非一様性を考慮すると，局所的にエディントン光度を超えることができるので，状況によっては高温度星風でも連続光駆動が可能である．詳しくは，たとえば，Smith（2014）など参照．

[*27] たとえば，Lyα 光を吸収して加速する場合，ライマン端に相当する赤方偏移になるまで加速し，そこで加速が終わる．これを**ラインロッキング機構**（line-rocking mechanism）と呼ぶ．

[*28] Castor（1970），Lucy and Solomon（1970），Castor, Abbott, Klein（1975），Abbott（1980, 1982），Cassinelli（1979）など．

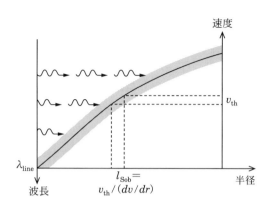

図 **11.6** 線駆動の機構.

(1) 単一吸収線による輻射力

吸収係数を κ_ν，輻射流束を F_ν として，単位質量当りの輻射力は，

$$g_{\rm rad} = \frac{1}{\rho}f_{\rm rad} = \frac{1}{c\rho}\int_0^\infty d\nu \kappa_\nu \rho F_\nu \tag{11.71}$$

であった（4章）．線吸収の場合は，連続光の輻射流束を $F_{\rm c}$，線吸収係数を ℓ_ν とし，吸収線プロファイルはドップラー幅 $\Delta\nu_{\rm D}$ の矩形だとすると，

$$g_\ell = \frac{1}{c\rho}\Delta\nu_{\rm D}\ell_\nu \rho F_{\rm c} = \frac{F_{\rm c}\Delta\nu_{\rm D}}{c}\ell_\nu \tag{11.72}$$

と見積もることができる．ただし，線吸収によって入射光は $e^{-\tau_\ell}$ の割合で減光するので（τ_ℓ はスペクトル線の光学的厚み），線輻射力の平均は，

$$\langle g_\ell \rangle = g_\ell \frac{\int_0^{\tau_\ell} e^{-t}dt}{\tau_\ell} = \frac{F_{\rm c}\Delta\nu_{\rm D}}{c}\ell_\nu \frac{1-e^{-\tau_\ell}}{\tau_\ell} \tag{11.73}$$

としよう．スペクトル線の光学的厚み τ_ℓ は 8.6.1 節で扱ったソボレフ光学的厚み $\tau_{\rm S}$（$\sim v_{\rm th}\ell_\nu\rho/|dv/dr|$）とすれば，以下のようになる[*29]：

$$\langle g_\ell \rangle = \frac{F_{\rm c}\Delta\nu_{\rm D}}{c}\frac{\ell_\nu}{\tau_{\rm S}}(1-e^{-\tau_{\rm S}}). \tag{11.74}$$

[*29] ここで右辺の，$F_{\rm c}\Delta\nu_{\rm D}/c$ はドップラー幅で受ける運動量，$\ell_\nu/\tau_{\rm S} = \rho v_{\rm th}/|dv/dr|$ はその運動量を吸収する柱密度，$(1-e^{-\tau_{\rm S}})$ は吸収される確率を表している．

光学的厚みの中に線吸収係数を含んでいると扱いにくいので，ソボレフ光学的厚みに対応する電子散乱の光学的厚みを

$$t \equiv \frac{\rho \kappa_{\rm es} v_{\rm th}}{dv/dr} \tag{11.75}$$

のように導入すると，$\tau_\ell = (\ell_\nu/\kappa_{\rm es})t$ となり，線輻射力は以下のように表される：

$$\langle g_\ell \rangle = \frac{F_c \Delta \nu_{\rm D}}{c} \frac{\kappa_{\rm es}}{t}[1 - e^{-(\ell_\nu/\kappa_{\rm es})t}] = \frac{F_c \Delta \nu_{\rm D}}{c} \begin{cases} \dfrac{\kappa_{\rm es}}{t}, & (\ell_\nu/\kappa_{\rm es})t \gg 1 \\ \ell_\nu, & (\ell_\nu/\kappa_{\rm es})t \ll 1. \end{cases} \tag{11.76}$$

すなわち，光学的に厚いスペクトル線の線輻射力は，スペクトル線の強度にはよらずに速度勾配で決まり，逆に光学的に薄い線の線輻射力は，スペクトル線の強度に比例して速度勾配によらないことを意味する．

(2) 吸収線全体による輻射力

線輻射力の性質は以上のようなものだが，実用に供するためにはもう一段階の工夫が必要である．カスターたちは，1975年，大胆な仮定を置いて，線輻射力の計算を行った（Castor *et al.* 1975）．著者3人の名前（Castor, Abotto, Klein）の名前を取って，**CAK理論**（CAK theory）と呼ばれている．

単一の吸収線によるラインフォースは（11.76）で表されたが，実際には一般的に多数の吸収線があるので，それらすべての吸収線について足し合わせたものが全ラインフォースとなる．中心星の光度を L（輻射流束を $F = L/4\pi r^2$）とすると，全ラインフォースは形式的には以下のように表せる：

$$g_\ell = \frac{\kappa_{\rm es} F}{c} M(t), \quad M(t) \equiv \frac{1}{F} \sum_\ell F_c(\nu_\ell) \Delta \nu_{\rm D}(\nu_\ell) \min(1/t, \ell_\nu/\kappa_{\rm es}). \tag{11.77}$$

ここで，$M(t)$ は吸収線に関わるすべての量が押し込められた因子で，**輻射力倍増因子**（radiation-force multiplier）と呼ばれる．

この因子 $M(t)$ を計算すれば全ラインフォースが得られるが，まともにやれば大変な作業になる．しかし，ソボレフ近似で各単一吸収線が独立に扱えることや，経験的には線不透明度がべき乗型の分布をしていることなどを拠り所に，CAK理論では，因子 $M(t)$ を以下の形でフィットした[*30]：

$$M(t) = kt^{-\alpha}, \quad k \sim 1/30, \quad \alpha \sim 0.7. \tag{11.78}$$

光学的厚み（11.75）と，連続の式（$4\pi r^2 \rho v = \dot{M}$）を使うと，単位質量当りの輻射力（11.77）は以下となる：

$$g_{\rm rad} = \frac{\kappa_{\rm es} L k}{4\pi c r^2} \left(\frac{1}{\kappa_{\rm es}\rho v_{\rm th}} \frac{dv}{dr}\right)^\alpha = \frac{\kappa_{\rm es} L k}{4\pi c r^2} \left(\frac{4\pi}{\kappa_{\rm es} v_{\rm th} \dot{M}}\right)^\alpha \left(r^2 v \frac{dv}{dr}\right)^\alpha. \tag{11.79}$$

あるいは定数部分をひとまとめにして以下のように表せる：

$$g_{\rm rad} = \frac{C}{r^2} \left(r^2 v \frac{dv}{dr}\right)^\alpha, \tag{11.80}$$

$$C = \frac{\kappa_{\rm es} L k}{4\pi c} \left(\frac{4\pi}{\kappa_{\rm es} v_{\rm th} \dot{M}}\right)^\alpha = k \left(\frac{v_{\rm th}}{c}\right)^\alpha (GM\Gamma)^{1-\alpha} \left(\frac{L}{\dot{M}c^2}\right)^\alpha. \tag{11.81}$$

さらに線不透明度の評価などから，金属元素組成比を Z として，実用的には定数 C は高温度星に対しては以下ぐらいになると見積もられている：

$$C = \frac{(QGM\Gamma)^{1-\alpha}}{1-\alpha} \left(\frac{L}{\dot{M}c^2}\right)^\alpha, \quad Q \sim 10^5 Z \sim 2000 \quad (Z = 0.02). \tag{11.82}$$

(3) 線駆動風と特異点

線輻射力を入れると，輻射圧駆動風の方程式（11.12）は，以下のようになる：

$$(v^2 - c_{\rm T}^2) \frac{1}{v} \frac{dv}{dr} = -\frac{dc_{\rm T}^2}{dr} + \frac{2c_{\rm T}^2}{r} - \frac{GM}{r^2} + \frac{C}{r^2} \left(r^2 v \frac{dv}{dr}\right)^\alpha. \tag{11.83}$$

この式は，熱的加速風や連続光加速風と同様に特異点をもつが，等温音速点が特異点ではなく，方程式が非線形なので，特異点の取り扱いは違ってくる．

ここではまず（11.83）を，$dv/dr = v'$ として，以下のように置こう：

$$\mathcal{F}(r, v, v') = r^2 v v' - \frac{c_{\rm T}^2 r^2}{v} v' + r^2 \frac{dc_{\rm T}^2}{dr} - 2c_{\rm T}^2 r + GM - C(r^2 v v')^\alpha = 0. \tag{11.84}$$

この微分方程式は r-v 解空間で特異線（v' が定義できない軌跡）をもつが，特異線の位置（locus）は，$\mathcal{F}(r, v, v')|_{\rm c} = 0$ と，

[*30] （273ページ）多少粗いが基本的には正しいと考えられている．より定量的に精密化した議論は，Lamers and Cassinelli（1999）や Hubeny and Mihalas（2014）など参照．

$$\left.\frac{\partial \mathcal{F}}{\partial v'}\right|_{\rm c} = r^2 v - \frac{c_{\rm T}^2 r^2}{v} - \frac{\alpha}{v'} C(r^2 vv')^\alpha = 0 \tag{11.85}$$

から定められる．さらに特異線の位置に解が接するための条件として，**正則性条件**（regularity condition）が課せられる（Castor 2004）：

$$\begin{aligned}
\left.\frac{d\mathcal{F}}{dr}\right|_{\rm c} &= \frac{\partial \mathcal{F}}{\partial r} + v'\frac{\partial \mathcal{F}}{\partial v} + v''\frac{\partial \mathcal{F}}{\partial v'} = \frac{\partial \mathcal{F}}{\partial r} + v'\frac{\partial \mathcal{F}}{\partial v} \\
&= 2rvv' - \frac{2c_{\rm T}^2 r}{v} v' + 2r\frac{dc_{\rm T}^2}{dr} - 2c_{\rm T}^2 - \frac{2\alpha}{r} C(r^2 vv')^\alpha \\
&\quad + v'\left[r^2 v' - \frac{c_{\rm T}^2}{v^2} r^2 v' - \frac{\alpha}{v} C(r^2 vv')^\alpha\right] = 0.
\end{aligned} \tag{11.86}$$

例題 11.3 （11.85）と（11.86）から $(r^2 vv')^\alpha$ の項を消去して，整理してみよ．

解答 それぞれの式を，

$$r^2 vv' - \alpha C(r^2 vv')^\alpha = \frac{c_{\rm T}^2 r^2}{v} v',$$

$$[r^2 vv' - \alpha C(r^2 vv')^\alpha]\left(\frac{2}{r} + \frac{v'}{v}\right) = \frac{2c_{\rm T}^2 r}{v} v' + 2c_{\rm T}^2 - c_{\rm T}^2 \left(r\frac{v'}{v}\right)^2 + 2r\frac{dc_{\rm T}^2}{dr}$$

と書き直すと，$[r^2 vv' - \alpha C(r^2 vv')^\alpha]$ が消去できて，

$$\left(2 + r\frac{v'}{v}\right)r\frac{v'}{v} = 2\left(1 + r\frac{v'}{v}\right) - \left(r\frac{v'}{v}\right)^2 + \frac{2r}{c_{\rm T}^2}\frac{dc_{\rm T}^2}{dr} \tag{11.87}$$

という形に整理できる． ∎

等温（$c_{\rm T} = $ 一定）を仮定すると，（11.87）は rv'/v に関する 2 次方程式となり，正の解を選ぶと，特異点で

$$\left.\frac{r}{v}\frac{dv}{dr}\right|_{\rm c} = 1 \tag{11.88}$$

という解が得られる[*31]．これから逆にたどれば，特異点の諸量も得られていく．

さらに話を簡単にするため，線駆動風ではガス圧は無視できるとしよう（$c_{\rm T}^2 \ll v^2$）．そうすると，（11.84），（11.85），（11.86）は，

$$\mathcal{F}(r, v, v') = r^2 vv' + GM - C(r^2 vv')^\alpha = 0, \tag{11.89}$$

[*31] 等温を仮定しない完全解については，Larmer and Cassinelli（1999）など参照．

$$\left.\frac{\partial \mathcal{F}}{\partial v'}\right|_\text{c} = r^2 v - \frac{\alpha}{v'} C(r^2 v v')^\alpha = 0, \tag{11.90}$$

$$\left.\frac{d\mathcal{F}}{dr}\right|_\text{c} = \frac{v'}{r}\left(2 + r\frac{v'}{v}\right)\left[r^2 v' - \frac{\alpha}{v}C(r^2 v v')^\alpha\right] = 0 \tag{11.91}$$

のように非常に簡単な式になる．そして最初の2式からは，

$$r^2 v v' = \frac{\alpha}{1-\alpha} GM, \tag{11.92}$$

$$C(r^2 v v')^\alpha = \frac{1}{1-\alpha} GM \tag{11.93}$$

という解が得られ，これらを連立させると定数 C が決まる：

$$C = \alpha^{-\alpha}(1-\alpha)^{-(1-\alpha)}(GM)^{1-\alpha}. \tag{11.94}$$

また (11.89) は特異点以外でも成り立つが，この式を一般的に満たす解は，$r^2 v v' = $ 一定，となるので，その一定値は特異点での値 $[\alpha/(1-\alpha)]GM$ となり，(11.92) が特異点以外でも成り立つことになる．星の表面 ($r = R_*$) で速度が0という境界条件で微分方程式を解くと，

$$v = \left[\frac{2\alpha GM}{(1-\alpha)R_*}\left(1 - \frac{R_*}{r}\right)\right]^{1/2} \tag{11.95}$$

という解が得られる[*32]．線吸収の効果は α の部分に押し込められている．

最後に，この解を特異点の解 (11.88) へ入れると，特異点の半径が決まる：

$$r_\text{c} = \frac{3}{2} R_*. \tag{11.96}$$

なお，質量損失率は以下のように表される：

$$\dot{M} = \frac{4\pi GM}{\kappa_\text{es} v_\text{th}} \alpha (1-\alpha)^{(1-\alpha)/\alpha} \left(\frac{k\kappa_\text{es} L}{4\pi GMc}\right)^{1/\alpha}. \tag{11.97}$$

例題 11.4 ガス圧が無視できる場合について，(11.89) を図形的に考えてみよ．

解答 (11.89) を $r^2 v v' + GM = C(r^2 v v')^\alpha$ と書き直すと，横軸を $r^2 v v'$ としたグラフ上で，左辺は切片を GM とする直線になり，右辺は原点を通り上に凸

[*32] このシンプルな解は，連続光による加速で光学的に薄い場合の解と同型であることに注意：
$$v = \left[\frac{2(1-\Gamma)GM}{R_*}\left(1 - \frac{R_*}{r}\right)\right]^{1/2}.$$

の曲線となる．定数 C を変化させたとき，小さい値では解（交点）がなく，大きい値では交点が 2 箇所になり速度などが複数解となり適切でない．それらの境界の値で，左辺の直線に右辺の曲線が接するときのみ，解が 1 つになって，速度や質量流出率が唯一つに定まる．このとき，(11.90) が成り立つのは容易にわかるだろう． ■

11.3　降着円盤風と宇宙ジェット

恒星風と同様，ガス圧・磁気力・輻射力などによって，降着円盤から風が吹くこともある．円盤全体から吹き出しているものを**降着円盤風**（accretion disk wind），中心近傍から吹き出して細く絞られた流れを**宇宙ジェット**（astrophysical jet）と呼ぶが，もとより明確な区別があるわけではない．球対称な恒星風との大きな違いは，2 次元的になっていることだ（宇宙ジェットの場合は 1 次元的に扱うこともある）．ここでは，輻射で駆動される降着円盤風・宇宙ジェットを考えてみよう．

11.3.1　降着円盤風の観測

宇宙ジェットの観測については，第 1 巻を参照してもらうこととして，降着円盤風の観測的証拠について簡単に触れておく．

たとえば白色矮星と通常の恒星からなる激変星で P Cyg プロファイル（11.1 節参照）がみられることから，降着円盤から吹き出す風だと考えられている．激変星における降着円盤では，中心付近の温度が 1 万 K 程度で線吸収が効きやすいので，線吸収によって駆動されている降着円盤風が吹いているのだろう．ただし，同様なシステムでも，質量降着率の大きな超軟 X 線源では，中心近傍の温度が 10 万 K を超えるため，降着円盤風は連続光（電子散乱）で駆動されていると思われる．

系内の**マイクロクェーサー**（microquasar）でも，降着円盤風の証拠が挙がっている．たとえば有名な特異星 SS433 では，輝線が 3 本セットになっていて，そのうち 2 本の動く輝線はジェットに起因するが，静止した輝線は降着円盤および降着円盤風に起因すると思われる．また GRO J1655−40 の X 線観測では，多数の X 線吸収線がみつかっており，これらも降着円盤風起源と解釈されている．

活動銀河中心でも降着円盤風は吹いている．クェーサーの 10–15% 程度は，N v，C iv，Si iv などの高階電離した原子のスペクトルで，幅が広く青方偏移した強

い吸収線を示し，**BAL クェーサー**（broad absorption line quasar）と呼ばれている．吸収線の幅は，典型的には 10000–$30000\,\mathrm{km\,s^{-1}}$ もあり，光速の 1 割に達する大きな青方偏移を示す．たとえば，PG0935+417 では，分光観測から，$50000\,\mathrm{km\,s^{-1}}$ にも達する高速流が観測されている（Hidalgo *et al.* 2010）．高い柱密度（10^{23}–$10^{24}\,\mathrm{cm^{-2}}$）も観測されている．BAL クェーサーでは，$0.1c$ もの降着円盤風が吹いていて，そのガスが降着円盤の光を吸収して強い吸収線を作っているのだろう．BAL クェーサーでは，線吸収加速が有望視されている．

X 線観測でも高速風の存在が示唆されている．たとえば，クェーサー PG 1211+143 では，Fe XXVI の Lyα 吸収線だと推測される青方偏移した幅広い吸収線が観測されており，高速 $(0.3$–$0.4c)$ の風が吹いていると考えられている．クェーサー PG 0844+349 も X 線スペクトルで吸収線が見えており，風の速度は $0.2c$ 程度だと考えられている．また水素の柱密度は $N_\mathrm{H} \sim 10^{22\text{--}24}\,\mathrm{cm^{-2}}$ ぐらいと見積もられており，トムソン散乱の光学的厚みは $\tau \sim \sigma_\mathrm{T} m_\mathrm{p} N_\mathrm{H} \sim 0.00668$–$0.668$ ぐらいに相当する．これら高速 $(0.2$–$0.4c)$ の風が吹いていると推定される天体は，活動銀河の 40％にも上ると考えられていて，しばしば**超高速アウトフロー天体**（UFO：ultra-fast outflow）と呼ばれている．

また**狭輝線セイファート 1 型銀河**（NLS1：narrow line Seyfert 1 galaxy）や PG クェーサーと呼ばれるタイプのクェーサーは，非常に明るくエディントン光度を超えている可能性が高い[*33]．これらの天体では，しばしば相対論的なアウトフローが吹いているようだ．

これら**超エディントン天体**（super-Eddington object）では，きわめて高い質量降着率でブラックホールへ"超臨界"質量降着が起こって，超臨界降着円盤が形成されていると同時に（11.4 節），光学的に厚い降着円盤風が高速度で吹き出しているのだろう．また，連続光加速が重要な役割を果たしているのだろう．

11.3.2　輻射圧で駆動される降着円盤風

降着円盤風では，中心天体の重力に加え，回転に伴う遠心力が働く．さらに降着

[*33] **超光度 X 線源**（ULX：ultraluminous X-ray source）も含めるべきかも知れない．近傍銀河の X 線源の中には，X 線光度が $10^{32}\,\mathrm{W}$ から $10^{34}\,\mathrm{W}$ もあるものが見つかり，通常の X 線連星の 10 倍から 100 倍も明るいので，超光度 X 線源と呼ぶ．その正体は，太陽の 100 倍とか 1000 倍くらいの質量をもつ中間質量ブラックホールであるとする説と，恒星質量程度だがジェットのビーミングや超臨界降着などで，エディントン光度を超える X 線を放射しているという説がある．

円盤が球対称ではないため，輻射場にもさまざまなモーメント成分が現れて，流れの加速に働いたり減速に作用したりする（4.6 節参照）[34]．相対論的な効果も重要なので（13 章），概要を紹介しておく．

降着円盤の強い輻射によって駆動される風を，光学的に薄く非相対論の範囲ではあるが，最初に提案し具体的な計算をしたのはイッケ（Icke 1980）である．その後もいろいろな調べられたが，標準降着円盤について相対論的な効果である輻射抵抗まで考慮した詳細な計算は，田島と福江（Tajima and Fukue 1996, 1998）が行った．その結果では，ガス粒子は明るい降着円盤の中心近傍（$r \sim 8r_\mathrm{S}$ 付近を中心に）から吹き出しやすく，遠心力の助けも受け，光速の数割までは容易に加速される[35]．また，円盤光度とエディントン光度の比を Γ_d としたとき，輻射抵抗を入れなければ，$\Gamma_\mathrm{d} > 0.6$ ぐらいになると風の吹き出しが可能になるが（$r \sim 8r_\mathrm{S}$ 近傍を中心に），輻射抵抗を考慮すると，$\Gamma_\mathrm{d} > 0.8$ ぐらいで吹き出しが可能になる（遠心力が補助するのでエディントン光度より小さくても吹き出しが可能になる）．鉛直方向の重力と輻射場を受けた慣性振動なども見いだされている[36]．

ただし，光学的に薄い降着円盤風では，大量のガスを吹き出すことは難しい．また，角運動量などのため，輻射圧駆動降着円盤風は拡がる傾向がある．

降着円盤の輻射場で駆動される光学的に厚い降着円盤風については，後述する超臨界降着流と合わせて議論されることが多く，単体での研究はそれほどない．定常流で鉛直方向 1 次元という簡単な場合などで，相対論的な輻射流体風については少し調べられている[37]．

---

[34] 非相対論的領域では，輻射流束ベクトル $\boldsymbol{F}$ が重要で，多くの場合は流れの加速に寄与する．流速が光速に比べて無視できなくなると，輻射エネルギー密度 E と輻射ストレステンソル P^{ij} も重要になり，これらはしばしば輻射抵抗として減速に作用する．

[35] 電子–陽電子対プラズマの場合は，光速の 9 割ぐらいまでは加速できる．

[36] 最近では，降着円盤の輻射場によって駆動される，有限の光学的厚みをもった層雲の運動も調べ始められている（Nakai and Fukue 2015）．層雲に対する有効的エディントン光度や，層雲中での輻射輸送効果を考慮すると，粒子の加速よりも数倍効率が良くなることが指摘されている．

[37] Fukue and Akizuki (2006, 2007), Fukue (2016), Takeda and Fukue (2019) など．たとえば，中心天体の重力を無視した鉛直 1 次元輻射流の場合（Fukue 2016），円盤の鉛直方向の光学的厚みを τ_b があまり大きくない範囲で，鉛直方向の速度 v は，$v = v_\mathrm{s}(1 - \tau/\tau_\mathrm{b})$ のような簡単な形で近似できる．さらに，鉛直方向の輻射流束を F_0 とすると，単位面積当りの質量放出率 $\dot{J}$ と最終速度 v_s の間には，$v_\mathrm{s}/c \sim F_0 \tau_\mathrm{b}/(c^2 \dot{J})$ という関係が成り立つ．

11.3.3 輻射圧で駆動される宇宙ジェット

輻射圧で駆動される降着円盤風は拡がる傾向があるので，細く絞られた宇宙ジェットの説明には具合が悪い．ところで，ブラックホールなどへ向けて回転しながらガスが降着するとき，質量降着率がエディントン臨界降着率を超えていると，角運動量の障壁によって回転軸上にガスの入り込めない空洞領域——**ファンネル** (funnel) ——が形成される．リンデン=ベル（Lynden-Bell 1978）がはじめて，このファンネル領域が宇宙ジェットの形成に役立つと指摘した．

ファンネルジェットについて，光学的に薄い場合の計算を実施したのはシコーラとウィルスン（Sikora and Wilson 1981）である[*38]．彼らが粒子的描像で行った計算では，陽子と電子からなる通常プラズマの場合，陽子の慣性が大きいため，粒子流の速度は光速の 40%程度に抑えられた．電子陽電子対プラズマの場合でも，輻射抵抗が働くために，光速の 90%強までしか加速できなかった．ただし，光学的に薄いと，輻射の大部分はガス粒子と相互作用をせずに逃げてしまうので，加速効率はあまりよくない．

また中心軸上に限定した場合ではあるが，イッケ（Icke 1989）はいろいろな光源分布の輻射場で加速される流れを調べ，流れの**最終速度/終端速度**（terminal velocity）を解析的に求めた．たとえば，平面状光源の場合は，輻射流束と輻射抵抗の釣り合いから，以下の**マジックスピード**（magic speed）が決まる：

$$\frac{v}{c} = \frac{4-\sqrt{7}}{3} \sim 0.451. \tag{11.98}$$

ファンネル内部が光学的に厚くて，輻射がガスに捕捉されれば（光子捕捉），ガスと輻射が一体となって相対論的な輻射流体として振舞う．そしてガスは流体力学的な加速を受け，超音速流として吹き出すだろう（Fukue 1982）．このような光学的に厚いファンネルジェットでは，輻射場のエネルギーが高い効率でジェットの運動エネルギーへ転換される．またファンネルの出口に到達する以前にガスは終端速度に到達する．たとえば，特異星 SS 433 ジェットを念頭に置いた計算で，中心から $26\,r_{\rm S}$ より内側の領域で加速が起これば，最終速度は $0.26\,c$ を超える．ただし，やはり輻射抵抗のため，きわめて光速に近い速度を得ることは容易ではない．

[*38] 他の例としては，Phinney（1987），Piran（1982），Vokrouhlický and Karas（1991），Sikora *et al.* （1996），Renaud and Henri（1998），Fukue（2005, 2013）など．

11.4 超臨界降着流

質量降着率がエディントン臨界質量降着率より小さければ標準降着円盤が形成される．しかし質量降着率が臨界質量降着率より大きいと，内部の温度が上昇して形状が厚くなり**超臨界降着流**（supercritical accretion flow）という状態へ移行する[*39]．超臨界降着流では，ガスは回転すると同時に落下もしており，輻射場が非常に強いため，光子捕獲に伴う輻射エネルギーの移流が重要になり，また輻射場で駆動される強い風が生じるなど，輻射場が非常に重要な役割を果たす．

11.4.1 超臨界降着流のべき関数解

冷却過程について大幅に単純化した過程を置くと，超臨界降着流に対する解析的な解を得ることができる（第1巻参照）．最初にガス圧だけのべき関数解が求められ（Narayan and Yi 1994），その後，輻射圧が働いている超臨界降着流へも応用された[*40]．ここでは輻射場に関わる部分だけ簡単に紹介しよう．

超臨界降着流のべき関数解では，流れの速度場や厚みなどは半径 r のべき関数として表される．まず，標準降着円盤モデルを想定して，鉛直方向下向きの重力と上向きの輻射力が等しくなる条件から，標準円盤が破綻する**臨界半径**（critical radius）が得られる[*41]．円盤外部での質量降着率を $\dot{M}_\mathrm{input}$，臨界降着率で無次元化したものを $\dot{m}$ ($\equiv \dot{M}_\mathrm{input}/\dot{M}_\mathrm{E}$) と置くと，臨界半径 r_cr は以下となる：

$$r_\mathrm{cr} = \frac{9\sqrt{3}\sigma_\mathrm{T}}{16\pi m_\mathrm{p} c}\dot{M}_\mathrm{input} = \frac{9\sqrt{3}}{8}\dot{m}r_\mathrm{S} \sim 1.95\dot{m}r_\mathrm{S}. \tag{11.99}$$

臨界半径より外側では質量降着率は一定（$\dot{M}=\dot{M}_\mathrm{input}$）だが，内側では，

$$\dot{M}(r) = \frac{16\pi c m_\mathrm{p}}{9\sqrt{3}\sigma_\mathrm{T}}r \tag{11.100}$$

のように半径に比例して減少し，その差 $[\dot{M}_\mathrm{input}-\dot{M}(r)]$ は降着円盤風として吹き出さざるを得ないことになる．

[*39] 質量降着率が非常に小さいときも，ガスの冷却効率が悪くなり高温になって，形状の厚い**放射不良降着流**（RIAF：radiatively inefficient accretion flow）になる（詳しくは第1巻参照）．

[*40] Watarai and Fukue (1999), Fukue (2000, 2004) など．

[*41] Fukue (2004), Heinzeller and Duschl (2006). シャクラとスニアエフ（Shakura and Sunyaev 1973）ですでに議論されている，いわゆる球状化半径と基本的には同じものである．

円盤の鉛直方向の厚み H は，臨界半径より外側では一定だが，内側では，
$$H = \sqrt{c_3}\, r \tag{11.101}$$
のように r に比例する（c_3 は 1 程度の数係数）．また表面の有効温度 T_eff は，外側では標準円盤モデルの $T_\mathrm{eff}^4 \propto r^{-3}$ となるが，内側では以下のようになる：
$$\sigma_\mathrm{SB} T_\mathrm{eff}^4 = \frac{3}{4}\sqrt{c_3}\,\frac{L_\mathrm{E}}{4\pi r^2}. \tag{11.102}$$
最後に，超臨界降着流領域（$r_\mathrm{in} \leqq r \leqq r_\mathrm{cr}$）から放射される光度 L_d は，
$$L_\mathrm{d} = \frac{3}{4}\sqrt{c_3}\, L_\mathrm{E} \log\frac{r_\mathrm{cr}}{r_\mathrm{in}} \sim \frac{3}{4}\sqrt{c_3}\, L_\mathrm{E} \log\frac{2\dot{m} r_\mathrm{S}}{r_\mathrm{in}} \tag{11.103}$$
のようになる．ただし，積分の下限の r_in は円盤の内縁半径である．標準円盤の光度は質量降着率に比例したが，超臨界降着円盤では質量降着率の対数で頭打ちになっていく．なお，スペクトルには標準降着円盤と同様にべき乗になるが，標準降着円盤では $S_\nu \propto \nu^{1/3}$（$\nu S_\nu \propto \nu^{4/3}$）だったのに対し，上記の解では $S_\nu \propto \nu^{-1}$（$\nu S_\nu \propto \nu^0$）となる．

超臨界降着流の表面温度が標準降着円盤より上昇が緩やかで，光度も頭打ちになるのは，物理的には光子捕捉による輻射エネルギーの移流が原因である．すなわち，標準降着円盤では解放された重力エネルギーは，ガスの摩擦を通して内部エネルギーに転化し，さらのその場で円盤表面から輻射エネルギーとして放出される．しかし超臨界降着流では，輻射エネルギーの大部分は，ガスに捕捉されたまま内部へ移流し，表面から放出されることなくブラックホールへ吸い込まれてしまう．

11.4.2 超臨界降着流からの輻射圧駆動風

超臨界降着流では，その強い輻射場によって，表面からは輻射圧で駆動される流れが吹き出さざるを得ない．強い輻射圧駆動風などが吹いていると質量降着率は変化し，質量降着率が変化すると円盤の構造も大きく変化することになる．円盤の構造が変化すれば輻射圧駆動の働きも変わるので，超臨界降着流と輻射圧駆動風は同時に取り扱わなければならない．

超臨界降着流からの輻射圧駆動風については，すでにシャクラとサニアエフの記念碑的論文（Shakura and Sunyaev 1973）でも，その概要が検討されている．その後も研究は進み（Meier 1982a），質量流出を考慮した自己相似解など解析的な

研究（Lipunova 1999, Fukue 2004, Poutanen et al. 2007）がなされたが，最終的にはシステム全体を輻射流体シミュレーションする必要がある．

超臨界降着流と輻射圧駆動風の輻射流体シミュレーションについても，エッガム（Eggum et al. 1985, 1988）の研究を嚆矢として，長年にわたり数多くの研究がなされてきた[*42]．それらの結果によると，超臨界降着流の本体部分については，数値シミュレーションでも自己相似的な構造をしており，解析的な解がよい近似になっている．ただし，本体の表面付近では，降着流と円盤風の境界は不分明で，降着ガスは輻射圧によって円盤上方へ流出している．そして円盤風の光学的厚みは比較的大きいために，円盤本体は見えず，円盤風内に生じる光球面を観測することになる．ただし，現状ではまだ輻射場の取り扱いにはいろいろな近似が使われている．輻射圧によって加速される相対論的な流れを正確に解くためには，多次元の相対論的輻射流体シミュレーションをしなければならない（第5巻参照）．今後も研究の発展が大いに望まれる領域である．

11.5 輻射流体流の自己相似的な扱い

関与する物理過程が少ない状況では，偏微分方程式系を常微分方程式系に帰着させ，時間変化や空間変化を半解析的に調べる**自己相似的取り扱い**（self-similar treatment）と**自己相似解**（self-similar solution）は強力な手法である．たとえば，点源爆発において，爆発エネルギー E と周囲の媒質の密度 ρ が支配的な時期の変化は，いわゆる**セドフ解**（Sedov solution）でよく再現される（第1巻）．中心天体の質量 M が支配的な状況での時間的な球対称流は，$\xi \propto rt^{-2/3}$ というまとまりの自己相似性をもつ（Sakashita 1974, Cheng 1977, Fukue 1984）．あるいは，自己重力が働いている回転ガス雲に対しては，**ハヤシ解**（Hayashi solution）と呼ばれる空間的な自己相似解が有名だ（第1巻）．ここでは輻射場が優勢な輻射流体流に関して，時間的な自己相似解と空間的な自己相似解を示してみる．

[*42] Kley (1989), Okuda et al. (1997, 2005), Kley, Lin (1999), Okuda, Fujita (2000), Okuda (2002), Ohsuga et al. (2005), Ohsuga (2006), Takeuchi et al. (2013), Takahashi and Ohsuga (2015), Kobayashi et al. (2018) など．

11.5.1 時間的な自己相似解:球対称降着

自己相似解が構成できるのは独立な物理定数が 2 つ以内という制限がある (Sedov 1959)．重力場中での輻射流体の場合，万有引力定数 G（あるいは GM）以外に，気体定数や不透明度そして光速などが方程式系に現れるので，自己相似解は一般的には構成しにくい．しかしたとえば，輻射圧優勢でガス圧が無視でき，光度一定[*43]として輻射圧をエディントンパラメータの形にまとめられるときは，以下のように自己相似解を得ることができる．

質量 M の中心天体に対する時間に依存する球対称な流れの輻射流体力学基礎方程式は，ガス圧を無視し光度 L が一定とすると以下のようになる．

連続の式は，密度を ρ，速度を v として，

$$\frac{\partial \rho}{\partial t} + \frac{1}{r^2}\frac{\partial}{\partial r}(r^2 \rho v) = 0 \tag{11.104}$$

である．運動方程式は，

$$\frac{\partial v}{\partial t} + v\frac{\partial v}{\partial r} = -\frac{GM(1-\Gamma)}{r^2} \tag{11.105}$$

である．ただしここで，Γ ($\equiv L/L_{\rm E}$) は，(一定の) 光度 L とエディントン光度 $L_{\rm E}$ の比で，**エディントン・パラメータ**（Eddington parameter）と呼ばれる．輻射圧を P として，1 次のモーメント式は，

$$-\frac{1}{\rho}\frac{\partial P}{\partial r} = \frac{\kappa + \sigma}{c}F = \frac{GM}{r^2}\Gamma, \tag{11.106}$$

となる．エネルギー式と 0 次モーメント式は使わない．

いま考えている状況では，**相似座標**（similarity variable）ξ を

$$\xi = (GM)^{-1/3} r t^{-\delta}, \quad \delta = 2/3 \tag{11.107}$$

という形で設定すると，時空間の偏微分は，

$$\frac{\partial}{\partial t} = \frac{\partial \xi}{\partial t}\frac{d}{d\xi} = -\delta t^{-1}\xi\frac{d}{d\xi}, \quad \frac{\partial}{\partial r} = \frac{\partial \xi}{\partial r}\frac{d}{d\xi} = (GM)^{-1/3}t^{-\delta}\frac{d}{d\xi} \tag{11.108}$$

のように相似座標での常微分に変換できる．

[*43] 光学的に薄い場合，輻射平衡が成り立っている場合，散乱のみの場合などに対応する．

また物理変数は以下のような**相似変数**（similarity variables）に変換する[*44]：

$$v = -(GM)^{1/3} t^{\delta-1} V(\xi), \tag{11.109}$$

$$\rho = r^\nu D(\xi) = (GM)^{\nu/3} t^{\nu\delta} \xi^\nu D(\xi), \tag{11.110}$$

$$P = r^{2+\nu} t^{-2} Q(\xi) = (GM)^{(2+\nu)/3} t^{(2+\nu)\delta - 2} \xi^{2+\nu} Q(\xi). \tag{11.111}$$

ここで ν はパラメータである（次元量が GM しかないので一つ自由度が残る）．

これらの相似変換を使うと，基礎方程式（11.104）–（11.106）は以下のような常微分方程式系に置き換えることができる：

$$(V + \delta\xi)\frac{1}{D}\frac{dD}{d\xi} + \frac{dV}{d\xi} = -\frac{2+\nu}{\xi}V, \tag{11.112}$$

$$(V + \delta\xi)\frac{dV}{d\xi} = -(1-\delta)V - \frac{1-\Gamma}{\xi^2}, \tag{11.113}$$

$$\frac{dQ}{d\xi} = -\frac{2+\nu}{\xi}Q - \Gamma\frac{D}{\xi^4}. \tag{11.114}$$

これらの方程式系を適当な境界条件のもとで解けばよいが，いまの場合は無限遠での（11.112）–（11.114）の漸近解を使おう[*45]．

$$V \to \sqrt{2(1-\Gamma)}\,\xi^{-1/2}, \tag{11.115}$$

$$D \to \sqrt{2(1-\Gamma)}\exp[(\nu + 3/2)\xi^{-3/2}], \tag{11.116}$$

$$Q \to Q_0 \xi^{-(2+\nu)}. \tag{11.117}$$

計算例を図11.7に示す．エディントン・パラメータが一定でガス圧を落としたので，落下速度 V（実線）は自由落下的になっている．ただし光度 Γ が高くなると，輻射圧に抑制されて落下速度も密度も減少する．また落下速度はパラメータ ν に依存しないが，内部領域の密度は大きく依存する．

11.5.2　空間的な自己相似解：輻射圧支持トーラス

中心天体の周囲を回転するガス形状は，たとえば角運動量分布を一定とすると，トーラス状の構造となり，宇宙トーラス（円環星）と呼ばれる（第1巻）．

[*44] 相似変数の取り方は，次元解析でも出せるが，一般的には，$v = v_0 t^a V(\xi)$ とか，$v = u_0 (GM/r)^b U(\xi)$ などと置いて，基礎方程式に代入し，各項のべき指数と係数を一致させて決める．スケール因子を時間のべきにするか半径のべきにするかは任意性がある．

[*45] 漸近解（11.115）は自由落下解 $v = -\sqrt{2(1-\Gamma)GM/r}$ になっている．

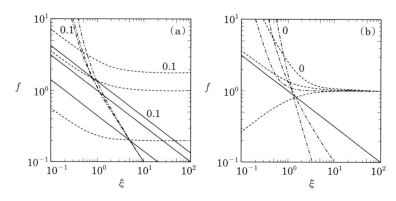

図 **11.7** 時間に依存する球対称降着の自己相似解の計算例．横軸は相似座標 ξ，縦軸はいろいろな量 f．実線は V，破線は D，一点鎖線は Q を表す．パラメータは，（左）$\nu = -1$, $Q_0 = 1$, $\Gamma = 0.1, 0.5, 0.9$ で，（右）$\Gamma = 0.5$, $Q_0 = 1$, $\nu = 0, -1, -2$.

ここでは輻射場が優勢な状況で，回転ガス天体の形状を自己相似手法で調べてみよう．重力場としては単純なダークマター分布を仮定する[*46]．すなわち，ダークマターが密度一定で分布しているとき，質量分布は中心からの距離 R に比例して増加し，重力ポテンシャル ϕ は対数ポテンシャル $G\mu \ln(R/R_0)$ の形で与えらえる（μ は定数で μR は R 内の質量）．銀河回転で知られているように，回転速度は一定となる．このような状況で輻射流体力学の基礎方程式は以下のようになる．

半径方向（r）と鉛直方向（z）の運動方程式（力の釣り合い）は，

$$-\frac{v_\varphi^2}{r} = -\frac{G\mu}{R}\frac{r}{R} - \frac{1}{\rho}\frac{\partial p}{\partial r} + \frac{\kappa + \sigma}{c}F_r, \quad (11.118)$$

$$0 = -\frac{G\mu}{R}\frac{z}{R} - \frac{1}{\rho}\frac{\partial p}{\partial z} + \frac{\kappa + \sigma}{c}F_z. \quad (11.119)$$

ここで，$R = \sqrt{r^2 + z^2}$, v_φ は回転速度，p はガス圧，ρ はガス密度，F_r と F_z は輻射流束の r 成分と z 成分である．簡単のために，吸収不透明度 κ と散乱不透明度 σ は一定とする．エネルギー式は，E を輻射エネルギー密度として，

$$0 = q^+ - \rho\kappa(4\pi B - cE) \quad (11.120)$$

となる．ここで q^+ は内部加熱率だが，これはトーラス内での輻射流束の保存から

[*46] 中心天体の重力場でも解は得られるが，少し面倒になる（Fukue et al. 2023）．

決まる．また簡単のために状態方程式は '等温' を仮定する：
$$p = \rho c_{\rm T}^2. \tag{11.121}$$
ここで $c_{\rm T}$ は '等温音速' である．

輻射場に関して，0 次のモーメント式は，
$$\frac{1}{r}\frac{\partial}{\partial r}(rF_r) + \frac{\partial F_z}{\partial z} = \rho\kappa(4\pi B - cE) = q^+ \tag{11.122}$$
であり，1 次のモーメント式は以下のようになる：
$$\frac{1}{r}\frac{\partial}{\partial r}(rP_{rr}) - \frac{P_{\varphi\varphi}}{r} = \frac{\partial P}{\partial r} = -\rho\frac{\kappa + \sigma}{c}F_r, \tag{11.123}$$
$$\frac{\partial P_{zz}}{\partial z} = \frac{\partial P}{\partial z} = -\rho\frac{\kappa + \sigma}{c}F_z. \tag{11.124}$$
ここで，P_{ii} は輻射応力テンソルの ii 成分だが，エディントン近似のもとで，すべて等方成分 P ($=E/3$) に等しいとした．

ここでの空間的な相似変換では，相似座標 ζ として，
$$\zeta \equiv \frac{z}{r} = \frac{1}{\tan\theta} \tag{11.125}$$
を導入すると（θ は極角），空間偏微分は，以下のような常微分に変換される：
$$\frac{\partial}{\partial r} = -\frac{\zeta}{r}\frac{d}{d\zeta}, \quad \frac{\partial}{\partial z} = \frac{1}{r}\frac{d}{d\zeta}. \tag{11.126}$$
また物理変数は以下の相似変数に置き換えよう：
$$(\kappa+\sigma)\rho r = \tau(\zeta), \quad v_\varphi = \sqrt{G\mu}\,u, \quad c_{\rm T}^2 = G\mu a^2, \tag{11.127}$$
$$cE = \frac{\lambda_{\rm E}}{2\pi r}e(\zeta), \quad F_r = \frac{\lambda_{\rm E}}{2\pi r}f_r(\zeta), \quad F_z = \frac{\lambda_{\rm E}}{2\pi r}f_z(\zeta), \tag{11.128}$$
$$q^+ = \frac{1}{r}\frac{\lambda_{\rm E}}{2\pi r}q(\zeta). \tag{11.129}$$
ここで，$\lambda_{\rm E}$ [$\equiv 2\pi cG\mu/(\kappa+\sigma)$] はダークマター対数ポテンシャル場での 'エディントン光度' で，無次元化した回転速度 u と等温音速 a は一定とする．

これらの相似変換を使うと，基礎方程式 (11.118) – (11.119) および (11.122) – (11.124) は以下のように変換される：
$$0 = u^2 - \frac{1}{1+\zeta^2} + \frac{a^2\zeta}{\tau}\frac{d\tau}{d\zeta} + a^2 + f_r, \tag{11.130}$$

$$0 = -\frac{\zeta}{1+\zeta^2} - \frac{a^2}{\tau}\frac{d\tau}{d\zeta} + f_z. \tag{11.131}$$

$$-\zeta\frac{df_r}{d\zeta} + \frac{df_z}{d\zeta} = q, \tag{11.132}$$

$$\frac{1}{3}\zeta\frac{de}{d\zeta} + \frac{1}{3}e = \tau f_r, \tag{11.133}$$

$$\frac{1}{3}\frac{de}{d\zeta} = -\tau f_z. \tag{11.134}$$

これらを代数的に解くのは難しくない.すなわち,(11.133) と (11.134) から $e = 3\tau(f_r + \zeta f_z)$ が得られ,(11.130) と (11.131) から $d\tau/d\zeta$ を消去すると,$f_r + \zeta f_z = 1 - u^2 - a^2 \equiv f_0$ (一定),となるので,以下の関係式が得られる:

$$e = 3\tau(1 - u^2 - a^2) = 3f_0\tau. \tag{11.135}$$

物理的な解が存在するためには,$u^2 + a^2 < 1$ という条件が課せられる.

さらに式を変形すると以下の解析解が求まる:

$$f_r = \frac{1-u^2-a^2}{1-u^2}\left(\frac{1}{1+\zeta^2} - u^2\right), \tag{11.136}$$

$$f_z = \frac{1-u^2-a^2}{1-u^2}\frac{\zeta}{1+\zeta^2}, \tag{11.137}$$

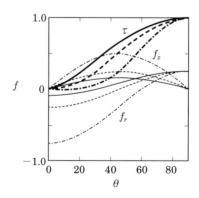

図 **11.8** 空間的な自己相似解の例.横軸は極角 θ で右端が赤道面.縦軸は諸量 f.太線は τ (e も τ に比例する),細線は f_r と f_z.パラメータは,$u^2 = 1/4$ と $a^2 = 1/2$ (実線),$u^2 = 1/2$ と $a^2 = 1/4$ (破線),$u^2 = 3/4$ と $a^2 = 0$ (一点鎖線).

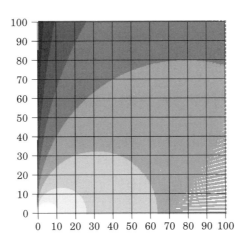

図 11.9 子午面内での密度分布（対数スケール）．パラメータは，$u^2 = 1/2$ と $a^2 = 1/4$．

$$\tau = \tau_0 \left(1 + \zeta^2\right)^{-\frac{1}{2(1-u^2)}}, \tag{11.138}$$

$$q = \frac{1 - u^2 - a^2}{1 - u^2} \frac{1}{1 + \zeta^2}. \tag{11.139}$$

ここで τ_0 は $\zeta = 0$ での値である．また $\zeta = 0$ で $f_r = 1 - u^2 - a^2$ および $f_z = 0$ であり，$\zeta^2 = 1/u^2 - 1$ で f_r は負になる（f_z は常に正）．

解析解の例を図 11.8 に示す．横軸は極角 θ（$\zeta = z/r = 1/\tan\theta$）で，右端が赤道面，左端が極となる．図からわかるように，密度 (τ) は赤道面から極へ向けて減少し，回転速度が大きいほど赤道面に集中する．輻射流束 (f_r, f_z) は，赤道面では外向きだったものが，次第に上方へ強くなり，やがては内向きに転じる．

ガス密度（$\rho \propto \tau(\zeta)/r$）の空間分布を図 11.9 に表した（対数スケール）．ガス密度はたしかにトーラス状の構造になっていることがわかる．なお，図 11.8 からも推定できるように，回転速度が小さく温度が高いほど球形になり，逆に回転速度が大きく温度が低いほど赤道方向に扁平になる．

Chapter 11 の章末問題

問題 11.1 中心星の光度がすべて恒星風の運動エネルギーになったとして，質量放出率を見積もってみよ．

問題 11.2 中心星の光度が恒星風の運動量になったとして，質量放出率を見積もってみよ．

問題 11.3 平衡拡散近似（11.1.3 節）で $A \neq 0$ である一般の場合を解析してみよ．

問題 11.4 非平衡拡散近似（11.1.4 節）で一般の場合を解析してみよ．

問題 11.5 速度が $\beta = \beta_\infty(1 - R_0/R)$ で増加する場合の光球半径を求めてみよ．ただし，β_∞ と R_0 は定数とする．

問題 11.6 不透明度が R^{-n} の場合の光球半径を求めてみよ．

問題 11.7 自由落下で球対称降着している場合の光球半径を求めてみよ．

問題 11.8 不透明度も流速も一定だと仮定して，光球半径より内側の温度分布を求めてみよ．

問題 11.9 クラマースの不透明度と速度一定を仮定して，熱化半径より内側の温度分布を求めてみよ．

問題 11.10 自由落下で球対称降着している場合の光子捕捉半径を求めてみよ．

問題 11.11 流速一定として，捕捉半径より内側の温度分布を求めてみよ．

問題 11.12 特異点の解（11.88）から，特異点での諸量を半径の関数として求めよ．等温を仮定してよい．

問題 11.13 等温音速が，$c_T^2 \propto T \propto r^{-n}$ のように変化する場合，(11.87) 以降はどうなるか．

問題 11.14 中心からの距離 R の関数として，重力ポテンシャル ϕ が対数ポテンシャル $G\mu \ln(R/R_0)$ の形で（μ は定数で μR は R 内の質量），重力加速度 g が R に反比例するとき（$g = -d\phi/dR = -G\mu/R$），超臨界降着流の解はどのようになるか．

Chapter 12

輻射流体波動と輻射流体不安定

宇宙流体では，圧力を復元力とする音波，浮力を復元力とする重力波，遠心力を復元力とする慣性振動，そして非線形波動の一種である衝撃波など，多種多様な波動現象が存在する．輻射流体においても状況は同じで，輻射の影響があるぶん，より多様性を増し複雑なものとなっている．本章では，輻射流体における波動現象や安定性について，基本的な内容を紹介したい（波動全般については第1巻を参照）．

12.1 断熱音波と輻射音波

重力場や輻射場が存在しない状況で，理想気体中の**断熱音波/音響波**（adiabatic acoustic wave）の速度，すなわち**断熱音速**（adiabatic sound speed）は，

$$c_\mathrm{s} = \pm\sqrt{\gamma\frac{p_0}{\rho_0}} \tag{12.1}$$

で与えられる（第1巻参照）．ここで p_0 と ρ_0 は非摂動状態の一定圧力と一様密度で，γ は比熱比である[*1]．また，平面波解 $\exp(i\omega t - i\bm{k}\cdot\bm{r})$ を仮定すると，いわゆる音波の**分散関係式**（dispersion relation）が得られる：

$$\omega^2 = c_\mathrm{s}^2 k^2. \tag{12.2}$$

[*1] 微小摂動を与えた場合には，ゆらぎのない**非摂動状態**（unperturbed state）の物理量に添え字0を，微小な擾乱を受けた**摂動状態**（perturbed state）の摂動量に添え字1を付ける．

つぎに，**輻射音波**（radiation acoustic wave）を考えてみよう．

非摂動状態では，輻射場は一様で（$E = E_0 = $ 一定），輻射流束はないとする（$\bm{F} = \bm{F}_0 = 0$）．輻射平衡とエディントン近似（5.65）を仮定する．このとき，0次モーメント式（9.3）と 1 次モーメント式（9.4）は自動的に成立している．

ここで摂動を加えると，摂動量に対するモーメント式は以下のようになる：

$$\frac{\partial E_1}{\partial t} + \bm{\nabla} \cdot \bm{F}_1 = 0, \tag{12.3}$$

$$\frac{1}{c^2}\frac{\partial \bm{F}_1}{\partial t} + \frac{1}{3}\bm{\nabla} \cdot E_1 = -\rho_0 \frac{\kappa_F + \sigma_F}{c}\bm{F}_1. \tag{12.4}$$

（12.4）を時間で偏微分した式に（12.3）を代入すると，以下の式が得られる：

$$\frac{\partial^2 \bm{F}_1}{\partial t^2} - \frac{c^2}{3}\bm{\nabla}^2 \bm{F}_1 = -\rho_0 c(\kappa_F + \sigma_F)\frac{\partial \bm{F}_1}{\partial t}. \tag{12.5}$$

この（12.5）は右辺がなければ，波動方程式で，波の速度は，

$$c_{\rm rad} = \pm \frac{c}{\sqrt{3}} \tag{12.6}$$

となっており，相対論的流体の音速（付録 C）に一致する．ルートの中の 3 はエディントン近似に由来するもので，輻射場の等方性に起因する[*2]．逆に言えば，輻射場が等方でない場合は，輻射波動の速度は方向に依存することが予想される．

さらに（12.5）の右辺は波の減衰を意味している．実際，平面波解を代入すると分散関係式は，

$$\omega^2 - \rho_0 c(\kappa_F + \sigma_F)i\omega - c_{\rm rad}^2 k^2 = 0 \tag{12.7}$$

となり，ω について解くと，$\omega_{\rm i} = \rho_0 c(\kappa_F + \sigma_F)/2$ として，

$$\omega = \pm\sqrt{c_{\rm rad}^2 k^2 - \omega_{\rm i}^2} + i\omega_{\rm i} \tag{12.8}$$

が得られる．すなわち，波の速度は少し減少し，波は $e^{-\omega_{\rm i} t}$ で減衰する．

[*2] 比熱比の観点でみたとき，理想気体の単位体積当りの内部エネルギーの式：$\rho U = p/(\gamma - 1)$ とエディントン近似の式：$E = 3P$ を比較すると，輻射ガス（および相対論的流体）の比熱比は $\gamma = 4/3$ に相当する．さらにこれは粒子の自由度と関連していて，単原子分子（$\gamma = 5/3$）の自由度は 3 だが，輻射（電磁波）の自由度は 2 しかないためである（光速で進む進行方向の自由度はなく，進行方向に垂直方向に独立な偏光方向が 2 つある）．

12.2 輻射流体波動

輻射流体における波動現象については 1950 年代から調べられてきており，輻射場が温度揺らぎを減衰させることは知られていたが[*3]，1990 年代には詳細かつ包括的に調べられた[*4]．本節ではボグダンら（Bogdan et al. 1996）にもとづき，輻射圧，輻射冷却，輻射粘性などを考慮して，輻射流体波動の解析を行ってみる[*5]．

12.2.1 輻射流体方程式の線形化

線形波動の性質を調べるために方程式の線形化を行うが，流体と輻射の間の運動量カップリングやエネルギーカップリングを考えるので，前節と異なり，輻射流体のすべての方程式を同時に取り扱うことになる．

重力場はないとして，$\mathcal{O}(v/c)^1$ までで輻射流体の基礎方程式を書くと，連続の式，運動方程式，エネルギー式，輻射輸送方程式，0 次モーメント式，1 次モーメント式は，それぞれ以下のようになる（9 章）：

$$\frac{\partial \rho}{\partial t} + \boldsymbol{\nabla}(\rho \boldsymbol{v}) = 0, \tag{12.9}$$

$$\frac{\partial \boldsymbol{v}}{\partial t} + (\boldsymbol{v} \cdot \boldsymbol{\nabla})\boldsymbol{v} = -\frac{1}{\rho}\boldsymbol{\nabla} p + \frac{4\pi\chi}{\rho c}\left[\boldsymbol{H} - (J + K^{ik})\frac{v^k}{c}\right], \tag{12.10}$$

$$\frac{\partial}{\partial t}(\rho c_{\rm v} T) + \boldsymbol{\nabla}[(\rho c_{\rm v} T + p)\boldsymbol{v}] = 4\pi\chi\left(J - S\right), \tag{12.11}$$

$$\frac{1}{c}\frac{\partial I}{\partial t} + (\boldsymbol{l} \cdot \boldsymbol{\nabla})I = \chi(S - I) + \chi\frac{\boldsymbol{v} \cdot \boldsymbol{l}}{c}(3S + I), \tag{12.12}$$

$$\frac{1}{c}\frac{\partial J}{\partial t} + \boldsymbol{\nabla} \cdot \boldsymbol{H} = \chi\left(S - J\right), \tag{12.13}$$

$$\frac{1}{c}\frac{\partial \boldsymbol{H}}{\partial t} + \frac{\partial K^{ik}}{\partial x^k} = -\chi\left[\boldsymbol{H} - (J + K^{ik})\frac{v^k}{c}\right]. \tag{12.14}$$

ただしここで，$\chi = \rho(\kappa + \sigma)$ は全減光係数（一定と仮定する），$c_{\rm v}$ は定積比熱（一定と仮定する），S は源泉関数である[*6]．さらに簡単のために散乱は十分小さく

[*3] Spiegel (1957), Cogley (1969), Delache and Froeschlé (1972) など．
[*4] Dzhalilov et al. (1992, 1994), Zhugzhda et al. (1993) や Bogdan et al. (1996)．
[*5] Mihalas and Mihalas (1984) の 8 章，Castor (2004) の 7 章および 12 章なども参照．
[*6] 源泉関数を使って 9 章の方程式を変形していくと，エネルギー式で $\boldsymbol{v} \cdot \boldsymbol{F}/c$ の項が余るが，より高次の項なのでここでは無視してある．

無視でき ($\chi \sim \rho\kappa$),局所熱力学的平衡 LTE が成り立っているとする.したがって,振動数積分したプランク関数を B として,

$$S = \frac{1}{\kappa+\sigma}\frac{j}{4\pi} + \frac{\sigma}{\kappa+\sigma}J = B = \frac{1}{\pi}\sigma_{\mathrm{SB}}T^4 \tag{12.15}$$

となっている.また,$p = (\gamma-1)\rho c_{\mathrm{v}} T = \mathcal{R}\rho T/\bar{\mu}$ である.

一様で静止した非摂動状態に対して,物理量($\rho, p, T, \boldsymbol{v}, I, J, \boldsymbol{H}$)の摂動を与えて,これらの方程式を線形化すると,以下のようになる:

$$\frac{\partial}{\partial t}\left(\frac{\rho_1}{\rho_0}\right) + \boldsymbol{\nabla}\cdot\boldsymbol{v}_1 = 0, \tag{12.16}$$

$$\frac{\partial \boldsymbol{v}_1}{\partial t} = -\frac{1}{\rho_0}\boldsymbol{\nabla}p_1 + \frac{4\pi\chi}{\rho_0 c}\left(\boldsymbol{H}_1 - \frac{4B}{3c}\boldsymbol{v}_1\right), \tag{12.17}$$

$$\rho_0 c_{\mathrm{v}}\left[\frac{\partial T_1}{\partial t} + (\gamma-1)T_0 \boldsymbol{\nabla}\cdot\boldsymbol{v}_1\right] = 4\pi\chi\left(J_1 - B_1\right), \tag{12.18}$$

$$\frac{1}{c}\frac{\partial I_1}{\partial t} + (\boldsymbol{l}\cdot\boldsymbol{\nabla})I_1 + \chi I_1 = \chi B_1 + \frac{4B\chi}{c}\boldsymbol{l}\cdot\boldsymbol{v}_1, \tag{12.19}$$

$$\frac{1}{c}\frac{\partial J_1}{\partial t} + \boldsymbol{\nabla}\cdot\boldsymbol{H}_1 = \chi(B_1 - J_1), \tag{12.20}$$

$$\frac{1}{c}\frac{\partial \boldsymbol{H}_1}{\partial t} + \frac{\partial K_1^{ik}}{\partial x^k} = -\chi\left(\boldsymbol{H}_1 - \frac{4B}{3c}\boldsymbol{v}_1\right). \tag{12.21}$$

状態方程式からは,$p_1/p_0 = \rho_1/\rho_0 + T_1/T_0$ が得られる.ここで,(12.17) の右辺第 2 項目の輻射抵抗の項は,$\boldsymbol{v}_1$ が 1 次の摂動量であるため,輻射場は 0 次の量($4B/3$)となっている.

これらの線形化した方程式に対し,ミハラスら(1984)はエディントン近似($K^{ik} = \delta^{ik}J/3$)を仮定して解析を行った.エディントン近似の仮定は,よく成り立つ場合とそうでない場合とがある.そこでボグダンら(1996)はエディントン近似を仮定せずに,線形輻射波動の解析を行った.ここでは,ボグダンらの解析に従って,輻射波動の性質を見ることにし,エディントン近似との比較も行う.

さらに,いくつかの時間スケールを導入して,線形化した方程式(12.16)–(12.21)を無次元化すると以下のように表せる:

$$\frac{\partial}{\partial t}\left(\frac{4\rho_1}{\rho_0}\right) + \frac{1}{t_\lambda \chi}\boldsymbol{\nabla}\cdot\left(\frac{4\boldsymbol{v}_1}{c}\right) = 0, \tag{12.22}$$

$$\frac{\partial}{\partial t}\left(\frac{4\boldsymbol{v}_1}{c}\right) + \frac{t_\lambda}{t_{\mathrm{s}}^2}\frac{1}{\gamma\chi}\boldsymbol{\nabla}\left(\frac{B_1}{B} + \frac{4\rho_1}{\rho_0}\right) = \frac{3}{t_\mu}\left(\frac{\boldsymbol{H}_1}{B} - \frac{4\boldsymbol{v}_1}{3c}\right), \tag{12.23}$$

$$\frac{\partial}{\partial t}\left(\frac{B_1}{B}\right) + (\gamma-1)\frac{1}{t_\lambda \chi}\boldsymbol{\nabla}\cdot\left(\frac{4\boldsymbol{v}_1}{c}\right) = \frac{1}{t_r}\left(\frac{J_1}{B} - \frac{B_1}{B}\right), \tag{12.24}$$

$$\left[\frac{\partial}{\partial t} + \frac{1}{t_\lambda}\left(1 + \frac{1}{\chi}\boldsymbol{l}\cdot\boldsymbol{\nabla}\right)\right]\frac{I_1}{B} = \frac{1}{t_\lambda}\frac{B_1}{B} + \frac{1}{t_\lambda}\boldsymbol{l}\cdot\frac{4\boldsymbol{v}_1}{c}, \tag{12.25}$$

$$\frac{\partial}{\partial t}\left(\frac{J_1}{B}\right) + \frac{1}{t_\lambda \chi}\boldsymbol{\nabla}\cdot\left(\frac{\boldsymbol{H}_1}{B}\right) = \frac{1}{t_r}\left(\frac{B_1}{B} - \frac{J_1}{B}\right), \tag{12.26}$$

$$\frac{\partial}{\partial t}\left(\frac{\boldsymbol{H}_1}{B}\right) + \frac{1}{t_\lambda\chi}\frac{\partial}{\partial x^k}\left(\frac{K_1^{ik}}{B}\right) = -\frac{1}{t_\lambda}\left(\frac{\boldsymbol{H}_1}{B} - \frac{4\boldsymbol{v}_1}{3c}\right). \tag{12.27}$$

この無次元化した方程式では，以下の 4 つの特徴的時間スケールを定義した：

$$t_\lambda \equiv \frac{1}{\chi c}: \quad \text{光が 1 光学的厚みを進む時間,} \tag{12.28}$$

$$t_s \equiv \frac{1}{\chi c_s}: \quad \text{音波（音速 } c_s\text{）が 1 光学的厚みを進む時間,} \tag{12.29}$$

$$t_r \equiv \frac{\rho c_v T}{16\chi\sigma_{SB}T^4}: \quad \text{光学的に薄いときの輻射冷却時間,} \tag{12.30}$$

$$t_\mu \equiv \frac{3\rho c^2}{16\chi\sigma_{SB}T^4}: \quad \text{輻射粘性による速度減衰時間.} \tag{12.31}$$

ただし，これらはすべてが独立ではなく，これらの時間スケールには，

$$\frac{t_r}{t_\mu} = \frac{1}{3\gamma(\gamma-1)}\frac{t_\lambda^2}{t_s^2} \tag{12.32}$$

という関係があり，また 1 つは時間 t の無次元化に使えるので，独立したパラメータは 2 つである．ここではボルツマン数と **R** パラメータを用いる：

$$\mathcal{B}o \equiv \frac{\gamma\rho c_v c_s}{\sigma_{SB}T^3} = 16\gamma\frac{t_r}{t_s}, \tag{12.33}$$

$$\mathcal{R}a \equiv \frac{\sigma_{SB}T^4/c}{\gamma\rho c_v T} = \frac{1}{\mathcal{B}o}\frac{c_s}{c} = \frac{1}{16\gamma}\frac{t_\lambda}{t_r}. \tag{12.34}$$

(12.33) のボルツマン数はエンタルピー流束と輻射流束の比であり，値が大きいと輻射冷却は弱くなって，断熱的になる[*7]．ボルツマン数が無限大の極限では，断熱音波と輻射音波が分離する．(12.34) は輻射圧とガス圧の比で決まるパラメータで，値が大きいと輻射圧が強くなる[*8]．

[*7] 太陽などでは 10 程度，O 型星中心で 10^{-2} ぐらい，X 線源で 10^{-5} ぐらいである．

[*8] 太陽（$c_s \sim 10^{-3}$）などでは 10^{-4} ぐらい，O 型星中心（$c_s \sim 2\times 10^{-3}$）で 0.2 ぐらい，X 線源（$c_s \sim 10^{-3}$）で 200 ぐらいになる．

12.2.2　輻射流体波動の種類

線形波動の解として，$\exp(i\omega t - ikx)$ に比例する平面波解を考える．もし ω が実数で，$k \ (= k_R - ik_I)$ が複素数なら，解は $e^{i\omega t - ik_R x} e^{-k_I x}$ となり，位相速度 ω/k_R で伝播し，空間的には $e^{-k_I x}$ で減衰する波となる．ミハラスとミハラス（Mihalas and Mihalas 1984）は，輻射流体の線形波動が，**音波モード**（acoustic mode）と**輻射拡散モード**（radiation-diffusion mode）に大別されることを示した．先に述べたように，彼らはエディントン近似を用いたが，ボグダンたち（Bogdan *et al.* 1996）はエディントン近似を仮定せずに，LTE を仮定した先の (12.22)–(12.27) の解を求めた．

ボグダンたちの詳しい解析によれば，音波モードは以下のように分類される：

$$k_s = \pm \frac{\omega}{c_s} \begin{cases} 1 + i\dfrac{(\gamma-1)\omega t_s^2}{6\gamma t_r} & \cdots \text{モード (a)}, \\[2pt] 1 + i\dfrac{\gamma-1}{2\gamma \omega t_r} & \cdots \text{モード (b)}, \\[2pt] \sqrt{\gamma}\left[1 + i\dfrac{3(\gamma-1)t_r}{2\gamma \omega t_s^2}\right] & \cdots \text{モード (c)}, \\[2pt] \sqrt{\gamma}\left[1 + i\dfrac{(\gamma-1)\omega t_r}{2}\right] & \cdots \text{モード (d)}, \\[2pt] \sqrt{\gamma}\left(1 + i\dfrac{1}{2\omega t_\mu}\right) & \cdots \text{モード (e)}, \\[2pt] 3\sqrt{\dfrac{\gamma(\gamma-1)t_r}{t_\lambda}}\left(1 + i\dfrac{\omega t_\mu}{2}\right) & \cdots \text{モード (f)}, \\[2pt] \sqrt{3}\dfrac{c_s}{c}\left(1 + i\dfrac{\omega t_\lambda}{2}\right) & \cdots \text{モード (g)}. \end{cases} \quad (12.35)$$

これらのうち，モード (a) と (b) は断熱音波（adiabatic acoustic wave）が輻射冷却の影響を受けたものである．またモード (c) (d) (e) は等温音波（isothermal acoustic wave）を表している．さらに，モード (f) は輻射優勢音波（radiation-dominated acoustic wave）を，モード (g) は輻射音波（radiation acoustic wave）を表す．この輻射音波は，先にもみたように，波の伝播速度が輻射圧のみで伝播する場合の速度になっていることを意味している：$\omega/k_r = c/\sqrt{3}$．なお，モード (e) と (f) では輻射粘性の効果が働いている．

一方で，輻射拡散モードは以下のように分類される：

$$k_{\rm r} = \pm \frac{(1+i)\chi}{\sqrt{2}} \begin{cases} \sqrt{3\gamma\omega t_{\rm r}} & \cdots \text{モード (A)}, \\ \sqrt{3\omega t_{\rm r}} & \cdots \text{モード (B)}, \\ \sqrt{3\omega t_\lambda} & \cdots \text{モード (C)}, \\ \sqrt{\dfrac{\omega t_\lambda^2}{3(\gamma-1)t_{\rm r}}} & \cdots \text{モード (D)}. \end{cases} \quad (12.36)$$

波数 $k_{\rm r}$ の実部と虚部が同じオーダーで，輻射拡散モードは減衰が強い．

さまざまな天体現象において，輻射流体波がどのように振る舞うか，どのモードが支配的になるかは，天体の温度や密度によって決まる．輻射流体波が断熱的な場合，輻射冷却が効く場合，輻射圧が強く働く場合，そして輻射粘性が効く場合について，密度–温度図上で分類すると図 12.1 のようになる．

上記でまとめた一様な輻射流体における線形波動以外にも，流体の場合と同様，輻射圧優勢な成層大気における輻射重力波や，回転大気における慣性波など，輻射流体にも多様な線形波動が存在する（第 1 巻参照）．たとえば，輻射圧が強くなると浮力振動数（ブラント–バイサラ振動数）が虚数となり，重力波が存在できなくなる（Castor 2006）．ただし，まだ十分に調べ尽くされているとはいえず，新しいモードが見つかる可能性も残されている．

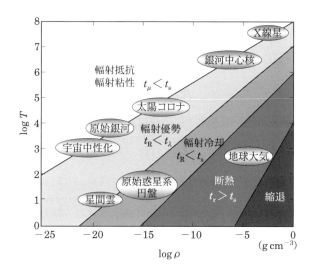

図 **12.1** 密度 ρ–温度 T 図上での輻射流体波動の特徴．

12.3 輻射性衝撃波

流体同様,輻射流体にもさまざまな非線形波動が存在する[*9].ここでは光学的に厚い**輻射性衝撃波**(radiating shock)について触れておく(第1巻参照)[*10].

熱伝導や輻射によるエネルギー輸送が起こると,衝撃波前面に熱が拡散した**前駆領域**(precursor region)が生じたり,衝撃波後面では輻射冷却によって物理量が変化する**輻射領域**(radiative zone)が生じたりする.また衝撃波後面では,まず衝撃波で加熱されたイオンが電子と熱平衡になってイオン温度と電子温度が一致し,続いて,ガスと輻射が熱平衡となってガス温度と輻射温度が一致する**緩和領域**(relaxation zone)も現れる.イオンと電子の緩和は瞬時に起こると仮定することが多いが,ガスと輻射は一般にすぐには平衡に達しない.ガス温度 T と輻射温度 $T_{\rm rad}$ が等しいと仮定するのを**平衡拡散近似**(equilibrium diffusion approximation),仮定しないのを**非平衡拡散近似**(nonequilibrium diffusion approximation)という.ここではより一般的な非平衡拡散近似で考える($T \neq T_{\rm rad}$).

非平衡拡散近似では,物質と輻射の全系における物理量の変化と,流体部分の変化の2重構造となる.そして,全系では輻射は平衡な輻射拡散方程式にしたがうが,流体の衝撃波前後では非平衡拡散方程式にしたがうことになる.輻射性衝撃波はミハラスら(1984)でも詳細に扱われているが,ここではロウリーとエドワーズ(Lowrie and Edwards 2008)の解析にもとづいて説明しよう.

(1) 基礎方程式

簡単のために,1次元の輻射性衝撃波を考える.流体系に対して,保存形で表した連続の式,運動方程式,エネルギー式は,それぞれ以下のようになる:

$$\frac{\partial \rho}{\partial t} + \frac{\partial}{\partial x}(\rho v) = 0, \tag{12.37}$$

[*9] 古典的な例としては,不透明度が温度のべき関数になっている場合の自己相似的な熱的波動があり,**マルシャク波**(Marshak wave)と呼ばれる:Marshak (1958); Castor (2006) など参照.

[*10] 衝撃波前面と後面の光学的厚みによって4種類の組み合わせが考えられる.また衝撃波面での物理量の変化の仕方によって,密度には跳びがあるが温度は等しいもの(等温衝撃波とかJタイプと呼ぶ)とどちらも連続的に変化するもの(連続衝撃波とかCタイプと呼ぶ)などがある.臨界・亜臨界・超臨界という区分けもある.輻射の絡んだ衝撃波の種類(類別)はさまざまで,詳細は参考文献を参照してほしい(Zel'dovich and Raizer 1967, Drake 2005, Kato and Fukue 2020).

$$\frac{\partial}{\partial t}(\rho v) + \frac{\partial}{\partial x}\left(\rho v^2 + p + \frac{1}{3}aT_{\rm rad}^4\right) = 0, \tag{12.38}$$

$$\frac{\partial}{\partial t}\left(\frac{1}{2}\rho v^2 + e + aT_{\rm rad}^4\right) + \frac{\partial}{\partial x}\left[v\left(\frac{1}{2}\rho v^2 + e + p + \frac{4}{3}aT_{\rm rad}^4\right)\right]$$
$$= \frac{\partial}{\partial x}\left[\frac{c}{3\chi}\frac{\partial}{\partial x}(aT_{\rm rad}^4)\right]. \tag{12.39}$$

ここで e はガスの単位体積当りの内部エネルギーで，減光係数 χ については，プランク平均，エネルギー平均，ロスランド平均が同じだと仮定した．またエネルギー式（12.39）の右辺は，輻射によるエネルギー拡散を表している．一方，輻射場に対する非平衡拡散方程式は以下となる：

$$\frac{\partial}{\partial t}(aT_{\rm rad}^4) + \frac{\partial}{\partial x}\left(\frac{4}{3}aT_{\rm rad}^4 v\right) - \frac{1}{3}v\frac{\partial}{\partial x}(aT_{\rm rad}^4)$$
$$= c\chi a(T^4 - T_{\rm rad}^4) + \frac{\partial}{\partial x}\left[\frac{c}{3\chi}\frac{\partial}{\partial x}(aT_{\rm rad}^4)\right]. \tag{12.40}$$

(2) 衝撃波条件

全系では（12.39）右辺の輻射拡散項は連続なので，衝撃波静止系における**跳躍条件**（jump condition）は，(12.37)–(12.39) から以下のように表現できる：

$$[\rho v] = 0, \tag{12.41}$$

$$\left[\rho v^2 + p + \frac{1}{3}aT_{\rm rad}^4\right] = 0, \tag{12.42}$$

$$\left[v\left(\frac{1}{2}\rho v^2 + e + p + \frac{4}{3}aT_{\rm rad}^4\right)\right] = 0. \tag{12.43}$$

ここで [ ] は，衝撃波前面での値と後面での値の差を表している[*11]．

一方，流体部分では非平衡拡散方程式（12.40）を扱う必要があり，流体衝撃波の跳躍条件は以下となる：

$$[\rho v] = 0, \tag{12.44}$$

$$[\rho v^2 + p] = 0, \tag{12.45}$$

$$\left[v\left(\frac{1}{2}\rho v^2 + e + p\right)\right] = 0, \tag{12.46}$$

$$\left[\frac{4}{3}aT_{\rm rad}^4 v - \frac{c}{3\chi}\frac{\partial}{\partial x}(aT_{\rm rad}^4)\right] = 0. \tag{12.47}$$

[*11] それぞれ，添え字 1 と添え字 2 を使って，$(\rho v)_1 = (\rho v)_2$ と表すこともある．

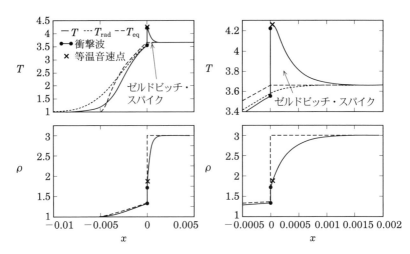

図 12.2　輻射性衝撃波の構造．横軸は座標，縦軸は温度（上段）と（密度）．右列は無次元化した量で表した拡大図．マッハ数 3 の場合．実線はガス温度 T，点線は輻射温度 $T_{\rm rad}$，破線は平衡輻射拡散温度 $T_{\rm eq}$．

(12.47) は，流体衝撃波では，輻射拡散項は連続ではないことを示している．

(3) 輻射性衝撃波の構造

輻射性衝撃波の具体的な構造例を示しておこう（図 12.2）．

図 12.2 はマッハ数が 3 の例で，横軸が座標，縦軸が物理量である．図の上段は，実線がガス温度 T で，点線が輻射温度 $T_{\rm rad}$ である．破線は，平衡輻射拡散を仮定したときの結果である．黒丸（●）の 2 点間が流体衝撃波を表している．図からわかるように，ガス温度は，流体衝撃波で上昇した後，冷却して一定値に漸近する．これは，下流から上流に非平衡輻射拡散によってエネルギーが流れるためである．

構造変化を詳細に見ると（右列），ガス温度は流体衝撃波の終了後も少し上昇し，その後，下降に転ずる．温度が最大となる点（×）は，等温の音速点付近に現れる．このピークは，**ゼルドビッチ・スパイク**と呼ばれ，定性的に次のように理解される．図の下段の密度変化からわかるように，流体衝撃波では，いわゆるランキン–ユゴニオ条件に従って密度の跳躍が起こる（第 1 巻参照）．マッハ数の大きな極限では密度の増加は 4 倍まで達する．しかし，その後も密度は上昇し，断熱的な圧縮の

ため温度が上昇する．圧縮による温度上昇は，輻射拡散による温度降下と競争になる．その結果，等温の音速点付近で，輻射拡散による温度降下が勝つことになる．

12.4 電離波面

電離光子を放射する光源の周辺には，電離領域が現れる（10.2 節）．定常状態では電離水素領域の広がりは変化しないが，光源が増光している場合などは，電離領域と非電離領域の境界 —— **電離波面**（ionization front）と呼ぶ —— は移動するだろう．ここでは，中性水素ガス中の電離波面の伝播を考える．

中性の水素ガスの中を電離波面が伝播するとき，中性領域（H I 領域）から電離領域（H II 領域）へ移行する領域の厚さは，

$$\Delta r \sim \frac{1}{n_{\mathrm{HI}} a_{\nu_\mathrm{L}}} \sim 0.04 n_{\mathrm{HI}}^{-1} \quad \mathrm{pc} \tag{12.48}$$

程度になる（n_{HI} は中性水素数密度，a_{ν_L} はライマンリミット振動数での光電離断面積）．これは，一般に中性水素雲の大きさに比べて十分小さいので，電離波面は十分に薄い不連続面として扱うことができる[*12]．

ここでは，電離波面の伝播を 1 次元の問題として考える（図 12.3）．図 12.3 の

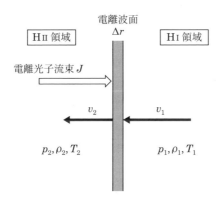

図 12.3 水素電離波面の概念図．電離波面が左から右に移動するとき，電離波面静止系でみると，右側から流入してきた物理量が，電離波面で変化して，左側へ抜けていくようにみえる．

[*12] 不連続面という観点で，電離波面と衝撃波は同種の扱いができる．

ように，電離波面静止系から見たときの H I 領域の物理量を速度 v_1，圧力 p_1，密度 ρ_1，温度 T_1 とし，H II 領域の物理量をそれぞれ v_2, p_2, ρ_2, T_2 とすれば，電離波面前後での運動量跳躍条件は以下となる：

$$\rho_1 v_1^2 + p_1 = \rho_2 v_2^2 + p_2. \tag{12.49}$$

H I 領域，H II 領域で等温を仮定すると，それぞれの領域での音速は，

$$c_{s_1} = \sqrt{p_1/\rho_1}, \quad c_{s_2} = \sqrt{p_2/\rho_2} \tag{12.50}$$

で与えられる．電離波面では，単位時間当りに入射する電離光子の数と電離する水素原子数が同じであることから，電離光子流束を J とすれば，

$$J = \rho_1 v_1 / m_H = \rho_2 v_2 / m_H \tag{12.51}$$

の関係が成り立つ（m_H は水素原子の質量）．

(12.49)–(12.51) から p_1 と p_2 を消去すると，電離波面での密度変化の式：

$$\frac{\rho_2}{\rho_1} = \frac{(c_{s_1}^2 + v_1^2) \pm \sqrt{D}}{2 c_{s_2}^2}, \quad D \equiv (c_{s_1}^2 + v_1^2)^2 - 4 v_1^2 c_{s_2}^2 \tag{12.52}$$

が得られる．実数解となるためには $D \geqq 0$ でなければならないから，

$$v_1 \geqq v_R \equiv c_{s_2} + \sqrt{c_{s_2}^2 - c_{s_1}^2}, \tag{12.53}$$

$$v_1 \leqq v_D \equiv c_{s_2} - \sqrt{c_{s_2}^2 - c_{s_1}^2} \tag{12.54}$$

のどちらかの条件を満たさなければならない．通常，H II 領域の温度は $T \sim 10^4$ K，H I 領域の温度は $T \lesssim 10^2$ K であることを考えると，$c_{s_1} \lesssim 0.1 c_{s_2}$ なので，$v_R \sim 2 c_{s_2}, v_D \sim c_{s_1}^2/(2 c_{s_2})$ と近似できる．また，(12.51) により，条件 (12.53) (12.54) は $\rho_1 \leqq \rho_R$（$\equiv m_H J / v_R$）または $\rho_1 \geqq \rho_D$（$\equiv m_H J / v_D$）という条件と等価である．この意味で，前者の条件は，密度が低い場合なので希薄（rarefied）の頭文字から **R タイプ**，後者は濃縮（dense）から **D タイプ**と呼ばれる．

(12.51) からわかるように，v_1 は J に比例するので，J が大きいときは R タイプになり，小さくなると D タイプとなる．たとえば，星が光度 L で輝き始め，星の近くから電離が進行するとき，半径 r での電離光子流束は $J \propto L/(4\pi r^2)$ であるため，最初は R タイプの電離波面となり，後に D タイプへと変わる．

電離波面の解の性質は表 12.1 のように分類される（図 12.4）．以下，各タイプ

表 12.1 電離波面の解の種類.

解の種類	v_1 の条件	ρ_1 の条件
R タイプ	$v_1 > v_R$	$\rho_1 < \rho_R$
R 臨界タイプ	$v_1 = v_R$	$\rho_1 = \rho_R$
M タイプ	$v_D < v_1 < v_R$	$\rho_R < \rho_1 < \rho_D$
D 臨界タイプ	$v_1 = v_D$	$\rho_1 = \rho_D$
D タイプ	$v_1 < v_D$	$\rho_1 > \rho_D$

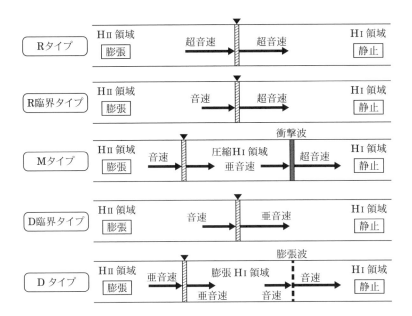

図 12.4 電離波面の種類と構造.

の性質を見ていこう.

(1) 希薄型：R タイプ

(a) 弱い R タイプ：まず，$v_1 > v_R$ の場合の (12.52) の負符号の解は，弱い R タイプと呼ばれる．$c_{s_2} \gg c_{s_1}$ とすると（以下では常に仮定），$v_1 > v_R \sim 2c_{s_2} \gg c_{s_1}$ であるから，H I 領域の中を電離波面が超音速で進むことになる．このとき，電離波面前後の密度の変化は，(12.52) より以下となる：

$$\frac{\rho_2}{\rho_1} \sim \frac{v_1^2}{2c_{s_2}^2}\left(1 - \sqrt{1 - \frac{4c_{s_2}^2}{v_1^2}}\right). \tag{12.55}$$

$v_1 \gg v_R$ で $\rho_2/\rho_1 = 1$ であり，$v_1 = v_R$ で $\rho_2/\rho_1 = 2$ であるから，密度変化は小さいことがわかる．しかし $c_{s_2} \gg c_{s_1}$ であることを考えれば，圧力変化は大きいことがわかる（$p_2 \gg p_1$）．また，$v_2 = (\rho_1/\rho_2)v_1 > c_{s_2}$ となり，H II 領域に対しても電離波面は超音速である．図 12.4 の一番上に電離波面の構造を示す．

(b) 強い R タイプ：弱い R タイプに対し，$v_1 > v_R$ の場合の（12.52）の正符号の解は，**強い R タイプ**と呼ばれる．このとき，密度変化は以下となる：

$$\frac{\rho_2}{\rho_1} \sim \frac{v_1^2}{2c_{s_2}^2}\left(1 + \sqrt{1 - \frac{4c_{s_2}^2}{v_1^2}}\right) \sim \frac{v_1^2}{c_{s_2}^2}. \tag{12.56}$$

また，$v_2 = (\rho_1/\rho_2)v_1 = c_{s_2}^2/v_1$ であり，v_1 の増大とともに $v_2 \to 1$ となるため，電離波面にガスが溜まっていくことになる．この強い R タイプは，高密度になった電離波面を加速するために別の力が必要となるので，通常の電離波面では起こらない．したがって，R タイプという場合，通常は弱い R タイプを指す．

(2) R 臨界タイプ

また $v_1 = v_R$ の解を **R 臨界タイプ**という．R タイプと同様 $v_1 \sim 2c_{s_2} \gg c_{s_1}$ となるので，電離波面は H I 領域の中を超音速で進む．密度変化は小さく，$\rho_2/\rho_1 \sim v_1^2/(2c_{s_2}^2) \sim 2$ である．圧力変化は大きく $p_2 \gg p_1$ となる．H II 領域に対しては，$v_2 = (\rho_1/\rho_2)v_1 \sim c_{s_2}$ から，ちょうど音速になることがわかる．

(3) M タイプ

中間領域で $v_D < v_1 < v_R$ の場合は，(12.52) の実数解が存在しない．この場合は，電離波面の伝播に伴い音速以上の速さで H I 領域の圧縮が起こるため，図 12.4 の上から 3 番目に示すように電離波面の前方に衝撃波が発生する．電離波面は，次に示す D 臨界タイプとなる．衝撃波の構造は，前述したゼルドビッチ・スパイクを伴う輻射性衝撃波の構造となる．この解は，もともとあった H I 領域に対し，衝撃波を介して電離波面が接続する解であり **M タイプ**（中間型）と呼ばれる．M タイプは，衝撃波を伴う唯一の電離波面であり，宇宙物理学で重要である．

(4) D 臨界タイプ

さらに $v_1 = v_{\rm D}$ の解を **D 臨界タイプ**という.$v_1 \sim c_{{\rm s}_1}^2/(2c_{{\rm s}_2}) \ll c_{{\rm s}_1}$ なので,電離波面は H I 領域を亜音速で進む.密度変化は以下となる:

$$\frac{\rho_2}{\rho_1} = \frac{c_{{\rm s}_1}^2 + v_1^2}{2c_{{\rm s}_2}^2} \sim \frac{c_{{\rm s}_1}^2}{2c_{{\rm s}_2}^2} \sim \frac{v_1}{c_{{\rm s}_2}} \ll 1. \tag{12.57}$$

これから圧力変化は $p_2 \sim p_1/2$ である.H II 領域に対しては,$v_2 = (\rho_1/\rho_2)v_1 \sim c_{{\rm s}_2}$ から,電離波面はちょうど音速になる.

(5) 濃縮型:D タイプ

(a) 弱い D タイプ:最後に,$v_1 < v_{\rm D}$ の場合で,(12.52) の正符号の解を,**弱い D タイプ**という.$v_1 < v_{\rm D} \sim c_{{\rm s}_1}^2/(2c_{{\rm s}_2}) \ll c_{{\rm s}_1}$ であるから,電離波面は H I 領域を亜音速で進む.密度変化は以下となる:

$$\frac{\rho_2}{\rho_1} \sim \frac{c_{{\rm s}_1}^2}{2c_{{\rm s}_2}^2} \left(1 + \sqrt{1 - \frac{4v_1^2 c_{{\rm s}_2}^2}{c_{{\rm s}_1}^4}} \right). \tag{12.58}$$

すなわち,$\rho_1 \gg \rho_2$ である.圧力変化は $p_2 \sim p_1$ で小さい.この場合,電離波面による圧縮が亜音速で起こるため,M タイプのような衝撃波とはならず,H I 領域を音速で進む膨張波が前方に現れる(図 12.4 の一番下).また,$v_2 \sim c_{{\rm s}_2}$ であるから,H II 領域に対しても電離波面は亜音速で進む.

(b) 強い D タイプ:対して,$v_1 < v_{\rm D}$ の場合の (12.52) の負符号の解を,**強い D タイプ**という.弱い D タイプと同様 $v_1 \ll c_{{\rm s}_1}$ であるから,電離波面は H I 領域を亜音速で進む.密度変化は以下となる:

$$\frac{\rho_2}{\rho_1} \sim \frac{c_{{\rm s}_1}^2}{2c_{{\rm s}_2}^2} \left(1 - \sqrt{1 - \frac{4v_1^2 c_{{\rm s}_2}^2}{c_{{\rm s}_1}^4}} \right). \tag{12.59}$$

すなわち,$\rho_1 \gg \rho_2$ である.圧力変化は $p_2 \sim p_1$ で小さい.この解は,$v_1 \to 0$ で,H II 領域の密度,圧力が 0 に近づき,速度が発散するため,物理的に実現する解ではない(章末問題 12.3).したがって,D タイプという場合,上記の弱い D タイプのことを指す.

12.5 輻射流体不安定

波動と表裏一体の関係にある現象が**不安定性**（instability）である．媒質に擾乱が生じたとき，復元力が卓越すれば擾乱は波動として伝播するだろうが，擾乱が成長すれば不安定性が生じるだろう．流体には種々の不安定性がある（第1巻参照）．主なものだけでも，成層大気で生じる浮力を駆動力とする**対流**（convection）や，水平方向の**移流**（advection）．2種類の流体の境界面で生じる，密度勾配に起因する**レイリー–テイラー不安定**（Reyleigh–Taylor instability）や，速度差を原因とする**ケルビン–ヘルムホルツ不安定**（Kelvin–Helmholtz instability）．加熱と冷却の綱引きで生じる**熱的不安定**（thermal instability）．衝撃波などの不連続面で生じる不安定性．そして自己重力によって起こる**重力不安定**（gravitational instability）などがある．これら流体不安定のそれぞれで，輻射場が存在するときの影響があり[*13]，また輻射場の存在による新しいモードや，流体不安定では存在しなかった輻射場特有の不安定性などもある[*14,*15]．本節では，いくつかの輻射流体不安定を取り上げて，簡単に紹介しておきたい．

12.5.1 電離波面不安定

不連続面における輻射流体不安定の例として，電離波面における不安定性を紹介しておく．電離波面は，それぞれのタイプに応じて異なった不安定性がある．

たとえば，Rタイプ電離波面では，電離波面の手前側に密度の高い領域や低い領域があると，**日影不安定性**（shadowing instability）が起こる（Williams 1999）．図 12.5 に示すように，手前側に高密度領域がある場合，電離光子流束は下流側で減少し，電離波面は波打つことになる．波打った波面は変形を受けない波面より早

[*13] たとえば，レイリー–テイラー不安定性への影響については，Shaviv (2001), Jaquet and Krumholz (2011), Takeuchi et al. (2013) など．

[*14] たとえば，**光子泡**（photon bubble）と呼ばれる興味深い現象もあるが，紙数の関係で割愛した．Prendergast and Spiegel (1973), Arons (1992), Gammie (1998), Shaviv (1998), Ruszkowski and Begelman (2003), Begelman (2006) などを参照されたい．

[*15] 輻射圧駆動風における不安定性も多く調べられている（Carlberg 1980, Owocki 1994, Lamers and Cassinelli 1999）．一例を挙げると（Lamers and Cassinelli 1999, p.249），定常的な線駆動風で，単調増加している速度分布に正弦波型の摂動を与えたとしてみよう．位相が $0<\theta<\pi/2$ の範囲では速度勾配が大きくなるため加速され，逆に $3\pi/2<\theta<2\pi$ の範囲では減速されて，ゆらぎは成長し，それらに挟まれた $\pi/2<\theta<3\pi/2$ の領域に衝撃波が生じるだろう．

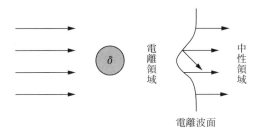

図 12.5 R タイプ電離波面の日影不安定性．アミかけの丸は高密度領域．

く M タイプへと遷移し，衝撃波が発生して不安定性が増大する．高密度領域の大きさが電離光子の平均自由行程より大きい場合には，電離光子流束を平行光線として扱えばよいが，小さい場合は，下流側で電離光子が回り込む拡散の効果が無視できなくなり，輻射輸送の問題となる．この不安定性は，3 次元の輻射輸送計算によって数値的に調べられている（たとえば，Whalen and Norman 2008）．

M タイプ電離波面は，手前側に遮蔽体がない場合でも，電離波面そのものが不安定になる．前節で述べたように，M タイプ電離波面は前方に衝撃波が発生する．図 12.6 に示すように，電離波面（破線）が微小摂動で波打った場合（点線），前方の衝撃波（実線）もこれに応じて波打つことになる．このとき，中性領域から衝撃波にぶつかる流れは，斜め衝撃波（第 1 巻 8 章参照）によって屈折し，衝撃波波面と電離波面の間に，高密度領域と低密度領域が発生する．高密度領域では電離波面の速度が遅くなり，低密度領域では電離波面速度が速くなる．さらに電離領域の圧力（電離波面に垂直）が低密度領域を押し上げる．その結果，摂動は増大

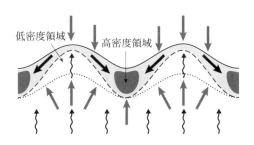

図 12.6 M タイプ電離波面の不安定性．上側が中性領域で下側が電離領域．

し，電離波面は破線のように変形することになる．これが，M タイプ電離波面の不安定性の基本的な原理であり，**電離衝撃波面不安定性**（ionization-shock front instability）と呼ばれる（Giuliani 1979；Garcia-Segura and Franco 1996）．

さらに，D タイプ電離波面の不安定性は**過安定性**（overstability）を示す．そのことを線形解析で示してみよう．

無摂動状態の電離波面の法線方向 $\boldsymbol{n}_0$ を z 軸方向にとり，密度と速度の 1 次の微小摂動 ρ_1 と $\boldsymbol{v}_1$ を考えると，c_s を等温音速として，質量保存の式と運動方程式はそれぞれ，以下のように書ける：

$$\frac{\partial \rho_1}{\partial t} + v_0 \frac{\partial \rho_1}{\partial z} + \rho_0 \boldsymbol{\nabla} \cdot \boldsymbol{v}_1 = 0, \tag{12.60}$$

$$\rho_0 \frac{\partial \boldsymbol{v}_1}{\partial t} + \rho_0 v_0 \frac{\partial \boldsymbol{v}_1}{\partial z} = -c_\mathrm{s}^2 \boldsymbol{\nabla} \rho_0. \tag{12.61}$$

ここで添え字 0 は非摂動状態の物理量である．摂動量の時間空間依存性として，

$$\rho_1,\ \boldsymbol{v}_1 \propto \exp(st + i\boldsymbol{k}\cdot\boldsymbol{r}), \quad \boldsymbol{r} = (x,y,0) \tag{12.62}$$

を考える．また摂動を受けた電離波面の上で，電離光子流束の法線方向の流束 $J_\perp$ と水平方向の流束 $J_\parallel$ の比を

$$\mu = \frac{J_\parallel}{J_\perp} = \frac{\int \boldsymbol{k}\cdot\boldsymbol{J} d\Omega}{k\int \boldsymbol{n}_0\cdot\boldsymbol{J} d\Omega} \tag{12.63}$$

とする．H I 領域と H II 領域の音速の比が十分小さい極限を考えると，摂動を受けた電離波面の境界条件を満たす解は，電離領域におけるマッハ数を M_2 として，

$$\frac{\tilde{s}}{(\tilde{s}^2+1)^{1/2}} = \frac{(1-M_2^2)^{1/2}M_2^2}{1+M_2^2} - \frac{2i\mu M_2^2}{1+M_2^2}, \quad \tilde{s} \equiv \frac{s}{kc_\mathrm{s}} \tag{12.64}$$

で与えられることが示されている（Vandervoort 1962）．前節の議論により D 臨界タイプでは $M_2 = 1$ であり，D タイプでは $M_2 < 1$（亜音速）である．

(12.64) を $\tilde{s}$ について解くと，複素数の解，

$$\tilde{s} = \sigma + i\omega \tag{12.65}$$

が得られる．μ の関数としてこの解を求めると，図 12.7 のようになる．この図から分かるように，D タイプ（$M_2 < 1$）は実部と虚部をもち，振動しながら振幅が

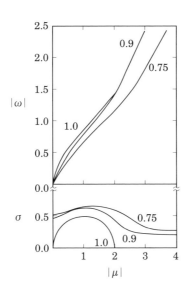

図 **12.7** D タイプ電離波面における過安定性の成長率.

増大する過安定性が発生する．このような不安定性が発生するのは，摂動により密度が上昇した領域に対して，電離ガスを後ろへ放出する"ロケット機構"が要因と考えられる．一方，密度の上昇は電離波面の速度を減少させるため，実際にはこれらが絡み合った不安定性となる．D 臨界タイプ（$M_2 = 1$）でかつ $\mu = 0$ は特殊な場合で，このとき実部も虚部も 0 になり安定となる．ただし，摂動電離波面において常に $\mu = 0$ が成り立つというのは現実的ではなく，実際には $\mu \neq 0$ の過安定性が発生すると考えてよい．

また，s が kc_s で規格化されていることを考えると，過安定性の成長率は k に比例することがわかる．すなわち，波長に反比例して，短い波長の摂動ほど早く不安定になる．星のまわりの電離波面は，R タイプから M タイプを経て，波面の距離が離れていくと D タイプとなる．途中で，M タイプを通過するため，衝撃波により中性ガスの密度は上昇する．そして，その上昇した密度に対して D タイプ波面の不安定が起こることになる．たとえば，O7 タイプの星（表面有効温度 3700 K）を考えると，D タイプの電離波面に至るときの中性ガス密度は $10^5\,\mathrm{cm}^{-3}$ となり，1 pc のところでの過安定性の成長時間は，10^5 年以下となる．

電離波面の不安定性については，非線形成長の 3 次元輻射流体計算が行われてい

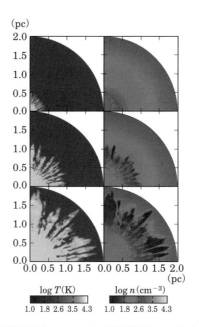

図 12.8 球対称雲中の D タイプ電離波面の不安定性のシミュレーション (Whalen and Norman 2008). 左側は温度分布, 右側は密度分布. 上から下は時間経過を表す.

る. 図 12.8 に, D タイプ電離波面の不安定性のシミュレーションの例を示す.

12.5.2 重力不安定

自己重力を原因とする基本的な重力不安定性が, 無限一様媒質における**ジーンズ不安定性** (Jeans instability) である (詳しくは第 1 巻 10 章を参照). 自己重力がなければ, 与えられた摂動は音波として伝播するだけで, 増幅はしない. 自己重力が入った場合, 基本方程式系は, 連続の式, 運動方程式, 重力ポテンシャル ϕ のポアソン方程式の 3 つとなる. それらを線形化すると,

$$\frac{\partial \rho_1}{\partial t} + \rho_0 \boldsymbol{\nabla} \cdot \boldsymbol{v}_1 = 0, \tag{12.66}$$

$$\frac{\partial \boldsymbol{v}_1}{\partial t} = -\frac{c_s^2}{\rho_0} \boldsymbol{\nabla} \rho_1 - \boldsymbol{\nabla} \phi_1, \tag{12.67}$$

$$\Delta \phi_1 = 4\pi G \rho_1 \tag{12.68}$$

が得られる．(12.66)–(12.68) から，$\boldsymbol{v}_1$ と ϕ_1 を消去すると，

$$\frac{\partial^2 \rho_1}{\partial t^2} = c_s^2 \Delta \rho_1 + 4\pi G \rho_0 \rho_1 \tag{12.69}$$

となる．ここで，摂動として平面波：$\rho_1 \propto \exp(i\boldsymbol{k}\cdot\boldsymbol{x} - i\omega t)$ をとり，(12.69) に代入すると，以下の分散関係式が得られる：

$$\omega^2 = \boldsymbol{k}^2 c_s^2 - 4\pi G \rho_0. \tag{12.70}$$

ここで．$\omega^2 > 0$ となる波数 $\boldsymbol{k}$ に対しては，ω は実数なので，この摂動は自己重力の影響を受けた音波となる．しかし，$\omega^2 < 0$ となる $\boldsymbol{k}$ に対しては，ω は虚数となり，指数関数的に増大あるいは減衰するモードとなるが，実際には指数関数的増大モードが卓越して密度ゆらぎは増大する．これがジーンズ不安定である．

安定と不安定の境目を与える波数は，

$$|\boldsymbol{k}_{\rm J}| = \sqrt{4\pi G \rho_0}/c_s \tag{12.71}$$

で与えられ，これから定義した波長がジーンズ波長 $\lambda_{\rm J}$ で，ジーンズ波長内の質量がジーンズ質量 $M_{\rm J}$ である：

$$\lambda_{\rm J} = c_s \sqrt{\frac{\pi}{G\rho_0}}, \tag{12.72}$$

$$M_{\rm J} \equiv \frac{4\pi}{3}\rho_0 \left(\frac{\lambda_{\rm J}}{2}\right)^3 = \sqrt{\frac{\pi^5}{36G^3\rho_0}} c_s^3 \tag{12.73}$$

ジーンズ質量よりも大きな質量をもつゆらぎは重力不安定によって振幅が時間とともに増大する．

つぎに，輻射流体力学的な重力不安定を考えてみよう．圧力と密度の間に，

$$P_0 \propto \rho_0^\gamma \tag{12.74}$$

が成り立つとすると，$c_s \propto \rho_0^{(\gamma-1)/2}$ であるから，ジーンズ質量は以下となる：

$$M_{\rm J} \propto \rho_0^{(3/2)(\gamma-4/3)}. \tag{12.75}$$

したがって，$\gamma > 4/3$ ならば，密度の増大とともにジーンズ質量が増え，重力収縮による密度増加の過程で重力不安定が止まる．逆に，$\gamma \leqq 4/3$ であれば不安定性は止まらない．輻射冷却によって，温度が下がる場合（$\gamma < 1$）や等温になる場合（$\gamma = 1$）は，ジーンズ不安定性は止まらないことになる．

さらに，輻射のエネルギーが卓越する場合を考えると，熱力学第2法則より，

$$TdS = dU_{\rm rad} + P_{\rm rad}dV, \tag{12.76}$$

$$U_{\rm rad} = 3P_{\rm rad}V = aT^4V \tag{12.77}$$

が成り立つ（V は系の体積，$P_{\rm rad}$ は輻射圧，$U_{\rm rad}$ は輻射の全エネルギー）．断熱の場合は，エントロピー変化はない（$dS = 0$）ので，

$$0 = d(3P_{\rm rad}V) + P_{\rm rad}dV = 3P_{\rm rad}Vd[\ln(P_{\rm rad}V^{4/3})] \tag{12.78}$$

となり，これから，$P_{\rm rad}V^{4/3} = $ 一定，であることがわかる．すなわち，輻射優勢ガスの断熱指数は $\gamma = 4/3$ である．したがって，上記の議論により，輻射優勢ガスは，臨界的な自己重力不安定状態にあることがわかる．これは，超大質量星（太陽質量の1万倍を超える星）の不安定性を決める重要な物理である．

12.5.3 輻射減衰

静止した一様媒質での重力不安定は指数的に増大するが，媒質が膨張している場合には時間のべき関数的に増大する（第1巻10章）．

また膨張宇宙の初期など輻射場が強い場合には，密度ゆらぎの成長に関して，ジーンズ質量以外に，もう一つ重要な質量スケールが存在する．それは，輻射と物質の間に働く粘性と熱伝導のために密度ゆらぎが減衰するスケールで，**シルク減衰**（Silk damping）と呼ばれるものである（Silk 1968）．

輻射熱伝導と輻射粘性は，輻射拡散の高次の効果として理解される（9章）．トムソン散乱（断面積 $\sigma_{\rm T}$）の場合，輻射熱伝導係数と輻射粘性係数は，

$$\chi_{\rm rad} = \frac{K_{\rm rad}}{c^2} = \frac{4}{3}\frac{aT^3}{n_{\rm e}\sigma_{\rm T}c}, \quad \eta_{\rm rad} = \frac{4}{15}\frac{aT^4}{n_{\rm e}\sigma_{\rm T}c} \tag{12.79}$$

であった（9章）．輻射粘性係数は輻射エネルギーに比例しており，粘性過程として密度ゆらぎの減衰を引き起こす．また，ゆらぎが断熱的であるとき，密度のゆらぎは温度ゆらぎを伴う．このとき生じる輻射場との温度差は熱伝導によって緩和されようとするが，これもまた密度ゆらぎの減衰を引き起こす元になる．

輻射抵抗と熱伝導により，ゆらぎの振幅は，

$$A \propto \exp(-D), \quad D \equiv \int \Gamma(t)dt \tag{12.80}$$

のように指数関数的に減衰する．ここで $\Gamma(t)$ は単位時間当りの減衰率で，詳しい計算（Weinberg 1971）によって，波数 k $(= 2\pi/\lambda)$ のモードに対し，

$$\Gamma(t) = \frac{k^2}{2(\rho + 4aT^4/3c^2)} \left[\frac{4}{3}\eta_{\rm rad} + \frac{\rho^2 c^2 \chi_{\rm rad}}{4aT^3(\rho + 4aT^4/3c^2)} \right]$$
$$= \frac{k^2 aT^4}{6n_e \sigma_{\rm T} c(\rho + 4aT^4/3c^2)} \left[\frac{16}{15} + \frac{\rho^2 c^2}{aT^4(\rho + 4aT^4/3c^2)} \right] \quad (12.81)$$

が得られている．

輻射優勢 $(\rho \sim aT^4/c^2)$ のアインシュタイン–ドジッター宇宙を考えると，波長は宇宙膨張とともに $t^{2/3}$ に比例して引き伸ばされるので，$k \propto t^{-2/3}$, $\rho \propto t^{-2}$ で変化する．したがって，$\Gamma(t) \propto t^{2/3}$ である．これから，

$$D = \frac{3}{5}\Gamma t = \frac{k^2 ct}{10 n_e \sigma_{\rm T}} \quad (12.82)$$

となる．ゆらぎの質量を $M = 4\pi\rho(\lambda/2)^3/3$ で定義し，D の k 依存性を M 依存性に直すと，以下のように表すことができる：

$$D = \left(\frac{M}{M_{\rm D}}\right)^{-2/3}. \quad (12.83)$$

ただしここで，$M_{\rm D}$ は，(12.82) との比較から，

$$M_{\rm D} = \frac{4\pi^4}{3}\left(\frac{m_{\rm p}c}{10\sigma_{\rm T}}\right)^{3/2} (6\pi G)^{-3/4} \rho^{-5/4} \quad (12.84)$$

である[*16]．ここで，アインシュタイン–ドジッター宇宙における宇宙時間 $t \sim (6\pi G\rho)^{-1/2}$ を用いた．

この質量 $M_{\rm D}$ は，輻射減衰が起こる特徴的スケールを表すもので，初期宇宙の構造形成で非常に重要なものだが，**輻射性減衰質量**あるいは発見者の名をとって**シルク質量**（Silk mass）と呼ばれる[*17]．宇宙晴れ上がり時のシルク質量の大きさは，$M_{\rm D} \sim 10^{13} M_\odot$ となり，これ以下の断熱的密度ゆらぎは，宇宙の晴れ上がりまでに減衰して消えてしまう．

[*16] ダークマターを入れた場合のシルク質量は，ダークマター密度を $\rho_{\rm DM}$ として以下となる：

$$M_{\rm D} = \frac{4\pi^4}{3}\left(\frac{m_{\rm p}c}{10\sigma_{\rm T}}\right)^{3/2} [6\pi G(\rho_{\rm DM} + \rho)]^{-3/4} \rho^{-1/2}.$$

[*17] 添え字の D は散逸（dissipative）から来ており，**散逸質量**（dissipative mass）とも呼ぶ．

Chapter 12 の章末問題

問題 12.1 運動方程式 (9.8) 右辺の輻射場の項を残して, (9.3) (9.4) (9.7) (9.8) を同時に線形化し, 分散関係式を求めてみよ. 重力場はないとし, 輻射平衡とエディントン近似は仮定してよい.

問題 12.2 弱い D タイプ電離波面で, $v_1 \to v_D$ の極限と, $v_1 \to 0$ の極限で, ρ_2, p_2, v_2 を求めてみよ.

問題 12.3 強い D タイプ電離波面で, $v_1 \to v_D$ の極限と, $v_1 \to 0$ の極限で, ρ_2, p_2, v_2 を求めてみよ.

問題 12.4 重力不安定の分散関係式 (12.70) をグラフに表してみよ.

Chapter 13
相対論的輻射輸送と相対論的輻射流体力学

　本書では主に非相対論の範囲で,輻射輸送と輻射流体力学を扱ってきた.しかし,光子からなる輻射場はもともと相対論的なもので,輻射抵抗など相対論的な扱いが必要な概念も多く,また相対論的天体現象において輻射流体力学はさらに重要性を増す.そこで本章では,特殊相対論の範囲内で,相対論的輻射流体力学を簡単にまとめておきたい(一般相対論的輻射流体力学については第6巻参照).

13.1　特殊相対論における輻射場のまとめ

　ここでは輻射場に関する変換などを簡単にまとめておく[*1].

(1) 計量テンソル

　線素の 2 乗 ds^2 は,τ を固有時,$g_{\mu\nu}$ を計量テンソル,x^μ を時空座標として,

$$ds^2 = c^2 d\tau^2 = g_{\mu\nu} dx^\mu dx^\nu \tag{13.1}$$

と表せるが,平坦な時空[*2]では,円筒座標 (r, φ, z) を用いると以下となる:

$$ds^2 = \eta_{\mu\nu} dx^\mu dx^\nu = c^2 dt^2 - dr^2 - r^2 d\varphi^2 - dz^2. \tag{13.2}$$

[*1] 相対論のテキストは参考文献参照.本書では,座標に関しては符号系 $(+, -, -, -)$ を採用し,またギリシャ文字の添え字は 0 から 3 まで,英字の添え字は 1 から 3 までとする.

[*2] 平坦なミンコフスキー時空の場合は,計量テンソルをしばしば $\eta_{\mu\nu}$ で表記する.

(2) 物質の4元速度

3次元空間における速度 $\boldsymbol{v}\,(=v^i)$ は，以下で定義される：

$$\boldsymbol{v} = v^i \equiv \frac{dx^i}{dt}. \tag{13.3}$$

また，物質の4元速度 u^μ と共変成分 u_μ は，それぞれ，

$$u^\mu \equiv \frac{dx^\mu}{ds} = \left(\gamma, \gamma\frac{v^i}{c}\right) = \gamma\left(1, \frac{\boldsymbol{v}}{c}\right), \tag{13.4}$$

$$u_\mu = g_{\mu\nu}u^\nu = \left(\gamma, -\gamma\frac{v_i}{c}\right) \tag{13.5}$$

で定義される[*3]．ここで，ローレンツ因子 γ は，

$$\gamma \equiv \frac{dt}{d\tau} = \frac{cdt}{ds} = \left(1 - \frac{v^2}{c^2}\right)^{-1/2}, \quad v^2 = v_i v^i = \gamma_{ik} v^i v^k = -g_{ik} v^i v^k \tag{13.6}$$

となる（$\gamma_{ij} = -g_{ij}$）．なお，$u_\mu u^\mu = g_{\mu\nu} u^\mu u^\nu = 1$ が成り立つ．

(3) 光子の4元運動量

光子の振動数を ν とし，方向余弦ベクトルを $\boldsymbol{l}$ とする．極角 θ と方位角 φ を使うと，方向余弦ベクトルの直角座標での成分表示は以下のようになる：

$$\boldsymbol{l} = l^i = (\sin\theta\cos\varphi, \sin\theta\sin\varphi, \cos\theta). \tag{13.7}$$

光子の4元運動量 k^μ と共変成分 k_μ は，それぞれ以下のように定義される：

$$k^\mu = \frac{h}{c}(\nu, \nu l^i) = \frac{h\nu}{c}(1, \boldsymbol{l}) = \left(\frac{E}{c}, \boldsymbol{p}\right), \tag{13.8}$$

$$k_\mu = \frac{h\nu}{c}(1, -\boldsymbol{l}). \tag{13.9}$$

なお，$\boldsymbol{l}^2 = 1$ なので，$k_\mu k^\mu = (h^2\nu^2/c^2)(1 - \boldsymbol{l}^2) = 0$ が成り立つ．

(4) ドップラー効果と光行差

相対論的現象では，流体とともに動く**共動系**（comoving frame）/ 流体系（fluid frame）と，静止した観測者の**静止系**（fixed frame）/ **観測者系**（observer frame）の物理量を明確にわけて考えなければいけない（両系の量がある場合，共動系には

[*3] 特殊相対論の範囲では，いわゆる反変成分と共変成分の間に基本的な違いはない．

添え字 0 を付け，静止系は添え字なしとする）．

物質の 4 元速度 u_μ と光子の 4 元運動量 k^μ は，共動系では，それぞれ，

$$u_\mu = (1, 0), \tag{13.10}$$

$$k^\mu = \frac{h\nu_0}{c}(1, \boldsymbol{l}_0), \tag{13.11}$$

と表現されるので，(13.5) と (13.8) から以下が得られる：

$$u_\mu k^\mu = \frac{h}{c}\left(\gamma\nu - \gamma\nu\frac{\boldsymbol{v}\cdot\boldsymbol{l}}{c}\right) = \frac{h}{c}\nu_0. \tag{13.12}$$

この結果，静止系と共動系の間での振動数の変換式：**相対論的ドップラー効果**（relativistic Doppler effect）として，以下の関係が得られる[*4]：

$$\nu_0 = \gamma\nu\left(1 - \frac{\boldsymbol{v}\cdot\boldsymbol{l}}{c}\right), \tag{13.13}$$

$$\nu = \gamma\nu_0\left(1 + \frac{\boldsymbol{v}\cdot\boldsymbol{l}_0}{c}\right). \tag{13.14}$$

同様にして，方向余弦に関する変換式：**光行差**（aberration）は以下となる[*5]：

$$\boldsymbol{l}_0 = \frac{\nu}{\nu_0}\left[\boldsymbol{l} + \left(\frac{\gamma - 1}{v^2/c^2}\frac{\boldsymbol{v}\cdot\boldsymbol{l}}{c} - \gamma\right)\frac{\boldsymbol{v}}{c}\right], \tag{13.16}$$

$$\boldsymbol{l} = \frac{\nu_0}{\nu}\left[\boldsymbol{l}_0 + \left(\frac{\gamma - 1}{v^2/c^2}\frac{\boldsymbol{v}\cdot\boldsymbol{l}_0}{c} + \gamma\right)\frac{\boldsymbol{v}}{c}\right]. \tag{13.17}$$

さらに，立体角に関する変換は以下となる：

$$d\Omega_0 = \frac{\nu}{\nu_0}\frac{d\nu}{d\nu_0}d\Omega = \left[\gamma\left(1 - \frac{\boldsymbol{v}\cdot\boldsymbol{l}}{c}\right)\right]^{-2}d\Omega, \tag{13.18}$$

$$d\Omega = \left[\gamma\left(1 + \frac{\boldsymbol{v}\cdot\boldsymbol{l}_0}{c}\right)\right]^{-2}d\Omega_0. \tag{13.19}$$

例題 13.1 鉛直方向 1 次元（平行平板）の場合，方向余弦を $\cos\theta = \mu$ と置

[*4] $\boldsymbol{v}\cdot\boldsymbol{l} = 0$ でも赤方偏移が存在し，**横ドップラー効果**と呼ばれる．

[*5] 共動系と静止系の間の変換を行う**ローレンツ変換テンソル**：

$$\Lambda^\beta_\alpha = \begin{pmatrix} \gamma & -\gamma\dfrac{v^i}{c} \\ -\gamma\dfrac{v^i}{c} & \delta^i_j + (\gamma - 1)\dfrac{v^i v^j}{v^2} \end{pmatrix} \tag{13.15}$$

を用いると，共動系の運動量 k_0^β と静止系の運動量 k^α の間は，$k_0^\beta = \Lambda^\beta_\alpha k^\alpha$ となる．

くと，ドップラー効果と光行差はどうなるか．
解答 それぞれ，以下となる．

$$\frac{\nu_0}{\nu} = \gamma(1 - \beta\mu), \quad \frac{\nu}{\nu_0} = \gamma(1 + \beta\mu_0), \tag{13.20}$$

$$\mu_0 = \frac{\mu - \beta}{1 - \beta\mu}, \quad \mu = \frac{\mu_0 + \beta}{1 + \beta\mu_0}. \tag{13.21}$$

なお，(13.21) から，共動系における μ_0 の値によらずに，$\beta \to 1$ で $\mu \to 1$ となり，光線の方向は前方へ集中する．この振る舞いを**相対論的ビーミング**（relativistic beaming）と呼ぶ（第 4 巻付録参照）． ■

(5) 相対論的不変量

相対論では時間や空間もエネルギーなどと同じく物理量として扱い，しばしば観測される物理量の値は変わる．一方で，もの（光子）の個数など，観測者によって変化しない物理量を，**相対論的不変量**（relativistic invariant）とか，ローレンツ変換で変化しないことから**ローレンツ不変量**（Lorentz invariant；LI）と呼ぶ．LI を見い出すのが相対論を理解する要でもある．

共動系と実験室系の間の変換は，座標空間と運動量空間で，それぞれ，

$$d^3\boldsymbol{x} = \gamma^{-1}d^3\boldsymbol{x}_0, \quad d^3\boldsymbol{k} = \gamma d^3\boldsymbol{k}_0, \tag{13.22}$$

と変換する．したがって，位相空間の微小体積は LI である：

$$dV_{\rm p} = d^3\boldsymbol{x}d^3\boldsymbol{k} = d^3\boldsymbol{x}_0 d^3\boldsymbol{k}_0. \tag{13.23}$$

粒子数 N は LI なので，位相空間密度 f も LI である：

$$f \equiv \frac{dN}{dV_{\rm p}}. \tag{13.24}$$

速度ベクトルが z 方向で，$\mu = \cos\theta$ とすると，(13.17) より，

$$\mu = \frac{\mu_0 + v/c}{1 + \boldsymbol{l}_0 \cdot \boldsymbol{v}/c}, \quad d\mu = \frac{d\mu_0}{\gamma^2(1 + \boldsymbol{l}_0 \cdot \boldsymbol{v}/c)^2}. \tag{13.25}$$

これと (13.14) から，$\nu^2 d\mu$ が LI であることがわかる：

$$\nu^2 d\mu = \nu_0^2 d\mu_0. \tag{13.26}$$

さらに (13.13) から，

$$d\nu_0 = \gamma d\nu(1 - \boldsymbol{l} \cdot \boldsymbol{v}/c) = \frac{\nu_0}{\nu}d\nu \tag{13.27}$$

なので，(13.26) と掛け合わせて，$\nu d\nu d\mu = \nu_0 d\nu_0 d\mu_0$ が LI となり，さらに $\nu d\nu d\Omega$ が LI であることがわかる（立体角の変換）：

$$\nu d\nu d\Omega = -\nu d\nu d\mu d\varphi = -\nu_0 d\nu_0 d\mu_0 d\varphi_0 = \nu_0 d\nu_0 d\Omega_0. \tag{13.28}$$

以上の不変量を用いて，輻射強度に関する LI を求めよう．輻射強度 I_ν あるいは位相空間密度 f を使うと，輻射エネルギー密度は，以下のように表される：

$$I_\nu dS dt d\Omega d\nu = h\nu f k^2 dk d^3 \bm{x} d\Omega. \tag{13.29}$$

$dSdt = d^3\bm{x}/c$ と $k = h\nu/c$ より，

$$\frac{I_\nu}{c} d^3\bm{x} d\Omega d\nu = \frac{h^4 \nu^3}{c^3} f d^3 \bm{x} d\Omega d\nu. \tag{13.30}$$

f が LI なので，I_ν/ν^3 という量が相対論的不変量であることがわかる．

(6) 輻射場の諸量

輻射強度 I_ν と光子占有数 n_ν の間には，$I_\nu = (2h\nu^3/c^2)n_\nu$ の関係がある．そして上で述べたように，I_ν/ν^3 が LI になっている：

$$\frac{I_\nu}{\nu^3} = \frac{I_{\nu 0}}{\nu_0^3} \propto n_\nu \propto f. \tag{13.31}$$

振動数で積分した輻射強度 $I \equiv \int I_\nu d\nu$ に対しては，I/ν^4 が LI である．

これらの量を使って，**輻射場のエネルギー–運動量テンソル**は，

$$R^{\mu\nu} \equiv \frac{2h}{c^3} \int n_\nu l^\mu l^\nu \nu^3 d\nu d\Omega = \frac{1}{c} \int I_\nu l^\mu l^\nu d\nu d\Omega \tag{13.32}$$

のように定義される．ただしここで，$l^\mu = (1, l^i)$ である．また，$R^{\mu\nu}$ の各要素と輻射エネルギー密度 E，輻射流束 F^i，輻射ストレステンソル P^{ij}，など輻射場の諸量の間には以下の関係がある：

$$R^{00} = \frac{1}{c}\int I_\nu d\nu d\Omega \equiv E, \tag{13.33}$$

$$R^{0i} = \frac{1}{c}\int I_\nu l^i d\nu d\Omega \equiv \frac{1}{c} F^i, \tag{13.34}$$

$$R^{ij} = \frac{1}{c}\int I_\nu l^i l^j d\nu d\Omega \equiv P^{ij}. \tag{13.35}$$

(7) 静止系と共動系の変換則

相対論的不変性を考慮すると，振動数で積分した輻射強度に関しては，静止系の量 I と共動系の量 I_0 の間に，以下のような変換則が成り立つ：

$$I_0 = \left(\frac{\nu_0}{\nu}\right)^4 I = \left[\gamma\left(1 - \frac{\boldsymbol{v}\cdot\boldsymbol{l}}{c}\right)\right]^4 I. \tag{13.36}$$

この (13.36) の両辺を，そのまま，あるいは l_0^i を掛けて，さらに $l_0^i l_0^j$ を掛けて，立体角で積分すれば，それぞれ，輻射エネルギー密度 E，輻射流束 F^i，そして輻射ストレステンソル P^{ij} に関する変換則が得られる[*6]：

$$E_0 = \gamma^2\left(E - 2\frac{\boldsymbol{v}\cdot\boldsymbol{F}}{c^2} + \frac{v_i v_k}{c^2}P^{ik}\right), \tag{13.37}$$

$$F_0^i = \gamma\left\{F^i + \left[\left(\gamma + \frac{\gamma-1}{v^2/c^2}\right)\frac{\boldsymbol{v}\cdot\boldsymbol{F}}{c^2} - \gamma E - \frac{\gamma-1}{v^2/c^2}\frac{v_j v_k}{c^2}P^{jk}\right]v^i - v_k P^{ik}\right\}, \tag{13.38}$$

$$P_0^{ij} = P^{ij} + \frac{\gamma-1}{v^2/c^2}\left(\frac{v^i v_k}{c^2}P^{jk} + \frac{v^j v_k}{c^2}P^{ik}\right) + \left(\frac{\gamma-1}{v^2/c^2}\right)^2 \frac{v^i v^j}{c^2}\frac{v_k v_m P^{km}}{c^2}$$
$$+ \gamma^2 \frac{v^i v^j}{c^2}E - \gamma\left(\frac{v^i F^j}{c^2} + \frac{v^j F^i}{c^2}\right) - 2\gamma\frac{\gamma-1}{v^2/c^2}\frac{v^i v^j}{c^2}\frac{\boldsymbol{v}\cdot\boldsymbol{F}}{c^2}. \tag{13.39}$$

例題 13.2 鉛直方向 1 次元（平行平板）の場合の変換則はどうなるか．

解答 簡単のために，$\beta = v/c$ と置くと，変換則は以下のようになる[*7]．

$$cE_0 = \gamma^2\left(cE - 2\beta F + \beta^2 cP\right), \tag{13.40}$$

$$F_0 = \gamma^2\left[(1+\beta^2)F - \beta(cE + cP)\right], \tag{13.41}$$

$$cP_0 = \gamma^2\left(\beta^2 cE - 2\beta F + cP\right). \tag{13.42}$$

■

[*6] 振動数依存性があるときの変換則は以下のようになる：

$$I_{\nu 0} = \left(\frac{\nu_0}{\nu}\right)^3 I_\nu = \left[\gamma\left(1 - \frac{\boldsymbol{v}\cdot\boldsymbol{l}}{c}\right)\right]^3 I_\nu,$$

$$E_{\nu 0} = \gamma\left(E_\nu - \frac{\boldsymbol{v}\cdot\boldsymbol{F}_\nu}{c^2}\right), \qquad F_{\nu 0}^i = F_\nu^i - \gamma\beta^i cE_\nu + \frac{\gamma-1}{\beta^2}\beta^i\beta^j F_\nu^j.$$

[*7] 平均強度などを使うと，さらに簡単な形になる：

$$J_0 = \gamma^2\left(J - 2\beta H + \beta^2 K\right),$$
$$H_0 = \gamma^2\left[(1+\beta^2)H - \beta(J + K)\right],$$
$$K_0 = \gamma^2\left(\beta^2 J - 2\beta H + K\right).$$

13.2 相対論的輻射輸送の基礎方程式

相対論的な輻射流体力学の基礎方程式については，多くの研究者が定式化を進めた[*8]．またテキストも少なくない（参考文献参照）．しかしながら，モーメント定式化のクロージャー関係など，未解決の問題も多く残っている．

13.2.1 相対論的輻射輸送方程式

相対論的な不変性に気を付けながら，**相対論的輻射輸送方程式**（relativistic radiative transfer equation）を導出していこう．

相対論的不変量 f $(= I_\nu/\nu^3 = I_{\nu_0}/\nu_0^3)$ を用いると，相対論的に不変な形式での輻射輸送方程式は以下のようになる（Hsieh and Spiegel 1976）：

$$k^\mu \frac{\partial f}{\partial x^\mu} = \rho(\alpha - \beta f) - \rho\sigma_{\nu_0} \int \phi_\nu(\boldsymbol{l}', \boldsymbol{l}) f(\boldsymbol{l}) \nu' d\nu' d\Omega'$$
$$+ \rho\sigma_{\nu_0} \int \phi_\nu(\boldsymbol{l}, \boldsymbol{l}') f(\boldsymbol{l}') \nu' d\nu' d\Omega'. \qquad (13.43)$$

ただしここで，ρ は固有質量密度，α は相対論的に不変な形での放射係数，β は相対論的に不変な形での吸収係数，σ_{ν_0} は共動系での散乱不透明度，ϕ_ν は**散乱による再分配関数**（scattering redistribution function）である．

上の式で，α と β は，それぞれ，共動系における単位質量当りの放射率 j_{ν_0} と吸収係数 κ_{ν_0} と以下の関係がある：

$$j_{\nu_0} = 4\pi\nu_0^2 \alpha \quad \text{および} \quad \kappa_{\nu_0} = \frac{\beta}{\nu_0}. \qquad (13.44)$$

さらにトムソン散乱の場合，共動系における散乱再分配関数は，

$$\phi_\nu = \frac{3}{4}\left[1 + (\boldsymbol{l}_0 \cdot \boldsymbol{l}'_0)^2\right] \delta(\nu_0 - \nu'_0) \frac{1}{4\pi} \qquad (13.45)$$

のように表せる．なお，$\int \phi_\nu \nu_0 d\nu_0 d\Omega_0 = \nu'_0$ および $\int \phi_\nu \nu'_0 d\nu'_0 d\Omega'_0 = \nu_0$.

これらの量を（13.43）へ代入すると，輻射輸送方程式は，

[*8] たとえば，Lindquist (1966), Anderson and Spiegel (1972), Hsieh and Spiegel (1976), Thorne (1981), Thorne et al. (1981), Flammang (1982, 1984), Fukue et al. (1985), Nobili et al. (1991, 1993), Park (2001, 2006), Takahashi (2007) など．

$$\nu\left[\frac{\partial f}{c\partial t}+(\boldsymbol{l}\cdot\boldsymbol{\nabla})f\right]=\rho\frac{j_{\nu_0}}{4\pi\nu_0^2}-\rho\nu_0\kappa_{\nu_0}f-\rho\nu_0\sigma_{\nu_0}f$$
$$+\frac{3}{4}\rho\sigma_{\nu_0}\nu_0\int\left[1+(\boldsymbol{l}_0\cdot\boldsymbol{l}_0')^2\right]f(\boldsymbol{l}')\frac{d\Omega_0'}{4\pi} \quad (13.46)$$

のように書き直せる．さらに，不変量 f を I_ν（あるいは I_{ν_0}）で置き換えれば，最終的に，**相対論的輻射輸送方程式**が得られる：

$$\frac{1}{c}\frac{\partial I_\nu}{\partial t}+(\boldsymbol{l}\cdot\boldsymbol{\nabla})I_\nu=\left(\frac{\nu}{\nu_0}\right)^2\rho\Big[\frac{j_{\nu_0}}{4\pi}-(\kappa_{\nu_0}+\sigma_{\nu_0})I_{\nu_0}$$
$$+\frac{3}{4}\sigma_{\nu_0}\frac{c}{4\pi}(E_{\nu_0}+l_{0i}l_{0j}P_{\nu_0}^{ij})\Big]. \quad (13.47)$$

例題 13.3 散乱が等方的な場合には，輻射輸送方程式（13.47）はどうなるか．

解答 等方的な場合の散乱再分配関数は，$\phi_\nu=\delta(\nu_0-\nu_0')/(4\pi)$ なので，(13.47) の右辺 [ ] 内の第3項が，$\sigma_{\nu_0}cE_{\nu_0}/(4\pi)$ のように簡単になる． ∎

上の（13.47）は，非相対論の場合と似ているが，左辺は静止系（観測者系）の量で記述されており，右辺は共動系（流体系）の量で表されている点に注意してほしい．したがって，この式は，**混合系**（mixed frame）での表現と呼ばれる．

相対論的輻射輸送方程式（13.47）を振動数で積分し，その際にローレンツ変換（13.14）[$d\nu=(d\nu/d\nu_0)d\nu_0=\gamma(1+\boldsymbol{v}\cdot\boldsymbol{l}_0/c)d\nu_0$] を考慮すると，振動数で積分した相対論的輻射輸送方程式が得られる：

$$\frac{1}{c}\frac{\partial I}{\partial t}+(\boldsymbol{l}\cdot\boldsymbol{\nabla})I=\rho\gamma^3\left(1+\frac{\boldsymbol{v}\cdot\boldsymbol{l}_0}{c}\right)^3\Big[\frac{j_0}{4\pi}-(\kappa_0+\sigma_0)I_0$$
$$+\frac{3}{4}\sigma_0\frac{c}{4\pi}(E_0+l_{0i}l_{0j}P_0^{ij})\Big]. \quad (13.48)$$

ただしここで，変数は以下のように定義した：

$$I_0\equiv\int I_{\nu_0}d\nu_0, \quad E_0\equiv\int E_{\nu_0}d\nu_0, \quad P_0^{ij}\equiv\int P_{\nu_0}^{ij}d\nu_0, \quad (13.49)$$
$$j_0\equiv\int j_{\nu_0}d\nu_0, \quad \kappa_0+\sigma_0\equiv\frac{1}{I_0}\int(\kappa_{\nu_0}+\sigma_{\nu_0})I_{\nu_0}d\nu_0. \quad (13.50)$$

混合系で表現された相対論的輻射輸送方程式（13.48）において，変換則（13.37）–（13.39）を用いて，右辺の共動系の諸量を静止系の量に書き直すと，両辺を静止系の量で記述した相対論的輻射輸送方程式が得られる（Kato *et al.* 2008）：

$$\frac{1}{c}\frac{\partial I}{\partial t} + (\boldsymbol{l}\cdot\boldsymbol{\nabla})I = \rho\gamma^{-3}\left(1 - \frac{\boldsymbol{v}\cdot\boldsymbol{l}}{c}\right)^{-3}$$
$$\times \left[\frac{j_0}{4\pi} - (\kappa_0+\sigma_0)\gamma^4\left(1-\frac{\boldsymbol{v}\cdot\boldsymbol{l}}{c}\right)^4 I + \frac{\sigma_0}{4\pi}\frac{3}{4}\gamma^{-2}\left(1-\frac{\boldsymbol{v}\cdot\boldsymbol{l}}{c}\right)^{-2}\right.$$
$$\times \left\{\gamma^4\left[\left(1-\frac{\boldsymbol{v}\cdot\boldsymbol{l}}{c}\right)^2 + \left(\frac{v^2}{c^2}-\frac{\boldsymbol{v}\cdot\boldsymbol{l}}{c}\right)^2\right]cE + 2\gamma^2\left(\frac{v^2}{c^2}-\frac{\boldsymbol{v}\cdot\boldsymbol{l}}{c}\right)\boldsymbol{F}\cdot\boldsymbol{l}\right.$$
$$-2\gamma^4\left[\left(1-\frac{\boldsymbol{v}\cdot\boldsymbol{l}}{c}\right)^2 + \left(1-\frac{\boldsymbol{v}\cdot\boldsymbol{l}}{c}\right)\left(\frac{v^2}{c^2}-\frac{\boldsymbol{v}\cdot\boldsymbol{l}}{c}\right)\right]\frac{\boldsymbol{v}\cdot\boldsymbol{F}}{c}$$
$$\left.\left.+ l_i l_j c P^{ij} - 2\gamma^2\left(1-\frac{\boldsymbol{v}\cdot\boldsymbol{l}}{c}\right)v_i l_j P^{ij} + 2\gamma^4\left(1-\frac{\boldsymbol{v}\cdot\boldsymbol{l}}{c}\right)^2\frac{v_i v_j P^{ij}}{c}\right\}\right],$$
$$(13.51)$$

例題 13.4 散乱が等方的な場合には，輻射輸送方程式（13.51）はどうなるか．
解答 以下のようになる：

$$\frac{1}{c}\frac{\partial I}{\partial t} + (\boldsymbol{l}\cdot\boldsymbol{\nabla})I = \rho\gamma^3\left(1+\frac{\boldsymbol{v}\cdot\boldsymbol{l}_0}{c}\right)^3\left[\frac{j_0}{4\pi} - (\kappa_0+\sigma_0)I_0 + \sigma_0\frac{cE_0}{4\pi}\right]$$
$$= \rho\gamma^{-3}\left(1-\frac{\boldsymbol{v}\cdot\boldsymbol{l}}{c}\right)^{-3}\left[\frac{j_0}{4\pi} - (\kappa_0+\sigma_0)\gamma^4\left(1-\frac{\boldsymbol{v}\cdot\boldsymbol{l}}{c}\right)^4 I\right.$$
$$\left.+\frac{\sigma_0}{4\pi}\gamma^2\left(cE - 2\frac{\boldsymbol{v}\cdot\boldsymbol{F}}{c} + \frac{v_i v_k}{c^2}cP^{ik}\right)\right].$$
$$(13.52)$$

∎

13.2.2 相対論的モーメント式

相対論的輻射輸送方程式のモーメント式は，特殊相対論の場合[9]，および曲がった時空の場合[10]などで，多くの研究者が定式化をしてきた．

相対論的輻射輸送方程式（13.48）を立体角で積分し，立体角の変換則（13.19）を用いると，混合系で表した0次のモーメント式が得られる：

---

[9] Thomas (1930) が $\mathcal{O}(v/c)^1$ までだが，はじめて相対論的な項を考慮した．その他，Hazlehurst and Sargent (1959)，Castor (1972)，Mihalas and Mihalas (1984) など．

[10] Lindquist (1966) が球対称の場合の具体的表式を導いた．その他，Anderson and Spiegel (1972)，Thorne (1981)，Udey and Israel (1982)，Nobili *et al.* (1993)，Park (2003, 2006)，Takahashi (2007) など．Takahashi (2007) がカー時空での具体的表式を書き下して，一段落した．

$$\frac{\partial E}{\partial t} + \frac{\partial F^k}{\partial x^k} = \rho\gamma\left(j_0 - c\kappa_0 E_0\right) - \rho\gamma\left(\kappa_0 + \sigma_0\right)\frac{\boldsymbol{v}\cdot\boldsymbol{F}_0}{c}. \tag{13.53}$$

相対論的輻射輸送方程式（13.48）に方向余弦を掛けて立体角で積分し，変換則（13.19）と（13.17）を使うと，混合系で表した1次のモーメント式になる：

$$\frac{1}{c^2}\frac{\partial F^i}{\partial t} + \frac{\partial P^{ik}}{\partial x^k} = \rho\gamma\frac{v^i}{c^2}\left(j_0 - c\kappa_0 E_0\right) - \frac{1}{c}\rho\left(\kappa_0 + \sigma_0\right)F_0^i$$
$$- \rho\left(\kappa_0 + \sigma_0\right)\frac{\gamma-1}{v^2}\frac{v^i}{c}\left(\boldsymbol{v}\cdot\boldsymbol{F}_0\right). \tag{13.54}$$

非相対論の場合と同様，モーメント式は無限に続く．ここでは2つ目で打ち切り，モーメント量の間に次節で述べる閉包関係を導入する．

混合系の式（13.53）と（13.54）において，変換則（13.37）–（13.39）を用いて共動系の量を書き直すと，静止系で記述した相対論的モーメント式が得られる：

$$\frac{\partial E}{\partial t} + \frac{\partial F^k}{\partial x^k} = \rho\gamma\left(j_0 - c\kappa_0 E + \kappa_0\frac{\boldsymbol{v}\cdot\boldsymbol{F}}{c}\right)$$
$$+ \rho\gamma^3\sigma_0\left[\frac{v^2}{c}E + \frac{v_i v_j}{c}P^{ij} - \left(1+\frac{v^2}{c^2}\right)\frac{\boldsymbol{v}\cdot\boldsymbol{F}}{c}\right], \tag{13.55}$$

$$\frac{1}{c^2}\frac{\partial F^i}{\partial t} + \frac{\partial P^{ik}}{\partial x^k} = \frac{\rho\gamma}{c}\left(\frac{v^i}{c}j_0 - \kappa_0 F^i + \kappa_0 v_k P^{ik}\right)$$
$$- \frac{\rho\gamma}{c}\sigma_0\left[F^i - \gamma^2 E v^i - v_k P^{ik} + \gamma^2 v^i\left(\frac{2\boldsymbol{v}\cdot\boldsymbol{F}}{c^2} - \frac{v_j v_k}{c^2}P^{jk}\right)\right]. \tag{13.56}$$

例題 13.5 散乱が等方的な場合には，相対論的モーメント式はどうなるか．

解答 モーメント式については同じになる．すなわち，トムソン散乱の弱い非等方性は，低次のモーメントに影響しない． ∎

13.2.3 クロージャー関係

もっとも簡単なクロージャー関係は，<u>共動系での</u>エディントン近似である：

$$P_0^{ij} = \frac{\delta^{ij}}{3}E_0. \tag{13.57}$$

変換則（13.37）（13.39）を代入すると，<u>静止系での</u>クロージャー関係になる[11]：

$$P^{ij} - \frac{\delta^{ij}}{3}\gamma^2\frac{v_k v_m}{c^2}P^{km} + \frac{\gamma^2}{\gamma+1}\left(\frac{v^i v_k}{c^2}P^{jk} + \frac{v^j v_k}{c^2}P^{ik}\right)$$

$$+ \left(\frac{\gamma^2}{\gamma+1}\right)^2 \frac{v^i v^j}{c^2} \frac{v_k v_m}{c^2} P^{km} = \frac{\delta^{ij}}{3}\gamma^2\left(E - 2\frac{\boldsymbol{v}\cdot\boldsymbol{F}}{c^2}\right) - \gamma^2 \frac{v^i v^j}{c^2}E$$
$$+ \gamma\left(\frac{v^i F^j}{c^2} + \frac{v^j F^i}{c^2}\right) + 2\gamma\frac{\gamma^2}{\gamma+1}\frac{v^i v^j}{c^2}\frac{\boldsymbol{v}\cdot\boldsymbol{F}}{c^2}. \tag{13.58}$$

光学的に薄い領域や相対論的な領域では，輻射場は非等方になり，エディントン因子は光学的厚み τ や流速 v あるいは速度勾配 $dv/d\tau$ などに依存する[*12]．その他，相対論的領域における問題点の議論は，参考文献[*13]を参照されたい．

13.2.4　平行平板流の場合

以上の一般的な表現に加え，平行平板などでの具体的な表式も示しておく．鉛直方向 z に運動している平行平板流の場合，$\mu = \cos\theta$ として，振動数で積分した輻射輸送方程式（13.51），0 次モーメント式（13.55），1 次モーメント式（13.56），クロージャー関係（13.58）は，それぞれ以下のようになる[*14]：

$$\mu\frac{dI}{dz} = \rho\frac{1}{\gamma^3(1-\beta\mu)^3}\left[\frac{j_0}{4\pi} - (\kappa_0 + \sigma_0)\gamma^4(1-\beta\mu)^4 I\right.$$
$$+ \frac{\sigma_0}{4\pi}\frac{3}{4}\gamma^2\left\{\left[1 + \frac{(\mu-\beta)^2}{(1-\beta\mu)^2}\beta^2 + \frac{(1-\beta^2)^2}{(1-\beta\mu)^2}\frac{1-\mu^2}{2}\right]cE\right.$$
$$- \left[1 + \frac{(\mu-\beta)^2}{(1-\beta\mu)^2}\right]2\beta F$$
$$\left.\left.+ \left[\beta^2 + \frac{(\mu-\beta)^2}{(1-\beta\mu)^2} - \frac{(1-\beta^2)^2}{(1-\beta\mu)^2}\frac{1-\mu^2}{2}\right]cP\right\}\right], \tag{13.59}$$
$$\frac{dF}{dz} = \rho\gamma\left[j_0 - \kappa_0 cE + \sigma_0(cE + cP)\gamma^2\beta^2\right.$$
$$\left.+ \kappa_0 F\beta - \sigma_0 F(1+\beta^2)\gamma^2\beta\right], \tag{13.60}$$

[*11]　（324 ページ）速度について，$\boldsymbol{v}/c$ の 1 次までの近似では，以下のようになる：
$$P^{ij} = \frac{\delta^{ij}}{3}E + \frac{v^i F^j}{c^2} + \frac{v^j F^i}{c^2} - \frac{2}{3}\delta^{ij}\frac{\boldsymbol{v}\cdot\boldsymbol{F}}{c^2}.$$
ただし，$\boldsymbol{v}/c$ の 1 次までの近似で問題を解くと，場合によっては著しく不正確になることが指摘されている（Yin and Miller 1995）．

[*12]　Fukue (2006, 2008a, c, 2009, 2014b), Akizuki and Fukue (2008) など．

[*13]　Turolla and Nobili (1988), Nobili et al. (1991), Turolla et al. (1995, Dullemond (1999), Fukue (2005), Kato et al. (2008) など．

[*14]　Fukue (2006, 2007, 2008b) など．

$$\frac{dP}{dz} = \frac{\rho\gamma}{c} \Big[j_0\beta - \kappa_0 F + \kappa_0 cP\beta$$
$$-\sigma_0 F\gamma^2(1+\beta^2) + \sigma_0(cE+cP)\gamma^2\beta \Big], \tag{13.61}$$

$$cP = \frac{cE(f-\beta^2) + 2F\beta(1-f)}{1-f\beta^2}. \tag{13.62}$$

13.2.5 球対称流の場合

動径方向 r に運動している球対称 1 次元定常流の場合,源泉項の並ぶ基礎方程式右辺は平行平板の場合と同じである.一方,幾何学的な効果が入るため左辺は変わるが,静止系で記述しているので非相対論の場合と同じになる(5.5 節参照).

13.2.6 相対論的平行平板流の形式解

ここで相対論的な平行平板流における相対論的輻射輸送方程式の形式解を導いてみよう(Fukue 2014b, 2015).鉛直方向の速度場 $v(z)$ は与えられているとし,灰色近似を仮定して共動系での吸収係数などは振動数に依存しないとする.

さらに簡単のために,散乱は等方的だと仮定すると,混合系での相対論的輻射輸送方程式は,以下のように表される(添え字 0 は共動系の量を意味する):

$$\mu\frac{dI}{dz} = \rho_0 \frac{1}{\gamma^3(1-\beta\mu)^3} \left[\frac{j_0}{4\pi} - (\kappa_0+\sigma_0)I_0 + \sigma_0 J_0 \right]. \tag{13.63}$$

"光学的厚み"[*15] として $d\tau = -(\kappa_0+\sigma_0)\rho_0 dz$ を導入し,共動系の輻射強度を静止系の量に変換して整理すると,

$$\mu\frac{dI}{d\tau} = \frac{1}{\gamma^3(1-\beta\mu)^3} [\gamma^4(1-\beta\mu)^4 I - S_0] \tag{13.64}$$

という形になる.ただしここで S_0 は共動系での源泉関数である:

$$S_0 = \frac{j_0}{4\pi}\frac{1}{\kappa_0+\sigma_0} + \frac{\sigma_0}{\kappa_0+\sigma_0}J_0. \tag{13.65}$$

なお,相対論的平行平板流の底($z=0$)での光学的厚み $\tau_{\rm b}$ は有限とする:

[*15] 相対論的な流れにおける光学的厚みは,ローレンツ–フィッツジェラルド短縮を考慮すると,
$$d\tau = -(\kappa_0+\sigma_0)\rho_0\gamma(1-\beta\mu)dz,$$
で定義されるべきである(Abramowicz *et al.* 1991).ここでは複雑になるのを避けるため,使いやすい無次元の変数として定義した.

$$\tau_{\mathrm{b}} = -\int_{\infty}^{0} (\kappa_0 + \sigma_0)\rho_0 dz. \tag{13.66}$$

さて，(13.64) は，

$$\frac{dI}{d\tau} - \frac{\gamma(1-\beta\mu)}{\mu}I = -\frac{1}{\mu}\frac{1}{\gamma^3(1-\beta\mu)^3}S_0 \tag{13.67}$$

のように書き直せるが，積分因子として，

$$X \equiv \exp\left(-\frac{1}{\mu}\int^{\tau}\gamma dt + \int^{\tau}\gamma\beta dt\right) \tag{13.68}$$

という変数を導入すると，以下のようにまとめることができる：

$$\frac{d}{d\tau}(XI) = -\frac{1}{\mu}\frac{X}{\gamma^3(1-\beta\mu)^3}S_0. \tag{13.69}$$

あるいは形式的に，

$$e^{-G(t)/\mu + U(t)}I|^{\tau} = -\int^{\tau}\frac{e^{-G(t)/\mu + U(t)}}{\mu\gamma^3(1-\beta\mu)^3}S_0 dt \tag{13.70}$$

のように積分できる．ただし，$G(t)$ と $U(t)$ は以下の積分とする：

$$G(t) \equiv \int^{t}\gamma(t')dt', \quad U(t) \equiv \int^{t}\gamma(t')\beta(t')dt'. \tag{13.71}$$

さらに通常の平行平板大気と同様に，上向き（τ_{b} から τ まで）あるいは下向き（0 から τ まで）に積分すれば，上向き輻射強度 $I^+(\tau, \mu > 0)$ と下向き輻射強度 $I^-(\tau, \mu < 0)$ がそれぞれ得られる：

$$I^+(\tau,\mu) = e^{-\frac{G(\tau_{\mathrm{b}}) - G(\tau)}{\mu} + U(\tau_{\mathrm{b}}) - U(\tau)}I^+(\tau_{\mathrm{b}},\mu)$$
$$+ \int_{\tau}^{\tau_{\mathrm{b}}}\frac{e^{-\frac{G(t) - G(\tau)}{\mu} + U(t) - U(\tau)}}{\mu\gamma^3(1-\beta\mu)^3}S_0 dt, \tag{13.72}$$

$$I^-(\tau,\mu) = \int_0^{\tau}\frac{e^{-\frac{G(\tau) - G(t)}{(-\mu)} - [U(\tau) - U(t)]}}{(-\mu)\gamma^3[1+\beta(-\mu)]^3}S_0 dt. \tag{13.73}$$

これらが相対論的平行平板流における**相対論的形式解**である．

13.3 相対論的輻射流体力学の基礎方程式

つぎに，相対論的流体力学の方程式と組み合わせて，相対論的輻射流体力学の基礎方程式を導いておこう．

13.3.1 一般的な形式

理想気体のエネルギー–運動量テンソル $T^{\mu\nu}$ を

$$T^{\mu\nu} = (\varepsilon + p)\, u^\mu u^\nu - p g^{\mu\nu} \tag{13.74}$$

のように表す．ここで，ε は単位固有体積当りの内部エネルギー[*16]で，p は共動系で測った圧力である（$\varepsilon + p$ は単位固有体積当りのエンタルピー）．

一方，輻射場のエネルギー–運動量テンソル $R^{\mu\nu}$ は，(13.32) で定義され，

$$R^{\mu\nu} = \begin{pmatrix} E & \dfrac{1}{c}F^i \\ \dfrac{1}{c}F^i & P^{ij} \end{pmatrix} \tag{13.75}$$

のように表される．ここで，E は輻射エネルギー密度，F^i は輻射流束ベクトル，P^{ij} は輻射ストレステンソルで，どれも静止系での量である．

上記のエネルギー–運動量テンソルを使うと，ガスと輻射を合わせた運動量およびエネルギーの保存は，

$$\left(T_\mu{}^\nu + R_\mu{}^\nu\right)_{;\nu} = F_\mu, \tag{13.76}$$

$$u^\mu \left(T_\mu{}^\nu + R_\mu{}^\nu\right)_{;\nu} = u^\mu F_\mu. \tag{13.77}$$

のように表される（特殊相対論の範囲では，セミコロンは偏微分を意味する）．ここで F^μ は共動系で定義される **4元力**（four force）で，単位体積当りの3次元的な力を $\boldsymbol{f}$ とすれば，$F^\mu = (\gamma \boldsymbol{f} \cdot \boldsymbol{v}/c, \gamma \boldsymbol{f})$ である[*17]．

（1）連続の式

固有粒子数密度 n の保存の式は，以下のようになる：

[*16] ここでは静止質量エネルギーを含んで定義しており，理想気体の場合は，比熱比を Γ として，$\varepsilon = \rho c^2 + p/(\Gamma - 1)$ となる．

[*17] 粒子の運動量を $\boldsymbol{p}$，エネルギーを E とすると，$\boldsymbol{f} = d\boldsymbol{p}/dt = d(\gamma m \boldsymbol{v})/dt$ および $\boldsymbol{f} \cdot \boldsymbol{v} = dE/dt = d(\gamma m c^2)/dt$ となる．

$$(nu^\mu)_{;\mu} = \frac{1}{\sqrt{-g}} \frac{\partial}{\partial x^\mu} \left(\sqrt{-g} nu^\mu\right) = 0. \tag{13.78}$$

また固有質量密度 $\rho\ (=nmc^2)$ を用いた質量保存の式は以下のように表される：

$$\frac{\partial}{\partial t}(\rho\gamma) + \mathrm{div}(\rho\gamma\boldsymbol{v}) = 0. \tag{13.79}$$

（2）運動方程式

相対論的な運動方程式（13.76）は，流体部分を代入すると以下のようになる：

$$(\varepsilon + p)\left(u^\mu \frac{\partial u^i}{\partial x^\mu} + \Gamma^i_{\mu\nu}u^\mu u^\nu\right) - (g^{i\mu} - u^i u^\mu)\frac{\partial p}{\partial x^\mu}$$
$$= -(g^{i\mu} - u^i u^\mu)R_\mu^{\ \nu}{}_{;\nu} + (g^{i\mu} - u^i u^\mu)F_\mu. \tag{13.80}$$

ここで，(13.80) の右辺の輻射パートは，(13.75)，(13.53)，(13.54)，(13.55)，(13.56) を代入すると以下のようになる：

$$-(g^{i\mu} - u^i u^\mu) R_\mu^{\ \nu}{}_{;\nu}$$
$$= -\left(\frac{1}{c^2}\frac{\partial F^i}{\partial t} + \frac{\partial P^{ik}}{\partial x^k}\right)$$
$$\quad - \frac{\gamma^2}{c^2}v^i\left[-\left(\frac{\partial E}{\partial t} + \frac{\partial F^k}{\partial x^k}\right) + v_j\left(\frac{1}{c^2}\frac{\partial F^j}{\partial t} + \frac{\partial P^{jk}}{\partial x^k}\right)\right]$$
$$= \frac{\rho}{c}(\kappa_0 + \sigma_0)\left[F_0^i + \frac{\gamma-1}{v^2}v^i(\boldsymbol{v}\cdot\boldsymbol{F}_0)\right]$$
$$= \frac{\rho\gamma}{c}(\kappa_0 + \sigma_0)$$
$$\quad \times \left[F^i - \gamma^2 E v^i - v_k P^{ik} + \gamma^2 v^i\left(\frac{2\boldsymbol{v}\cdot\boldsymbol{F}}{c^2} - \frac{v_j v_k}{c^2}P^{jk}\right)\right]. \tag{13.81}$$

また，圧力勾配力と力のパートは，以下のようになる（$u^\mu F_\mu = 0$ に注意）：

$$(g^{i\mu} - u^i u^\mu)\frac{\partial p}{\partial x^\mu} = -\boldsymbol{\nabla}p - \gamma^2\frac{\boldsymbol{v}}{c^2}\left(\frac{\partial p}{\partial t} + \boldsymbol{v}\cdot\boldsymbol{\nabla}p\right), \tag{13.82}$$

$$(g^{i\mu} - u^i u^\mu)F_\mu = F^i = \gamma\boldsymbol{f}. \tag{13.83}$$

以上より，相対論的運動方程式は以下のように書き下せる：

$$c^2\left(u^\mu\frac{\partial u^i}{\partial x^\mu} + \Gamma^i_{\mu\nu}u^\mu u^\nu\right) = \frac{c^2}{\varepsilon+p}\gamma\boldsymbol{f} - \frac{c^2}{\varepsilon+p}\boldsymbol{\nabla}p - \frac{\gamma^2\boldsymbol{v}}{\varepsilon+p}\left(\frac{\partial p}{\partial t} + \boldsymbol{v}\cdot\boldsymbol{\nabla}p\right)$$

$$+ \frac{\rho c^2}{\varepsilon + p}\frac{1}{c}(\kappa_0 + \sigma_0)\left[F_0^i + \frac{\gamma-1}{v^2}v^i(\boldsymbol{v}\cdot\boldsymbol{F}_0)\right]$$
$$= \frac{c^2}{\varepsilon + p}\gamma\boldsymbol{f} - \frac{c^2}{\varepsilon + p}\boldsymbol{\nabla}p - \frac{\gamma^2\boldsymbol{v}}{\varepsilon + p}\left(\frac{\partial p}{\partial t} + \boldsymbol{v}\cdot\boldsymbol{\nabla}p\right)$$
$$+ \frac{\rho c^2}{\varepsilon + p}\frac{\gamma}{c}(\kappa_0 + \sigma_0)$$
$$\times \left[F^i - \gamma^2 E v^i - v_k P^{ik} + \gamma^2 v^i\left(\frac{2\boldsymbol{v}\cdot\boldsymbol{F}}{c^2} - \frac{v_j v_k}{c^2}P^{jk}\right)\right]. \tag{13.84}$$

運動方程式 (13.84) の右辺で, 第1項は外力, 第2項は圧力勾配力, 第3項は圧力に関する相対論的補正項である. 第4項は輻射場との相互作用の項で, $\boldsymbol{F}$ の項が**輻射力** (radiative force) と相対論的補正項で, E と P^{ik} の項が**輻射抵抗** (radiation drag) と相対論的補正項になる[*18].

(3) エネルギー式

エネルギー保存 (13.77) は, 流体部分を代入すると以下となる ($u^\mu F_\mu = 0$):

$$\frac{1}{\sqrt{-g}}\frac{\partial}{\partial x^\mu}(\sqrt{-g}\varepsilon u^\mu) + \frac{p}{\sqrt{-g}}\frac{\partial}{\partial x^\mu}(\sqrt{-g}u^\mu) = -u^\mu R_\mu{}^\nu{}_{;\nu}. \tag{13.85}$$

ここで, (13.85) の右辺の輻射パートは, (13.75), (13.53), (13.54), (13.55), (13.56) を代入すると以下のようになる:

$$-u^\mu R_\mu{}^\nu{}_{;\nu} = -\frac{\gamma}{c}\left(\frac{\partial E}{\partial t} + \frac{\partial F^k}{\partial x^k}\right) + \frac{\gamma v_i}{c}\left(\frac{1}{c^2}\frac{\partial F^i}{\partial t} + \frac{\partial P^{ik}}{\partial x^k}\right)$$
$$= -\frac{\rho}{c}(j_0 - c\kappa_0 E_0)$$
$$= \frac{\gamma^2\rho}{c}\left(-\frac{j_0}{\gamma^2} + c\kappa_0 E - \kappa_0\frac{2\boldsymbol{v}\cdot\boldsymbol{F}}{c} + \kappa_0\frac{v_i v_k}{c}P^{ik}\right). \tag{13.86}$$

以上より, 相対論的エネルギー保存式は以下のように書き表せる:

$$\frac{c}{\sqrt{-g}}\frac{\partial}{\partial x^\mu}\left[\sqrt{-g}(\varepsilon - \rho c^2)u^\mu\right] + c\frac{p}{\sqrt{-g}}\frac{\partial}{\partial x^\mu}(\sqrt{-g}u^\mu)$$
$$= -\rho(j_0 - c\kappa_0 E_0)$$

[*18] 静止系では輻射力と輻射抵抗を分離して考えるが, 共動系では自分にかかる力のみを感じるので (共動系の) 輻射力 $\boldsymbol{F}_0$ のみになる.

$$= \gamma^2 \rho \left(-\frac{j_0}{\gamma^2} + c\kappa_0 E - \kappa_0 \frac{2\boldsymbol{v}\cdot\boldsymbol{F}}{c} + \kappa_0 \frac{v_i v_k}{c} P^{ik} \right). \quad (13.87)$$

ただし，連続の式（13.78）を辺々引いた．さらに理想気体の場合，比熱比を Γ として[*19]，$\varepsilon - \rho c^2 = p/(\Gamma - 1)$ なので，左辺は以下のように変形できる：

$$\frac{p}{\Gamma-1}\left(cu^\mu \frac{\partial}{\partial x^\mu} \ln p - cu^\mu \frac{\partial}{\partial x^\mu} \ln \rho^\Gamma \right) = \frac{p}{\Gamma-1} cu^\mu \frac{\partial}{\partial x^\mu} \left(\ln \frac{p}{\rho^\Gamma} \right). \quad (13.88)$$

エネルギー式（13.87）の右辺の括弧内で，第 1 項は輻射冷却，第 2 項は輻射加熱を表す．ここではエネルギーの授受がないトムソン散乱を考えているので，散乱に関わる項は現れないが，エネルギーの授受があるコンプトン散乱の場合は，散乱に関わるエネルギー授受の項が出てくる．

式を見比べればわかるように，エネルギーの授受がなければ（あるいは右辺が 0 なら），$p/\rho^\Gamma =$ 一定である（断熱）．また定常で運動がなければ左辺は自動的に 0 なので，右辺も 0 になる（輻射平衡）．

(4) 全エネルギー保存と相対論的ベルヌーイの式

保存式（13.76）の 0 成分から全エネルギー保存や相対論的ベルヌーイの式を導くことができる．すなわち，4 元力 $F_0 = 0$ のとき，

$$(T_0^\nu + R_0^\nu)_{;\nu} = \frac{\partial}{c\partial t}(T_0^0 + R_0^0) + \frac{1}{\sqrt{-g}}\frac{\partial}{\partial x^k}[\sqrt{-g}(T_0^k + R_0^k)] = 0 \quad (13.89)$$

となるが，ここに成分を入れて整理すると，

$$\frac{\partial}{\partial t}[\gamma^2(\varepsilon + \beta^2 p) + E] + \frac{1}{\sqrt{-g}}\frac{\partial}{\partial x^k}\{\sqrt{-g}[(\varepsilon+p)u_0 cu^k + F^k]\} = 0 \quad (13.90)$$

が得られる．これは物質と輻射の全エネルギー保存を表している．

さらに定常 1 次元流を仮定すると，第 2 項が流れに沿ったベルヌーイの式となる．たとえば，球対称定常 1 次元流の場合は，第 2 項から以下の式が得られる：

$$4\pi r^2 (\varepsilon + p) u_0 cu + 4\pi r^2 F = \dot{E} \quad (\text{一定}). \quad (13.91)$$

この場合の連続の式は以下となる：

$$4\pi r^2 \rho cu = \dot{M} \quad (\text{一定}). \quad (13.92)$$

[*19] ここではローレンツ因子 γ があるので，比熱比には Γ を使用する．

(5) 拡散光度と移流光度

定常球対称 1 次元流を例に，拡散光度と移流光度について触れておく（11 章）．(13.91) と (13.92) から u を消去すると，以下の式が得られる[*20]：

$$\dot{M}\frac{\varepsilon+p}{\rho}\gamma + 4\pi r^2 F = \dot{E} \quad (\text{一定}). \tag{13.93}$$

静止系と共動系の変換（13.1 節）から，静止系の輻射流束 F は，

$$F = \gamma^2\left[(1+\beta^2)F_0 + \beta(cE_0 + cP_0)\right] \tag{13.94}$$

のように共動系の量で表すことができる．括弧内の第 1 項は共動系で流れるエネルギー流束で**拡散流束**（diffusion flux）と呼ばれ，第 2 項は流れとともに運ばれるエネルギーなので**移流流束**（advection flux）と呼ばれる．また，$4\pi r^2$ を掛けたものを，それぞれ**拡散光度**（diffusion luminosity）および**移流光度**（advection luminosity）と呼ぶ（ドップラー因子は落として定義する）[*21]：

$$L_{\text{diff}} = 4\pi r^2 F_0, \tag{13.95}$$

$$L_{\text{adv}} = 4\pi r^2 \beta(cE_0 + cP_0). \tag{13.96}$$

この輻射流束を (13.93) に入れて整理すると，以下の形にまとめられる[*22]：

$$\dot{M}\frac{\varepsilon + p + E_0 + P_0}{\rho}\gamma + 4\pi r^2 \gamma^2(1+\beta^2)F_0 = \dot{E} \quad (\text{一定}). \tag{13.97}$$

この式をみると，共動系の E_0 や P_0 が物質とともに運ばれる量（移流項）であ

[*20] 参考までに，シュバルツシルト時空では $u_0 = \gamma\sqrt{g_{00}}$ であり，以下のようになる：

$$\dot{M}\frac{\varepsilon+p}{\rho}\gamma\sqrt{g_{00}} + 4\pi r^2 g_{00} F = \dot{E} \quad (\text{一定}).$$

ただしここで，g_{00}（$\equiv 1 - r_{\text{S}}/r$；$r_{\text{S}}$ はシュバルツシルト半径）は時空の計量テンソルである．

[*21] もう少し丁寧に分類すると以下のようになる：

$L = 4\pi r^2 F$ $\cdots$ 静止系の光度
$L_{\text{diff}} = 4\pi r^2 F_0$ $\cdots$ 共動系で観測する拡散光度
$L_{\text{diff}}^\infty = \gamma^2(1+\beta^2)L_{\text{diff}}$ $\cdots$ 無限遠の観測者が観測する拡散光度
$L_{\text{adv}} = 4\pi r^2 \beta(cE_0 + cP_0)$ $\cdots$ 共動系での移流光度
$L_{\text{adv}}^\infty = \gamma^2 L_{\text{adv}}$ $\cdots$ 無限遠での移流光度

[*22] 参考までに，シュバルツシルト時空では以下のようになる：

$$\dot{M}\frac{\varepsilon + p + E_0 + P_0}{\rho}\gamma\sqrt{g_{00}} + 4\pi r^2 \gamma^2 g_{00} F = \dot{E} \quad (\text{一定}).$$

り，F_0 が物質の流れと別のエネルギー流であることがよくわかる．

13.3.2 平行平板流の場合

平行平板定常流の場合，輻射場の方程式は先に挙げたとおりである．一方，ガスに対して，連続の式は，

$$\rho cu = \rho\gamma\beta c = J \quad (=一定) \tag{13.98}$$

となる．ここで，J は単位面積当りの質量流出率である．また4元速度 u と3次元速度 v は，$\gamma = \sqrt{1+u^2} = 1/\sqrt{1-(v/c)^2}$ として，$u = \gamma\beta = \gamma v/c$ となる．

運動方程式は，ψ を重力ポテンシャルとして，以下のようになる：

$$c^2 u \frac{du}{dz} = c^2 \gamma^4 \beta \frac{d\beta}{dz}$$
$$= -\gamma \frac{d\psi}{dz} - \gamma^2 \frac{c^2}{\varepsilon + p} \frac{dp}{dz}$$
$$+ \frac{\rho c^2}{\varepsilon + p} \frac{\kappa_0 + \sigma_0}{c} \gamma^3 \left[F(1+\beta^2) - (cE + cP)\beta \right]. \tag{13.99}$$

エネルギー式は，単位体積当りの加熱率を q^+ として，以下のようになる：

$$\frac{1}{\Gamma - 1} \left(cu \frac{dp}{dz} + \Gamma cp \frac{du}{dz} \right) = q^+ - \rho \left(j_0 - \kappa_0 cE\gamma^2 - \kappa_0 cPu^2 + 2\kappa_0 F\gamma u \right). \tag{13.100}$$

例題 13.6 (13.99) で，外力や圧力がないとき，右辺が 0 になるのはどういう状況か．また無限に拡がった一様光源の場合は，どういう条件が導かれるか．

解答 ある速度で輻射力と輻射抵抗が釣り合うことを意味している．このいわゆる**終端速度**（terminal velocity）は，イッケ（Icke 1989）が最初に詳しく調べた（静止系と共動系での導出などは Fukue 2014a を参照）．無限一様光源の場合は，光源の強度を I_* とすると，$F = \pi I_*$，$cE = 2\pi I_*$，$cP = 2\pi I_*/3$ となるので，11.3.3 節で触れたように，$\beta = (4-\sqrt{7})/3$ が得られる[*23]．

[*23] 粒子ではなく，有限の光学的厚みをもった層雲の場合など，エディントン近似を使わずに数値計算すると，光学的厚みが小さい領域で終端速度は多少小さくなる（Masuda and Fukue 2016）．

13.4 共動系における相対論的輻射輸送方程式

混合系で表現した基礎方程式の左辺を変換すれば，共動系における基礎方程式を導くことができる（Mihalas and Mihalas 1984）．ここでは，平行平板の場合[*24]と球対称な場合[*25]を導出しておこう．

13.4.1 平行平板流の場合

鉛直 z 方向 1 次元の相対論的輻射輸送方程式は，混合系では，

$$\frac{1}{c}\frac{\partial I}{\partial t} + \mu \frac{\partial I}{\partial z} = \left(\frac{\nu}{\nu_0}\right)^3 \rho \left[\frac{j_0}{4\pi} - (\kappa_0 + \sigma_0) I_0 + \sigma_0 \frac{cE_0}{4\pi}\right] \qquad (13.101)$$

のようになる（簡単のために，散乱は等方とした）．左辺に変換則（13.36）を代入すると，この（13.101）は，以下のようになる：

$$\frac{\nu}{\nu_0}\left(\frac{1}{c}\frac{\partial I_0}{\partial t} + \mu \frac{\partial I_0}{\partial z}\right) - 4\frac{\nu}{\nu_0^2} I_0 \left(\frac{1}{c}\frac{\partial \nu_0}{\partial t} + \mu \frac{\partial \nu_0}{\partial z}\right)$$
$$= \rho \left[\frac{j_0}{4\pi} - (\kappa_0 + \sigma_0) I_0 + \sigma_0 \frac{cE_0}{4\pi}\right]. \qquad (13.102)$$

ここで左辺の偏微分はまだ静止系での偏微分なので，連鎖則を使って共動系での偏微分に変換する：

$$\left.\frac{\partial}{\partial t}\right|_{z\mu\nu} = \left.\frac{\partial}{\partial t}\right|_{z\mu_0\nu_0} + \left.\frac{\partial \mu_0}{\partial t}\right|_{z\mu_0\nu_0}\frac{\partial}{\partial \mu_0} + \left.\frac{\partial \nu_0}{\partial t}\right|_{z\mu_0\nu_0}\frac{\partial}{\partial \nu_0}$$
$$= \left.\frac{\partial}{\partial t}\right|_{z\mu_0\nu_0} - \gamma^2(1-\mu_0^2)\frac{\partial \beta}{\partial t}\frac{\partial}{\partial \mu_0} - \gamma^2 \mu_0 \nu_0 \frac{\partial \beta}{\partial t}\frac{\partial}{\partial \nu_0}, \qquad (13.103)$$

$$\left.\frac{\partial}{\partial z}\right|_{t\mu\nu} = \left.\frac{\partial}{\partial z}\right|_{t\mu_0\nu_0} + \left.\frac{\partial \mu_0}{\partial z}\right|_{t\mu_0\nu_0}\frac{\partial}{\partial \mu_0} + \left.\frac{\partial \nu_0}{\partial z}\right|_{t\mu_0\nu_0}\frac{\partial}{\partial \nu_0}$$
$$= \left.\frac{\partial}{\partial z}\right|_{t\mu_0\nu_0} - \gamma^2(1-\mu_0^2)\frac{\partial \beta}{\partial z}\frac{\partial}{\partial \mu_0} - \gamma^2 \mu_0 \nu_0 \frac{\partial \beta}{\partial z}\frac{\partial}{\partial \nu_0}. \qquad (13.104)$$

さらに，ドップラー効果（13.14）と光行差（13.17）はいまの場合，それぞれ，（13.20）および（13.21）である．

上記の関係を使って左辺を共動系の量に書き直すと，平行平板の場合，最終的に，共動系における相対論的輻射輸送方程式は以下のようになる：

[*24] Fukue (2011a, b, 2012).

[*25] Sen and Wilson (1998).

$$\gamma(1+\beta\mu_0)\frac{1}{c}\frac{\partial I_0}{\partial t} + \gamma(\mu_0+\beta)\frac{\partial I_0}{\partial z}$$
$$-\gamma^3(1+\beta\mu_0)\left[(1-\mu_0^2)\frac{\partial I_0}{\partial \mu_0} - 4\mu_0 I_0\right]\frac{1}{c}\frac{\partial \beta}{\partial t}$$
$$-\gamma^3(\mu_0+\beta)\left[(1-\mu_0^2)\frac{\partial I_0}{\partial \mu_0} - 4\mu_0 I_0\right]\frac{\partial \beta}{\partial z}$$
$$=\rho\left[\frac{j_0}{4\pi} - (\kappa_0+\sigma_0)I_0 + \sigma_0\frac{cE_0}{4\pi}\right]. \tag{13.105}$$

この (13.105) を共動系での立体角で積分すると，共動系における 0 次や 1 次のモーメント式が得られる：

$$\gamma\frac{\partial cE_0}{c\partial t} + \gamma\frac{\partial F_0}{\partial z} + \gamma\beta\frac{\partial F_0}{c\partial t} + \gamma\beta\frac{\partial cE_0}{\partial z}$$
$$+\gamma^3[2F_0+\beta(cE_0+cP_0)]\frac{\partial \beta}{c\partial t} + \gamma^3[2\beta F_0+(cE_0+cP_0)]\frac{\partial \beta}{\partial z}$$
$$=\rho(j_0 - \kappa_0 cE_0), \tag{13.106}$$

$$\gamma\frac{\partial F_0}{c\partial t} + \gamma\frac{\partial cP_0}{\partial z} + \gamma\beta\frac{\partial cP_0}{c\partial t} + \gamma\beta\frac{\partial F_0}{\partial z}$$
$$+\gamma^3[2\beta F_0+(cE_0+cP_0)]\frac{\partial \beta}{c\partial t} + \gamma^3[2F_0+\beta(cE_0+cP_0)]\frac{\partial \beta}{\partial z}$$
$$=-\rho(\kappa_0+\sigma_0)F_0. \tag{13.107}$$

例題 13.7 定常平行平板流で速度一定と輻射平衡およびエディントン近似 ($P_0 = fE_0$) を仮定したとき，(13.106) と (13.107) を解いてみよ．

解答 (13.106) はただちに積分できて，$F_0 + \beta cP_0/f =$ 一定，となる．また，光学的厚みを $d\tau \equiv -\rho(\kappa_0+\sigma_0)dz$ で定義し，(13.107) に cP_0 を代入すると，

$$\frac{1}{\Gamma}\frac{dF_0}{d\tau} = -F_0, \quad \Gamma = \frac{\beta}{\gamma(f-\beta^2)}$$

と整理できる．境界条件として，$\tau = 0$ で $F_0 = F_s$，$cP_s = 2fF_s$ とすると，

$$F_0 = F_s e^{-\Gamma\tau},$$
$$cP_0 = F_s(f/\beta)(1+2\beta - e^{-\Gamma\tau})$$

という解が得られる． ■

以上まで，振動数で積分した方程式を導いたが，簡単な解析解や振動数に依存した場合の方程式などについては，参考文献を参照してほしい．

13.4.2　球対称流の場合

鉛直 r 方向 1 次元の相対論的輻射輸送方程式は，混合系では，

$$\frac{1}{c}\frac{\partial I}{\partial t} + \mu\frac{\partial I}{\partial r} + \frac{1-\mu^2}{r}\frac{\partial I}{\partial \mu} = \left(\frac{\nu}{\nu_0}\right)^3 \rho\left[\frac{j_0}{4\pi} - (\kappa_0 + \sigma_0)I_0 + \sigma_0\frac{cE_0}{4\pi}\right] \tag{13.108}$$

のようになる（簡単のために，散乱は等方とした）．左辺に変換則（13.36）を代入すると，この（13.108）は，以下のようになる：

$$\frac{\nu}{\nu_0}\left(\frac{1}{c}\frac{\partial I_0}{\partial t} + \mu\frac{\partial I_0}{\partial r} + \frac{1-\mu^2}{r}\frac{\partial I_0}{\partial \mu}\right) - 4\frac{\nu}{\nu_0^2}I_0\left(\frac{1}{c}\frac{\partial \nu_0}{\partial t} + \mu\frac{\partial \nu_0}{\partial z} + \frac{1-\mu^2}{r}\frac{\partial \nu_0}{\partial \mu}\right)$$
$$= \rho\left[\frac{j_0}{4\pi} - (\kappa_0 + \sigma_0)I_0 + \sigma_0\frac{cE_0}{4\pi}\right]. \tag{13.109}$$

左辺の偏微分の変換は以下のようになる：

$$\left.\frac{\partial}{\partial t}\right|_{r\mu\nu} = \left.\frac{\partial}{\partial t}\right|_{r\mu_0\nu_0} + \left.\frac{\partial \mu_0}{\partial t}\right|_{r\mu_0\nu_0}\frac{\partial}{\partial \mu_0} + \left.\frac{\partial \nu_0}{\partial t}\right|_{r\mu_0\nu_0}\frac{\partial}{\partial \nu_0}$$
$$= \left.\frac{\partial}{\partial t}\right|_{r\mu_0\nu_0} - \gamma^2(1-\mu_0^2)\frac{\partial \beta}{\partial t}\frac{\partial}{\partial \mu_0} - \gamma^2\mu_0\nu_0\frac{\partial \beta}{\partial t}\frac{\partial}{\partial \nu_0}, \tag{13.110}$$

$$\left.\frac{\partial}{\partial r}\right|_{t\mu\nu} = \left.\frac{\partial}{\partial r}\right|_{t\mu_0\nu_0} + \left.\frac{\partial \mu_0}{\partial r}\right|_{t\mu_0\nu_0}\frac{\partial}{\partial \mu_0} + \left.\frac{\partial \nu_0}{\partial r}\right|_{t\mu_0\nu_0}\frac{\partial}{\partial \nu_0}$$
$$= \left.\frac{\partial}{\partial r}\right|_{t\mu_0\nu_0} - \gamma^2(1-\mu_0^2)\frac{\partial \beta}{\partial r}\frac{\partial}{\partial \mu_0} - \gamma^2\mu_0\nu_0\frac{\partial \beta}{\partial r}\frac{\partial}{\partial \nu_0}, \tag{13.111}$$

$$\left.\frac{\partial}{\partial \mu}\right|_{rt\nu} = \left.\frac{\partial \mu_0}{\partial \mu}\right|_{rt\nu_0}\frac{\partial}{\partial \mu_0} + \left.\frac{\partial \nu_0}{\partial \mu}\right|_{rt\nu_0}\frac{\partial}{\partial \nu_0}$$
$$= \gamma^2(1+\beta\mu_0)^2\frac{\partial}{\partial \mu_0} - \gamma^2\beta(1+\beta\mu_0)\nu_0\frac{\partial}{\partial \nu_0}. \tag{13.112}$$

ドップラー効果と光行差は平行平板の場合と同じである．

上記の関係を使って左辺を共動系の量に書き直すと，球対称な場合，最終的に，共動系における相対論的輻射輸送方程式は以下のようになる：

$$\gamma(1+\beta\mu_0)\frac{1}{c}\frac{\partial I_0}{\partial t} + \gamma(\mu_0+\beta)\frac{\partial I_0}{\partial r} + \gamma(1+\beta\mu_0)\frac{1-\mu_0}{r}\frac{\partial I_0}{\partial \mu_0} + 4\gamma\beta\frac{1-\mu_0^2}{r}I_0$$
$$- \gamma^3(1+\beta\mu_0)\left[(1-\mu_0^2)\frac{\partial I_0}{\partial \mu_0} - 4\mu_0 I_0\right]\frac{1}{c}\frac{\partial \beta}{\partial t}$$
$$- \gamma^3(\mu_0+\beta)\left[(1-\mu_0^2)\frac{\partial I_0}{\partial \mu_0} - 4\mu_0 I_0\right]\frac{\partial \beta}{\partial r}$$

$$= \rho \left[\frac{j_0}{4\pi} - (\kappa_0 + \sigma_0) I_0 + \sigma_0 \frac{cE_0}{4\pi} \right]. \tag{13.113}$$

この (13.113) を共動系での立体角で積分すると，共動系における 0 次や 1 次のモーメント式が得られる[*26]：

$$\gamma \frac{\partial cE_0}{c\partial t} + \gamma \frac{\partial F_0}{\partial r} + \gamma\beta \frac{\partial F_0}{c\partial t} + \gamma\beta \frac{\partial cE_0}{\partial r} + \frac{\gamma}{r} \left[2F_0 + \beta(3cE_0 - cP_0) \right]$$
$$+ \gamma^3 \left[2F_0 + \beta(cE_0 + cP_0) \right] \frac{\partial \beta}{c\partial t} + \gamma^3 \left[2\beta F_0 + (cE_0 + cP_0) \right] \frac{\partial \beta}{\partial r}$$
$$= \rho \left(j_0 - \kappa_0 cE_0 \right), \tag{13.114}$$

$$\gamma \frac{\partial F_0}{c\partial t} + \gamma \frac{\partial cP_0}{\partial r} + \gamma\beta \frac{\partial cP_0}{c\partial t} + \gamma\beta \frac{\partial F_0}{\partial r} + \frac{\gamma}{r} \left[2\beta F_0 - cE_0 + 3cP_0 \right]$$
$$+ \gamma^3 \left[2\beta F_0 + (cE_0 + cP_0) \right] \frac{\partial \beta}{c\partial t} + \gamma^3 \left[2F_0 + \beta(cE_0 + cP_0) \right] \frac{\partial \beta}{\partial r}$$
$$= -\rho \left(\kappa_0 + \sigma_0 \right) F_0. \tag{13.115}$$

13.5 相対論的輻射性衝撃波

相対論的輻射流体力学の重要な応用として，**相対論的輻射性衝撃波**（relativitic radiative shock）について紹介しておきたい．断熱的な相対論的衝撃波の跳び条件は解析的に導出できるが（第 1 巻参照），12.3 節で述べたように輻射性衝撃波は取り扱いがかなり複雑になる．ここでは輻射温度とガス温度を等しいと仮定する**平衡拡散近似**を用いる．さらにガス圧と輻射圧を同時に考慮すると，非相対論の場合[*27]でさえ 9 次方程式になるので，相対論的輻射性衝撃波としてはガス圧優勢と輻射圧優勢にわけ，跳び条件式や前駆領域の構造を考えてみよう（Fukue 2019a, b）[*28]．なお，ここで "相対論的" というのは，運動速度が相対論的であることと，ガスの内部エネルギーが静止質量エネルギーと同程度という 2 つの意味がある．

[*26] 5 次までのモーメント化など，一般化したエディントン近似の定式化が，Sen and Wilson (1993) にある．解析的な取り扱いが，Baschek et al. (1995, 1997) にある．

[*27] たとえば，Bouquet et al. (2000), Lowrie and Rauenzahn (2007) など．ちなみに，Lowrie たちの文献はインターネットでは入手しにくいが，大学図書館の相互利用サービスを使うと手に入る．

[*28] 参考文献として以下も挙げておく：Cissoko (1997), Farris et al. (2008), Budnik et al. (2010), Beloborodov (2017), Takahashi et al. (2013), Sądowski et al. (2013), Tolstov et al. (2015).

本節では，共動系におけるガスの固有密度を ρ，ガスの内部エネルギー密度を ε，ガス圧を p，輻射エネルギー密度を E，輻射圧を P，そして衝撃波面に対する 4 元速度を u $(\equiv \gamma\beta\,;\gamma = 1/\sqrt{1-\beta^2})$ と表記する（添え字 0 は省略する）．ガスについてはポリトロピックな状態方程式が成り立つとし，内部エネルギー密度は，

$$\varepsilon = \rho c^2 + \frac{1}{\Gamma - 1}p \tag{13.116}$$

で表されるとする（Γ はポリトロピック指数）．相対論的音速 a は，

$$a^2 \equiv c^2 \frac{\partial p}{\partial \varepsilon} = c^2 \frac{\Gamma p}{\varepsilon + p} \tag{13.117}$$

となる（付録 C 参照）．輻射についてはエディントン近似を仮定する（$E = 3P$）．

（1）相対論的輻射性衝撃波の保存則

相対論的な方程式の保存形から，質量流束，運動量流束，エネルギー流束の保存則は，それぞれ，以下のようになる：

$$\rho c u = \rho_1 c u_1 = j\ (\text{一定}), \tag{13.118}$$

$$(\varepsilon + p)u^2 + p + P = (\varepsilon_1 + p_1)u_1^2 + p_1 + P_1, \tag{13.119}$$

$$\rho c u \frac{\varepsilon + p + E + P}{\rho}\gamma + \gamma^2(1+\beta^2)F = \rho_1 c u_1 \frac{\varepsilon_1 + p_1 + E_1 + P_1}{\rho_1}\gamma_1. \tag{13.120}$$

添え字 "1" は衝撃波のずっと前面（上流側），添え字 "2" は後面（下流側）の物理量とし，添え字なしは値が変化する前駆領域の量とする．質量流束の保存は非相対論の場合とほとんど変わらない（一定量は j とした）．運動量流束は質量密度の部分が圧力も含めた内部エネルギー密度となる．見かけが大きく変わるのはエネルギー流束の保存則で，単位質量当たりの内部エネルギー密度とローレンツ因子の積の形になる．共動系での拡散輻射流束 F は流れに沿った座標 x の関数として，

$$F = -\frac{c}{\kappa\rho}\frac{dP}{dx} = -\frac{4acT^3}{3\kappa\rho}\frac{dT}{dx} \tag{13.121}$$

のように表される（1 次モーメント式）．不透明度 κ は一定と仮定する．

（2）衝撃波の跳び条件

衝撃波面から十分離れたところではガスと輻射は熱平衡になっていて拡散輻射流

束の項は落とせ，相対論的輻射性衝撃波の跳び条件の式は以下となる：

$$\rho_2 c u_2 = \rho_1 c u_1 = j, \tag{13.122}$$

$$(\varepsilon_2 + p_2) u_2^2 + p_2 + P_2 = (\varepsilon_1 + p_1) u_1^2 + p_1 + P_1, \tag{13.123}$$

$$\frac{\varepsilon_2 + p_2 + E_2 + P_2}{\rho_2} \gamma_2 = \frac{\varepsilon_1 + p_1 + E_1 + P_1}{\rho_1} \gamma_1. \tag{13.124}$$

そして非相対論の場合と同様に，まず，$u_2 = j/(\rho_2 c)$ と $u_1 = j/(\rho_1 c)$ を (13.123) に代入して以下を得る：

$$j^2 = \frac{p_2 + P_2 - (p_1 + P_1)}{\dfrac{\varepsilon_1 + p_1}{\rho_1 c^2} \dfrac{1}{\rho_1} - \dfrac{\varepsilon_2 + p_2}{\rho_2 c^2} \dfrac{1}{\rho_2}}. \tag{13.125}$$

さらに，$\gamma_2^2 = 1 + u_2^2 = 1 + j^2/(\rho_2 c)^2$ なので，(13.124) の 2 乗から，

$$\left(\frac{\varepsilon_2 + p_2}{\rho_2} + \frac{E_2 + P_2}{\rho_2}\right)^2 \left[1 + \frac{1}{\rho_2^2 c^2} \frac{p_2 + P_2 - (p_1 + P_1)}{\dfrac{\varepsilon_1 + p_1}{\rho_1 c^2} \dfrac{1}{\rho_1} - \dfrac{\varepsilon_2 + p_2}{\rho_2 c^2} \dfrac{1}{\rho_2}}\right]$$
$$= \left(\frac{\varepsilon_1 + p_1}{\rho_1} + \frac{E_1 + P_1}{\rho_1}\right)^2 \left[1 + \frac{1}{\rho_1^2 c^2} \frac{p_2 + P_2 - (p_1 + P_1)}{\dfrac{\varepsilon_1 + p_1}{\rho_1 c^2} \dfrac{1}{\rho_1} - \dfrac{\varepsilon_2 + p_2}{\rho_2 c^2} \dfrac{1}{\rho_2}}\right]$$
$$\tag{13.126}$$

が得られる．これが平衡拡散近似のもとでの相対論的輻射性衝撃波の一般的なランキン–ユゴニオの関係式である．

一方，やはり非相対論の場合と同様に，運動量流束の保存式 (13.123) の方も，音速 (13.117) を用いて変形すると，以下のようになる：

$$\begin{aligned} p_2 + P_2 - (p_1 + P_1) &= (\varepsilon_1 + p_1) u_1^2 - (\varepsilon_2 + p_2) u_2^2 \\ &= \frac{\Gamma p_1}{a_1^2} \gamma_1^2 v_1^2 - (\varepsilon_2 + p_2) \frac{j^2}{\rho_2^2 c^2}. \end{aligned} \tag{13.127}$$

さらにマッハ数 $\mathcal{M}_1$ ($\equiv u_1/a_1$) を導入し，(13.125) を γ_1^2 と j^2 に代入すると，もう一つの跳び条件の式が得られる：

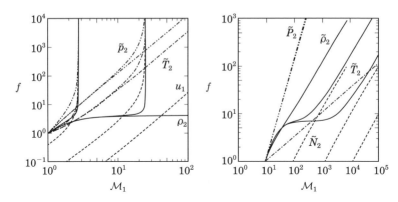

図 13.1 平衡拡散近似のもとでの相対論的輻射性衝撃波で，前面のマッハ数 $\mathcal{M}_1$ の関数として表した後面の物理量 f の例（Fukue 2019a）：左図はガス圧優勢の場合で右図は輻射圧優勢の場合．実線は密度比 $\tilde{\rho}_2$，一点鎖線は温度比 $\tilde{T}_2$，二点鎖線は圧力比 $\tilde{p}_2$ あるいは $\tilde{P}_2$．パラメータは比熱比が $\Gamma = 5/3$ で，ν_1 $(\equiv p_1/\rho_1 c^2)$ が 0.00001，0.001，0.1 および N_1 $(\equiv P_1/\rho_1 c^2)$ が 0.00001，0.001，0.1（右から左に）で，α_1 $(= P_1/p_1)$ が 100（右図のみ）．なお，左図の破線は u_1 で右図の破線は $\tilde{N}_2$ $(= N_2/N_1$：ただし，$N \equiv P/\rho c^2)$．

$$[p_2 + P_2 - (p_1 + P_1)] \frac{\dfrac{\varepsilon_1 + p_1}{\rho_1 c^2} - \dfrac{\Gamma p_1 \mathcal{M}_1^2}{\rho_1 c^2}}{\dfrac{\varepsilon_1 + p_1}{\rho_1 c^2} - \dfrac{\varepsilon_2 + p_2}{\rho_2 c^2}\dfrac{\rho_1}{\rho_2}} = \Gamma p_1 \mathcal{M}_1^2. \qquad (13.128)$$

状態方程式を使えば（13.126）と（13.128）は密度と温度だけで表せるので，非相対論の場合（Lawrie and Rauenzahn 2007）のように，原理的には解ける．一方，ガス圧優勢あるいは輻射圧優勢を仮定すると，解析的（代数的）に解くことができる（章末問題 13.10）．

前面のマッハ数 $\mathcal{M}_1$ の関数として表した衝撃波後面の物理量の例を図 13.1 に示す（Fukue 2019a）．図 13.1 の左図はガス圧優勢の場合で右図は輻射圧優勢の場合の例である．実線は密度比 $\tilde{\rho}_2$ $(= \rho_2/\rho_1)$，一点鎖線は温度比 $\tilde{T}_2$ $(= T_2/T_1)$，二点鎖線は圧力比 $\tilde{p}_2$ $(= p_2/p_1)$ あるいは $\tilde{P}_2$ $(= P_2/P_1)$ である．

ガス圧優勢の場合，衝撃波前面が十分に非相対論的であれば，マッハ数 $\mathcal{M}_1$ が増加して強い衝撃波になるにしたがい，たとえば密度比 $\tilde{\rho}_2$ は 4 になっていく．し

かし衝撃波前面が相対論的になると（大きな ν_1 や $\mathcal{M}_1$），密度比は 4 を超えるようになる．また衝撃波前面のマッハ数には上限がある（第 1 巻 8.6 節参照）．一方，輻射圧優勢の場合，十分に非相対論的なら強い衝撃波で密度比は 7 になる（比熱比が 4/3 相当なため）．しかし相対論的になると密度比は 7 を超える．またガス圧優勢の場合と異なり，マッハ数には上限はない．

(3) 相対論的輻射性衝撃波の前駆領域の構造

衝撃波面で生じた輻射が前面に拡散して生じる前駆領域の構造を求めるには，まず，輻射流束 (13.121) を含むエネルギー保存則 (13.120) を少し変形して，

$$\gamma^2(1+\beta^2)\frac{c}{\kappa\rho}\frac{dP}{dx} = \gamma^2(1+\beta^2)\frac{4acT^3}{3\kappa\rho}\frac{dT}{dx}$$
$$= \rho c u \frac{\varepsilon + p + E + P}{\rho}\gamma - \rho_1 c u_1 \frac{\varepsilon_1 + p_1 + E_1 + P_1}{\rho_1}\gamma_1$$
$$= \left(\frac{\varepsilon + p + E + P}{\rho}\gamma - \frac{\varepsilon_1 + p_1 + E_1 + P_1}{\rho_1}\gamma_1\right)\rho_1 c u_1. \tag{13.129}$$

という微分方程式の形にする．このままでもよいが，典型的なスケール ℓ_1 と光学的厚み τ_1 ($\equiv \kappa\rho_1\ell_1$) を導入して，

$$\frac{\gamma^2}{\gamma_1^2}(1+\beta^2)\frac{1}{\tau_1\beta_1}\frac{\rho_1}{\rho}\frac{d}{d\tilde{x}}\frac{P}{P_1}$$
$$= \frac{\varepsilon + p + E + P}{P_1}\frac{\rho_1}{\rho}\frac{\gamma}{\gamma_1} - \frac{\varepsilon_1 + p_1 + E_1 + P_1}{P_1} \tag{13.130}$$

と書き直した方が物理的には見通しがよい．ここで，$\tilde{x}$ ($\equiv x/\ell_1$) は無次元化した座標で，(13.118) からローレンツ因子は以下のように表せる：

$$\frac{\gamma^2}{\gamma_1^2} = \frac{\gamma_1^2 - 1}{\gamma_1^2}\frac{\rho_1^2}{\rho^2} + \frac{1}{\gamma_1^2}. \tag{13.131}$$

同様に，運動量保存則 (13.119) は下記のように整理できる：

$$p + P - (p_1 + P_1) = \Gamma p_1 \gamma_1^2 \mathcal{M}_1^2 \left(1 - \frac{\varepsilon + p}{\rho c^2}\frac{\rho_1 c^2}{\varepsilon + p}\frac{\rho_1}{\rho}\right). \tag{13.132}$$

跳び条件の解を境界条件として，(13.130) – (13.132) を連立させて解けば，前駆領域の構造が求められるが，やはりガス圧優勢か輻射圧優勢としよう[*29]．パラメータは，物理的には，比熱比 Γ，τ_1，α_1 ($\equiv P_1/p_1$)，β_1 ($\equiv u_1/c$)，γ_1，ν_1 (=

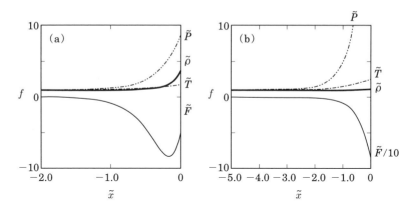

図 **13.2** 平衡拡散近似のもとでの相対論的輻射性衝撃波の前駆領域の構造例（Fukue 2019a）．右端が衝撃波面になり，左側（上流側）へ前駆領域が拡がっている．太い実線は密度 $\tilde{\rho}$，一点鎖線は温度 $\tilde{T}$，二点鎖線は圧力 $\tilde{P}$ で，細い実線は輻射流束 $\tilde{F}$．比熱比は $\Gamma = 5/3$ と $\alpha_1 = 100$ で，(a) は $N_1 = 0.00001$ および $\mathcal{M}_1 = 24.8$ （このとき $N_2 = 0.000022$, $\beta_1 = 0.01$），(b) は $N_1 = 0.1$ および $\mathcal{M}_1 = 52.85$ （このとき $N_2 = 0.55$, $\beta_1 = 0.91$）．

$p_1/\rho_1 c^2$), $N_1 \, (= P_1/\rho_1 c^2)$, $\mathcal{M}_1^2$ などとなる．ただし，τ_1 と β_1 は一塊になっており，さらに座標に繰り込むこともできるので，独立なパラメータは少なくなる．

　輻射圧優勢な場合の前駆領域の解の例を図 13.2 に示す（Fukue 2019a）．左図は非相対論的なパラメータで右図は相対論的なパラメータになっている．右端が衝撃波面になり，左側（上流側）へ前駆領域が拡がっている．太い実線は前面の密度 ρ_1 を単位とする密度 $\tilde{\rho}$，一点鎖線は同じく無次元化した温度 $\tilde{T}$，二点鎖線は無次元化した圧力 $\tilde{P}$ で，これらは前面から衝撃波面に向かって増加していることがわかる．また，細い実線は無次元化した輻射流束 $\tilde{F}$ だが，負の値は前面方向に輻射の流れが存在することを示している．

　平衡拡散近似における非相対論的な輻射性衝撃波では，おおむね，$\alpha_1 \, (= P_1/p_1)$ の値が 1 を境に（マッハ数にも依存する），ガス圧優勢の場合は温度に跳びはない

[*29] （341 ページ）実は跳び条件をそのまま境界条件とすると，(13.130) の右辺が 0 になるので，輻射流束などの変化は計算できない．したがって，厳密なことを言えば，衝撃波面近傍で方程式を展開し，近似解を境界条件にする必要があるだろう．ただし，性質のよい方程式なので，実用的には境界条件の値を微小値変えてやるだけで計算できる．

が密度に不連続が残り，**等温衝撃波**（isothermal shock）と呼ばれる．一方，輻射圧優勢の場合は温度も密度も衝撃波面で跳びがなく，**連続衝撃波**（continuous shock）と呼ばれる（Lowrie and Rauenzahn 2007）．

図 13.2 についても，比較的非相対論的なパラメータ（左図）では，たしかに連続衝撃波のタイプになっている．しかし，相対論的なパラメータ（右図）では，前駆領域の構造だけ示した図ではわからないが，右端の衝撃波面で，温度は連続だが密度は不連続に変化する等温衝撃波のタイプになっており，非相対論的な場合とは振る舞いが違う．

以上，比較的簡単に扱える場合を紹介したが，相対論的な輻射性衝撃波の構造はまだ十分に調べつくされているとは言えない．平衡拡散近似に限っても，どのパラメータ範囲で等温衝撃波になるか連続衝撃波になるか，まだよくわかっていない．非平衡拡散近似になると，さらに不明である．より正確に解くためには，エディントン近似を外して，相対論的輻射輸送方程式を解く必要があるだろう（たとえば，Tolstov *et al.* 2015）．相対論的爆発現象やブラックホール降着流などへの応用も含め，今後の研究が俟たれる[*30]．

[*30] 相対論的輻射性衝撃波に関してはガンマ線バーストなどと絡んで多くの研究があり，radiation-mediated shock とも呼ばれている．参考文献を少し挙げておく（Budnik *et al.* 2010, Rivera-Paleo *et al.* 2016, Lundman *et al.* 2018, Ito *et al.* 2020, Levinson *et al.* 2020）．また本書では扱っていないが，相対論的輻射性衝撃波においては電子・陽電子対生成も重要な素過程になる（第 4 巻参照）（たとえば，Iwamoto 1989, Petrucci *et al.* 2001, Tomita *et al.* 2019）．

Chapter 13 の章末問題

問題 13.1 源泉関数,放射係数,吸収係数,光学的厚みに関する LI を求めよ.

問題 13.2 一様光源の上空で鉛直方向に速度 v で運動しているときのエディントン因子を,光学的に薄い極限で求めてみよ.球対称光源の場合はどうなるか.

問題 13.3 平行平板流で速度が一定の場合に対して,相対論的モーメント式(13.60)と(13.61)およびクロージャー関係(13.62)を解析的に解き,そのモーメント解を用いて輻射輸送方程式(13.59)を解析的に積分してみよ.

問題 13.4 平行平板流で速度が変化している場合に対して,解析解を初期値として,輻射輸送方程式(13.59)を数値的に積分してみよ.

問題 13.5 インパクトパラメータ法の考え方で,相対論的球対称流における,相対論的形式解を導出してみよ.

問題 13.6 エネルギー式(13.85)の左辺を上手に変形すると,$nu^\mu \partial_\mu(\varepsilon/n) + npu^\mu \partial_\mu(1/n)$ となることを示せ($\partial_\mu \equiv \partial/\partial x_\mu$).また温度を T,単位体積あたりのエントロピーを σ と置くと,左辺は $Tnu^\mu \partial_\mu(\sigma/n)$ となることを示せ.

問題 13.7 平行平板流で速度が一定の場合に対して,直線流近似のもとで,共動系の方程式を解析的に解いてみよ.また2流近似のもとで解いてみよ.

問題 13.8 平行平板流で速度が一定の場合に対して,エディントン近似を仮定して,共動系の方程式を解析的に解いてみよ.

問題 13.9 相対論的な流れにおける光学的厚みは,ローレンツ–フィッツジェラルド短縮を考慮すると,$d\tau = -(\kappa_0 + \sigma_0)\rho_0 \gamma(1-\beta\mu)dz$,で定義される(Abramowicz *et al.* 1991).このとき,11.1.6 節で考えた光球半径はどうなるか.また見かけの光球面はどうなるか.

問題 13.10 ガス圧優勢あるいは輻射圧優勢の場合について,跳び条件の式(13.126)と(13.128)を解いてみよ.

付録

付録では，放射や吸収の素過程，マクスウェル–ボルツマン分布，相対論的な状態方程式と音速，そしてコンプトン散乱とカンパニーツ方程式など，放射に関わるいくつかの素過程について，まとめておきたい（第 4 巻も参考になるだろう）．

Ⓐ 不透明度と冷却関数

実用に資するため，放射係数や吸収係数/不透明度の具体的表現をまとめておく（導出は 4 巻参照）．水素の重量比を X，ヘリウムを Y，水素・ヘリウム以外の**重元素/金属**（metal）の重量比を Z とし[*1]，原子番号を Z_i とする．また，ガウント因子 g，ギロチン因子 t は，ともに 1 程度の補正因子（5.3 節の脚注 14 参照）．

A.1 放射率と不透明度

自由–自由放射の（体積）放射率 $j_\nu^{\rm ff} \rho \, [{\rm erg\,s^{-1}\,cm^{-3}\,Hz^{-1}}]$：

$$4\pi \eta_\nu^{\rm ff} = j_\nu^{\rm ff} \rho = \frac{2^5 \pi e^6}{3 m_e c^3} \left(\frac{2\pi}{3 k m_e}\right)^{1/2} Z_i^2 n_e n_i T^{-1/2} e^{-h\nu/k_B T} \bar{g}_{\rm ff}$$
$$= 6.842 \times 10^{-38} Z_i^2 n_e n_i T^{-1/2} e^{-h\nu/k_B T} \bar{g}_{\rm ff}. \tag{A.1}$$

完全電離した水素プラズマ（$Z_i = 1$；$n_i = n_e = \rho/m_p$）の場合：

$$j_\nu^{\rm ff} = 2.4 \times 10^{10} \rho T^{-1/2} e^{-h\nu/k_B T} \bar{g}_{\rm ff}. \tag{A.2}$$

振動数積分した放射率 $j^{\rm ff} \rho \, [{\rm erg\,s^{-1}\,cm^{-3}}]$：

$$4\pi \eta^{\rm ff} = j^{\rm ff} \rho = \frac{2^5 \pi e^6}{3 h m_e c^3} \left(\frac{2\pi k}{3 m_e}\right)^{1/2} Z_i^2 n_e n_i T^{1/2} \bar{g}_B$$
$$= 1.43 \times 10^{-27} Z_i^2 n_e n_i T^{1/2} \bar{g}_B. \tag{A.3}$$

完全電離した水素プラズマ（$Z_i = 1$；$n_i = n_e = \rho/m_p$）の場合：

$$j^{\rm ff} = 5.1 \times 10^{20} \rho T^{1/2} \bar{g}_{\rm ff}. \tag{A.4}$$

[*1] 宇宙初期は $X = 0.75$, $Y = 0.25$, $Z = 0$ で，現在は $X = 0.73$, $Y = 0.25$, $Z = 0.02$.

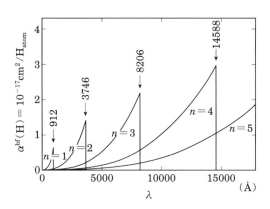

図 **A.1** いくつかの主量子数 n に対する束縛–自由吸収の吸収係数（Gray 2005）.

キルヒホッフの法則：$4\pi\eta_\nu^{\mathrm{ff}} = 4\pi\alpha_\nu^{\mathrm{ff}} B_\nu(T)$ より，吸収係数・不透明度は，

$$\alpha_\nu^{\mathrm{ff}} = \kappa_\nu^{\mathrm{ff}}\rho = \frac{4e^6}{3m_e hc}\left(\frac{2\pi}{3km_e}\right)^{1/2} Z_i^2 n_e n_i T^{-1/2}\nu^{-3}(1-e^{-h\nu/k_B T})\bar{g}_{\mathrm{ff}}$$
$$= 3.692\times 10^8 Z_i^2 n_e n_i T^{-1/2}\nu^{-3}(1-e^{-h\nu/k_B T})\bar{g}_{\mathrm{ff}} \quad \mathrm{cm}^2. \quad (\mathrm{A.5})$$

完全電離した水素プラズマ（$Z_i=1$；$n_i=n_e=\rho/m_p$）の場合：

$$\alpha_\nu^{\mathrm{ff}} = 1.32\times 10^{56}\rho^2 T^{-1/2}\nu^{-3}(1-e^{-h\nu/k_B T})\bar{g}_{\mathrm{ff}} \quad \mathrm{cm}^2. \quad (\mathrm{A.6})$$

$$\kappa_\nu^{\mathrm{ff}} = 1.32\times 10^{56}\rho T^{-1/2}\nu^{-3}(1-e^{-h\nu/k_B T})\bar{g}_{\mathrm{ff}}$$
$$= 1.5\times 10^{25}\rho T^{-7/2}(h\nu/k_B T)^{-3}(1-e^{-h\nu/k_B T})\bar{g}_{\mathrm{ff}} \quad \mathrm{cm}^2. \quad (\mathrm{A.7})$$

振動数積分した自由–自由吸収の不透明度（クラマースの式）（図5.3）：

$$\kappa_{\mathrm{ff}} = 3.68\times 10^{22} g_{\mathrm{ff}}(X+Y)(1+X)\rho T^{-7/2} \quad \mathrm{cm}^2\,\mathrm{g}^{-1}$$
$$\sim 6.24\times 10^{22}\rho T^{-7/2} \quad \mathrm{cm}^2\,\mathrm{g}^{-1}. \quad (\mathrm{A.8})$$

束縛–自由吸収の吸収係数[*2]（図 A.1, A.2）：

$$\alpha_\nu^{\mathrm{bf}} = \frac{64\pi^4 m_e e^{10} Z_i^4}{3\sqrt{3}ch^6 n^5}\frac{g_{\mathrm{bf}}}{\nu^3} \quad \mathrm{cm}^2 = 2.82\times 10^{29}\frac{Z_i^4}{n^5\nu^3}g_{\mathrm{bf}} \quad \mathrm{cm}^2. \quad (\mathrm{A.9})$$

振動数積分した束縛–自由吸収の不透明度（クラマースの式）：

[*2] n は主量子数．$\nu\propto n^2$ なので，$\alpha_\nu^{\mathrm{bf}}\propto n$．

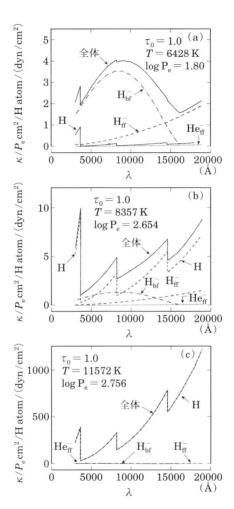

図 **A.2** 吸収係数と電子圧の比（Gray 1992）．(a) 太陽のような G 型星（6428 K）．水素負イオンの束縛–自由吸収 H_{bf}^- と自由–自由吸収 H_{ff}^- が卓越している．(b) A 型星（8357 K）．中性水素の束縛–自由吸収 H が卓越してくる．(c) B 型星（11572 K）．中性水素の束縛–自由吸収 H が卓越している．

表 A.1 不透明度の係数 (cgs 単位系).

成分	記号	$\kappa_{i,0}$	a	b
氷粒子	κ_ice	2.0×10^{-4}	0	2
氷粒子の昇華	$\kappa_\mathrm{ice,evap}$	1.0×10^{16}	0	-7
塵粒子	κ_dust	0.1	0	1/2
塵粒子の昇華	$\kappa_\mathrm{dust,evap}$	2.0×10^{81}	1	-24
分子	κ_mol	1.0×10^{-8}	2/3	3
水素の負イオン	$\kappa_\mathrm{H^-}$	1.0×10^{-36}	1/3	10
束縛–自由および自由–自由	κ_atom	1.5×10^{20}	1	$-5/2$
電子散乱	κ_es	0.348	0	0

$$\kappa_\mathrm{bf} = 4.34 \times 10^{25}(g_\mathrm{bf}/t)Z(1+X)\rho T^{-7/2} \quad \mathrm{cm^2\,g^{-1}}$$
$$\sim 1.50 \times 10^{24}\rho T^{-7/2} \quad \mathrm{cm^2\,g^{-1}}. \tag{A.10}$$

電子散乱の不透明度:
$$\kappa_\mathrm{es} = \frac{4\pi}{3}\frac{e^4}{c^4 m_\mathrm{p} m_\mathrm{e}^2}(1+X) = \sigma_\mathrm{T}\frac{1+X}{2m_\mathrm{p}} = 0.199(1+X) \quad \mathrm{cm^2\,g^{-1}}$$
$$\sim 0.4 \quad \mathrm{cm^2\,g^{-1}} \quad (X=1). \tag{A.11}$$

塵の不透明度も最近は研究が進み詳細なテーブルなども用意されているが, 解析的な形もいろいろ提案されている (Bell and Lin 1994, Heinzeller and Duschl 2007). いろいろな成分による不透明度を

$$\kappa_i = \kappa_{i,0}\rho^a T^b \tag{A.12}$$

と置くと (表 A.1), 不透明度は以下の内挿補完式で近似できる:

$$\frac{1}{\kappa} = \left[\frac{1}{\kappa_\mathrm{ice}^4} + \frac{(3000\,\mathrm{K})^{10}}{(3000\,\mathrm{K})^{10} + T^{10}}\frac{1}{\kappa_\mathrm{ice,evap}^4 + \kappa_\mathrm{dust}^4}\right]^{1/4}$$
$$+ \left[\frac{1}{\kappa_\mathrm{dust,evap}^4 + \kappa_\mathrm{mol}^4 + \kappa_\mathrm{H^-}^4} + \frac{1}{\kappa_\mathrm{atom}^4 + \kappa_\mathrm{es}^4}\right]^{1/4}. \tag{A.13}$$

おおざっぱに 100 万 K ぐらいまでは, 原子による自由–自由吸収が重要になり, 100 万 K を大きく超えると, 電子散乱が重要になる. 逆に, 原始惑星系星雲のようにきわめて低温の場合は, 塵による吸収などが重要になる (図 5.3).

A.2 冷却過程と冷却関数

流体にとっては輻射による冷却過程が重要な役割を果たす．上述と重なる部分もあるが，より詳細に，冷却という観点から放射率などをまとめておく．

エネルギー式右辺の源泉項として入る冷却関数 Λ [$\mathrm{erg\,s^{-1}\,cm^{-3}}$] と，単位立体角あたりの体積放射率 η_ν [$\mathrm{erg\,s^{-1}\,cm^{-3}\,Hz^{-1}\,sr^{-1}}$]，および全方位への質量放射係数 j_ν [$\mathrm{erg\,s^{-1}\,g^{-1}\,Hz^{-1}}$] との関係は以下のようになる：

$$\Lambda = \int \eta_\nu d\nu d\Omega = \int j_\nu \rho d\nu. \tag{A.14}$$

冷却に働く輻射の素過程としては以下のようなものがある：

1) 制動放射（bremsstrahlung）：連続光（光子数を変える），$T > 10^4$ K
2) レイリー散乱（Rayleigh scattering）：連続光，$T < 10^4$ K
3) トムソン散乱（Thomson scattering）：連続光，$T > 10^4$ K
4) コンプトン散乱（Compton scattering）：連続光，$T > 10^4$ K
5) 二重コンプトン散乱：連続光（光子数を変える），$T > 10^4$ K
6) 輻射性再結合（radiative recombination）：連続光，$T > 10^4$ K
7) 光電離（photoionization）：連続光，$T > 10^4$ K
8) 自発放射（spontaneous emission）：$0 < T < 10^8$ K
・許容遷移（permitted transition）[*3]：輝線
・禁制遷移（forbidden transition）[*4] [X II] のように書かれる
・半禁制線（semiforbidden line）[*5] X II] のように書かれる：輝線
・超微細構造線（hyperfine structure line）[*6]：輝線
・分子線[*7,*8]
9) 輻射性励起（radiative excitation）：輝線，$0 < T < 10^8$ K
10) 誘導放射（induced emission）：輝線，$0 < T < 10^8$ K（レーザー）
11) 対生成（pair creation）・対消滅（pair annihilation），$T > 10^9$ K

[*3] 電気双極子遷移（electric dipole transition）＝選択側（selection rule）を満たす遷移．

[*4] 4重極子遷移（quadruple transition）：輝線，磁気双極子遷移（magnetic dipole transition）：輝線，2光子遷移（two-photon decay）：連続光．

[*5] スピン量子数が変化する電気双極子遷移．

[*6] 核子–電子間スピン遷移（平行→反平行）水素 21 cm 線．

[*7] 振動遷移，回転遷移，回転振動遷移：輝線．

[*8] 衝突誘導放射（collision induced emission）：連続光．

A.2.1　原子による冷却過程

水素やヘリウムなどの原子による冷却過程には，線放射（束縛–束縛遷移），輻射性再結合（自由–束縛遷移），衝突性電離（束縛–自由遷移）がある．また自由電子による熱制動放射（自由–自由遷移）やコンプトン散乱による冷却も重要である．

（1）線放射（束縛–束縛遷移）

線放射（束縛–束縛遷移）の冷却関数は，一般的には下記で与えられる：

$$\Lambda^{\text{line}} = \sum_i n_i \sum_{j<i} A_{ij} h\nu_{ij}. \tag{A.15}$$

ここで，n_i は i 番目の準位にある原子の数密度，A_{ij} は i 番目から j 番目の準位への自発放射によって遷移する確率を与えるアインシュタインの A 係数である．

原子の数密度 n_i は，通常，熱平衡の関係によって決定される：

$$\sum_{j<i} n_i A_{ij} + \sum_{j \neq i} n_i B_{ij} u(\nu_{ij}) + \sum_{j \neq i} n_i n_e C_{ij}$$
$$= \sum_{j>i} n_j A_{ji} + \sum_{j \neq i} n_j B_{ji} u(\nu_{ij}) + \sum_{j \neq i} n_j n_e C_{ji}. \tag{A.16}$$

ここで，n_e は電子の数密度である．この式の左辺は i 番目の準位の原子数を減少させる過程で，第 1 項は i 番目から j 番目への自発放射によって遷移する数密度，第 2 項は輻射エネルギー密度 $u(\nu_{ij})$ の外部輻射場による吸収（$j > i$）ないしは誘導放射（$j < i$）によって遷移する数密度，第 3 項は衝突によって脱励起する数密度を表す．同様に，右辺は i 番目の準位の原子数を増加させる過程である．

熱平衡の関係で，B_{ij} はアインシュタインの B 係数で，

$$A_{ij} = \frac{8\pi h \nu_{ij}^3}{c^3} B_{ij}, \quad g_i B_{ij} = g_j B_{ji} \tag{A.17}$$

という関係がある．また C_{ij} は衝突遷移係数で，温度に応じてマクスウェルの速度分布関数を用いて計算される．

完全な熱平衡か，あるいは準位が衝突によって決まっている場合（局所熱平衡）には，以下の関係が実現する：

$$\frac{n_j}{n_i} = \frac{g_j}{g_i} \exp(-h\nu_{ij}/k_B T) \quad \cdots \, j > i. \tag{A.18}$$

この局所熱平衡の場合，中性水素（H I），中性ヘリウム（He I），1 階電離ヘリウム

(He II) に対する冷却関数は，cgs 単位系で以下のようになる $(T_4 = T/10^4 \text{ K})$：

$$\Lambda^{\text{line}}_{\text{H I}} = 3.4 \times 10^{-18} n_e n_{\text{H I}} T_4^{-1/2} e^{-11.8/T_4} \quad \text{erg s}^{-1} \text{ cm}^{-3}, \tag{A.19}$$

$$\Lambda^{\text{line}}_{\text{He I}} = 2.3 \times 10^{-18} n_e n_{\text{He I}} T_4^{-1/2} e^{-24.7/T_4} \quad \text{erg s}^{-1} \text{ cm}^{-3}, \tag{A.20}$$

$$\Lambda^{\text{line}}_{\text{He II}} = 3.4 \times 10^{-18} n_e n_{\text{He II}} T_4^{-1/2} e^{-47.4/T_4} \quad \text{erg s}^{-1} \text{ cm}^{-3}. \tag{A.21}$$

(2) 輻射性再結合（自由–束縛遷移）

輻射性再結合（自由–束縛遷移）の冷却関数は，一般的には下記で与えられる：

$$\Lambda^{\text{rr}} = \sum_k n_e n_k \alpha^{\text{rr}} k_B T. \tag{A.22}$$

ここで，n_k はイオンの数密度で，α^{rr} は**再結合係数**である．

具体的に，H II, He II, He III のすべての電子準位に対する再結合係数は，

$$\phi(y) = \begin{cases} 0.5(1.7 + \ln y + 1/6y) & \cdots y \geq 0.5, \\ y(-0.3 - 1.2 \ln y) + y^2(0.5 - \ln y) & \cdots y < 0.5 \end{cases} \tag{A.23}$$

として，cgs 単位系で，以下で与えられる：

$$\alpha^{\text{rr}}_{\text{H II}} = 2.1 \times 10^{-13} T_4^{-1/2} \phi(16/T_4), \tag{A.24}$$

$$\alpha^{\text{rr}}_{\text{He II}} = 4.3 \times 10^{-13} T_4^{-0.67}, \tag{A.25}$$

$$\alpha^{\text{rr}}_{\text{He III}} = 8.3 \times 10^{-13} T_4^{-1/2} \phi(64/T_4). \tag{A.26}$$

さらに，これらの対応する冷却関数は下記のようになる[*9]：

$$\Lambda^{\text{rr}}_{\text{H II}} = 2.9 \times 10^{-25} n_e n_{\text{H II}} T_4^{1/2} \phi(16/T_4), \tag{A.27}$$

$$\Lambda^{\text{rr}}_{\text{He II}} = 6.0 \times 10^{-25} T_4^{0.33}, \tag{A.28}$$

$$\Lambda^{\text{rr}}_{\text{He III}} = 1.2 \times 10^{-24} n_e n_{\text{He III}} T_4^{1/2} \phi(64/T_4). \tag{A.29}$$

[*9] なお，He II については，再結合の際に束縛–自由電子の励起を伴う場合がある —— **2電子性再結合**と呼ばれる．この場合は，再結合放射だけでなく，励起された電子が基底状態に落ちる線放射も伴う．この2電子性再結合の結合定数と冷却関数は，それぞれ下記のようになる：

$$\alpha^{\text{dr}}_{\text{He II}} = 1.9 \times 10^{-9} T_4^{-3/2} e^{-47.2/T_4},$$
$$\Lambda^{\text{dr}}_{\text{He II}} = n_e n_{\text{He II}} [h\nu_{\text{T}}(\text{He I}) + h_{12}(\text{He II})] \alpha^{\text{dr}}_{\text{He II}} = 1.3 \times 10^{-19} n_e n_{\text{He II}} T_4^{-3/2} e^{-47.2/T_4}.$$

ここで，$h\nu_{\text{T}}(\text{He I})$ は He I の電離エネルギー，$h_{12}(\text{He II})$ は第一励起状態のエネルギーを表す．2電子性再結合による冷却は，$T_4 \simeq 1$ のオーダーのときは，$\Lambda^{\text{rr}}_{\text{He II}}$ よりずっと小さい．

(3) 衝突性電離（束縛–自由遷移）

衝突性電離（束縛–自由遷移）の冷却関数は，一般的には下記で与えられる：

$$\Lambda^{\rm ci} = \sum_j n_e n_j \alpha^{\rm ci} h\nu_{\rm T}(j). \tag{A.30}$$

ここで，n_j は j 原子の数密度，$h\nu_{\rm T}(j)$ は電離エネルギーで，$\alpha^{\rm ci}$ は**衝突性電離係数**である．

具体的に，H II, He II, He III について，衝突性電離係数は，cgs 単位系で，

$$\alpha^{\rm ci}_{\rm HI} = 1.2 \times 10^{-8} T_4^{1/2} e^{-15.8/T_4}(1 - e^{-15.8/T_4}), \tag{A.31}$$

$$\alpha^{\rm ci}_{\rm HeI} = 7.3 \times 10^{-9} T_4^{1/2} e^{-28.5/T_4}(1 - e^{-28.5/T_4}), \tag{A.32}$$

$$\alpha^{\rm ci}_{\rm HeII} = 7.4 \times 10^{-10} T_4^{1/2} e^{-63.1/T_4}(1 - e^{-63.1/T_4}) \tag{A.33}$$

で与えられ，これらに対応する冷却関数は下記のようになる：

$$\Lambda^{\rm ci}_{\rm HI} = 2.6 \times 10^{-19} n_e n_{\rm HI} T_4^{1/2} e^{-15.8/T_4}(1 - e^{-15.8/T_4}), \tag{A.34}$$

$$\Lambda^{\rm ci}_{\rm HeI} = 2.8 \times 10^{-19} n_e n_{\rm HeI} T_4^{1/2} e^{-28.5/T_4}(1 - e^{-28.5/T_4}), \tag{A.35}$$

$$\Lambda^{\rm ci}_{\rm HeII} = 6.4 \times 10^{-20} n_e n_{\rm HeII} T_4^{1/2} e^{-63.1/T_4}(1 - e^{-63.1/T_4}). \tag{A.36}$$

衝突性電離と輻射性再結合が平衡状態にあるときには，電離は再結合の逆過程なので，冷却は輻射性再結合のみを考えればよい．しかし，再結合時間が電離時間より長い場合（高温プラズマなど）では，平衡状態がすぐには実現しないため，衝突性電離を考慮する必要がある．

(4) 熱制動放射（自由–自由遷移）

熱制動放射（自由–自由遷移）の冷却関数は，一般的には下記で与えられる：

$$\Lambda^{\rm ff} = \frac{32\pi e^6}{3^{3/2} h m_e c^3} \left(\frac{2\pi k_{\rm B} T}{m_e}\right)^{1/2} g_{\rm ff} n_e \sum_i Z_i^2 n_i. \tag{A.37}$$

ここで，n_i は i イオンの数密度，Z_i は電荷，$g_{\rm ff}$ は量子力学的補正のためのガウント因子である（いまの場合，$g_{\rm ff} \sim 1.3$）．

具体的に，水素とヘリウム系に対する熱制動放射冷却関数は，cgs 単位系で以下となる：

$$\Lambda^{\rm ff} = 1.8 \times 10^{-25} T_4^{1/2} n_e (n_{\rm HII} + n_{\rm HeII} + 4 n_{\rm HeIII}). \tag{A.38}$$

(5) コンプトン散乱

電子ガスの温度が輻射場の温度よりも高い場合，電子は輻射光子を逆コンプトン散乱して，電子のエネルギーが失われる．これを**コンプトン冷却**（Compton cooling）と呼ぶ．逆に，電子温度が輻射温度よりも低ければ，通常のコンプトン散乱で電子温度が上がる．こちらは**コンプトン加熱**と呼ぶ．

コンプトン過程によるエネルギーの授受は，$(4k_B T - h\nu)/(m_e c^2)$ となる（付録 D および第 4 巻）．トムソン散乱の断面積を σ_T，輻射エネルギー密度を E として，コンプトン散乱によるパワーは $\sigma_T c E$ なので，コンプトン散乱による冷却あるいは加熱は下記で与えられる：

$$\Lambda^{\rm Comp} = \sigma_T c E n_e \frac{4k_B T - 4k_B T_{\rm rad}}{m_e c^2}. \tag{A.39}$$

ここで，n_e は電子の数密度，T は電子ガスの温度，$T_{\rm rad}$ は輻射温度である[*10]．

図 A.3 に，原始組成比の水素およびヘリウムガスについての冷却関数を示す．

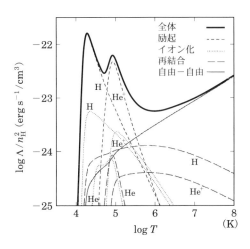

図 A.3 原始ガスの冷却関数（Thoul and Weinberg 1995）．

[*10] 輻射場が宇宙背景放射の場合，$E_{\rm CBR} = a T_{\rm rad}^4 = 7.56 \times 10^{-15} T_{\rm rad}^4 \, {\rm erg \, cm^{-3}}$ であり，cgs単位系で，z を赤方偏移として，

$$\Lambda_{\rm CBR}^{\rm Comp} = 5.7 \times 10^{-36} (1+z)^4 n_e (T - T_{\rm rad})$$

となる．コンプトン散乱は，電離度の高いガスにおいて，高赤方偏移で重要となる．

この図から，10^4 K 付近では水素の線放射が，10^5 K 付近ではヘリウムの線放射が支配的であることがわかる．また，10^5–10^6 K では輻射性再結合と熱制動放射（自由–自由）が寄与し，10^6 K 以上になると熱制動放射が支配的になる．

冷却関数が温度の減少関数になっている領域では，温度が下がるとより強い冷却が効くようになるので，温度の下降が止まらなくなる．これを **熱的不安定** と呼ぶ．逆に，冷却関数が温度の増加関数になっている領域では，温度が上昇するときに強い冷却が働くようになるので，熱的には安定となる．図の例では，線放射は熱的不安定を起こし，熱制動放射は熱的に安定であることがわかる．

A.2.2 分子による冷却過程

図 A.3 からわかるように，水素やヘリウム原子による冷却関数は 10^4 K 以下で急激に小さくなる（原子が基底状態に落ち着くため）．ダストがないガスの場合には，10^4 K 以下で冷却を担うのは分子で，とくに重要なのが水素分子である．

（1）水素分子

まず水素分子の形成過程であるが，水素分子は等核で中性の 2 つの原子からなるため，電気双極子モーメントをもたない．そのため，水素原子 2 つが光子を放出して水素分子が形成される過程は禁止されている．

水素分子を形成する一つの過程としては，3 体反応：

$$3\mathrm{H} \to \mathrm{H}_2 + \mathrm{H}, \tag{A.40}$$

$$2\mathrm{H} + \mathrm{H}_2 \to 2\mathrm{H}_2 \tag{A.41}$$

がある．この 3 体反応は，原子の数密度が $10^8\,\mathrm{cm}^{-3}$ を超えるような比較的高密度領域では有効となるが，たとえば銀河形成期におけるような低密度領域では 3 体反応は起こりにくく，3 体反応による分子形成は進まない．

低密度領域では，電子または陽子の触媒反応によって水素分子が形成される．電子触媒反応および陽子触媒反応は，それぞれ，

$$\mathrm{H} + \mathrm{e}^- \to \mathrm{H}^- + h\nu \Rightarrow \mathrm{H}^- + \mathrm{H} \to \quad \mathrm{H}_2 + \mathrm{e}^- \tag{A.42}$$

$$\mathrm{p} + \mathrm{H} \to \mathrm{H}_2^+ + h\nu \Rightarrow \mathrm{H}_2^+ + \mathrm{H} \to \quad \mathrm{H}_2 + \mathrm{p} \tag{A.43}$$

のようになる．このような水素分子の形成は，非平衡過程によって進み，また上記

の反応が進むためには，ある程度の電離度が必要になる[*11]．

水素分子は，分子の回転・振動遷移によって線放射するが，これは電気双極子遷移ではないためアインシュタインの A 係数は小さい．図 A.4 に水素分子の回転・振動遷移による線放射冷却関数を示す．また水素分子は，**衝突誘導放射**によって連続光を放射することもできる．

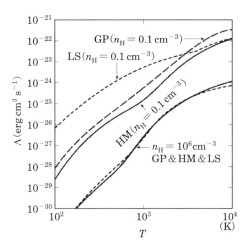

図 **A.4** 水素分子の冷却関数 (Susa and Umemura 1994). GP (Galli and Palla 1998), LS (Lepp and Shull 1984), HM (Hollenbach and Mckee 1979).

水素分子の励起準位も (A.16) によって決定される．ガスの密度が，A 係数や C 係数の値によって決まる**臨界密度** n_{cr} より大きいか小さいかによって，支配的なプロセスが違う．すなわち，密度が臨界密度よりも低いと，準位間の下向き遷移は自発放射（A 係数）が支配的となり，上向き遷移は主に衝突（C 係数）によって起こる．この場合は，$n_i A_{ij} \sim n_e n_j C_{ji}$ となるので，冷却関数は，

$$\Lambda_{H_2} = \sum_{i \geq 2} \sum_{j < i} n_i A_{ij} h\nu_{ij} = \sum_{i \geq 2} \sum_{j < i} n_e n_j C_{ji} h\nu_{ij} \tag{A.44}$$

[*11] 宇宙初期における宇宙残存電離 ($x_e \simeq 10^{-4}$) の場合には，形成される水素分子の水素原子に対する割合は，$x_{H_2} \simeq 10^{-6}$ と小さいが，原始銀河の重力収縮過程で密度の上昇が起これば，$x_{H_2} \simeq 10^{-4}$–10^{-3} ぐらいになる．このようにして形成された水素分子は，原始銀河においては，10^4 K 以下で重要な冷却剤となるだろう．さらに，衝撃波による電離が起こる場合や，あらかじめ紫外線で光電離されていた場合などには，$x_{H_2} \simeq 10^{-3}$–10^{-2} ぐらいまで分子量が増大する．

のように n^2 に比例するようになる．逆に，密度が臨界密度よりも高いと，上下の遷移とも衝突が支配的となる．この場合は，局所熱平衡（A.18）によって準位が決定され，冷却関数は，

$$\Lambda_{H_2} = \sum_{i \geq 2} \sum_{j < i} n_i A_{ij} h\nu_{ij} \tag{A.45}$$

のように n に比例するようになる．このことは，密度が臨界密度を超えると放射冷却の効率が悪くなることを意味している．

水素分子の場合は，臨界密度は，$n_{\rm cr} \simeq 10^4 \, {\rm cm^{-3}}$ である．

具体的には，臨界密度より低い領域で，水素原子と水素分子の衝突によって準位が決まる場合の冷却関数は，cgs 単位系で[*12]，

$$\begin{aligned}\Lambda_{H_2,\,{\rm low}}^{\rm line} = n_H n_{H_2} {\rm dex}[&-103.1 + 97.59 \log T - 48.05 (\log T)^2 \\ &+ 10.80 (\log T)^3 - 0.9032 (\log T)^4] \quad {\rm erg\,s^{-1}\,cm^{-3}}\end{aligned} \tag{A.46}$$

でよくフィットされる．水素分子同士の衝突で準位が決まる場合には，$n_H n_{H_2}$ を $n_{H_2}^2$ で置き換えればよい．逆に，臨界密度より高い領域では，

$$\begin{aligned}\Lambda_{H_2,\,{\rm high}}^{\rm line} = n_{H_2} [&9.5 \times 10^{-22} T_3^{3.76} (1 + 0.12 T_3^{2.1}) e^{-(0.13/T_3)^3} \\ &+ 3 \times 10^{-24} e^{-0.15/T_3} + 6.7 \times 10^{-19} e^{-5.86/T_3} \\ &+ 1.6 \times 10^{-18} e^{-11.7/T_3}] \quad {\rm erg\,s^{-1}\,cm^{-3}}\end{aligned} \tag{A.47}$$

でフィットされる．ここで，$T_3 = T/10^3 \, {\rm K}$ である．

(2) 重水素化水素分子

水素分子に関連する重要な分子として，重水素化水素（HD）がある．重水素（D）はビッグバン元素合成によって，わずかに，$x_D \simeq 10^{-5}$ 程度作られるだけにすぎない．しかし，HD は電気双極子モーメントをもつため，水素分子より A 係数が大きい．そのため，わずかな量でも放射冷却に寄与することができる．また HD は，水素分子よりも励起エネルギーが小さいため，温度が 100 K ぐらいになると，水素分子による冷却よりも有効となる．密度によって異なるが，HD は水素

[*12] ここで dex は 10 進指数（decimal exponent）を表し，${\rm dex}(x) = 10^x$．

分子を介して以下のような反応で形成される：

$$D^+ + H_2 \rightarrow H^+ + HD \quad \text{（低密度）} \tag{A.48}$$

$$D + H_2 \rightarrow H + HD \quad \text{（高密度）} \tag{A.49}$$

HD の臨界密度は，$n_{\rm cr} \simeq 10^7\,{\rm cm}^{-3}$ で，水素分子の場合よりも高密度まで冷却が強く働く．

A.2.3 重元素による冷却過程

宇宙初期には重元素はないが，現在の宇宙には重元素が存在している．太陽組成 ($Z_\odot$) における重元素量は，全質量に対する割合が 1.4×10^{-2} 程度である．水素やヘリウムに比べれば微量だが，重元素は多くの電子をもち，また高い内部自由度をもつために，全体として束縛–束縛遷移に対する断面積が大きくなり，結果としては非常に有効な放射冷却源となる．

図 A.5（左）に，太陽組成における冷却関数を示す．この図からわかるように，10^5–10^7 K にかけて，炭素，酸素，ネオン，鉄の束縛–束縛遷移による冷却が支配的になっている．さらに，10^7 K 以上では，熱制動放射が卓越する．

これらの冷却関数は，当然のことながら，重元素の量によって変わる．図 A.5（右）に，重元素量に対する依存性を示す．ここで，[Fe/H] の値は，太陽組成に対する鉄の量の比を対数で表したものである．この図からわかるように，太陽組成の 1000 分の 1 以下になると，重元素による冷却はほとんど無視できるほどになる．

また，10^4 K 以下の温度では，炭素による冷却が重要になる．図 A.6（359 ページ）に，低温領域での重元素冷却と水素分子冷却が比較してある．この図から，衝撃波で水素分子が形成される場合には，重元素が太陽組成の 10 分の 1 以下であれば，水素分子冷却が支配的になる．水素分子の割合が 10^{-4} 程度であっても，重元素が太陽組成の 100 分の 1 以下であれば，10^3–10^4 K で水素分子が支配的になる．

A.2.4 ダストによる冷却過程

低温高密度領域では，ダストによる冷却過程が重要となる．

重元素のうちどれくらいがダスト（星間塵）の形を取っているかは状況によって異なる．われわれの銀河系における星間空間では，重元素の約 4 割がダストを形成している．星間空間では，ダストの半径 $a_{\rm d}$ は，0.1–$1\,\mu{\rm m}$ であり，ダストの個数分布は，

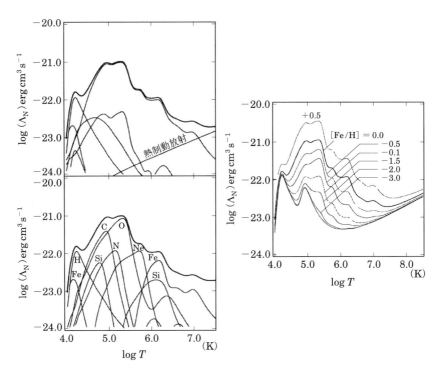

図 **A.5** 太陽組成ガスにおける重元素の冷却関数 (Sutherland and Dopita 1993).

$$n_\mathrm{d} da_\mathrm{d} \propto a_\mathrm{d}^{-3.5} da_\mathrm{d} \tag{A.50}$$

に近い分布になっていることが知られている[*13].

一様な輻射場 I_ν にさらされたダストの温度は, 輻射平衡:

$$\int\int I_\nu \pi a_\mathrm{d}^2 Q(a_\mathrm{d},\nu) d\Omega d\nu = \int \pi B_\nu(a_\mathrm{d},T_\mathrm{d}) 4\pi a_\mathrm{d}^2 Q(a_\mathrm{d},\nu) d\nu \tag{A.51}$$

によって決定され, 冷却関数は, 以下で与えられる:

$$\Lambda^\mathrm{dust} = \int\int \pi B_\nu(a_\mathrm{d},T_\mathrm{d}) 4\pi a_\mathrm{d}^2 Q(a_\mathrm{d},\nu) \frac{dn_\mathrm{d}}{da_\mathrm{d}} da_\mathrm{d} d\nu. \tag{A.52}$$

[*13] 原始銀河においては, ダストは現在の星間空間のものよりずっと小さかったという計算もあるが, 実際にどのような分布になっていたのかなどは, まだよくわかっていない.

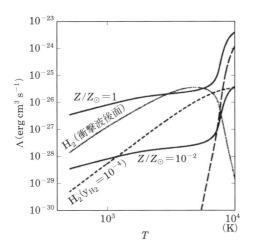

図 **A.6** 低温での重元素の冷却関数（Susa and Umemura 2004）．Z は重元素重量比（$Z_\odot$ は太陽組成の場合），y_{H_2} は水素分子の割合．

ただし，Q をダストの有効断面積である（Draine and Lee 1984, Draine 2003）．ダストの温度は，通常，10–100 K であり，この温度領域ではダストが重要な冷却源となる．

B マクスウェル–ボルツマン分布

物質と熱平衡にある輻射場のプランク分布は本文で紹介した．ここで，ガスがある温度 T で熱平衡状態に達したとき，ガスを構成する粒子の分布を整理しておこう．熱平衡にあるガス粒子の運動量分布（速度分布）は，**マクスウェル–ボルツマン分布**（Maxwell–Boltzmann distribution）で表される．

B.1 マクスウェル–ボルツマン分布

質量 m の原子の運動エネルギーは $m(v_x^2 + v_y^2 + v_z^2)/2$ であり，その原子が $d^3v = dv_x dv_y dv_z$ 間の速度を持つ確率は，以下のマクスウェル分布で表せる：

$$f(\bm{v})d\bm{v} = \left(\frac{m}{2\pi k_B T}\right)^{3/2} \exp\left[-\frac{m(v_x^2 + v_y^2 + v_z^2)}{2k_B T}\right] dv_x dv_y dv_z. \tag{B.1}$$

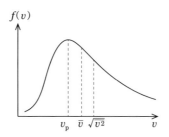

図 **B.1** マクスウェル–ボルツマン分布.

速度空間での速度分布が等方的な場合は以下のようになる（図 B.1）：

$$f(\boldsymbol{v})d\boldsymbol{v} = 4\pi \left(\frac{m}{2\pi k_\mathrm{B} T}\right)^{3/2} e^{-\frac{m}{2k_\mathrm{B} T}v^2} v^2 dv. \tag{B.2}$$

B.2　マクスウェル–ボルツマン分布の性質

マクスウェル–ボルツマン分布に関しては，いくつかの特徴的な速度がある．

マクスウェル分布でもっとも粒子の頻度が高い速度を**最確速度**（most probable velocity）と呼ぶ．最確速度 v_p は $df/dv = 0$ より求まり，以下のようになる：

$$v_\mathrm{p} = \sqrt{\frac{2k_\mathrm{B} T}{m}} = 1.29 \times 10^4 \sqrt{\frac{T}{\mu}} \quad \mathrm{cm\,s^{-1}}. \tag{B.3}$$

多くの粒子の平均的な速度を**平均速度**（mean velocity）と呼ぶ．平均速度 $\bar{v}$ はマクスウェル分布の重みを掛けて定義する：

$$\bar{v} = \frac{\int v f(v) dv}{\int f(v) dv} = \int v f(v) dv = \sqrt{\frac{8k_\mathrm{B} T}{\pi m}} = \frac{2}{\sqrt{\pi}} v_\mathrm{p} = 1.128 v_\mathrm{p}. \tag{B.4}$$

さらに**根 2 乗平均速度/2 乗平均平方根速度**（root-mean-square velocity）は，

$$\overline{v^2} = \int v^2 f(v) dv = \frac{3k_\mathrm{B} T}{m} = \frac{3}{2} v_\mathrm{p}^2, \tag{B.5}$$

$$\sqrt{\overline{v^2}} = \sqrt{\frac{3k_\mathrm{B} T}{m}} = \sqrt{\frac{3}{2}} v_\mathrm{p} = 1.225 v_\mathrm{p}. \tag{B.6}$$

で定義される．粒子の平均エネルギー $\bar{\varepsilon}$ は，$\bar{\varepsilon} = m\overline{v^2}/2 = (3/2)k_\mathrm{B} T$ となる．

B.3 相対論的マクスウェル–ボルツマン分布

粒子のエネルギーが高くなると相対論的な分布に移行する．とくに電子は質量が小さいので，高温プラズマ中などでは相対論的な分布になりやすい．

電子の個数密度を n_e，温度を T_e，光速で規格化した電子の熱運動速度を β_e，ローレンツ因子を $\gamma_e\,(=1/\sqrt{1-\beta_e^2})$ とすると，**相対論的マクスウェル–ボルツマン分布**は以下となる：

$$f(\gamma_e) = n_e \frac{\gamma_e^2 \beta_e \exp(-\gamma_e/\theta_e)}{\theta_e K_2(1/\theta_e)}, \tag{B.7}$$

ただし，K_n は n 次の修正ベッセル関数で，θ_e は無次元化した電子温度である：

$$\theta_e \equiv \frac{k_B T_e}{m_e c^2}. \tag{B.8}$$

相対論的マクスウェル–ボルツマン分布をした電子のエネルギー密度は，

$$u = a(\theta_e) n_e m_e c^2 \theta_e \tag{B.9}$$

となる（Chandrasekhar 1939）．ここで係数 $a(\theta_e)$ は，以下で定義される[*14]：

$$a(\theta_e) \equiv \frac{1}{\theta_e} \left[\frac{3K_3(1/\theta_e) + K_1(1/\theta_e)}{4K_2(1/\theta_e)} - 1 \right]. \tag{B.10}$$

例題 B.1 べき関数型の分布をした非熱的電子について考えてみよ．

解答 非熱的電子の個数密度を $n_{\rm pl}$ とすると，非熱的電子のエネルギー分布は，べき指数を p として以下のように表せる：

$$f_{\rm pl}(\gamma_e) = n_{\rm pl}(p-1)\gamma_e^{-p}. \tag{B.11}$$

$\gamma_e = 1$ から無限大まで積分して，非熱的電子のエネルギー密度が得られる：

$$u_{\rm pl} = \int_1^\infty \gamma_e m_e c^2 f_{\rm pl} d\gamma_e = \frac{p-1}{p-2} n_{\rm pl} m_e c^2. \tag{B.12}$$

∎

[*14] 実用的には，以下ぐらいで近似される（Gammie and Popham 1998）：

$$a(\theta_e) \sim \frac{6 + 15\theta_e}{4 + 5\theta_e}.$$

C 相対論的な状態方程式と音速

ブラックホール降着流やブラックホール風などでは，ガスの温度やエネルギーが非相対論的領域から相対論的領域まで変化する．相対論的マクスウェル–ボルツマン分布から導かれる，相対論的な状態方程式と音速などをまとめておこう．

C.1 相対論的な状態方程式

複数の粒子（電子やイオンなど）があるとき，a 番目の種類の粒子について，質量を m_a，個数密度を n_a，温度を T_a とすると，圧力 p_a と単位体積当りの内部エネルギー ε_a は，それぞれ以下のように表される（Chandrasekhar 1967, Cox and Giuli 1968）：

$$p_a = n_a k_{\rm B} T_a, \tag{C.1}$$

$$\varepsilon_a = n_a f_a(T_a). \tag{C.2}$$

ここで，$k_{\rm B}$ はボルツマン定数である[*15]．また，関数 $f_a(T_a)$ とその微分 df_a/dT_a は以下のようになる（図 C.1）[*16]：

$$f_a(T_a) = m_a c^2 \left[\frac{3k_{\rm B} T_a}{m_a c^2} + \frac{K_1(m_a c^2/k_{\rm B} T_a)}{K_2(m_a c^2/k_{\rm B} T_a)} \right], \tag{C.3}$$

$$\frac{df_a}{k_{\rm B} dT_a} = 3 + 3\frac{f_a}{k_{\rm B} T_a} - \left(\frac{f_a}{k_{\rm B} T_a}\right)^2 + \left(\frac{m_a c^2}{k_{\rm B} T_a}\right)^2. \tag{C.4}$$

非相対論的極限 ($k_{\rm B} T_a/m_a c^2 \ll 1$) では，$K_1/K_2$ は近似的に $1 - (3/2) \times (k_{\rm B} T_a/m_a c^2)$ となり，以下のような非相対論の形に帰着する：

$$f_a(T_a) \sim m_a c^2 + \frac{3}{2} k_{\rm B} T_a. \tag{C.5}$$

一方，極度に相対論的な極限 ($k_{\rm B} T_a/m_a c^2 \gg 1$) では，$K_1/K_2 \sim 1$ であり，以下のようになる：

[*15] 電子と陽子が同じ温度 T であれば，以下のようになる：$p = (n_{\rm p} + n_{\rm e}) k_{\rm B} T = 2 n_{\rm p} k_{\rm B} T$ および $\varepsilon = n_{\rm p} f_{\rm p}(T) + n_{\rm e} f_{\rm e}(T) = n_{\rm p} [f_{\rm p}(T) + f_{\rm e}(T)]$.

[*16] 無次元化した温度 θ_a ($\equiv k_{\rm B} T_a/m_a c^2$) を使うと，$\Phi_a$ ($\equiv f_a/(m_a c^2)$) などは以下となる：
$$\Phi_a(\theta_a) = 3\theta_a + \frac{K_1(1/\theta_a)}{K_2(1/\theta_a)} \quad \text{および} \quad \frac{d\Phi_a}{d\theta_a} = 3 + \frac{3\Phi_a}{\theta_a} - \frac{\Phi_a^2 - 1}{\theta_a^2}.$$

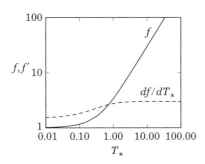

図 **C.1** 無次元化した温度 T_a の関数としてプロットした f_a とその微分 df_a/dT_a.

$$f_a(T_a) \sim m_a c^2 + 3k_B T_a. \tag{C.6}$$

非相対論的か相対論的かの境界温度（$k_B T_a / m_a c^2 = 1$ で定義する）は，電子に対しては $T_1 = 5.93 \times 10^9$ K で，陽子に対しては $T_2 = 1.08 \times 10^{12}$ K となる．

C.2 相対論的な音速と有効断熱指数

相対論的領域における断熱音速 c_s と有効断熱指数 Γ は以下で定義される：

$$\frac{c_s^2}{c^2} \equiv \left(\frac{\partial p}{\partial \varepsilon}\right)_s = \Gamma \frac{p}{\varepsilon + p}, \tag{C.7}$$

$$\Gamma = 1 + \frac{p}{\sum T_a n_a f'_a(T_a)}. \tag{C.8}$$

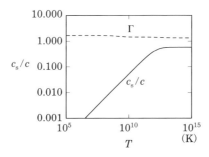

図 **C.2** 温度の関数として表した断熱音速 c_s と有効断熱指数 Γ.

ここで,ダッシュ(′)は温度に関する微分を意味する [より一般的な形式は Fukue (1987, 2004) などを参照].

電子と陽子の温度が同じときは,それぞれ以下のようになる(図 C.2 (363 ページ)):

$$\frac{c_s^2}{c^2} = \Gamma \frac{2k_B T}{f_p(T) + f_e(T) + 2k_B T}, \tag{C.9}$$

$$\Gamma = 1 + \frac{2k_B}{f'_p(T) + f'_e(T)}. \tag{C.10}$$

Ⓓ コンプトン散乱とカンパニーツ方程式

本文 13 章では,プラズマガス全体の運動(bulk motion)が相対論的になった状況での輻射流体力学を考えた.ここでは,プラズマが高温となって内部運動が相対論的になった状況での輻射輸送を少し説明しておこう[*17,*18].ガスが高温になると電離して電離気体(プラズマガス)になると同時に,電子散乱の不透明度が卓越してくる.プラズマの温度が数千万 K から数億 K になると,自由電子と光子の相互作用は,エネルギーの変化を考えない電子散乱から,エネルギーの授受まで考慮するコンプトン散乱へ移行する.さらに温度が上昇し約 60 億 K ぐらいになると,電子・陽電子対の発生や消滅が起こり始める(第 4 巻参照).このような高温プラズマを**相対論的プラズマ**(relativistic plasma)と呼ぶ.

D.1 自由電子による光子の散乱

最初に,相対論的自由電子による光子の散乱の素過程をまとめておこう[*19].

(1) コンプトン散乱と逆コンプトン散乱

自由電子に光子が衝突したとき,入射光子は相対論的だが自由電子は非相対論的

[*17] 詳しくは,加藤(1989),Rybick and Lightman(1979),Castor(2004),Hubeny and Mihalas(2014)など参照.

[*18] 全体運動と内部運動の両方を考慮した,相対論的流れにおけるコンプトン散乱の問題も検討されている(Blandford and Payne(1981a, b),Masaki(1981),Fukue et al.(1985),Fukue (2023)).

[*19] コンプトン散乱および逆コンプトン散乱の詳細な議論や,電子–光子系の素過程については,第 4 巻を参照してほしい.

な場合，すなわち入射光子のエネルギー $h\nu$ が散乱電子の静止エネルギー $m_e c^2$ に比べて同じくらいになると，自由電子の反跳が無視できなくなる．このときは，衝突（散乱）によって，光子のエネルギーも進行方向も変化する．これを**コンプトン散乱**（Compton scattering）と呼んでいる．

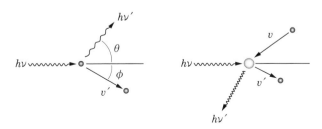

図 **D.1** コンプトン散乱と逆コンプトン散乱．（左）静止電子に光子が衝突するコンプトン散乱では，光子のエネルギーは減少する．（右）速度 v で運動している自由電子と光子が衝突する場合は，$\nu > \nu'$ の場合も $\nu < \nu'$ の場合も起こりうる．

左方から振動数 ν（エネルギー $h\nu$）の光子が入射してきて，静止している自由電子に衝突したとき，光子は進行方向から θ の方向へ振動数 ν'（エネルギー $h\nu'$）の光子として散乱され，一方，電子は進行方向から ϕ の方向へ速度 v' で弾かれたとしよう（図D.1（左））．このとき，散乱前と散乱後における，光子の振動数（波長）が満たす関係式を導いてみよう．

まず，散乱後の電子のローレンツ因子を $\gamma' = 1/\sqrt{1-(v'/c)^2}$ として，散乱前と散乱後におけるエネルギーの保存，入射光子の進行方向の運動量保存，入射光子の進行方向と垂直方向の運動量保存は，それぞれ，

$$h\nu + m_e c^2 = h\nu' + \gamma' m_e c^2, \tag{D.1}$$

$$\frac{h\nu}{c} = \frac{h\nu'}{c}\cos\theta + \gamma' m_e v' \cos\phi, \tag{D.2}$$

$$0 = \frac{h\nu'}{c}\sin\theta - \gamma' m_e v' \sin\phi \tag{D.3}$$

のように表される．運動量保存の（D.2）と（D.3）を少し変形して，両辺を2乗して加えると，

$$\left(\frac{h\nu}{c} - \frac{h\nu'}{c}\cos\theta\right)^2 + \left(\frac{h\nu'}{c}\sin\theta\right)^2 = \gamma'^2 m_e^2 v'^2 = \gamma'^2 m_e^2 c^2 - m_e^2 c^2 \tag{D.4}$$

のようになり，この右辺にエネルギー保存の (D.1) を代入すると，

$$\left(\frac{h\nu}{c} - \frac{h\nu'}{c}\cos\theta\right)^2 + \left(\frac{h\nu'}{c}\sin\theta\right)^2 = \left(\frac{h\nu}{c} + m_e c - \frac{h\nu'}{c}\right)^2 - m_e^2 c^2 \quad \text{(D.5)}$$

となる．さらに展開して整理すると，

$$\nu' = \frac{\nu}{1 + \dfrac{h\nu}{m_e c^2}(1-\cos\theta)} \quad \text{(D.6)}$$

が得られる．この (D.6) が，散乱前および散乱後の光子のエネルギー（振動数）と散乱角の間に成り立つ関係式で，**コンプトンの公式**と呼ばれる．

波長 $\lambda\ (= c/\nu)$ を用いると，散乱前後の関係式は，

$$\lambda' - \lambda = \lambda_C(1 - \cos\theta) \quad \text{(D.7)}$$

のように表すこともできる．ただしここで，

$$\lambda_C \equiv \frac{h}{m_e c} = 0.002426 \quad \text{nm} \quad \text{(D.8)}$$

は，電子の**コンプトン波長**である．これからわかるように，光子の波長がコンプトン波長ぐらいに短くなって初めて，光子のエネルギーが変化するコンプトン散乱が有効に効き始める（光子の波長がコンプトン波長より十分に長ければ，光子のエネルギーが変化しない通常のトムソン散乱になる）．

コンプトン散乱後の光子の波長は散乱前に比べて伸びる（光子のエネルギーは減少する）．散乱による振動数の変化量は，以下ぐらいになる：

$$\frac{\Delta\nu}{\nu} = \frac{\nu' - \nu}{\nu} \sim -\frac{h\nu}{m_e c^2}. \quad \text{(D.9)}$$

一般には自由電子も運動している．とくに，高速で運動している自由電子と光子が衝突したとき，電子の運動エネルギー $m_e v^2/2$ が静止エネルギー $m_e c^2$ に比べて同じくらいになると，散乱によって光子は大きく影響を受ける（図 D.1（右））．通常のコンプトン散乱では散乱によって光子のエネルギーは減少するが，高エネルギーの電子によるコンプトン散乱では光子のエネルギーは増加する．これを**逆コンプトン散乱**（inverse Compton scattering）と呼んでいる．

(2) コンプトン散乱による光子のエネルギー変化

光子系（振動数 ν）と電子系（温度 T）の間で，散乱が頻繁に起こって平衡状態になっているとき，1 回の散乱でやり取りされる平均のエネルギー変化は，

$$\frac{\Delta \nu}{\nu} = -\frac{h\nu}{m_e c^2} + \frac{4k_B T}{m_e c^2} \tag{D.10}$$

ほどになる[20]．右辺の第 1 項は，光子が電子をコンプトン散乱してエネルギーを失うもので（電子はエネルギーを得る），第 2 項は，光子が電子に逆コンプトン散乱されてエネルギーを得るものだ（電子はエネルギーを失う）．したがって，光子のエネルギーが $h\nu > 4k_B T$ ならば光子系から電子系へエネルギーが流れ，光子のエネルギーが $h\nu < 4k_B T$ ならば電子系から光子系にエネルギーが流れる．

なお，電子の運動速度が遅く温度 T （$< m_e c^2/k_B \sim 6 \times 10^9$ K）の非相対論的マクスウェル分布をしている場合，光子がもらう平均エネルギーは $\Delta\nu/\nu = 4k_B T/(m_e c^2)$ だが，電子が相対論的な運動をしており温度 T （$> m_e c^2/k_B$）の相対論的マクスウェルになっていると，光子がもらう平均エネルギーは以下となる：

$$\frac{\Delta \nu}{\nu} = 16 \left(\frac{k_B T}{m_e c^2}\right)^2. \tag{D.11}$$

(3) クライン–仁科の公式

入射光子のエネルギーが高くなり相対論的効果が効いてくると，光子のエネルギーだけでなく，散乱断面積も変化を受ける．相対論的な場合には，散乱断面積はトムソン散乱の断面積よりも小さくなり，**クライン–仁科の公式**で表される：

$$\frac{d\sigma}{d\Omega'} = \frac{3}{16\pi}\sigma_T \left(\frac{\nu'}{\nu}\right)^2 \left(\frac{\nu'}{\nu} + \frac{\nu}{\nu'} - 1 + \cos^2\theta\right) \tag{D.12}$$

（σ_T はトムソン散乱の断面積）．この公式からはわかりにくいが，図 D.2 に示すように，入射光子のエネルギー $h\nu/(m_e c^2)$ が 0 のとき（トムソン散乱）は前方散乱と後方散乱は対称だが，エネルギーが大きくなると後方散乱はどんどん弱まる．

さらに角度方向に積分して得られる全散乱断面積は，$x \equiv h\nu/(m_e c^2)$ として，

$$\sigma = \frac{3}{4}\sigma_T \left\{\frac{1+x}{x^3}\left[\frac{2x(1+x)}{1+2x} - \ln(1+2x)\right] + \frac{\ln(1+2x)}{2x} - \frac{1+3x}{(1+2x)^2}\right\}$$

---

[20] 導出は，加藤 (1989)，Rybick and Lightman (1979)，第 4 巻など参照．

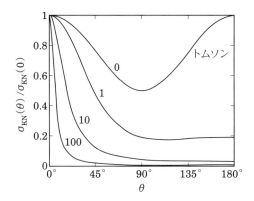

図 **D.2** クライン–仁科の微分散乱断面積の角度依存性 $\sigma_{\mathrm{KN}}(\theta)/\sigma_{\mathrm{KN}}(0)$ (Klein and Nishina 1929). 図中の数値は入射光子のエネルギー $h\nu/(m_\mathrm{e}c^2)$.

$$\sim \begin{cases} \sigma_\mathrm{T}\left(1 - \dfrac{2h\nu}{m_\mathrm{e}c^2}\right) & h\nu \ll m_\mathrm{e}c^2 \\ \dfrac{3}{8}\sigma_\mathrm{T}\left(\dfrac{m_\mathrm{e}c^2}{h\nu}\right)\left[\ln\left(\dfrac{2h\nu}{m_\mathrm{e}c^2}\right) + \dfrac{1}{2}\right] & h\nu \gg m_\mathrm{e}c^2 \end{cases} \tag{D.13}$$

のようになる（図 D.3）．エネルギー x が大きいほど，σ_T より小さくなる．

D.2　コンプトン y パラメータとコンプトン化

以上は電子が光子を 1 回散乱する単散乱過程の話だが，高温プラズマ中では一般

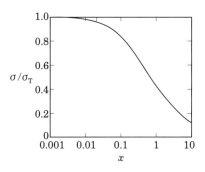

図 **D.3** クライン–仁科の散乱断面積．横軸は $x = h\nu/(m_\mathrm{e}c^2)$，縦軸は σ/σ_T.

には相対論的多重散乱が起こる．1回の散乱でのエネルギー変化は小さくても，多重散乱が起これば累積作用で大きなエネルギー変化になることもある．

散乱過程（3.3.4節）で見積もったように，光学的厚み τ の媒質中における散乱回数 N は，$N \sim \mathrm{Max}(\tau, \tau^2)$ と表せた．いまの場合はトムソン散乱（電子散乱）に対する光学的厚み τ_{es} を用いて，$N \sim \mathrm{Max}(\tau_{\mathrm{es}}, \tau_{\mathrm{es}}^2)$ としよう．1回の散乱で光子がもらう平均エネルギーは，非相対論的な場合は $4k_{\mathrm{B}}T/m_{\mathrm{e}}c^2$，相対論的な場合は $16(k_{\mathrm{B}}T/m_{\mathrm{e}}c^2)^2$ だったので，多重散乱後の光子のエネルギー変化は，非相対論と相対論のそれぞれで，以下ぐらいと見積もることができる：

$$y_{\mathrm{NR}} = \frac{4k_{\mathrm{B}}T}{m_{\mathrm{e}}c^2}\mathrm{Max}(\tau_{\mathrm{es}}, \tau_{\mathrm{es}}^2), \tag{D.14}$$

$$y_{\mathrm{R}} = 16\left(\frac{k_{\mathrm{B}}T}{m_{\mathrm{e}}c^2}\right)^2 \mathrm{Max}(\tau_{\mathrm{es}}, \tau_{\mathrm{es}}^2). \tag{D.15}$$

この指標 y を**コンプトン y パラメータ**（Compton y parameter）と呼ぶ．

このパラメータが，$y<1$ であれば多重散乱後に光子のエネルギー変化は大きくないが，$y>1$ になると大きなエネルギー変化を受け，たとえばスペクトルなどが影響を受けることになる．このようなコンプトン多重散乱過程や，それに伴うスペクトル変化を，**コンプトン化**（Comptonization）と呼んでいる．

D.3　カンパニーツ方程式

コンプトン散乱によって光子のエネルギーや運動量は変化するので，光子の位相空間 (ν, l) における位相空間密度 $n(\nu, l)$ も時間的に変化していく．この変化は一般的な場合は非常に複雑だが，ガスの巨視的な運動がなく，電子も光子も非相対論的で（$k_{\mathrm{B}}T/m_{\mathrm{e}}c^2 \ll 1$, $h\nu/m_{\mathrm{e}}c^2 \ll 1$），等方的な分布をしている場合は，比較的シンプルな方程式で記述されることがわかっている．

カンパニーツ方程式（Kompaneets equation）（Kompaneets 1957）[*21] として知られている方程式は，いろいろな導き方があるが，ここでは加藤（1979）による方法で導出してみよう（13.1節の相対論的不変量も参照してほしい）．

4元運動量 $p^{\mu} = (E, \boldsymbol{p}/c)$ を持った電子の位相空間における不変分布関数を $f_{\mathrm{e}}(E, \boldsymbol{p})$，4元運動量 $k^{\mu} = (h\nu/c)(1, \boldsymbol{l})$ を持った光子の位相空間密度を $n(\nu, \boldsymbol{l})$ とする．そして，エネルギー $h\nu$，運動量 $h\nu\boldsymbol{l}/c$ の光子が，エネルギー E，運動

[*21] 旧ソ連の科学者カンパニーツ（A.S. Kompaneets；1914〜1974）にちなむ．

量 $\bm{p}$ の電子と衝突する割合，ローレンツ不変な衝突積分を $S(\nu, \bm{l}; E, \bm{p})$ と置く．

このとき，位相空間における $n(\nu, \bm{l})$ の時間変化を表す輸送方程式は，ローレンツ不変な形式で以下のように表せる（Fukue et al. 1985）：

$$ck^\mu \partial_\mu n(\nu, \bm{l}) = \int S(\nu, \bm{l}; E, \bm{p}) f_{\rm e}(E, \bm{p}) E_0 \frac{d^3 p}{E}. \tag{D.16}$$

運動量空間の積分については，光子の場合は $d^3 k/\gamma$ が不変量だったように，電子の場合は $d^3 p/E$ が不変量となる．帳尻を合わせるために電子の静止エネルギー E_0 を掛けてある[*22]．

不変衝突積分 S の具体的な形は電子静止系（添え字 0）で表すのが簡単になる：

$$\begin{aligned}
S(\nu, \bm{l}; E, \bm{p}) &= S(\nu_0, \bm{l}_0; E_0, 0) \\
&= h\nu_0 [1 + n(k_0)] \int d\Omega'_0 \frac{d}{d\Omega_0} \sigma(k'_0 \to k_0) \left(\frac{\nu'_0}{\nu_0}\right)^2 \frac{d\nu'_0}{d\nu_0} n(k'_0) \\
&\quad - h\nu_0 n(k_0) \int d\Omega'_0 \frac{d}{d\Omega_0} \sigma(k_0 \to k'_0)[1 + n(k'_0)].
\end{aligned} \tag{D.17}$$

ただしここで，$k_0 \equiv (\nu_0, \bm{l}_0)$, $k'_0 \equiv (\nu'_0, \bm{l}'_0)$ と略記した．この式の右辺第 1 項は，位相空間内の k'_0 にあった光子 $n(k'_0)$ がコンプトン散乱されて k_0 の光子 $n(k_0)$ になる割合だ．位相空間における不変量 $\nu d\nu d\Omega$ と振動数変化が考慮してある．また因子 $[1 + n(k_0)]$ は衝突後の状態に光子が存在していると散乱が強まることを表している（誘導放出と同じ考え）．逆に，右辺第 2 項は，考えている位相空間内の k_0 にある光子 $n(k_0)$ が k'_0 へ散乱されてなくなる割合だ．こちらは位相空間の体積変化は考えなくてよいが，散乱先の光子の存在による影響は積分の中に入ってくる．

コンプトン散乱の振動数変化や散乱断面積はわかっているので，(D.17) は原理的には解けそうだが，実際には大変複雑である．そこでガスの巨視的な運動は考えず，電子も光子も非相対論的で等方的な分布をしているとして，微小量展開で考えてみよう（電子温度と関連させるため電子速度は 2 次まで必要になる）．

まず，コンプトンの公式とクライン–仁科の公式を $h\nu_0/m_{\rm e}c^2$ の 1 次まで展開して，(D.17) の振動数変化の項と散乱断面積に代入すると，(D.17) は，

[*22] 個々の電子の静止系（添え字 0）と電子ガス全体の静止系すなわち流体系（添え字なし）を分けて考える必要がある．電子ガス（流体）に全体運動がある場合は，さらに観測者の静止系いわゆる慣性系も分けて考えないといけない（Fukue et al. 1985）．ここでは電子ガスは静止していると仮定するので，流体系がそのまま慣性系でもある．なお，衝突前後の量は（′）で区別する．

$$S =$$
$$\frac{3}{16\pi}\sigma_{\rm T} h\nu_0 [1+n(\nu_0,\boldsymbol{l}_0)]\int d\Omega'_0 [1+(\boldsymbol{l}_0\cdot\boldsymbol{l}'_0)^2] n(\nu_0+\delta\nu_0,\boldsymbol{l}'_0)\frac{\partial}{\partial \nu_0}(\nu_0+\delta\nu_0)$$
$$-\frac{3}{16\pi}\sigma_{\rm T} h\nu_0 n(\nu_0,\boldsymbol{l}_0)\int d\Omega'_0 [1+(\boldsymbol{l}_0\cdot\boldsymbol{l}'_0)^2][1+n(\nu_0-\delta\nu_0,\boldsymbol{l}'_0)]\left(\frac{\nu_0-\delta\nu_0}{\nu_0}\right)^2 \quad \text{(D.18)}$$

と近似できる．ここで，$\delta\nu_0$ は以下の微小量になる：
$$\frac{\delta\nu_0}{\nu_0}=\frac{h\nu_0}{m_{\rm e}c^2}(1-\boldsymbol{l}_0\cdot\boldsymbol{l}'_0). \quad \text{(D.19)}$$

微小量展開した（D.18）を電子分布で平均処理するのだが，(D.18) は個々の電子の静止系なので，電子分布で平均するために電子ガス全体の静止系に書き換える必要がある．光子数密度 n はローレンツ不変量なので，(D.18) にある光子数密度 n を，$h\nu/m_{\rm e}c^2$ は 1 次まで，電子速度 $\boldsymbol{v}$ ($\equiv c\boldsymbol{\beta}$) は 2 次まで，展開すると，
$$n(\nu_0\pm\delta\nu_0,\boldsymbol{l}'_0)=n(\nu',\boldsymbol{l}')$$
$$=n(\nu,\boldsymbol{l}')+\left[(\boldsymbol{l}'-\boldsymbol{l})\cdot\boldsymbol{\beta}+(\boldsymbol{l}'\cdot\boldsymbol{\beta})(\boldsymbol{l}'-\boldsymbol{l})\cdot\boldsymbol{\beta}\pm\frac{\delta\nu_0}{\nu_0}\right]\nu\frac{\partial n(\nu,\boldsymbol{l}')}{\partial\nu}$$
$$+\frac{1}{2}\left[(\boldsymbol{l}'-\boldsymbol{l})\cdot\boldsymbol{\beta}\right]^2\nu^2\frac{\partial^2 n(\nu,\boldsymbol{l}')}{\partial\nu^2} \quad \text{(D.20)}$$

となる．この展開式を（D.18）に代入して整理すると，
$$S=\frac{3}{16\pi}\sigma_{\rm T} h\nu_0\int d\Omega'_0[1+(\boldsymbol{l}_0\cdot\boldsymbol{l}'_0)^2]$$
$$\times\Bigg\{ n(\nu,\boldsymbol{l}')+[(\boldsymbol{l}'-\boldsymbol{l})\cdot\boldsymbol{\beta}+(\boldsymbol{l}'\cdot\boldsymbol{\beta})(\boldsymbol{l}'-\boldsymbol{l})\cdot\boldsymbol{\beta}]\nu\frac{\partial n(\nu,\boldsymbol{l}')}{\partial\nu}$$
$$+\frac{1}{2}\left[(\boldsymbol{l}'-\boldsymbol{l})\cdot\boldsymbol{\beta}\right]^2\nu^2\frac{\partial^2 n(\nu,\boldsymbol{l}')}{\partial\nu^2}$$
$$+\frac{h\nu}{m_{\rm e}c^2}(1-\boldsymbol{l}\cdot\boldsymbol{l}')[1+2n(\nu,\boldsymbol{l})]\left[2n(\nu,\boldsymbol{l}')+\nu\frac{\partial n(\nu,\boldsymbol{l}')}{\partial\nu}\right]\Bigg\}$$
$$-\left(1-\frac{h\nu}{m_{\rm e}c^2}\right)\sigma_{\rm T} h\nu_0 n(\nu,\boldsymbol{l}) \quad \text{(D.21)}$$

のように慣性系での表現が得られる．

最後に，電子分布は等方的で温度を T とし，光子分布も等方的だと仮定する．そして，電子分布について平均すると，速度について 1 次の項は等方性から消え

て，$\langle \beta^2 \rangle = 3k_{\mathrm{B}}T/m_{\mathrm{e}}c^2$ なので，以下となる：

$$S = \sigma_{\mathrm{T}} h\nu \left\{ \frac{k_{\mathrm{B}}T}{m_{\mathrm{e}}c^2} \frac{1}{\nu^2} \frac{\partial}{\partial \nu} \left(\nu^4 \frac{\partial n}{\partial \nu} \right) \right. \\ \left. + \frac{k_{\mathrm{B}}T}{m_{\mathrm{e}}c^2} \left[\frac{1}{\nu^3} \frac{\partial}{\partial \nu} \left(\nu^4 n \right) + 2n \frac{\partial}{\nu \partial \nu} \left(\nu^2 n \right) \right] \right\}. \tag{D.22}$$

この平均化された衝突積分を（D.16）に代入すると f_{e} の積分は電子密度 n_{e} になり，空間的に一様だとすると $k^{\mu}\partial_{\mu} = h\nu\partial/c^2\partial t$ なので，最終的に，

$$\frac{\partial n(\nu)}{\partial t} = c\sigma_{\mathrm{T}} n_{\mathrm{e}} \frac{k_{\mathrm{B}}T}{m_{\mathrm{e}}c^2} \frac{1}{x^2} \frac{\partial}{\partial x} \left(x^4 \frac{\partial n}{\partial x} + x^4 n + x^4 n^2 \right), \quad x \equiv \frac{h\nu}{k_{\mathrm{B}}T} \tag{D.23}$$

という式が得られる．この方程式がカンパニーツ方程式である[*23].

カンパニーツ方程式にはいくつもの重要な物理的意味合いが含まれている．すなわち，まず両辺に x^2 を掛けてみると光子の個数密度[*24]を保存する形式となっている．また詳細釣合が成り立っており，定常状態のカンパニーツ方程式を解けば，プランク分布の解が得られる[*25]．熱運動による振動数の広がりや，逆コンプトン散乱による振動数変位，誘導散乱なども最低次の近似で含まれている．

また，カンパニーツ方程式の両辺に x^3 を掛けて積分すると，

$$\frac{\partial}{\partial t} \int_0^{\infty} nx^3 dx = c\sigma_{\mathrm{T}} n_{\mathrm{e}} \frac{k_{\mathrm{B}}T}{m_{\mathrm{e}}c^2} \left(4 \int_0^{\infty} nx^3 dx - \int_0^{\infty} nx^4 dx \right) \tag{D.24}$$

のように変形できるが，個数密度 $\int nx^2 dx$ で規格化すると，光子の平均振動数 $\langle x \rangle$ の時間変化を表す方程式になる：

$$\frac{\partial \langle x \rangle}{\partial t} = c\sigma_{\mathrm{T}} n_{\mathrm{e}} \frac{k_{\mathrm{B}}T}{m_{\mathrm{e}}c^2} \left(4\langle x \rangle - \langle x^2 \rangle \right). \tag{D.25}$$

そしてこの方程式は，コンプトン y パラメータで指数的に増加する解をもつ：

$$\langle x \rangle \propto e^y, \quad y = n_{\mathrm{e}} \sigma_{\mathrm{T}} ct \frac{4k_{\mathrm{B}}T}{m_{\mathrm{e}}c^2} = N \frac{4k_{\mathrm{B}}T}{m_{\mathrm{e}}c^2}. \tag{D.26}$$

[*23] 流れがある場合の一般化については，Fukue et al.（1985）や Fukue（2023）で導かれている．

[*24] 光子の個数密度は $\int nx^2 dx$ で得られる．

[*25] 具体的には，$n(x) = 1/(e^x - 1)$ が解となっている．

参考文献

全体の参考図書（ここのみ年代順）

Chandrasekhar, S. 1960, Radiative Transfer (Dover Publishing, Inc., New York) 古典的テキスト

Menzel, D. H. 1966, Selected Papers on the Transfer of Radiation (Dover) 輻射輸送の初期論文を集めたもの

Mihalas, D. 1970, Stellar Atmospheres (W.H. Freeman and Co., San Francisco) 古典的テキスト

Pomraning, G. C. 1973, The Equations of Radiation Hydrodynamics (Dover)

Sobolev, V. V. 1975, Light Scattering in Planetary Atmospheres (Pergamon Press, Oxford)

Rybicki, G. B. and Lightman, A. P. 1979, Radiative Processes in Astrophysics (Wiley, New York) 高エネルギーが詳しい

Mihalas, D. and Mihalas, B. W. 1984, Foundations of Radiation Hydrodynamics (Oxford University Press, Oxford) バイブルだが初心者にはとっつきにくい

加藤正二『天体物理学基礎理論』ごとう書房（1989年）エッセンスが詰まっている

Sen, K. K. and Wilson, S. J. 1990, Radiative Transfer in Curved Media (World Scientific, Singapore)

Shu, F. H. 1991, The Physics of Astrophysics Vol. 1: Radiation (University Science Books, California)

Gray, D. F. 1992, 2005 The Observation and Analysis of Stellar Photospheres (Cambridge University Press, Cambridge) 観測系と吸収線などが詳しい

Emerson, D. 1997, Interpreting Astronomical Spectra (John Wiley & Sons, Inc, Chichester) スペクトルが詳しい

Yanovitskij, E. G. 1997, Light Scattering in Inhomogeneous Atmospheres (Springer-Verlag, Berlin)

Sen, K. K. and Wilson, S. J. 1998, Radiative Transfer in Moving Media (Springer-Verlag, Singapore)

Thomas, G. E. and Stamnes, K. 1999, Radiative Transfer in the Atmosphere and Ocean (Cambridge University Press, Cambridge) 解析的手法などが勉強になる

小暮智一『輝線星概論』ごとう書房（2002年）

Peraiah, A. 2002, An Introduction to Radiative Transfer: Methods and applications in astrophysics (Cambridge University Press, Cambridge) 数値技巧が詳しい

Rutten, R. J. 2003, Radiative Transfer in Stellar Atmospheres: Lecture Notes (e-book) 説明が丁寧で目ウロコ的な内容

Castor, J. I. 2004, Radiation Hydrodynamics (Cambridge University Press, Cambridge) 具体例も多くわかりやすい

Kokhanovsky, A. A. 2004, Light Scattering Media Optics — Problems and Solutions 3rd ed. (Springer-Verlag, Berlin)

Hovenier, J. W., van der Mee, C., and Domke, H. 2004, Transfer of Polarized Light in Planetary Atmosphere (Kluwer Academic Publishers, Dordrecht)

Kato, S., Fukue, J., and Mineshige, S. 2008, Black-Hole Accretion Disks — Towards a New Paradigm (Kyoto University Press)

Wendish, M. and Yang, P. 2012, Theory of Atmospheric Radiative Transfer — A Comprehensive Introduction (Wiley-VCH Verlag GmbH & Co. KGaA, Weinheim)

Hubeny, I. and Mihalas, D, 2014, Theory of Stellar Atmosphere (Princeton University Press, Princeton) 大御所の 2 人が執筆した最終奥義書？

Dullemond, C.P. 2015, Radiative Transfer in

Astrophysics: Theory, Numerical Methods and Applications (e-book) 数値計算の極意に関して痒いところに手が届く説明

Kato, S. and Fukue, J. 2020, Fundamentals of Astrophysical Fluid Dynamics (Springer)

第 1 章

Chandrasekhar, S. 1934, MNRAS, 94, 444
Eddington, A.S. 1926, The Internal Consititution of Stars (Cambridge University Press)
Field, G.B., Goldsmith, D.W., and Habing, H.J. 1969, ApJ, 155, L149
Fukue, J. 2015, PASJ, 67. 57
Kosirev, N.A. 1934, MNRAS, 94, 430
Milne, E.A. 1921, MNRAS, 81, 382
Schuster, A. 1903, Observatory, 26, 379
Schuster, A. 1905, ApJ, 21, 1
Schwarzschild, K. 1906, Nachrichten von der Königlichen Gesslschaft der Wissenschaften zu Göttingen. Math.-phys. Klasse, 195, 41

第 2 章

Beltordi, F. et al. 1999, in *The Physics and Chemistry of the Interstellar Medium*, eds. V. Ossenkopf, J. Stutzki, and G. Winnewisser, p120
Kubát, J. 2014, arXiv:1406.3553v1
Sano, T. et al. 2000, ApJ, 543, 486
Shull, J.M. and Bechwith, S. 1982, ARA&A, 20, 163
Umebayashi, T. 1983, PTP, 69, 480
Wang, S. 2011, A&Ap, 527, A95

第 3 章

Chandrasekhar, S. 1934, MNRAS, 94, 444
Chandrasekhar, S. 1960, Radiative Transfer (Dover Publishing, Inc., New York)
Fluri, D.M., & Stenflo, J.O. 1999, A&Ap, 341, 902
Fujiwara, H. et al. 2006, ApJL, 644, L133
Fukagawa, M. et al. 2006, ApJL, 636, L153
Fukagawa, M. et al. 2013, PASJ, 65, L14
Harrington, J.P. 1970, ApSpace Sci., 8, 227
Henyey, L.G. and Greenstein, J.L. 1941, ApJ, 93, 70
Hirota, T. et al. 2012, ApJL, 757, L1
Kato, S. and Fukue, J. 2020, Fundamentals of Astrophysical Fluid Dynamics (Springer)
Kosirev, N.A. 1934, MNRAS, 94, 430
Li and Draine 2001, ApJ, 554, 778
Mann, R.K. and Williams, J.P. 2009, ApJL, 699, L55
Mishchenko, M. 2006, J. Quant. Spect. Radiat. Transf., 101, 540
Mishchenko, M. 2008, Rev. Geophys., 46, 230
Stenflo, J.O. 1994, Solar Magnetic Fields (Kluwer, Dordrecht)

第 4 章

Thorne, K.S. 1981, MNRAS, 194, 439
Weingartner and Draine 2001, ApJ, 548, 296

第 5 章

Anile, A.M. and Romano, V. 1992, ApJ, 386, 325
Bell, K.R. and Lin, D.N.C. 1994, ApJ, 427, 987
Chandrasekhar, S. 1934, MNRAS, 94, 444
Chandrasekhar, S. 1966, ApJ, 143, 61
Fukue, J. 2012, PASJ, 64, 132
Kosirev, N.A. 1934, MNRAS, 94, 430
Levermore, C.D. 1984, J. Quant. Spectro. Radiat. Transfer, 31, 149
Levermore, C.D. and Pomraning, G.C. 1981, ApJ, 248, 321
Melia, F. and Zylstra, G.J. 1991, ApJ, 374, 731
Morse, P.M. 1940, ApJ, 92, 27
Pomraning, G.C. 1983, ApJ, 266, 841
Ruszkowski, M. and Begelman, M.C. 2004, ApJ, 586, 384
Schwarzschild, M. 1958, *Structure and Evolution of the Stars* (Dover Publications, Inc., New York)
Tamazawa, S. et al. 1975, ApSpSci, 32, 403
Turner, N.J., Stone, J.M. 2001, ApJS, 135, 95

第 6 章

Chandrasekhar, S. 1934, MNRAS, 94, 444
Chapman, R.D. 1966, ApJ, 143, 61
Fukue, J. 2011, PASJ, 63, 1273
Heng, K. *et al.* 2014, ApJS, 215, 4
Hummer, D.G. and Rybicki, G.B. 1971, MNRAS, 152, 1
Kosirev, N.A. 1934, MNRAS, 94, 430
Schuster, A. 1905, ApJ, 21, 1
Unno, W. 1989, PASJ, 41, 211

第 7 章

Chadrasekhar, S. 1944, ApJ, 100, 76
Feautier, P. 1964, C.R.Acad Sc. Paris, 258, 3189
Hummer, D.G. and Rybicki, G.B. 1971, MNRAS, 152, 1
Unno, W. and Kondo, M. 1976, PASJ, 28, 347
Unno, W. and Kondo, M. 1977, PASJ, 29, 693

第 8 章

Castor, J. I. 1970, MNRAS, 149, 111
Chadrasekhar, S. 1947, ApJ, 106, 145
Dijkstra, M., Haiman, Z., and Spaans, M. 2006, ApJ, 649, 37
Harrington, J.P. 1973, MNRAS, 162, 43
Hummer, D.G. 1962, MNRAS, 125, 21
Neufeld, D.A. 1990, ApJ, 350, 216
Serigano, J., Nixon, C.A., Cordiner, M.A. *et al.* 2016, ApJL, 821, L8
Sobolev, V.V. 1947, Moving Atmospheres of Stars (English translation, 1960, Harvard University Press, Cambridge, MA)
Sobolev, V.V. 1957, Soviet Astron. AJ, 1, 678
Wright, K.O. 1948, Pub. Dom. Ap. Obs, 8, 1
Yoshida, T.C., Nomura, H. Tsukagoshi, T., Furuya, K., and Ueda, T. 2022, ApJL, 937, L14

第 9 章

Fukue, J. *et al.* 1985, PASJ, 37, 383
Fukue, J. and Umemura, M. 1994, PASJ, 46, 87
Hsieh, S.-H. and Spiegel, E.A. 1976, ApJ, 207, 244
Jeans, J.H. 1926, MNRAS, 86, 328
Loeb, A. 1993, ApJ, 403, 542
Masaki, I. 1971, PASJ, 23, 425
Milne, E.A. 1929, MNRAS, 89, 518
Ricotti, M. 2007, ApJ, 662, 53
Thomas, L.H. 1939, Q.J. Math., 1, 329
Umemura, M. and Fukue, J. 1994, ApJ, 46, 567
Umemura, M., Fukue, J., and Mineshige, S. 1997, ApJ, 479, L97

第 10 章

福江 純『輝くブラックホール降着円盤』プレアデス出版（2007）
野本憲一他編『恒星（シリーズ現代の天文学 第 7 巻)』日本評論社（2009）
福江 純『完全独習 現代の宇宙物理学』講談社（2015）
Adams, J. 1990, A&Ap, 240, 541
Artemova, I.V. *et al.* 1996, ApJ, 456, 119
Cannizzo, J.K. and Wheeler, J.C. 1984, ApJS, 55, 367
Czerny, B. and Elvis, M. 1987, ApJ, 321, 305
Davis, S.W. *et al.* 2005, ApJ, 621, 372
Fuerst, S.V. and Wu, K. 2004, A&Ap, 424, 733
Fukue, J. 2011, PASJ, 63, 1273
Fukue, J. 2012a, PASJ, 64, 106
Fukue, J. 2012b, PASJ, 64, 132
Fukue, J. 2013a, MNRAS, 436, 2550
Fukue, J. 2013b, MNRAS, 436, 2560
Fukue, J. 2015, PASJ, 67, 57
Fukue, J. 2020, MNRAS, 499, 3571
Fukue, J. and Akizuki, C. 2006, PASJ, 58, 1039
Fukue, J. and Sanbuichi, K. 1993, PASJ, 45, 831
Guillot, T. 2010, A&A, 520, 27
Hubeny, I. 1990, ApJ, 351, 632
Hubeny, I. and Hubeny, V. 1997, ApJ, 484, L37
Hubeny, I. and Hubeny, V. 1998, ApJ, 505,

558
Hubeny, I. et al. 2000, ApJ, 533, 710
Hubeny, I. et al. 2001, ApJ, 559, 680
Hui, Y., Krolik, J. H. & Hubeny, I. 2005, 625, 913
Kato, S., Fukue, J., and Mineshige, S. 1998, Black-Hole Accretion Disks (Kyoto University Press)
Kato, S., Fukue, J., and Mineshige, S. 2008, Black-Hole Accretion Disks — Towards a New Paradigm (Kyoto University Press)
Křiž, S. and Hubeny, I. 1986, BAIC, 37, 129
Laor, A. and Netzer, H. 1989, MNRAS, 238, 897
Madau, P. 1988, ApJ, 327, 116
Maeder, M. et al. 2012, A&A, 539, 110
Meyer, F. and Meyer-Hofmeister, E. 1982, A&A, 106, 34
Mineshige, S. and Wood, J.H. 1990, MNRAS, 247, 43
Paczyński, B. and Wiita, P.J. 1980, A&A, 88, 23
Ross, R.R., Fabian, A.C., and Mineshige, S. 1992, MNRAS, 258, 189
Shakura, N.I. and Sunyaev, R.A. 1973, A&A, 24, 337
Shaviv, G. and Wehrse, R. 1986, A&A, 159, L5
Shimura, T. and Takahara, F. 1993, ApJ, 440, 610
Thoul, A.A. and Weinberg, D.H. 1996, ApJ, 465, 608
Wang, J.-M. et al. 1999, ApJ, 522, 839
Wandel, A. and Petrosian, V. 1988, ApJL, 329, L11

第 11 章

Abbott, D.C. 1980, ApJ, 242, 1183
Abbott, D.C. 1982, ApJ, 259, 282
Bath, G.T. and Shaviv, G. 1976, MNRAS, 175, 305
Begelman, M.C. 1978, MNRAS, 184, 53
Begelman, M.C. 1979, MNRAS, 187, 237
Berruyer, N. and Frisch, H. 1983, A&Ap, 126, 269
Bondi, H. 1952, MNRAS, 112, 195
Burger, H.L. and Katz, J.I. 1980, ApJ, 236, 921
Cassinelli, J.P. 1979, Ann. Rev. A&Ap., 17, 275
Cassinelli, J.P. and Hartmann, L. 1975, ApJ, 202, 718
Castor, J.I. 1970, MNRAS, 149, 111
Castor, J.I., Abbott, D.C., and Klein, R.I. 1975, ApJ, 195, 157
Cheng, A.F. 1977, ApJ, 213, 537
Ebisuzaki, T. et al. 1983, PASJ, 35, 17
Eggum, G. E., Coronitti, F. V., and Katz, J. I. 1985, ApJ, 298, L41
Eggum, G. E., Coronitti, F. V., and Katz, J. I. 1988, ApJ, 330, 142
Flammang, A.N. 1982, MNRAS, 199, 833
Fukue, J. 1982, PASJ, 34, 163
Fukue, J. 1984, PASJ, 36, 87
Fukue, J. 2000, PASJ, 52, 829
Fukue, J. 2001, PASJ, 53, 275
Fukue, J. 2004, PASJ, 56, 569
Fukue, J. 2005, PASJ, 57, 691
Fukue, J. 2014, PASJ, 66, 40
Fukue, J. 2015, PASJ, 67, 14
Fukue, J. 2016, PASJ, 68, 41
Fukue, J. and Akizuki, C. 2006, PASJ, 58, 1073
Fukue, J. and Akizuki, C. 2007, PASJ, 59, 1027
Fukue, J. and Sumitomo, N. 2009, PASJ, 61, 615
Fukue, J. et al. 2023, PASJ, 75, 416
Gilman, R.C. 1972, ApJ., 178, 423
Gräfener, G. and Vink, J.S. 2014, A&Ap, 560, 6
Heinzeller, D. and Duschl, W.J. 2007, MNRAS, 374, 1146
Hidalgo, P.R., Hamann, F., and Hall, P. 2010, MNRAS 1009.1890
Holzer, T.E. and Axford, W.I. 1970, ARA&A 8, 31
Icke, V. 1980, AJ, 85, 329

Icke, V. 1989, A&Ap, 216, 294
Kato, M. 1983, PASJ, 35, 33
Kley, W. 1989, A&Ap, 222, 141
Kley, W. and Lin, D.N.C. 1999, ApJ, 518, 833
Kobayashi, H. et al. 2018, PASJ, 70, 22
Krüger, D., Gauger, A., and Sedlmayr, E. 1994, A&Ap, 290, 573
Lamers, H.J.G.L.M. and Cassinelli, J.P. 1999, Introduction to Stellar Winds (Cambridge University Press, Cambridge)
Liberatore, S., Lafon, J.-P., and Berruyer, N. 2001, A&Ap, 377, 522
Lipunova, G.V. 1999, Astron. Let., 25, 508
Lucy, L.B. and Solomon, P.M. 1970, ApJ, 159, 879
Lynden-Bell, D. 1978, Phys. Scr., 17, 185
Meier, D.L. 1982a, ApJ, 256, 681
Meier, D.L. 1982b, ApJ, 256, 706
Miller, G.S. 1990, ApJ, 356, 572
Nakai, T. and Fukue, J. 2015, PASJ, 67, in press
Narayan, R. and Yi, I. 1994, ApJ, 428, L13
Netzer, N. and Elitzur, M. 1993, ApJ, 410, 701
Nobili, L. et al. 1991, ApJ, 383, 250
Nobili, L. et al. 1994, ApJ, 433, 276
Ogura, K. and Fukue, J. 2013, PASJ, 65, 92
Ohsuga, K. 2006, ApJ, 640, 923
Ohsuga, K. et al. 2005, ApJ, 628, 368
Okuda, T. 2002, PASJ, 54, 253
Okuda, T. and Fujita, M. 2000, PASJ, 52, L5
Okuda, T. et al. 1997, PASJ, 49, 679
Okuda, T. et al. 2005, MNRAS, 357, 295
Owocki, S.P. 2015, Ap.Sp.Sci.Library, 412, 113
Owocki, S.P. et al. 2004, ApJ, 616, 525
Paczyński, B. 1990, ApJ, 363, 218
Paczyński, B. and Prószyński, M. 1986, ApJ, 302, 519
Park, M.-G. 1990, ApJ, 354, 64
Phinney, E. S. 1987, Superluminal Radio Sources, ed. Zensus, J. A. and Peason, T. J. (Cambridge U P)
Piran, T. 1982, ApJ, 257, L23
Poutanen, J. et al. 2007, MNRAS, 377, 1187
Puls, J. et al. 2008, A&A Rev., 16, 209
Quinn, T. and Paczyński, B. 1985, ApJ, 289, 634
Quataert, E. et al. 2015, arXiv:1509.06370v1
Renaud, N. and Henri, G. 1998, MNRAS, 300, 1047
Ruggles, C.L.N. and Bath, G.T. 1979, A&A, 80, 97
Sakashita, S. 1974, Ap.Sp.Sci., 26, 183
Schmid-burgk, J. 1978, Astrophys. Space Sci., 56, 191
Sedov, L.I. 1959, Similarity and Dimensional Methods in Mechanics (Infosearch Ltd., London)
Shakura, N.I. and Sunyaev, R.A. 1973, A&A, 24, 337
Shaviv, N.J. 1998, ApJ, 494, L193
Shaviv, N.J. 2000, ApJ, 532, L137
Shen, R-F. et al. 2015, MNRAS, 447, L60
Sikora, M. and Wilson, D. B. 1981, MNRAS, 197, 529
Sikora, M. et al. 1996, MNRAS, 280, 781
Smith, N. 2014, Ann. Rev. A. & Ap., 52, 487
Tajima, Y. and Fukue, J. 1996, PASJ, 48, 529
Tajima, Y. and Fukue, J. 1998, PASJ, 50, 483
Takahashi, H.R. and Ohsuga, K. 2015, PASJ, 67, 60
Takeda, N. and Fukue, J. 2019, PASJ, 71, 70
Takeuchi, S., Ohsuga, K., and Mineshige, S. 2013, PASJ, 65, 88
Tamazawa, S. et al. 1975, Astrophys. Space Sci., 32, 403
Thorne, K.S. 1981, MNRAS, 194, 439
Thorne K.S., Flammang R.A., and Żytkow A.N. 1981, MNRAS 194, 475
Tielens, A.G.G.M. 1983, ApJ, 271, 702
Tomida, M. et al. 2015, PASJ, 67, 111
Turolla, R. et al. 1986, ApJ, 303, 573
Vink, J.S. 2015, Ap.Sp.Sci.Library, 417, 77
Vitello, P.A.J 1978, ApJ, 225, 694
Vokrouhlický, D. and Karas, V. 1991, A&Ap, 252, 835
Watarai, K. and Fukue, J. 1999, PASJ, 51,

725
Yamamoto, Y. and Fukue, J. 2021, MNRAS, 502, 5797
Żytkow, A.N. 1972, Acta Astron. 22, 103

第 12 章

Arons, J. 1992, ApJ, 388, 561
Begelman, M.C. 2006, ApJ, 643, 1065
Bogdan, T.J. et al. 1996, ApJ, 456, 879
Carlberg, R.G. 1980, ApJ, 241, 1131
Cogley, A.C. 1969, J.Fluid Mech., 39, 667
Delache, P. and Froeschlé, C. 1972, A&Ap, 16, 348
Drake, R.P. 2005, Ap.Space Sci., 298, 49
Dzhalilov, N.S. et al. 1992, A&Ap, 257, 359
Dzhalilov, N.S. et al. 1994, A&Ap, 291, 1001
Gammie, C.F. 1998, MNRAS, 297, 929
Garcia-Segura, G. and Franco, J. 1996, ApJ, 469, 171
Giuliani, J.L. Jr., 1979, ApJ, 233, 280
Jacquet, E. and Krumholz, M.R. 2011, ApJ, 730, 116
Lowrie, R.B. and Edwards, J.D. 2008, Shock Waves, 18, 129
Marshak, R.E. 1958, Phys. Fluids, 1, 24
Owocki, S.P. 1994, Ap&SS, 221, 3
Prendergast, K.H. and Spiegel, E.A. 1973, Comments A&Ap, 5, 43
Ruszkowski, M. and Begelman, M.C. 2003, ApJ, 586, 384
Shaviv, N.J. 1998, ApJ, 494, L193
Shaviv, N.J. 2001, ApJ, 549, 1093
Silk, J. 1968, ApJ, 151, 459
Spiegel, E.A. 1957, ApJ, 126, 202
Takeuchi, S. et al. 2013, PASJ, 65, 88
Vandervoort, P.O. 1962, ApJ, 135, 212
Weinberg, S. 1971, ApJ, 168, 175
Whalen, D.J. and Norman, M.L. 2008, ApJ, 672, 287
Williams, R.J.R. 1999, MNRAS, 310, 789
Zel'dovich, Y.B. and Raizer, Y.P. 2002, Physics of Shock Waves and High-Temperature Hydrodynamic Phenomena, (Dover, New York)
Zhugzhda, Y.D., Dzhalilov, N.S., and Staude, J. 1993, A&Ap, 278, L9

第 13 章

Abramowicz, M. A., Novikov, I. D., and Pacyński, B. 1991, ApJ, 369, 175
Akizuki, C. and Fukue, J. 2008, PASJ, 60, 337
Anderson, J.L. and Spiegel, E.A. 1972, ApJ, 171, 127
Baschek, B. et al. 1995, A&Ap, 301, 511
Baschek, B. et al. 1997, A&Ap, 317, 630
Belobolodov, A.M. 2017, Astrophys. J., 838, 125
Blandford, R.D. and Payne, D.G. 1981a, MNRAS, 194, 1033
Blandford, R.D. and Payne, D.G. 1981b, MNRAS, 194, 1041
Bouquet, S., Teyssier, R., Chieze, J.P. 2000, ApJS, 127, 245
Budnik, R., Katz, B., Sagiv, A., and Waxman, E. 2010, Astrophys. J., 725, 63
Castor, J.I. 1972, ApJ 178, 779
Cissoko, M. 1997, Phys. Rev. D., 55, 4555
Dullemond, C.P. 1999, A&A, 343, 1030
Farris, B.D., Li, T.K., Liu, Y.T., and Shapiro, S.L. 2008, Phys. Rev. D., 78, 024023
Flammang, R.A. 1982, MNRAS, 199, 833
Flammang, R.A. 1984, MNRAS, 206, 589
Fukue, J., Kato S., Matsumoto R. 1985, PASJ, 37, 383
Fukue, J. 2005, PASJ, 57, 1023
Fukue, J. 2006, PASJ, 58, 461
Fukue, J. 2007, PASJ, 59, 687
Fukue, J. 2008a, PASJ, 60, 377
Fukue, J. 2008b, PASJ, 60, 627
Fukue, J. 2008c, PASJ, 60, 1209
Fukue, J. 2009, PASJ, 61, 367
Fukue, J. 2011a, PTP, 125, 837
Fukue, J. 2011b, PTP, 126, 135
Fukue, J. 2012, PASJ, 64, 52
Fukue, J. 2014a, PASJ, 66, 13
Fukue, J. 2014b, PASJ, 66, 73
Fukue, J. 2015, PASJ, 67, 14
Fukue, J. 2017a, PASJ, 69, 8

Fukue, J. 2017b, PASJ, 69, 53
Fukue, J. 2019a, MNRAS, 483, 2538
Fukue, J. 2019b, MNRAS, 483, 3839
Hazlehurst, T. and Sargent, W.L.W. 1959, ApJ, 130, 276
Hsieh, S.-H., Spiegel, E. A. 1976, ApJ, 207, 244
Icke, V. 1989, A&Ap, 216, 294
Ito, H., Levinson, A. and Nagataki, S. 2020, MNRAS, 492, 19
Iwamoto, N. 1989, Phy. Rev. A, 39, 4076
Klein, O. and Nishina, Y. 1929, Z. für Phys., 52, 853
Kompaneets, A.S. 1957, Soviet Physics, JETP, 4, 730
Levinson, A. and Nakar, E. 2020, Phy. R., 866, 1
Lindquist, R.W. 1966, Ann. Phys., 37, 487
Lowrie, R.B. and Rauenzahn, R.M. 2007, Shock Waves, 16, 445
Lundman, C., Beloborodov, A.M., and Vurm, I. 2018, ApJ, 858, 7
Masaki, I. 1981, PASJ, 33, 77
Masuda, T. and Fukue, J. 2016, PASJ in press
Nobili, L., Turolla, R., Zampieri, L. 1991, ApJ, 383, 250
Nobili, L., Turolla, R., Zampieri, L. 1993, ApJ, 404, 686
Park, M.-G. 2001, JKAS, 34, 305
Park, M.-G. 2003, A&A, 274, 642
Park, M.-G. 2006, MNRAS, 367, 1739
Petrucci, P.O., Henri, G. and Pelletier, G. 2001, A&Ap, 374, 719
Rivera-Paleo, F.J. and Guzmán, F.S. 2016 MNRAS, 459, 2777
Sądowski, A., Narayan, R., Tchekhovskoy, A., and Zhu, Y. 2013, Monthly Not. Roy. Astron. Soc., 429, 3533
Sen, K.K. and Wilson, S.J. 1993, Ap. Sp. Sci., 203, 227
Takahashi, R. 2007, MNRAS, 382, 1041
Takahashi, H.R., Ohsuga, K., Sekiguchi, Y., Inoue, T., and Tomida, K. 2013, Astrophys. J., 764, 122
Thomas, L.H. 1930, QuartJ.Math 1, 239
Thorne, K.S. 1981, MNRAS, 194, 439
Thorne, K.S., Flammang R.A., and Żytkow A.N. 1981, MNRAS, 194, 475
Tolstov, A., Blinnikov, S., Nagataki, S., and Nomoto, K. 2015, Astrophys. J., 811, 47
Tomita, S., Ohira, Y. and Yamazaki, R. 2019, ApJ, 886, 54
Turolla, R. and Nobili, L. 1988, MNRAS, 235, 1273
Turolla, R., Zampieri, L., and Nobili, L. 1995, MNRAS, 272, 625
Udey, N. and Israel, W. 1982, MNRAS, 199, 1137
Yin, W.-W. and Miller, G.S. 1995, ApJ, 449, 826

付録

Bell, K.R. and Lin, D.N.C. 1994, ApJ, 427, 987
Chandrasekhar, S. 1939, Introduction to the Study of Stellar Structure (Univ. Chicago Press, Chivago)
Chandrasekhar, S. 1967, *Stellar Structure* (Univ. Chicago Press, Chivago)
Cox, J.P. and Giuli, R.T. 1968, Principles of Stellar Structure, Vol. 2 (Gordon and Breach, New York), chap 24
Draine, B.T. 2003, ARA&A, 41, 241
Draine, B.T. and Lee, H.M. 1984, ApJ, 285, 89
Fukue, J., Kato, S., and Matsumoto, R. 1985, PASJ, 37, 383
Fukue, J. 1987, PASJ, 39, 309
Fukue, J. 2004, PASJ, 56, 959
Fukue, J. 2023, MNRAS, 524, 2025
Gammie, C. F. and Popham, R. 1998, ApJ, 498, 313
Heinzeller, D. and Duschl, W.J. 2007, MNRAS, 374, 1146
Susa, H. and Umemura, M. 2004, ApJ, 600, 1
Sutherland, R.S. and Dopita, M.A. 1993, ApJS, 88, 253
Thoul, A.A. and Weinberg, D.H. 1995, 442, 480

定数表

付表 1 単位換算表

物理量	単位	記号	SI 単位	cgs 単位/その他
長さ	メートル	**m**	1 m	10^2 cm
	ミクロン	μm	10^{-6} m	10^{-4} cm
	オングストローム	Å	10^{-10} m	
	天文単位	au	1.4960×10^{11} m	地球軌道長半径
	パーセク	pc	3.0857×10^{16} m	視差 1 秒角の距離
平面角	ラジアン	**rad**		$= 57°17'44''$
	度	°	1.7453×10^{-2} rad	$= \pi/180$ rad
	分, 分角	′	2.9089×10^{-4} rad	$= \pi/10800$ rad
	秒, 秒角	″	4.8481×10^{-6} rad	$= \pi/648000$ rad
	ミリ秒 (マス)	mas		$= 0.001''$
立体角	ステラジアン	**sr**		全天で 4π sr
質量	キログラム	**kg**	1 kg	10^3 g
	原子質量単位	a.m.u.	1.6605×10^{-27} kg	^{12}C 原子の質量の 1/12
時間	**秒**	**s**	1 s	
	年		3.1557×10^7 s	
振動数	ヘルツ	Hz	s^{-1}	
加速度	標準重力加速度	G	9.8067 m s^{-2}	
力	ニュートン	N	kg m s^{-2}	10^5 dyn
	ダイン	dyn	10^{-5} N	g cm s^{-2}
圧力	パスカル	Pa	N m^{-2}	10 dyn cm^{-2}
	バール	bar	10^5 Pa	10^6 dyn cm^{-2}
エネルギー	ジュール	J	N m	10^7 erg
	エルグ	erg	10^{-7} J	dyn cm
	電子ボルト	eV	1.6022×10^{-19} J	1.6022×10^{-12} erg
熱量	カロリー	cal	4.184 J	
仕事率	ワット	W	J s^{-1}	10^7 erg s^{-1}
電流	アンペア	**A**		
磁束密度	テスラ	T	$\text{J m}^{-2} \text{A}^{-1}$	10^4 gauss
温度	ケルビン	**K**		$= 273.15 + C°$
物質量	モル	**mol**		

注) ゴシック体は国際単位系 SI (System International d'Unités) の基本単位および補助単位を表す.

付表 2　ギリシャ語のアルファベット

		読み方	用例
A	α	アルファ	赤経 α, Hα スペクトル線, α 粒子
B	β	ベータ	β 崩壊
Γ	γ	ガンマ	γ 線, 比熱比 γ
Δ	δ	デルタ	赤緯 δ, 微小量 Δ
E	ϵ	イプシロン	放射係数 ϵ, 偏平率 ϵ
	ε	イプシロン	エネルギー密度 ε
Z	ζ	ジータ, ゼータ	Z ガンダム
H	η	イータ, エータ	粘性係数 η, 効率 η
Θ	θ	シータ, テータ	極角 θ, 回転速度 Θ_0
	ϑ	シータ, テータ	角度 ϑ
I	ι	イオタ	
K	κ	カッパ	エピサイクリック振動数 κ, 吸収係数 κ
Λ	λ	ラムダ	波長 λ, 宇宙項 Λ
M	μ	ミュー	平均分子量 $\bar{\mu}$, μ 中間子
N	ν	ニュー	振動数 ν, ν ガンダム
Ξ	ξ	クシー, グザイ	無次元化変数 ξ
O	o	オミクロン	くじら座 o 星
Π	π	パイ	円周率 π, 積分した圧力 Π
	ϖ	パイ	動径座標 ϖ
P	ρ	ロー	密度 ρ
Σ	σ	シグマ	ステファン–ボルツマン定数 σ_{SB}, 表面密度 Σ
	ς	シグマ	
T	τ	タウ	固有時間 τ, 光学的厚み τ
Υ	υ	ウプシロン	春分点の記号ではない
Φ	ϕ	ファイ	ポテンシャル ϕ, 位相 ϕ
	φ	ファイ	方位角 φ
X	χ	カイ	無次元化変数 χ
Ψ	ψ	プサイ	ポテンシャル ψ
Ω	ω	オメガ	角振動数 ω, 角速度 Ω

付表 3 SI 接頭語

呼び方	記号	大きさ	呼び方	記号	大きさ
クエタ	Q	10^{30}	デシ	d	10^{-1}
ロナ	R	10^{27}	センチ	c	10^{-2}
ヨタ	Y	10^{24}	ミリ	m	10^{-3}
ゼタ	Z	10^{21}	マイクロ	μ	10^{-6}
エクサ	E	10^{18}	ナノ	n	10^{-9}
ペタ	P	10^{15}	ピコ	p	10^{-12}
テラ	T	10^{12}	フェムト	f	10^{-15}
ギガ	G	10^{9}	アト	a	10^{-18}
メガ	M	10^{6}	ゼプト	z	10^{-21}
キロ	k	10^{3}	ヨプト	y	10^{-24}
ヘクト	h	10^{2}	ロント	r	10^{-27}
デカ	da	10	クエクト	q	10^{-30}

クエタ，ロナ，ロント，クエクトは，2022 年第 27 回国際度量衡総会で追加された．

付表 4 基礎物理定数

名称	記号	SI 単位	cgs 単位
真空中の光速度	c	$2.9979 \times 10^{8}\,\mathrm{m\,s^{-1}}$	$2.9979 \times 10^{10}\,\mathrm{cm\,s^{-1}}$
万有引力定数	G	$6.6743 \times 10^{-11}\,\mathrm{N\,m^{2}\,kg^{-2}}$	$6.6743 \times 10^{-8}\,\mathrm{dyn\,cm^{2}\,g^{-2}}$
プランク定数	h	$6.6261 \times 10^{-34}\,\mathrm{J\,s}$	$6.6261 \times 10^{-27}\,\mathrm{erg\,s}$
ボルツマン定数	k_{B}	$1.3806 \times 10^{-23}\,\mathrm{J\,K^{-1}}$	$1.3806 \times 10^{-16}\,\mathrm{erg\,K^{-1}}$
原子質量単位	u	$1.6605 \times 10^{-27}\,\mathrm{kg}$	$1.6605 \times 10^{-24}\,\mathrm{g}$
陽子の質量	m_{p}	$1.6726 \times 10^{-27}\,\mathrm{kg}$	$1.6726 \times 10^{-24}\,\mathrm{g}$
中性子の質量	m_{n}	$1.6749 \times 10^{-27}\,\mathrm{kg}$	$1.6749 \times 10^{-24}\,\mathrm{g}$
電子の質量	m_{e}	$9.1094 \times 10^{-31}\,\mathrm{kg}$	$9.1094 \times 10^{-28}\,\mathrm{g}$
陽子電子質量比	$m_{\mathrm{p}}/m_{\mathrm{e}}$	1836	
素電荷	e		$4.8032 \times 10^{-10}\,\mathrm{esu}$
ボーア半径	a_0	$5.2918 \times 10^{-11}\,\mathrm{m}$	$5.2918 \times 10^{-9}\,\mathrm{cm}$
古典電子半径	r_{e}	$2.8179 \times 10^{-15}\,\mathrm{m}$	$2.8179 \times 10^{-13}\,\mathrm{cm}$
アボガドロ定数	N_{A}	$6.0221 \times 10^{23}\,\mathrm{mol^{-1}}$	$6.0221 \times 10^{23}\,\mathrm{mol^{-1}}$
1 モルの気体定数	$\mathcal{R}$	$8.3145\,\mathrm{J\,mol^{-1}\,K^{-1}}$	$8.3145 \times 10^{7}\,\mathrm{erg\,mol^{-1}\,K^{-1}}$
ステファン–ボルツマン定数	σ_{SB}	$5.6704 \times 10^{-8}\,\mathrm{W\,m^{-2}\,K^{-4}}$	$5.6704 \times 10^{-5}\,\mathrm{erg\,s^{-1}\,cm^{-2}\,K^{-4}}$
輻射定数	a	$7.5646 \times 10^{-16}\,\mathrm{J\,m^{-3}\,K^{-4}}$	$7.5646 \times 10^{-15}\,\mathrm{erg\,cm^{-3}\,K^{-4}}$

注）上の表では四捨五入して有効数字 5 桁にしてあるが，真空中の光速度は 1983 年に，プランク定数，ボルツマン定数，素電荷，アボガドロ定数は 2018 年に定義値となった．$c = 2.99792458 \times 10^{8}\,\mathrm{m\,s^{-1}}$, $h = 6.62607015 \times 10^{-34}\,\mathrm{J\,s}$, $k_{\mathrm{B}} = 1.380649 \times 10^{-23}\,\mathrm{J\,K^{-1}}$, $e = 1.602176634 \times 10^{-19}\,\mathrm{C}$, $N_{\mathrm{A}} = 6.02214076 \times 10^{23}\,\mathrm{mol^{-1}}$.

付表 5　基礎天文定数

名称	記号	SI 単位	cgs 単位
天文単位	au	1.4960×10^{11} m	1.4960×10^{13} cm
光年	ℓy	9.4607×10^{15} m	9.4607×10^{17} cm
パーセク	pc	3.0857×10^{16} m	3.0857×10^{18} cm
太陽年	yr	3.1557×10^{7} s	3.1557×10^{7} s
恒星年	yr	3.1558×10^{7} s	3.1558×10^{7} s
地球赤道半径	$R_\oplus$	6.3781×10^{6} m	6.3781×10^{8} cm
質量	$M_\oplus$	5.972×10^{24} kg	5.972×10^{27} g
平均密度	$\rho_\oplus$	5.51×10^{3} kg m^{-3}	5.51 g cm^{-3}
重力加速度	$g_\oplus$	9.8067 m s^{-2}	980.67 cm s^{-2}
月赤道半径		1.737×10^{6} m	1.737×10^{8} cm
質量		7.346×10^{24} kg	7.346×10^{27} g
平均密度		3.34×10^{3} kg m^{-3}	3.343 g cm^{-3}
重力加速度		1.62 m s^{-2}	162 cm s^{-2}
太陽赤道半径	$R_\odot$	6.960×10^{8} m	6.960×10^{10} cm
質量	$M_\odot$	1.988×10^{30} kg	1.988×10^{33} g
平均密度	$\rho_\odot$	1.41×10^{3} kg m^{-3}	1.41 g cm^{-3}
重力加速度	$g_\odot$	2.72×10^{2} m s^{-2}	2.72×10^{4} cm s^{-2}
スペクトル型		G2V	
総輻射量	$L_\odot$	3.85×10^{26} J s^{-1}	3.85×10^{33} erg s^{-1}
有効温度	T_eff	5780 K	5780 K
太陽定数		1.37 kW m^{-2}	1.37×10^{6} erg s^{-1} cm^{-2}
地球–月間の距離		3.8440×10^{8} m	3.8440×10^{10} cm
太陽–地球間の距離		1.4960×10^{11} m	1.4960×10^{13} cm
ハッブル定数	H_0	72 km s^{-1} Mpc^{-1}	
密度パラメータ	Ω	1	
宇宙年齢	T_0	138 億年	

記号表

記号	意味	記号	意味
$(+,-,-,-)$	時空の符号系	L_{irr}	照射光度
添え字 $\alpha, \beta, \gamma, \cdots$	0, 1, 2, 3	L_{s}	ソボレフ長
添え字 $i, j, k, \cdots$	1, 2, 3	$\mathcal{M}$	マッハ数
(x, y, z)	直角座標	M	絶対等級
(r, φ, z)	円筒座標	M	質量
$(r, \theta, \varphi); (R, \theta, \varphi)$	球座標	$M(t)$	輻射力倍増因子
A	アルベド,反射能	$M_\odot$	太陽質量
A_{ij}	アインシュタイン A 係数	M_{D}	シルク質量
A_ν	星間減光	M_{J}	ジーンズ質量
$A_\nu = 1 - R_\nu$	線吸収深さ	$\dot{M}$	質量流率
B, B_ν, B_λ	黒体輻射強度	$\dot{M}_{\mathrm{crit}} = L_{\mathrm{E}}/c^2$	エディントン降着率
B_{ij}	アインシュタイン B 係数	$\mathcal{N}$	分子の式
C_{ij}	衝突遷移係数	N	個数,衝突回数
$\mathcal{D}$	分母の式	N_i	停在密度
D	距離	$P = aT^4/3$	輻射圧
E	エネルギー	P_e	電子圧
E, E_ν	輻射エネルギー密度	P^{ij}, P_ν^{ij}	輻射ストレステンソル
E_n	n 準位のエネルギー	$\mathcal{R}$	ガス定数
E_n	積分指数関数	$R(\nu, \boldsymbol{n}; \nu', \boldsymbol{n}')$	再分配関数
F, F_ν	輻射流束	$R_\odot$	太陽半径
$\boldsymbol{F}, F^i$	輻射流束ベクトル	R_*	熱化半径
G	万有引力定数	R_{crit}	臨界半径
H, H_ν	エディントン流束	R_{ph}	光球半径
H	円盤の半厚み	R_{S}	ストレームグレン半径
$H(a, x)$	フォークト関数	R_{trap}	光子捕捉半径
I, I_ν, I_λ	輻射強度,輝度	R_y	リュードベリ定数
J	電離光子流束	$R_\nu = 1 - A_\nu$	残差強度
J, J_ν	平均輻射強度	R_ν	光学的深さパラメータ
K, K_ν	K 積分	$R^{\mu\nu}$	輻射場のエネルギー−−
K	熱伝導率		運動量テンソル
K_n	n 次の修正ベッセル関数	S	断面積
$K_{\mathrm{rad}} = c^2 \chi_{\mathrm{rad}}$	輻射熱伝導率	S, S_ν	源泉関数
L	光度	T	温度
$L_\odot$	太陽光度	T_0	非摂動状態の温度
L_{adv}	移流光度	T_1	温度の摂動量
L_{d}	円盤光度	T_b	輝度温度
L_{diff}	拡散光度	T_c	色温度
L_{E}	エディントン光度		

記号	意味
T_e	電子温度
T_{eff}	有効温度
T_{rad}	輻射場の温度
$T^{\mu\nu}$	物質のエネルギー−運動量テンソル
U	単位質量当りの内部エネルギー
$U(T)$	分配関数
V	体積
$W(r)$	希釈因子
W, W_ν	等価幅
X	水素組成比
Y	ヘリウム組成比
Z	金属元素組成比
Z_i	原子番号
$a = 4\sigma_{\text{SB}}/c$	放射定数
a_d	ダスト半径
c	光速
c_{rad}	輻射音速
c_s	断熱音速
c_T	等温音速
e	素電荷
e	単位体積当りの内部エネルギー
$f(\boldsymbol{r}, \boldsymbol{v}, t)$	分布関数
$f \propto I_\nu/\nu^3$	光子の位相空間密度
$f(v)$	粒子の速度分布
f, f^i	輻射流束（ベクトル）
f, f_ν	エディントン因子
f^{ij}	エディントンテンソル
f_{ij}	振動子強度
$\boldsymbol{f}_{\text{rad}}, f_{\text{rad}}$	輻射力
g	重力加速度
g_i	統計的重み
g_ℓ	線輻射力
g_{rad}	単位質量当りの輻射力
$g_{\mu\nu}$	計量テンソル
h	プランク定数
$j, j_\nu = 4\pi\epsilon_\nu$	質量放射係数
k	波数
$\boldsymbol{k}$	波数ベクトル

記号	意味
$k, k_\nu = \kappa_\nu + \sigma_\nu$	全不透明度
k_B	ボルツマン定数
k^μ	光子の4元運動量
$\boldsymbol{l}, l^i$	方向余弦ベクトル
ℓ, ℓ_ν	平均自由行程
$\ell_* = \sqrt{N}\ell_\nu$	実効平均行程
ℓ_{ij}	線不透明度
ℓ_ν	線吸収係数
m	等級
m	質量
$m = M/M_\odot$	規格化した質量
m_e	電子の質量
m_H	水素原子の質量
m_p	陽子の質量
$\dot{m} = \dot{M}/\dot{M}_{\text{crit}}$	規格化した質量降着率
n	個数密度
n	主量子数
n_{crit}	臨界数密度
n_e	電子の個数密度
n_i	イオンの個数密度
n_p	陽子の個数密度
$n_\nu \propto I_\nu/\nu^3$	光子占有数
p	確率
$p = (\mathcal{R}/\bar{\mu})\rho T$	ガス圧
p_0	非摂動状態のガス圧
p_1	ガス圧の摂動量
$q(\tau)$	ホップ関数
q^+	単位体積当りの加熱率
q^-	単位体積当りの冷却率
r	半径，距離
$\boldsymbol{r}$	位置ベクトル
$r_g = 2GM/c^2$	シュバルツシルト半径
r_{in}	降着円盤内縁半径
s	光路長
t	時間
t_{cool}	冷却時間
t_{dyn}	力学的時間
t_{ff}	自由落下時間
t_{th}	熱的時間

記号	意味	記号	意味
u, u_ν	輻射エネルギー密度	η	粘性係数
u^μ	物質の4元速度	η	エネルギー変換効率
$\boldsymbol{v} = (v_r, v_\varphi, v_z)$	速度ベクトル	η_{rad}	輻射粘性係数
$\boldsymbol{v}_1$	速度ベクトルの摂動量	$\eta_\nu = \epsilon_\nu \rho = j_\nu \rho/4\pi$	放射係数, 体積放射率
v_{th}	熱運動速度	θ	極角
w_j	重み関数	$\theta_{\mathrm{e}} = k_{\mathrm{B}} T_{\mathrm{e}}/m_{\mathrm{e}} c^2$	規格化電子温度
x_{e}	電離度	κ, κ_ν	吸収の不透明度
x^μ	時空座標	κ_{es}	電子散乱の不透明度
y	y-パラメータ	$\kappa_{\mathrm{ff}}, \kappa_\nu^{\mathrm{ff}}$	自由–自由吸収の不透明度
z	赤方偏移	κ_{R}	ロスランド平均不透明度
Γ	減衰定数	λ	固有値
$\Gamma = L/L_{\mathrm{E}}$	規格化光度	λ	波長
$\Gamma_{\mathrm{d}} = L_{\mathrm{d}}/L_{\mathrm{E}}$	規格化円盤光度	λ_{C}	コンプトン波長
Γ_γ	光電離率	λ_ν	流束制限子
$\Delta\nu_{\mathrm{D}}$	ドップラー幅	$\mu = \cos\theta$	方向余弦
Θ	相反温度	$\bar{\mu}$	平均分子量
Λ	輻射冷却率	ν	振動数
$\Lambda_\nu = 1/\sqrt{3\varepsilon_\nu}$	熱化長さ	ν_{L}	ライマン端振動数
Λ_τ	積分オペレータ	$\varpi, \varpi_\nu = 1 - \varepsilon_\nu$	単散乱アルベド
Ξ_τ	積分オペレータ	$\rho = mn$	質量密度
$\Phi(\eta_0)$	換算等価幅	ρ_0	非摂動状態の密度
Φ_τ	積分オペレータ	ρ_1	密度の摂動量
Ω	角速度	σ, σ_ν	散乱の不透明度
Ω	立体角	$\sigma_{\mathrm{SB}} = ac/4$	ステファン–ボルツマン定数
α	粘性パラメータ	σ_{T}	トムソン散乱の断面積
$\alpha, \alpha_{\mathrm{A}}, \alpha_{\mathrm{B}}$	再結合率	τ, τ_ν	光学的厚み
α_ν	電離断面積	$\tau_* = \sqrt{(\tau_{\mathrm{es}} + \tau_{\mathrm{ff}})\tau_{\mathrm{ff}}}$	有効光学的厚み
$\alpha_\nu = \kappa_\nu \rho$	吸収係数 [cm^{-1}]	τ_{ij}	粘性テンソル
$\beta = v/c$	規格化された速度	τ_ℓ	スペクトル線の光学的厚み
$\beta_\nu = \sigma_\nu \rho$	散乱係数	τ_{s}	ソボレフ光学的厚み
$\beta_\nu(\boldsymbol{l})$	脱出確率	φ	方位角
γ	比熱比	ϕ	重力ポテンシャル
$\gamma = (1 - v^2/c^2)^{-1/2}$	ローレンツ因子	$\phi(\nu)$	プロファイル関数
δ_{ij}, δ^{ij}	クロネッカーのデルタ	ϕ_ν	散乱確率密度, 散乱再分配関数
$\epsilon_\nu = j_\nu/4\pi = \eta_\nu/\rho$	質量放射率	$\chi, \chi_\nu = \alpha_\nu + \beta_\nu$	減光係数
ε	相対論的内部エネルギー	$\chi_{\mathrm{rad}} = K_{\mathrm{rad}}/c^2$	輻射熱伝導係数
$\varepsilon, \varepsilon_\nu = \kappa_\nu/(\kappa_\nu + \sigma_\nu)$	光子破壊確率	χ_I, χ_i	イオン化ポテンシャル
ε_i	励起エネルギー	$\psi < 0$	重力ポテンシャル
		ω	角振動数

章末問題の略解

第 1 章

1.1 $L_E = 3 \times 10^4 L_\odot (M/M_\odot)$. $M > 50 M_\odot$ ぐらいで $L > L_\odot$ となる.

1.2 $t_E \equiv M/\dot{M}_E = (\sigma_T c)/(4\pi G m_p) = 4.5 \times 10^8$ 年. t_E は天体の質量によらない.

1.3 質量 m を $(4\pi/3) a_d^3 \rho_d$, 有効断面積 S を πa_d^2 と置くと, $S/m = 7.5 \times 10^4 \,\text{cm}^2\,\text{g}^{-1} (\rho_d/1\,\text{g\,cm}^{-3})^{-1} (a_d/0.1\,\mu\text{m})^{-1}$ となる. したがって, 塵に対するエディントン光度は以下となる:

$$L_E = 0.4 L_\odot \left(\frac{M}{M_\odot}\right) \left(\frac{\rho_d}{1\,\text{g\,cm}^{-3}}\right) \left(\frac{a_d}{0.1\,\mu\text{m}}\right).$$

1.4 単純に計算すると, $F/c = 5 \times 10^{-6}\,\text{N\,m}^{-2}$. また光子のエネルギーを $h\nu = 3\,\text{eV} = 5 \times 10^{-19}\,\text{J}$ とすると, 流入する光子数は $F/(h\nu) = 3 \times 10^{21}\,\text{s}^{-1}\,\text{m}^{-2}$ となる. したがって光圧は, $P = (h\nu/c) \times 3 \times 10^{21}\,\text{s}^{-1}\,\text{m}^{-2} = 5 \times 10^{-6}\,\text{N\,m}^{-2}$ となる.

1.5 ポインティング–ロバートソン効果の落下時間 $t_{\text{infall}} = \pi m c^2 r_0^2 /(SL)$ へ塵粒子の S/m を代入すると, $t_{\text{infall}} = 760\,\text{yr} (L/L_\odot)^{-1} (\rho_d/1\,\text{g\,cm}^{-3}) (a_d/1\,\mu\text{m})$ となる. $1\,\mu\text{m}$ ぐらいのダストは, 約 760 年で角運動量を失って太陽へ落下する.

1.6 $[P] = \text{dyn\,cm}^{-2}$ と $[E] = \text{erg\,cm}^{-3}$ が同じことはすぐわかるだろう.

第 2 章

2.2 O 型 (50000 K, 58 nm), B 型 (25000 K, 150 nm), A 型 (10000 K, 290 nm), F 型 (7000 K, 400 nm), G 型 (5000 K, 580 nm), K 型 (4000 K, 700 nm), M 型 (3000 K, 960 nm).

2.3 おおざっぱには, ウィーンの変位則から $h\nu \sim kT$ で, $N_\gamma \sim u/(h\nu) \sim aT^4/(kT) \sim 60T^3$ ぐらいになる. 詳しい計算の $20T^3$ を使うと, $1\,\text{cm}^3$ 当り, 2.7 K で 400 個, 300 K で 5×10^8, 6000 K で 4×10^{12} となる. 地表付近の光子密度は, 赤外線光子は 5×10^8 個だが, 太陽光の光子は, 4×10^{12} に, 太陽を見込む立体角$/(4\pi)$ を掛けて, 2×10^7 個となる:すなわち地表近傍では赤外線光子の方が桁で多い.

2.5 30000 K, 0.078;20000 K, 0.0110;10000 K, 0.000031;8000 K, 0.0000016;6000 K, 0.000000012.

2.6 (1) 水素原子では, 基底状態の統計的重みは 2, 第 1 励起状態の統計的重みは 8 である. ボルツマンの式より, $N_1/N_0 = 4e^{-\varepsilon/kT}$ が得られる. これからただちに, $N_0 + N_1 = N_0(1 + 4e^{-\varepsilon/kT})$ となるので, $N_1/(N_0 + N_1) = 4e^{-\varepsilon/kT}/(1 + 4e^{-\varepsilon/kT}) = 4/(4 + e^{\varepsilon/kT})$ となる. この値は $\beta = 1/kT$ の増加とともに急激に減少する.
(2) 水素原子では, 分配関数の比は $u_{II}/u_I = 1/2$ で, サハの式から, $N_\infty/(N_0 + N_1) = (2\pi m_e)^{3/2}(kT)^{5/2}/(h^3 P_e) e^{-\chi/kT}$ となり, 星の大気における典型的な値として, $P_e = 10^2\,\text{dyn\,cm}^{-2}$ を入れると, $N_\infty/(N_0 + N_1) = 4.84 \times 10^7 (kT)^{5/2} e^{-\chi/kT}$ が得られる. ただし kT は [eV] を単位として測る. これから, $N_0 + N_1 + N_\infty = (N_0 +$

$N_1)(1 + \alpha e^{-\chi/kT})$ となるので，$N_\infty/(N_0 + N_1 + N_\infty) = \alpha e^{-\chi/kT}/(1 + \alpha e^{-\chi/kT}) = \alpha/(\alpha + e^{\chi/kT})$ となる（$\alpha = 4.84 \times 10^7 (kT)^{5/2} =$ と仮置きした）．これらから中性原子の割合として，$N_0 + N_1/(N_0 + N_1 + N_\infty) = e^{\chi/kT}/(\alpha + e^{\chi/kT})$ が得られる．この値は $\beta = 1/kT$ の増加とともに急減する．
(3) 最後に，上式などを掛け合わせて，第 1 励起状態にある原子の全原子に対する割合として，以下の関係が得られる：

$$\frac{N_1}{N_0 + N_1 + N_\infty} = \frac{4}{4 + e^{\varepsilon/kT}} \frac{e^{\chi/kT}}{4.84 \times 10^7 (kT)^{5/2} + e^{\chi/kT}}.$$

急減する量と急増する量の掛け合わせで，ピークをもつことが直観的にもわかる．

第 3 章

3.1 $B_\nu = ch\nu\psi_\nu$ より，$\psi_\nu = (2\nu^2/c^3)/(e^{h\nu/kT} - 1)$ となる．またこの数密度に光子のエネルギー $h\nu$ をかけると，光子のエネルギー密度 u_ν になる．

3.2 約 2.5×10^{12} pc $= 2.5$ Gpc．これは現在の宇宙のサイズより大きいが，現在の銀河間物質の密度で考えた場合の話である．宇宙の膨張に伴う密度の変化を考慮すると，実際にはもっと短くなる．

3.3 トムソン散乱の断面積を $\sigma_\mathrm{T} = 6.65 \times 10^{-25}$ cm^2 とすると，$\tau \sim n_e \sigma_\mathrm{T} R_\odot \sim 10^{-5}$ ぐらいとなり，非常に小さい．したがって，太陽コロナの写真をみると，彼方の星が透けてみえるぐらいだ．

3.4 雨滴の幾何学的断面積は $\sigma = \pi r^2 = 3.14 \times 10^{-6}$ cm^2 で，雨滴一つの質量は $m = (4/3)\pi r^3 \times 1 = 4.19 \times 10^{-9}$ g になる．水滴量 LWC から雲内における雨滴の質量密度は，$\rho = 0.2 \times 10^{-6}$ g cm^{-3} となり，個数密度は $n = \rho/m = 47.7$ cm^{-3} となる．したがって，雲の光学的厚みは，$\tau = n\sigma H = 1.50$ ほどになる．サイズが半分になると断面積 σ は 1/4 になるが，質量 m が 1/8 になるので個数密度 n は 8 倍に増える．その結果，光学的厚みは 2 倍になる．

3.7 $\tau_*/\tau_\mathrm{es} = \sqrt{(\kappa_\nu^\mathrm{ff}/\kappa_\mathrm{es})(\kappa_\nu^\mathrm{ff}/\kappa_\mathrm{es} + 1)}$．電子散乱優勢だと，$\tau_*/\tau_\mathrm{es} \sim \sqrt{\kappa_\nu^\mathrm{ff}/\kappa_\mathrm{es}}$．

3.9 $I(\tau) = I_\odot e^{-\tau/\mu}$．可視閾値条件は $\tau/\mu = 3.91$ で，空気：$1/\mu = 27.9, \theta = 88°$；塵：$1/\mu = 3.91, \theta = 75°$；雲：$1/\mu = 0.391$（天頂でも不可視）．

3.10 (Periah 2002；Kato and Fukue 2020)．

$$\sin\theta\cos\varphi \frac{\partial I_\nu}{\partial r} - \frac{\sin\theta\sin\varphi}{r}\frac{\partial I_\nu}{\partial \varphi} = -(\kappa_\nu \rho + \sigma_\nu \rho)(I_\nu - S_\nu).$$

3.11
$$I(\tau,\mu) = I(\tau_0,\mu)e^{(\tau-\tau_0)/\mu} - \int_{\tau_0}^{\tau}[S + (1-3\mu^2)/3 \cdot P]e^{-(t-\tau)/\mu}\frac{dt}{\mu},$$
$$Q(\tau,\mu) = Q(\tau_0,\mu)e^{(\tau-\tau_0)/\mu} - \int_{\tau_0}^{\tau}(1-\mu^2)P]e^{-(t-\tau)/\mu}\frac{dt}{\mu}.$$

第 4 章

4.1 一様等方的な輻射強度を $\bar{I}$ とすると, $u = (2\pi/c)\bar{I}$, $F = \pi\bar{I}$.

4.2 輻射強度を $\bar{I}$ とし, 傾斜角 i の方向では, 立体角の定義より, $u = (1/c)\oint \bar{I} d\Omega = (\bar{I}/c)\oint dS\cos i/r^2$. 十分に遠方 $(r^2 \gg S)$ では, $u \sim (\bar{I}c)(S\cos i/r^2)$.

4.3 $E = 4\pi I/c$, $F^r = 0$, $F^\varphi = 0$, $F^z = 0$, $P^{rr} = P^{\varphi\varphi} = P^{zz} = E/3$, $P^{r\varphi} = 0$, $P^{rz} = 0$, $P^{\varphi z} = 0$.

4.4 $E = 2\pi I/c$; $F^r = 0$, $F^\varphi = 0$, $F^z = \pi I$; $P^{rr} = E/3$, $P^{r\varphi} = 0$, $P^{rz} = 0$, $P^{\varphi\varphi} = E/3$, $P^{\varphi z} = 0$, $P^{zz} = E/3$.

4.5 $R/r = \sin\theta_0$ として, $E = (2\pi/c)(1 - \cos\theta_0)$; $F^r = \pi I\sin^2\theta_0 = \pi I(R/r)^2$, $F^\varphi = F^z = 0$; $P^{rr} = (2\pi I/3c)(1 - \cos^3\theta_0)$, $P^{r\varphi} = P^{rz} = 0$, $P^{\varphi\varphi} = (\pi I/3c)(1 - \cos\theta_0)(2 - \cos\theta_0 - \cos^2\theta_0)$, $P^{\varphi z} = 0$, $P^{zz} = P^{\varphi\varphi}$. $P^{rr} + P^{\varphi\varphi} + P^{zz} = E$ である.

4.6 章末問題 4.4 や 4.5 の結果を使うと, 無限平面の場合は $f = 1/3$. 球状光源の場合は, $f = (1 + \cos\theta_0 + \cos^2\theta_0)/3$. 球状光源では遠方ほど 1 に近づく.

4.7 (1) 太陽を見込む立体角は, $\Delta\Omega = (\pi R_\odot^2)/r^2 = \pi\theta^2 = 6.8 \times 10^{-5}$ sr になる. したがって, 平均強度は, $\bar{I} = f/\Delta\Omega = 2.0 \times 10^{10}$ erg/s/sr/cm^2. (2) $F = \pi\bar{I} = 6.35 \times 10^{10}$ erg/s/cm^2. (3) $L = 4\pi R_\odot^2 F = 3.86 \times 10^{33}$ erg/. $L = 4\pi r^2 f$.

4.8 見かけの広がり/全天の立体角 $\sim \pi(0.25\pi/180)^2/(4\pi) \sim 10^{-5}$.

4.9 $f = 10^{-7}$ erg s^{-1} cm^{-2}.

第 5 章

5.1 散乱だけなら ($\kappa_\nu = 0 = \varepsilon_\nu$), $S_\nu = J_\nu$ で, (5.3) の右辺は 0 になり, $H_\nu(\tau_\nu) = $ 一定, が得られる. 吸収係数が振動数に依存しなければ, 輻射平衡の場合も同じ結果になるが, 物理的には意味合いが異なる点に注意.

5.2 3 次のモーメント量を $L_\nu = (1/2)\int \mu^3 I_\nu d\mu$ として,

$$\frac{dL_\nu}{dz} = \frac{1}{3}\frac{j_\nu}{4\pi}\rho - (\kappa_\nu + \sigma_\nu)\rho K_\nu + \frac{1}{3}\sigma_\nu\rho J_\nu = \frac{1}{3}\frac{j_\nu}{4\pi}\rho - \frac{1}{3}\kappa_\nu\rho J_\nu.$$

ただし 2 番目の等号は $K_\nu = J_\nu/3$ のとき.

5.3 $I_\nu = a_\nu + b_\nu\mu + c_\nu\mu^2$ のとき, $J_\nu = a_\nu + c_\nu/3$, $H_\nu = b_\nu/3$, $K_\nu = a_\nu/3 + c_\nu/5$ となる. エディントン近似は成り立たない.

5.4 $J_\nu = I_\nu^0$, $H_\nu = H_\nu^0$, $K_\nu = I_\nu^0/3 = J_\nu$ となる. これはエディントン近似そのもので, エディントン近似が成り立つ輻射場は線形の非等方性をもってもよい.

5.5 この形式で, Ruszkowski and Begelman (2004) は非一様大気の輻射輸送を調べている.

5.6 輻射輸送方程式の左辺は同じで, 右辺は,

$$= \frac{1}{4\pi}\rho j_\nu - \rho\kappa_\nu I_\nu - \rho\sigma_\nu I_\nu + \rho\sigma_\nu\frac{1}{1 + \frac{4}{3}a}[(1+a)J_\nu + 2a(\boldsymbol{l}\cdot\boldsymbol{H}_\nu) + al^i l^j K_\nu^{ij}]$$

となる.さらに,エディントン近似を使うと,以下となる:

$$= \frac{1}{4\pi}\rho j_\nu - \rho\kappa_\nu I_\nu - \rho\sigma_\nu I_\nu + \rho\sigma_\nu \left[J_\nu + \frac{2a}{1+\frac{4}{3}a}(\boldsymbol{l}\cdot\boldsymbol{H}_\nu)\right].$$

またモーメント式は以下のようになる:

$$\frac{\partial J_\nu}{c\partial t} + \frac{\partial H_\nu^k}{\partial x^k} = \rho\left(\frac{j_\nu}{4\pi} - \kappa_\nu J_\nu\right),$$

$$\frac{\partial H_\nu^i}{c\partial t} + \frac{\partial K_\nu^{ik}}{\partial x^k} = -\rho(\kappa_\nu + \sigma_\nu)H_\nu^i + \rho\sigma_\nu\frac{2a}{1+\frac{4}{3}a}\frac{1}{3}H_\nu^i.$$

散乱が非等方 ($a \neq 0$) だと,全体としての運動量の増加 ($a > 0$) が生じる.平行平板の方程式や,具体的な解については,Fukue (2012) を参照.

5.7 吸収係数が一定の場合は,入射光による加熱と冷却の釣り合いから,$\pi a^2(4\pi R_*^2\sigma_{\rm SB}T_*^4)/(4\pi r^2) = 4\pi a^2\sigma_{\rm SB}T^4$ が成り立つので,$T = \sqrt{R_*/(2r)}T_*$. 吸収係数の振動数依存性を考慮すると,$\pi a^2\int_0^\infty \kappa_\nu(4\pi R_*^2\pi B_\nu(T_*))/(4\pi r^2)d\nu = 4\pi a^2\int_0^\infty \kappa_\nu\pi B_\nu d\nu$ が釣り合いの条件になる.吸収係数についてはプランク平均を取って,$T = [\kappa_{\rm P}(T_*)/\kappa_{\rm P}(T)]^{1/4}\sqrt{R_*/(2r)}T_*$ となる.ここで $\kappa_{\rm P}(T)/\kappa_{\rm P}(T_*)$ を冷却効率係数(thermal cooling coefficient factor)と呼ぶ.

5.8 エディントン因子を使うと,1次モーメント式は以下のようになる:

$$\frac{\partial(f_\nu J_\nu)}{\partial r} + \frac{(3f_\nu - 1)J_\nu}{r} = -(\kappa_\nu\rho + \sigma_\nu\rho)H_\nu.$$

さらに,球形因子を使うと以下のようになる:

$$\frac{1}{r^2 q_\nu}\frac{\partial}{\partial r}(r^2 q_\nu f_\nu J_\nu) = -(\kappa_\nu\rho + \sigma_\nu\rho)H_\nu.$$

0 次モーメント式へ代入して H_ν を消去し,$d\tau_\nu \equiv -q_\nu(\kappa_\nu\rho + \sigma_\nu\rho)dr$ で定義される光学的厚みを使うと,以下のような輻射拡散方程式が得られる:

$$\frac{\partial^2}{\partial\tau_\nu^2}(r^2 q_\nu f_\nu J_\nu) = -\frac{r^2}{q_\nu}\varepsilon_\nu(J_\nu - B_\nu).$$

球形因子を使うと,曲率の項などが因子の中に繰り込まれて,式の形が平行平板的なものになるため,取り扱いが便利になる.さらに,$r(\kappa_\nu\rho + \sigma_\nu\rho)$ は遠方で急激に小さくなるので,曲率の項が系を不安定化させるが,$(1/r)$ の項が繰り込まれるので,不安定化の要因が取り除かれる.

第 6 章

6.1 源泉関数を $a + bt$ とし形式解を積分すると，$ae^{-(t-\tau)/\mu} + b[e^{-(t-\tau)/\mu}t + \mu e^{-(t-\tau)/\mu}]$ という不定積分が得られ，解は以下のようになる：

$$I(\tau, \mu < 0) = a(1 - e^{\tau/\mu}) + b(\tau + \mu - \mu e^{\tau/\mu}),$$
$$I(\tau, \mu > 0) = a + b(\tau + \mu).$$

また表面での出射強度は $I(0) = a + b\mu$ となる．源泉関数が内部へ向かって増大していることが，周縁減光効果にとって本質的なことがわかる．

6.2 右辺最後の黒体輻射パート（非斉次項）を落とした斉次方程式の一般解は，指数解の重ね合わせで表せる．その解をもとの方程式に入れて係数などを決めると，C_i を係数，Γ を定数として，

$$I_0^+ = C_1 e^{\Gamma\tau} + C_2 e^{-\Gamma\tau},$$
$$I_0^- = C_3 e^{\Gamma\tau} + C_4 e^{-\Gamma\tau} = C_1 P e^{\Gamma\tau} + C_2 Q e^{-\Gamma\tau}$$

のように表せる．ただし，

$$\Gamma = \pm\sqrt{\varepsilon}, \quad P = \frac{1-\varepsilon}{1+\varepsilon+2\Gamma}, \quad Q = \frac{1-\varepsilon}{1+\varepsilon-2\Gamma}.$$

非斉次項を含めたもとの方程式の特解は B が一定の場合，以下となる：

$$I_0^+ = C_1 e^{\Gamma\tau} + C_2 e^{-\Gamma\tau} + \frac{\varepsilon}{\Gamma^2} B_0,$$
$$I_0^- = C_1 P e^{\Gamma\tau} + C_2 Q e^{-\Gamma\tau} - \frac{P + Q + 2PQ}{(P-Q)\Gamma} \varepsilon B_0.$$

ここで係数 C_1 と C_2 は境界条件から定められる．

6.8
$$J_\nu = B_\nu(0) + b_\nu \tau_\nu - \frac{B_\nu(0) - b_\nu c_\nu/3}{1 + (c_\nu/3)\sqrt{3\varepsilon_\nu}} e^{-\sqrt{3\varepsilon_\nu}\tau_\nu},$$
$$H_\nu = \frac{1}{3} b_\nu + \sqrt{\frac{\varepsilon_\nu}{3}} \frac{B_\nu(0) - b_\nu c_\nu/3}{1 + (c_\nu/3)\sqrt{3\varepsilon_\nu}} e^{-\sqrt{3\varepsilon_\nu}\tau_\nu},$$
$$S_\nu = B_\nu(0) + b_\nu \tau_\nu - (1 - \varepsilon_\nu) \frac{B_\nu(0) - b_\nu c_\nu/3}{1 + (c_\nu/3)\sqrt{3\varepsilon_\nu}} e^{-\sqrt{3\varepsilon_\nu}\tau_\nu}.$$

6.9 表面 R で $\tau = 0$ とすると，(6.136) は，

$$B(\tau) = J(\tau) = 3a^2 H_0 \left[\int_0^\tau \frac{d\tau}{r^2} + \frac{2}{3R^2} \right]$$

となる．上式で $r \to R$ とすると，

$$B(\tau) = J(\tau) \to 3a^2 H_0 \left(\frac{\tau}{R^2} + \frac{2}{3R^2} \right) = \frac{3a^2 H_0}{R^2} \left(\tau + \frac{2}{3} \right)$$

となり，平行平板大気でのミルン–エディントン解に一致する．

第 7 章

7.1 $\Lambda_\tau\{a+bt\} = a+b\tau+[bE_3(\tau)-aE_2(\tau)]/2$, $\Phi_\tau\{a+bt\} = 4b/3+2[aE_3(\tau)-bE_4(\tau)]$, $\Xi_\tau\{a+bt\} = 4(a+b\tau)/3+2[bE_5(\tau)-aE_4(\tau)]$.

7.2 $J(\tau) = \Lambda_\tau\{(1-\varpi)B(\tau)\} + \Lambda_\tau\{\varpi J(\tau)\}$.

7.3 完全解の $J(\tau)$ を形式解へ代入して積分する.

$$I(\tau,\mu) = \frac{3}{4}F\left[\tau+Q+\mu+\sum_{\alpha=1}^{n-1}\frac{L_\alpha}{1+k_\alpha\mu}e^{-k_\alpha\tau}\right],$$

$$I(\tau,-\mu) = \frac{3}{4}F\left[\tau+(Q-\mu)(1-e^{-\tau/\mu})+\sum_{\alpha=1}^{n-1}\frac{L_\alpha}{1-k_\alpha\mu}(e^{-k_\alpha\tau}-e^{-\tau/\mu})\right].$$

周縁減光効果は以下のようになる:

$$I(0,\mu) = \frac{3}{4}F\left[Q+\mu+\sum_{\alpha=1}^{n-1}\frac{L_\alpha}{1+k_\alpha\mu}\right].$$

7.4 $\varpi\sum_{j=1}^{j=n}w_j/(1-\mu_j^2k_\alpha^2) = 1$ から $\pm k_\alpha$ $(\alpha=1,2,\cdots,n)$ を求め,

$$I_i = \frac{C}{1\pm\mu_ik_\alpha}e^{\mp k_\alpha\tau}(i=\pm 1,\pm 2,\cdots,\pm n).$$

$k^2=0$ の特解として, $B(\tau)=a+b\tau$, $I_i(\tau)=a+b\mu_i+b\tau$, とすれば, 完全解は,

$$I_i(\tau) = \left[\sum_{\alpha=1}^{n-1}\frac{L_\alpha}{1+\mu_ik_\alpha}e^{-k_\alpha\tau}+\sum_{\alpha=1}^{n-1}\frac{L_{-\alpha}}{1-\mu_ik_\alpha}e^{k_\alpha\tau}+a+b(\tau+\mu_i)\right]$$

$(i=\pm 1,\pm 2,\cdots,\pm n)$ となる. 半無限平面では, $\tau\to\infty$ で $L_{-\alpha}=0$ $(\alpha=1,2,\cdots,n-1)$. 表面 $(\tau=0)$ で, $\sum_{\alpha=1}^{n-1}L_\alpha/(1-\mu_ik_\alpha)+a-b\mu_i=0$. このとき $J(\tau)=a+b\tau+(1/\varpi)\sum_{\alpha=1}^{n-1}L_\alpha e^{-k_\alpha\tau}$. たとえば, 第一近似 $(n=1)$ では,

$$k=\pm\sqrt{3(1-\varpi)},\quad L_\alpha=\left(1-\frac{1}{\sqrt{3}}\right)\left(\frac{1}{3}b-a\right),\quad S(\tau)=a+b\tau+\varpi\frac{\frac{1}{3}b-a}{1+\frac{1}{\sqrt{3}}k}e^{-k\tau}.$$

7.5 以下のようなフォートリエ変数を導入する:

$$j_\nu(p,z) \equiv \frac{1}{2}\left[I_\nu^+(p,z)+I_\nu^-(p,z)\right],\quad h_\nu(p,z) \equiv \frac{1}{2}\left[I_\nu^+(p,z)-I_\nu^-(p,z)\right].$$

モーメント量は以下となる:

$$J_\nu(r) = \frac{1}{r}\int_0^r p(r^2-p^2)^{-1/2}j_\nu(p,r)dp,\quad H_\nu(r)=\frac{1}{r^2}\int_0^r ph_\nu(p,r)dp,$$

$$K_\nu(r) = \frac{1}{r^3}\int_0^r p(r^2-p^2)^{1/2}j_\nu(p,r)dp.$$

輻射輸送方程式を足したものと引いたものから，以下の式が得られる：

$$\frac{\partial h_\nu(p,z)}{\partial z} = \chi_\nu[S_\nu + j_\nu(p,z)], \quad \frac{\partial j_\nu(p,z)}{\partial z} = -\chi_\nu h_\nu(p,z).$$

さらに h_ν を消去すると，以下となる：

$$\frac{1}{\chi_\nu}\frac{\partial}{\partial z}\left[\frac{1}{\chi_\nu}\frac{\partial j_\nu(p,z)}{\partial z}\right] = j_\nu(p,z) - S_\nu(r).$$

第 8 章

8.1 $\Delta t = 1/A \sim 10^{-8}$ s. $\Gamma = 1/\Delta t = 10^8\,\mathrm{s}^{-1}$. $h\Delta\nu \sim \Delta E \sim (h/2\pi)/\Delta t$ より，$\Delta\nu \sim \Gamma/(2\pi)$. したがって，$\Delta\lambda \sim (\lambda^2/c)(\Gamma/2\pi) = 0.008$ pm （$\lambda = 400$ nm のとき）.

8.2 $v_{\rm th} = v_{\rm p} = \sqrt{2kT/m} = 1.29 \times 10^4\sqrt{T/\mu}\,\mathrm{cm\,s}^{-1}$ なので，H（$T = 10^4$ K, $\mu = 1$）のとき，$1.3 \times 10^6\,\mathrm{cm\,s}^{-1}$. $v_{\rm th}/c \sim 0.000043$, H$\alpha$ （656.3nm）のドップラー幅は 0.028 nm.

8.3 $\delta\lambda/\lambda_0 \sim 3.6 \times 10^{-4}$. $\delta\lambda \sim 0.2356$ nm.

8.4 $\varpi = 0$ および $\varepsilon = 1$ から $\lambda_\nu = 1$ および $S_\nu = B_\nu = a + b\tau_\nu/(1+\eta_\nu)$ となる．このときは，積分が簡単に実行できて，$I_\nu(0,\mu) = a + b\mu/(1+\eta_\nu)$, $H_\nu(0) = (1/2)[a/2 + b/(1+\eta_\nu)/3]$ などが解となる．一方，連続成分については，$\eta_\nu = 0$ と置いて，$I_c(0,\mu) = a + b\mu$, $H_c(0) = (1/2)(a/2+b/3)$ となる．なお，残差強度は，$R_\nu \equiv H_\nu(0)/H_c(0)$ なので，この例では，$R_\nu = 1 - (b/3)/(a/2+b/3) \times \eta_\nu/(1+\eta_\nu)$ となる．したがって，$\eta_\nu \ll 1$ の範囲では，$R_\nu \sim 1 - (b/3)/(a/2+b/3)\eta_\nu$ だが，$\eta_\nu \gg 1$ では，$R_\nu \sim 1 - (b/3)/(a/2+b/3)$ のように一定値へ近づくことがわかる．

8.5 表面温度 T_0 を使うと，エディントンモデルの温度分布は，$T^4 = T_0^4(1+3\tau/2)$ となるので，黒体輻射分布も $B = B_0 + B_0(3\tau/2)$ となる．このとき，$a = B_0$, $b = 3B_0/2$ とすると，$R_\nu = 0.5$ が得られる．振動数依存性などを丁寧に考慮した扱いは，Mihalas (1970) など参照．

8.6 吸収が中程度のとき（$\eta_0 \sim 1$, $x \gg 1$），$u = x^2$, $dx = du/2\sqrt{u}$, $\eta_0 = e^\alpha$ として，
$$\Phi \sim \int \eta_0 e^{-x^2}/(1+\eta_0 e^{-x^2})dx = (1/2)\int du/\sqrt{u}/(1+e^{u-\alpha}) = (1/2)\int du/\sqrt{u}[1 - e^{u-\alpha} - e^{2(u-\alpha)}\cdots]$$
と変形できる．積分は収束しないが，α が十分に大きければ，$\Phi \propto \sqrt{\log \eta_0}$ となる．
吸収が十分に大きければ（$\eta_0 \gg 1$, $x \ll 1$），$H \sim a/(\sqrt{\pi x^2})$ の減衰翼を入れて，$\Phi \sim \int 1/[1+1/(\eta_0 H)]dx = \int 1/[1+\sqrt{\pi}x^2/(a\eta_0)]dx = \sqrt{\pi a\eta_0}/2$ のように積分できる．

第 9 章

9.1 平面光源の強度を I_* とすると，$F = \pi I_*$, $cE = 3cP = 2\pi I_*$ になるので，$v = F/(E+P) = 3c/8$ となる．正確な値は $v = (4-\sqrt{7})c/3$ である（13 章例題 1）．

9.2 中心天体の輻射場を考慮した回転角方向の運動方程式は，

$$\frac{\partial v_\varphi}{\partial t} + \frac{v_r}{r}\frac{\partial}{\partial r}(rv_\varphi) = \frac{1}{r}\frac{d}{dt}(rv_\varphi) = -\frac{\kappa}{c}(E + P_{\varphi\varphi})v_\varphi$$

と表せる．十分遠方 ($R/r \ll 1$) では，$P_{\varphi\varphi} \ll E \sim L/(4\pi r^2)$ となり，1 章の (1.17) 式に帰着する．遠方でない場合は，$R/r = \sin\theta_*$ として，$E = (2\pi I/c)(1 - \cos\theta_*)$，$P_{\varphi\varphi} = (\pi I/3c)(1 - \cos\theta_*)(2 - \cos\theta_* - \cos^2\theta_*)$ なので，$E + P_{\varphi\varphi} = 2(L/4\pi R^2)(1 - \cos\theta_*)[1 + (2 - \cos\theta_* - \cos^2\theta_*)/6]$ となり，遠方よりも多少大きくなる．

9.3
$$\frac{\partial E}{\partial t} + \frac{\partial F_x}{\partial x} + \frac{\partial F_y}{\partial y} + \frac{\partial F_z}{\partial z} = \rho(j - c\kappa_E E),$$
$$\frac{1}{c^2}\frac{\partial F_x}{\partial t} + \frac{\partial P_{xx}}{\partial x} + \frac{\partial P_{xy}}{\partial y} + \frac{\partial P_{xz}}{\partial z} = -\rho\frac{\kappa_F + \sigma_F}{c}F_x,$$
$$\frac{1}{c^2}\frac{\partial F_y}{\partial t} + \frac{\partial P_{yx}}{\partial x} + \frac{\partial P_{yy}}{\partial y} + \frac{\partial P_{yz}}{\partial z} = -\rho\frac{\kappa_F + \sigma_F}{c}F_y,$$
$$\frac{1}{c^2}\frac{\partial F_z}{\partial t} + \frac{\partial P_{zx}}{\partial x} + \frac{\partial P_{zy}}{\partial y} + \frac{\partial P_{zz}}{\partial z} = -\rho\frac{\kappa_F + \sigma_F}{c}F_z.$$

9.4
$$\frac{\partial E}{\partial t} + \frac{1}{r}\frac{\partial}{\partial r}(rF_r) + \frac{1}{r}\frac{\partial F_\varphi}{\partial \varphi} + \frac{\partial F_z}{\partial z} = \rho(j - c\kappa_E E),$$
$$\frac{1}{c^2}\frac{\partial F_r}{\partial t} + \frac{1}{r}\frac{\partial}{\partial r}(rP_{rr}) + \frac{1}{r}\frac{\partial P_{r\varphi}}{\partial \varphi} - \frac{P_{\varphi\varphi}}{r} + \frac{\partial P_{rz}}{\partial z} = -\rho\frac{\kappa_F + \sigma_F}{c}F_r,$$
$$\frac{1}{c^2}\frac{\partial F_\varphi}{\partial t} + \frac{1}{r^2}\frac{\partial}{\partial r}(r^2 P_{\varphi r}) + \frac{1}{r}\frac{\partial P_{\varphi\varphi}}{\partial \varphi} + \frac{\partial P_{\varphi z}}{\partial z} = -\rho\frac{\kappa_F + \sigma_F}{c}F_\varphi,$$
$$\frac{1}{c^2}\frac{\partial F_z}{\partial t} + \frac{1}{r}\frac{\partial}{\partial r}(rP_{zr}) + \frac{1}{r}\frac{\partial P_{z\varphi}}{\partial \varphi} + \frac{\partial P_{zz}}{\partial z} = -\rho\frac{\kappa_F + \sigma_F}{c}F_z.$$

9.5
$$\frac{\partial E}{\partial t} + \frac{1}{r^2}\frac{\partial}{\partial r}(r^2 F_r) + \frac{1}{r\sin\theta}\frac{\partial}{\partial \theta}(\sin\theta F_\theta) + \frac{1}{r\sin\theta}\frac{\partial F_\varphi}{\partial \varphi}$$
$$= \rho(j - c\kappa_E E),$$
$$\frac{1}{c^2}\frac{\partial F_r}{\partial t} + \frac{1}{r^2}\frac{\partial}{\partial r}(r^2 P_{rr}) + \frac{1}{r\sin\theta}\frac{\partial}{\partial \theta}(\sin\theta P_{r\theta}) + \frac{1}{r\sin\theta}\frac{\partial P_{r\varphi}}{\partial \varphi}$$
$$- \frac{P_{\theta\theta}}{r} - \frac{P_{\varphi\varphi}}{r} = -\rho\frac{\kappa_F + \sigma_F}{c}F_r,$$
$$\frac{1}{c^2}\frac{\partial F_\theta}{\partial t} + \frac{1}{r^2}\frac{\partial}{\partial r}(r^2 P_{\theta r}) + \frac{1}{r\sin\theta}\frac{\partial}{\partial \theta}(\sin\theta P_{\theta\theta}) + \frac{1}{r\sin\theta}\frac{\partial P_{\theta\varphi}}{\partial \varphi}$$
$$+ \frac{P_{\theta r}}{r} - \frac{\cot\theta P_{\varphi\varphi}}{r} = -\rho\frac{\kappa_F + \sigma_F}{c}F_\theta,$$
$$\frac{1}{c^2}\frac{\partial F_\varphi}{\partial t} + \frac{1}{r^2}\frac{\partial}{\partial r}(r^2 P_{\varphi r}) + \frac{1}{r\sin\theta}\frac{\partial}{\partial \theta}(\sin\theta P_{\varphi\theta}) + \frac{1}{r\sin\theta}\frac{\partial P_{\varphi\varphi}}{\partial \varphi}$$
$$+ \frac{P_{\varphi r}}{r} + \frac{\cot\theta P_{\varphi\theta}}{r} = -\rho\frac{\kappa_F + \sigma_F}{c}F_\varphi.$$

第 10 章

10.1 灰色大気で κ_R が一定のときは,$T^4 = (3/4)T_{\rm eff}^3(\tau + 2/3)$, $p(\tau) = (g/\kappa_R - aT_{\rm eff}^4/4)\tau$, $P(\tau) = (aT_{\rm eff}^4/4)(\tau + 2/3)$ などとなる.ガス圧は表面で 0 になるが,輻射圧は 0 にならない.また G 型ぐらいだとガス圧が卓越しているが,高温度星になると輻射圧がかなり効いてきて表面近傍では β は小さくなる.

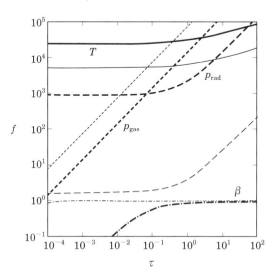

図 **D.4** 簡単な灰色大気の構造.細線は G0 型で太線は B0 型.実線が温度 T,短い破線がガス圧 p,長い破線が輻射圧 P,一点鎖線が β $[= p/(p+P)]$ 分布.

10.2 $r = \sqrt{\alpha_\nu L_\nu / 4\pi n_{\rm H} \alpha_{\rm A}} \sqrt{\xi/(1-\xi)}$. 典型的な値では,10 pc 付近で急変する.

10.3 光学的に厚い場合は,拡散近似の式から,$F \propto T^4/(\kappa_R \rho r)$ ぐらいになる.$\kappa_R \propto T^n$, $\rho \propto r^{-p}$, $F \propto r^{-2}$ なので,$T \propto r^{-(p+1)/(4-n)}$ になる.光学的に薄い場合は,RE の条件から,$T \propto r^{-2/(n+4)}$ となる.

10.4 独立変数 r を T に置き換える:$r = r_{\rm in}(T/T_{\rm in})^{-1/p}$, $dr = -(1/p)(r_{\rm in}/T_{\rm in})(T/T_{\rm in})^{-1/p-1}$.そうすると積分は,

$$S_\nu = \frac{4\pi h}{c^2} \frac{r_{\rm in}^2}{p} \nu^3 T_{\rm in}^{2/p} \int_{T_{\rm out}}^{T_{\rm in}} \frac{T^{-2/p-1}dT}{\exp(h\nu/k_B T) - 1}$$

のように変換できる.もう一度,$y = h\nu/k_B T$ という変数変換をすると,積分は,

$$S_\nu = \frac{4\pi h}{c^2} \frac{r_{\rm in}^2}{p} \left(\frac{k_B T_{\rm in}}{h}\right)^{2/p} \nu^{3-(2/p)} \int_{y_{\rm in}}^{y_{\rm out}} \frac{y^{(2/p)-1}}{e^y - 1} dy$$

という形にまとまる．ただしここで，積分範囲は，$y_{\rm in} = h\nu/k_{\rm B}T_{\rm in}$ と $y_{\rm out} = h\nu/k_{\rm B}T_{\rm in}(r_{\rm out}/r_{\rm in})^p$ である．変数変換した段階で，振動数は積分の外に吐き出されているので，振動数部分だけを取りだしてみれば，以下となっている：

$$S_\nu \propto \nu^{3-(2/p)} \quad \text{ただし範囲は} \quad \frac{k_{\rm B}T_{\rm in}}{h}\left(\frac{r_{\rm in}}{r_{\rm out}}\right)^p \ll \nu \ll \frac{k_{\rm B}T_{\rm in}}{h}.$$

10.5 モーメント量は，$F = F_{\rm s} = \pi I^*$，$3cP = cE = 3F_{\rm s}(2/3+\tau)$ となる．外向き輻射強度 $I(\tau, \mu)$（$\mu > 0$）と内向き輻射強度 $I(\tau, -\mu)$ はそれぞれ，

$$I(\tau, \mu) = \frac{3F_{\rm s}}{4\pi}\left[\frac{2}{3}+\tau+\mu - \left(\frac{2}{3}+\tau_{\rm b}+\mu\right)e^{(\tau-\tau_{\rm b})/\mu}\right] + I(\tau_{\rm b},\mu)e^{(\tau-\tau_{\rm b})/\mu},$$

$$I(\tau,-\mu) = \frac{3F_{\rm s}}{4\pi}\left[\frac{2}{3}+\tau-\mu - \left(\frac{2}{3}-\mu\right)e^{-\tau/\mu}\right]$$

のようになる．ただし，$I(\tau_{\rm b},\mu)$ は円盤赤道面での境界値である．赤道面での境界条件：$I(\tau_{\rm b},\mu) = I^* + I(\tau_{\rm b},-\mu)$ を用いると，外向き輻射強度は，

$$I(\tau,\mu) = \frac{3F_{\rm s}}{4\pi}\left[\frac{2}{3}+\tau+\mu + \left(\frac{4}{3}-2\mu\right)e^{(\tau-\tau_{\rm b})/\mu} - \left(\frac{2}{3}-\mu\right)e^{(\tau-2\tau_{\rm b})/\mu}\right],$$

のように表される．詳細は，Fukue and Akizuki（2006）参照．

10.6 灰色大気で $\kappa_{\rm R}$ が一定の場合は，

$$\frac{dp}{d\tau} = \frac{1}{\kappa_{\rm R}}\frac{GMz}{R^3} - \frac{dP}{d\tau},$$
$$\frac{dz}{d\tau} = -\frac{1}{\kappa_{\rm R}}\rho, \tag{D.27}$$

$p = (\mathcal{R}/\bar{\mu})\rho T$，$P = aT^4/3$ などとなる．加熱源がない場合や一様加熱の場合は，輻射圧分布（温度分布）が τ の簡単な関数になるので，これらの微分方程式を $\tau = 0$ で $p = 0$ になる条件で解けばよい．

10.7 詳細は，Fukue（2011）参照．

10.8 詳細は，Fukue（2013a, b）参照．

10.9 詳細は，Paczynski and Wiita（1980），Madau（1988）を参照．

10.10 平均強度および源泉関数は，

$$J(\tau) = S(\tau) = \frac{\varpi}{2}(I^+ + I^-) = \frac{\varpi I_*}{2\mathcal{D}}(1+\Delta)\left[e^{\Gamma(\tau_*-\tau)} - \Delta e^{-\Gamma(\tau_*-\tau)}\right]$$

となる．上向き，下向き，全流束は以下となる：

$$H^+(\tau) = \bar{\mu}\frac{I_*\Delta}{2\mathcal{D}}\left[e^{\Gamma(\tau_*-\tau)} - e^{-\Gamma(\tau_*-\tau)}\right], \quad H^-(\tau) = \bar{\mu}\frac{I_*}{2\mathcal{D}}\left[e^{\Gamma(\tau_*-\tau)} - \Delta^2 e^{-\Gamma(\tau_*-\tau)}\right],$$

$$H(\tau) = H^+(\tau) - H^-(\tau) = -\bar{\mu}\frac{I_*}{2\mathcal{D}}(1-\Delta)\left[e^{\Gamma(\tau_*-\tau)} + \Delta e^{-\Gamma(\tau_*-\tau)}\right].$$

第 11 章

11.1 $\dot{M}v^2/2 = L_*$ より，$\dot{M} = 2L_*/v^2$ 程度．速度は中心星の脱出速度で評価する．

11.2 $\dot{M}v = L_*/c$ より，$\dot{M} = L_*/(vc)$ 程度．これはすべての光子が 1 度だけ吸収・散乱される場合の話なので，単散乱上限（single scattering upper limit）と呼ばれる．

11.3 微分方程式を，臨界点（線）の近傍で，多変数のテイラー展開をして（ロピタルの定理を使ってもよい），1 次の項まで残し，係数行列 λ_{ij} を臨界点の物理量で評価する．臨界点の種類（トポロジー）は，この λ_{ij} を成分とする行列 Λ の固有値で決まる．行列 Λ の固有方程式は，

$$\lambda^3 + b\lambda^2 + c\lambda + d = 0, \quad b = -\mathrm{tr}\Lambda = -(\lambda_{11} + \lambda_{22} + \lambda_{33}),$$

$$c = \begin{vmatrix} \lambda_{11} & \lambda_{12} \\ \lambda_{21} & \lambda_{22} \end{vmatrix} + \begin{vmatrix} \lambda_{11} & \lambda_{13} \\ \lambda_{31} & \lambda_{33} \end{vmatrix} + \begin{vmatrix} \lambda_{22} & \lambda_{23} \\ \lambda_{32} & \lambda_{33} \end{vmatrix}, \quad d = -|\Lambda|$$

となっていて，一見，3 次方程式にみえるが，いまの場合は行列式 $|\Lambda|$ が常に 0 なので，固有方程式の根としては，

$$\lambda = \frac{1}{2}\left(-b \pm \sqrt{b^2 - 4c}\right)$$

を考えればよい．この固有値によって，臨界点のタイプは以下のようになる．

条件	根の符号	臨界点のタイプ
$c < 0$	正負の 2 実根	鞍点（saddle）
$c > 0$ かつ 判別式 > 0	同符号の 2 実根	結節点（node）
$c > 0$ かつ 判別式 $= 0$	重根	結節点（node）
$c > 0$ かつ $b = 0$	純虚数	渦心点（center）
$c > 0$ かつ 判別式 < 0	複素数	渦状点（spriral）

詳しくは Fukue（2014）を参照のこと．

11.4 固有値方程式は，形式的には，$\lambda^4 + b\lambda^3 + c\lambda^2 + d\lambda + e = 0$, のような 4 次方程式になるが，やや長い計算の末，$d = e = 0$ であることが導けるので，最終的には 2 次方程式に帰着する．詳しくは Fukue（2014）を参照のこと．

11.5 $R_{\mathrm{ph}} = R_0(1 - e^{-2\beta_\infty R_0/\dot{m}r_{\mathrm{g}}})^{-1}$ となり，常に $R_{\mathrm{ph}} > R_0$ に位置する．

11.6 $\kappa = \kappa_0 R^{-2}$ と置くと，$R_{\mathrm{ph}} = [\kappa_0 \dot{M}/4\pi(1+n)v]^{1/(1+n)}$ となる．

11.7 $v = \sqrt{2GM/R}$ と置くと，$\tau(R) = \kappa_{\mathrm{es}}\dot{M}/(2\pi\sqrt{2GMR})$，$R_{\mathrm{ph}} = \kappa_{\mathrm{es}}^2 \dot{M}^2/(8\pi^2 GM) = \dot{m}^2$ となる．$\dot{m}$ の 2 乗に比例する点に注意（Fukue and Sumitomo 2009）．

11.8 $L \sim 4\pi R^2 \sigma_{\mathrm{SB}} T^4/\tau$ で，$\tau = \sigma\rho R$ と $\rho = \dot{M}/(4\pi R^2 \gamma v)$ から，$L \sim (4\pi)^2 R^3 \gamma v \sigma_{\mathrm{SB}} T^4/(\sigma\dot{M}) = $ 一定 より，$T \propto R^{-3/4}$ となる．

11.9 $\kappa = \kappa_0 \rho T^{-7/2}$ と $T \propto R^{-b}$ を仮定すると，$L_{\mathrm{diff}} \propto R^{5-15b/2}$ となり，$b = 2/3$ すなわち $T \propto R^{-2/3}$ となる．

11.10 $v = \sqrt{2GM/R}$ のときは，$\tau = \sigma\dot{M}/(4\pi c)\sqrt{16/(r_{\mathrm{g}}r)}$ となり，条件 $v > c/\tau$

は，$R < \sigma \dot{M}/(4\pi c) = \dot{m} r_\mathrm{g}/2$ となる．天体風の場合も降着の場合も，捕捉半径は変わらない点が興味深い．

11.11　$L = 4\pi R^2 v(E+P) = 4\pi R^2 v(4acT^4)/3 = $ 一定　より，$T \propto R^{-1/2}$．

11.13　たとえば，特異点の解は $(r/v)(dv/dr) = \sqrt{1-n}$ となる．また特異点の半径は $r_\mathrm{c}/R_* = 1 + 1/[-n/2 + \sqrt{n^2/4 + 4 - 2n(n+1)}]$ となる．Hubeny and Mihalas (2014) 参照．

11.14　対数ポテンシャルでは速度場は一定になる．等温を仮定し（$p/\rho = c_\mathrm{T}^2 = $ 一定），速度場が等温音速に比例すると置く：$v_r = -c_1 \alpha c_\mathrm{T}$, $v_\varphi = c_2 c_\mathrm{T}$．このとき，たとえば，$H = \sqrt{c_\mathrm{T}^2/G\mu}r$, $\Sigma = (\dot{M}/2\pi)/c_1 \alpha c_\mathrm{T}/r$ などの解となる．また係数の間には，$c_1 = 1/c_2$, $c_2^2 = GM/c_\mathrm{T}^2 - 2$ という関係が成り立つ．

第 12 章

12.1　$(\omega^2 - c_\mathrm{s}^2 k^2)(\omega^2 + 2\omega_\mathrm{i} i \omega + c_\mathrm{rad}^2 k^2) = 0$

12.2　$v_1 \to v_\mathrm{D}$ で，$\rho_2/\rho_1 \sim c_\mathrm{s1}^2/(2c_\mathrm{s2}^2)$, $p_2 \sim p_1/2$, $v_2 \sim c_\mathrm{s2}$．$v_1 \to 0$ で，$\rho_2/\rho_1 \sim c_\mathrm{s1}^2/(c_\mathrm{s2}^2)$, $p_2 \sim p_1$, $v_2 \sim c_\mathrm{s2}/2$．

12.3　$v_1 \to v_\mathrm{D}$ で，$\rho_2/\rho_1 \sim c_\mathrm{s1}^2/(2c_\mathrm{s2}^2)$, $p_2 \sim p_1/2$, $v_2 \sim c_\mathrm{s2}$．$v_1 \to 0$ で，$\rho_2/\rho_1 \sim 0$, $p_2 \sim 0$, $v_2 \sim c_\mathrm{s2}^2/v_1 \to \infty$．

第 13 章

13.1　放射輸送方程式から，I_ν/ν^3 が LI であれば，S_ν/ν^3 も LI である．体積放射率 η_ν については，光子数が LI であることから，$(\eta_\nu/h\nu)d^3\boldsymbol{x} dt d\Omega d\nu = (\eta_{\nu_0}/h\nu_0)d^3\boldsymbol{x}_0 dt_0 d\Omega_0 d\nu_0$ が成り立つ．$d^3\boldsymbol{x} = \gamma^{-1} d^3\boldsymbol{x}_0$ と $dt = \gamma dt_0$ を使うと，$(\eta_\nu/\nu^2)\nu d\Omega d\nu = (\eta_{\nu_0}/\nu_0^2)\nu_0 d\Omega_0 d\nu_0$ となり，$\nu d\nu d\Omega$ が LI なので，η_ν/ν^2 が LI．また体積吸収係数 χ_ν に関しては，S_ν/ν^3 が LI なので，$\eta_\nu/4\pi = \chi_\nu S_\nu$ より，$\nu \chi_\nu$ が LI．最後に，光学的厚みは，

$$d\tau_\nu = \chi_\nu \boldsymbol{l} \cdot d\boldsymbol{x} = \nu \chi_\nu \frac{\boldsymbol{l} \cdot d\boldsymbol{x}}{\nu} = \nu_0 \chi_{\nu_0} \frac{\boldsymbol{l}_0 \cdot d\boldsymbol{x}_0}{\nu_0} = d\tau_{\nu_0}$$

より，光学的厚み自体が LI．光学的厚みが無次元量であることからも自明である．

13.2　輻射強度を I_* とすると，静止系でのモーメント量は，$J = I_*/2$, $H = I_*/4$, $K = I_*/6$ となる．変換則より，静止系では，$J_0 = \gamma^2(1 - \beta + \beta^2/3)I_*/2$, $K_0 = \gamma^2(\beta^2 - \beta + 1/3)I_*/2$ となるので，

$$f(\mathrm{pp}) \equiv \frac{K_0}{J_0} = \frac{1 - 3\beta + 3\beta^2}{3 - 3\beta + \beta^2}.$$

球対称光源の場合は，光源を見込む角度を θ_* とすると（Fukue 2014b），

$$f(\mathrm{sph}) = \frac{1 + \cos\theta_* + \cos^2\theta_* - 3(1 + \cos\theta_*)\beta + 3\beta^2}{3 - 3(1 + \cos\theta_*)\beta + (1 + \cos\theta_* + \cos^2\theta_*)\beta^2}.$$

13.3　速度一定の場合の相対論的ミルン–エディントン解については，Fukue (2008b) を参照．

13.4 具体的な解の例については，Fukue（2014b）を参照．

13.5 Fukue（2017a, b）を参照．

13.6 連続の式（13.78）を変形すると，$(1/\sqrt{-g})\partial_\mu(\sqrt{-g}u^\mu) = -(u^\mu/n)\partial_\mu n$ が得られる．これを用いると，エネルギー式（13.85）の左辺は，$u\mu\partial_\mu\varepsilon - [(\varepsilon+p)/n]u^\mu\partial_\mu n$ となり，さらに変形して，$nu^\mu\partial_\mu(\varepsilon/n) + npu^\mu\partial_\mu(1/n)$ となる．また，熱力学の恒等式より，$Td(\sigma/n) = d(w/n) - (1/n)dp = d(\varepsilon/n) + pd(1/n)$ なので，エネルギー式（13.85）の左辺は，$Tnu^\mu\partial_\mu(\sigma/n)$ となる．断熱過程は等エントロピー過程でもある．

13.7 具体的な解の例については，Fukue（2011a）を参照．

13.8 具体的な解の例については，Fukue（2011b, 2012）などを参照．

13.9 11.1.6 節と同じ計算をすると，$R_{\rm ph} = \dot{m}(1-\beta)r_{\rm g}/(2\beta)$ となる．β が大きいと光球半径は非相対論より小さくなる．また見かけの光球面の形状としては，$\tau(z) = (\dot{m}/2\beta)(r_{\rm g}/r)\left[\pi/2 - \tan^{-1}(z_{\rm ph}/r) - \beta(1+z_{\rm ph}^2/r^2)^{-1/2}\right]$ が得られる．速度が小さいときは z 軸付近の形状が凸型だが，光速に近づくと凹型になり，奥の方まで透けてくる．

13.10 ガス圧優勢な場合は相対論的断熱衝撃波と同じ条件式になる（第1巻参照）．輻射圧優勢な場合など詳細は，Fukue（2019a, b）や Kato and Fukue（2020）など参照．

索引

数字・アルファベット

$\sqrt{\varepsilon_\nu}$ 則	237
0 次のモーメント式	96
1 次のモーメント式	98
2 流近似 TSA	128
4 元力	328
BAL クェーサー	278
CAK 理論	273
dex	356
D タイプ	302
D 臨界タイプ	305
f 値	177
K 積分	87
M1 クロージャー	115
M タイプ	304
n 次のモーメント	83
R タイプ	302
R パラメータ	295
R 臨界タイプ	304
X 線バースター	255

あ

アインシュタイン係数	37
圧力広がり	177
亜臨界点	267
アルベド	243
イオン化ポテンシャル	35
位相関数	53
位相空間	206
一様	46
一般化されたキルヒホッフの法則	69
移流	306
移流光度	271, 332
移流流束	332
色温度	30
インパクトパラメータ法	163
ウィーン則	25
ウィーンの変位則	25
ウィーン分布	24
ウォルフ–ライエ星	216
宇宙ジェット	277
運動方程式	15
エディントン–クルーク境界条件	120
エディントン–バービエ関係	125
エディントン因子	110
エディントン近似	100, 112
エディントン光度	7, 218
エディントン時間	18
エディントン質量降着率	8
エディントンテンソル	113
エディントン・パラメータ	284
エディントン比	254
エディントンモデル	217
エディントン流束	86
エネルギー準位	169
エネルギー保存の式	16
円盤黒体輻射	233
音響波	291
音波モード	296

か

過安定性	308
回転遷移	171
ガウント因子	104, 345
拡散近似	103
拡散光度	268, 332
拡散内部領域	108
拡散長さ	57
拡散流束	332
風方程式	257
加速ラムダ反復解法	159
換算等価幅	187
完全再分配	189
観測者系	316

カンパニーツ方程式	369	光学的深さ	49
緩和領域	298	光球	12
擬光球	269	光球半径	268
希釈因子	85	光行差	317
偽収束	158	光子破壊確率	57, 64, 100
輝線	14	光子泡	306
基底状態	169	光子捕捉	270
輝度	46	光子捕捉半径	270
輝度温度	28	恒星風	254
輝度不変の原理	48	光線	46
逆コンプトン散乱	366	降着円盤	90, 232
球形因子	116	降着円盤風	277
吸収	38	効率	9
吸収係数	51	黒体輻射	20
吸収線	14	黒体輻射スペクトル	20
吸収の深さ	172	固体微粒子	4
求積法	152	コヒーレント散乱	190
球面調和関数法	147	固有値方程式	154
狭輝線セイファート1型銀河	278	混合系	322
共動系	316	コンプトン y パラメータ	369
共鳴散乱	189	コンプトン化	369
局所熱力学平衡	43	コンプトン加熱	353
キルヒホッフの法則	21	コンプトン散乱	365
ギロチン因子	104, 345	コンプトンの公式	366
金属	345	コンプトン波長	366
空気関数	72	コンプトン冷却	353
クライン–仁科の公式	367		
クラマースの式	104	**さ**	
クロージャー関係	99	最終散乱面	269
系外惑星	244	最終速度	280
形式解	65, 121	サイズパラメータ	54
ケルビン–ヘルムホルツ不安定	306	再分配関数	191
減光係数	52	撮像	12
減衰定数	175	サハの式	33
減衰翼	176, 181	散逸質量	313
源泉関数	63	残骸円盤	11
光学的厚み	49	残差強度	172
光学的に厚い	2, 49	散乱確率密度	53
光学的に薄い	2, 50	散乱係数	52

散乱再分布関数	53, 321	振動遷移	171
散乱を考慮した源泉関数	64	水滴量	82
ジーンズ不安定性	310	ステファン–ボルツマンの定数	5, 26
自己遮蔽効果	226	ステファン–ボルツマンの法則	26
自己相似解	283	ストークスパラメータ	78
自己相似的取り扱い	283	ストレームグレン球	222
自然広がり	174	ストレームグレン半径	225
自然放射	38, 189	スペクトル型	14
実効平均行程	57	スペクトル分類	14
質量吸収係数	52	星間吸収	61
質量降着率	255	星間減光	61, 230
質量光度関係	215	星間塵	230
質量損失率	255	星間赤化	230
質量放射率	51	静止系	316
質量流出率	255	正則性条件	275
シャスター–シュバルツシルト問題	146	成長曲線	187
自由–自由遷移	170	積分指数関数	148
周縁減光係数	136	雪線	6
周縁減光効果	12, 133, 141	摂動状態	291
周縁増光効果	236	ゼルドビッチ・スパイク	300
重元素	345	遷移	169
修正黒体輻射スペクトル	237	線吸収	255
終端速度	280, 333	前駆領域	298
自由落下時間	3	全黒体輻射強度	26
自由流	108	線スペクトル	14
重力不安定	306	全輻射強度	47
出射強度	122	全輻射流束	86
状態密度	23	線輻射力駆動	271
状態和	32	占有数	23
衝突電離	221	線輪郭	169, 173
衝突広がり	177	相対的ドップラー効果	317
衝突励起	189	相対論的形式解	327
シルク減衰	312	相対論的ビーミング	318
シルク質量	313	相対論的輻射性衝撃波	337
新星	255	相対論的輻射輸送方程式	321, 322
新星風	255	相対論的不変量	318
真性輻射輸送法	167	相対論的プラズマ	364
振動子	175	相対論的マクスウェル–ボルツマン分布	
振動子強度	177		361

相反温度	32
束縛–自由遷移	170
束縛–束縛遷移	169
測光	12
ソボレフ近似	192
ソボレフ光学的厚み	195, 272
ソボレフ長	193

た

大気減光	72
体積放射率	20
大速度勾配近似	193
対流	306
多孔質	266
多孔性風理論	266
ダスト駆動型恒星風	266
畳み込み	179
脱出確率	193
脱励起	189
単散乱アルベド	57, 64, 100
単色	121
単色輻射流束	86
弾性散乱	96
短特性線法	167
断熱音速	291, 363
断熱音波	291
逐次近似法	147
チャップマン–エンスコグ近似	206
チャンドラセカールの解	152, 153
中性子星風	255
超エディントン光度	8
超エディントン天体	278
超エディントン風	266
超高速アウトフロー天体	278
超光度 X 線源	278
長特性線法	166
超臨界降着流	281
直線流近似	126
塵粒子	230

強い D タイプ	305
強い R タイプ	304
停在密度	31
定常	46
デブリ円盤	11
電子圧	35
電子遷移	171
電離エネルギー	35, 221
電離衝撃波面不安定性	308
電離度	35
電離波面	301
電離平衡	33
等温衝撃波	343
等価幅	172
統計的重み	31
等方化層	108
等方散乱	53
等方的	46
特性方程式	154
ドップラー・プロファイル	179
ドップラー核	181
ドップラー幅	178
ドップラー広がり	178
トムソン散乱	52

な

熱化長さ	57, 108
熱化半径	270
熱化面	270
熱的不安定	306
熱力学抵抗	43

は

灰色	46
はくちょう座 P 型星線輪郭	254
パッシェン系列	171
ハリントン–ノイフェルド解	203
バルマー系列	171
反射能	57, 243

半値幅	172	輻射輸送	2, 45
半透明	50	輻射輸送方程式	58
反復解法	147	輻射輸達	2
半無限媒質	118	輻射流束	86
日影不安定性	306	輻射流体力学	2, 205
光電離	221	輻射流体力学の方程式	17
比強度	45	輻射領域	298
非局所的	43	輻射力	2, 6, 330
非局所熱力学抵抗	43	輻射力駆動風	253
非摂動状態	291	輻射力倍増因子	273
非弾性散乱	96	輻射冷却	3
非平衡拡散近似	261, 298	不透明	49
標準降着円盤モデル	232	不透明度	49, 52
表面輝度	122	部分再分配	190
不安定性	306	プランク分布	22
ファンネル	280	プロファイル関数	174
フィック則	103, 113	分光	12
フォークト・プロファイル	181	分散関係式	291
フォークト関数	180	分配関数	32
フォートリエ法	159	分布関数	206
輻射	1	平均自由行程	48
輻射圧	16, 87	平均輻射強度	84
輻射エネルギー密度	16, 84	平衡拡散近似	257, 298, 337
輻射音波	292	平行平板近似	71
輻射拡散方程式	100	閉包関係	99
輻射拡散モード	296	ヘニエイ–グリーンシュタインの位相関数	54
輻射加熱	3		
輻射強度	45	偏光	12
輻射減衰	176, 312	変動エディントン因子法	147, 161
輻射性衝撃波	298	変動エディントンテンソル法	161
輻射抵抗	10, 210, 211, 330	ポアソン方程式	17
輻射伝導方程式	105	ポインティング–ロバートソン効果	10
輻射熱伝導係数	213	放射	1
輻射熱伝導率	105, 213	放射係数	50
輻射粘性	212	放射照度	86
輻射粘性係数	213	放射性減衰	174
輻射場のエネルギー–運動量テンソル	319	放射定数	27
輻射平衡	97	放射不良降着流	281
輻射優勢降着流	253	放射率	50

ホップ関数	101, 142
ボルツマン数	295
ボルツマンの式	32
ボルツマン方程式	206

ま

マイクロクェーサ	277
マクスウェル–ボルツマン分布	359
マジックスピード	280
マルシャク波	298
ミー散乱	52
見かけの光球面	269
ミルン–エディントン解	135, 136
ミルン–エディントン近似	130
ミルン–エディントン方程式	184
メーザー	70
メッシュ法	166
モデル大気	218
モンテカルロ法	147, 166

や

有効温度	30
有効光学的厚み	57, 131
有効断熱指数	363
誘導放射	189
弱い D タイプ	305
弱い R タイプ	303

ら

ライマン系列	171
ラインロッキング機構	271
ラムダ反復解法	151, 158
ランベルト表面	120
力学的拡散半径	270
離散化法	147
理想気体の状態方程式	16
粒子法	166
流束制限拡散近似	114
流束制限子	114
流体系	316
リュードベリの公式	170
臨界線	260
臨界点	260, 264
臨界半径	227, 281
臨界密度	40, 355
励起エネルギー	31
励起状態	169
冷却関数	349
零値幅	172
レイリー–ジーンズ則	25
レイリー–ジーンズ分布	24
レイリー–テイラー不安定	306
レイリー散乱	52
連続衝撃波	343
連続スペクトル	14
連続の式	15
ローレンツ・プロファイル	176
ローレンツ不変量	318
ローレンツ変換テンソル	317
ロスランド近似	102
ロスランド平均不透明度	104

梅村雅之
うめむら・まさゆき

1957年，東京都葛飾区生まれ．
82年，北海道大学理学部物理学科卒業．
現在，筑波大学特命教授．理学博士．
専門は，銀河形成，ブラックホール物理，輻射流体力学，宇宙生命．

福江 純
ふくえ・じゅん

1956年，山口県宇部市生まれ．
78年，京都大学理学部宇宙物理学科卒業．
現在，大阪教育大学名誉教授．理学博士．
専門は，ブラックホール天文学，天文教育，相対論的宇宙輻射流体力学．

野村英子
のむら・ひでこ

1972年，東京都練馬区生まれ．
96年，京都大学理学部宇宙物理専攻卒業．
現在，国立天文台教授．博士（理学）．
専門は，理論天文学，星惑星系形成，星間物理・化学．

輻射輸送と輻射流体力学［改訂版］
シリーズ〈宇宙物理学の基礎〉3巻

2016年12月25日　第1版第1刷発行
2024年3月15日　改訂版第1刷発行

著　　者　梅村雅之・福江 純・野村英子
発　行　所　株式会社 日本評論社
　　　　　〒170-8474 東京都豊島区南大塚3-12-4
　　　　　電話 03-3987-8621（販売）03-3987-8599（編集）
印　　刷　三美印刷
製　　本　牧製本印刷
ブックデザイン　原田恵都子（ハラダ＋ハラダ）

ⒸMasayuki Umemura & Jun Fukue & Hideko Nomura 2016, 2024　Printed in Japan　ISBN978-4-535-79012-4

JCOPY　〈(社)出版者著作権管理機構 委託出版物〉
本書の無断複写は著作権法上での例外を除き禁じられています．複写される場合は，そのつど事前に，(社)出版者著作権管理機構（電話 03-5244-5088, FAX 03-5244-5089, e-mail:info@jcopy.or.jp）の許諾を得てください．また，本書を代行業者等の第三者に依頼してスキャニング等の行為によりデジタル化することは，個人の家庭内の利用であっても，一切認められておりません．